1

Samantha Arnold hatte sich erst selbst erdrosselt, sich anschließend die Hände auf dem Rücken gefesselt und in einem halben Meter Tiefe ertränkt. Die Polizei im Distrikt Thames Valley sah keinerlei Anlaß, ein Verbrechen zu vermuten.

Tatsächlich könnte man mit einem gewissen Maß an düsterer Ironie sechs Monate Polizeiarbeit so zusammenfassen. Mit dem Ergebnis, es liege ein Selbstmord vor, wenn auch ein Selbstmord, der einzigartige akrobatische Fähigkeiten voraussetzte, wurden die polizeilichen Ermittlungen im Fall Samantha Arnold beendet.

Dennoch würde in Anbetracht der konkreten Umstände des Todes von Samantha Arnold kein Polizeibeamter der Welt glauben, daß es sich um Selbstmord handelte.

Es war eine ältere Dame, Marjorie Warren, die bei ihrem Morgenspaziergang mit dem Hund die Leiche am Taplow Lake entdeckte. Die tote Frau lag etwa hundert Meter von der stark befahrenen Autobahn A 4 gut sichtbar da.

Marjorie Warren ging selbst ins Wasser und zog die Tote an Land. Es gab keinerlei Zweifel, daß es für Rettungsversuche zu spät war. Anschließend begab sich Mrs. Warren mit raschen Schritten zur Polizeistation an der A 4, meldete als gute britische Staatsbürgerin ihren Fund und hinterließ Namen und Adresse.

Die uniformierten Polizeibeamten, die als erste am Fundort erschienen, kamen sofort zu dem Schluß, daß es sich um Mord handelte. Sie sperrten die Umgebung ab und zogen die Kriminalpolizei hinzu.

Die Kriminalbeamten, die weniger als eine halbe Stunde später erschienen, zogen die gleichen Schlußfolgerungen. Die äußeren Umstände schienen eine sehr deutliche Sprache zu sprechen.

Die tote Samantha Arnold hatte einen Knebel im Mund. Um ihren Hals lag eine Schlinge. Ihre Beine waren mit einem Elektrokabel zusammengebunden, die Hände auf dem Rücken mit einem blauen Sprungseil gefesselt. Sie trug Blue Jeans, Hemd und Weste sowie hochhackige Schuhe.

Siebenunddreißig Meter vom Fundort entfernt stand ihr Wagen. Auch das Fahrzeug wies eine Reihe von Anzeichen auf, die auf ein

Verbrechen hindeuteten. Der Wagen war offensichtlich durchsucht worden. In einem Umkreis von fünf Metern lagen zahlreiche Papiere und Gegenstände verstreut. Einige Dinge fehlten jedoch, von denen die wichtigsten Samantha Arnolds Handtasche sowie die Autoschlüssel waren. Weder der erste noch der zweite Gang des Getriebes funktionierten, doch der Grund für diese Störung wurde nie ermittelt, oder, falls doch, wurden keine Ergebnisse dieser Ermittlung mitgeteilt.

Hingegen konnte mit großer Sicherheit rekonstruiert werden, was Samantha Arnold in den vorhergehenden Stunden getan hatte. Weniger als sechsunddreißig Stunden vor ihrem Tod hatte sie in einem Restaurant in Maidenhead mit ihrem Freund zu Abend gegessen. Dieser wurde natürlich umgehend sehr gründlich verhört – er hatte ein einwandfreies Alibi. Er hatte in London zu tun gehabt und gute Freunde besucht.

Bei dem Essen, bei dem sich die beiden jungen Leute zum letzten Mal trafen, sprachen sie von ihren Plänen für den bevorstehenden Urlaub, über Arbeit und Zukunft und anderes, was als vollkommen normal gelten muß. Anschließend hatten sie die Nacht bei ihm verbracht. Samantha war früh aufgestanden, was sie damit erklärte, daß sie versprochen habe, zu Hause den Rasen zu mähen.

Was sie auch tat. In dem Haus in Neville Close, das sie mit zwei Freundinnen teilte, galt ein rotierender Plan für bestimmte Gemeinschaftsarbeiten, und sie war an der Reihe gewesen, sich um den Rasen zu kümmern. Doch da das Kabel ihres elektrischen Rasenmähers schadhaft war, war sie zunächst zu dem drei Kilometer entfernten Haus ihrer Eltern gefahren und hatte sich dort von ihrem Vater ein neues Kabel geliehen.

Anschließend mähte sie den Rasen und verstaute einige schwarze Plastiksäcke mit Gras im Kofferraum ihres schwarzen Vauxhall Cavalier, warf das Rasenmäherkabel auf den Rücksitz und fuhr los. All dies wurde von ihrer Freundin Fiona Oyston beobachtet, die gerade im Obergeschoß saubermachte. Fiona Oyston sah den schwarzen Wagen starten und losfahren (ohne irgendeinen Fehler bei den ersten beiden Gängen zu bemerken), doch sie sah nicht, welche Richtung der Wagen einschlug. Sie ging davon aus, daß Samantha nach rechts fuhr, zum Haus ihrer Eltern.

Doch statt dessen mußte der Wagen nach links abgebogen und elf Kilometer bis zum Taplow Lake gefahren sein.

Ihr Vater sah Samantha nie mehr lebend wieder, nachdem er ihr das Rasenmäherkabel geliehen hatte. Samantha hätte nicht nur mit dem Kabel, sondern auch mit geschnittenem Gras, das sie immer auf den Komposthaufen der Eltern warf, zurückkommen sollen. Doch da keins dieser Vorhaben als besonders dringlich angesehen werden konnte, nahm der Vater an, daß irgend etwas dazwischengekommen war und Samantha offenbar die Unbequemlichkeit nicht auf sich nehmen wollte, die für den nächsten Tag geplante Reise nach Bournemouth damit zu beginnen, den Komposthaufen der Familie aufzusuchen.

Als Samanthas beschädigter Wagen an dem Ort aufgefunden wurde, den alle Polizisten der Welt als Tatort ansehen würden, fehlte das geschnittene Gras im Kofferraum. Die leeren Plastiksäcke lagen jedoch auf dem Beifahrersitz. Das Elektrokabel des Rasenmähers war um Samanthas Beine gewickelt. Unter dem Fahrersitz lag ein Geschenk, das eindeutig für ihren Freund gedacht gewesen war.

Insgesamt war es also selbstverständlich, daß die Thames Valley Police zunächst mit einer Mordtheorie arbeitete. Samanthas Angehörige und Freunde konnten sich ebenfalls nichts anderes vorstellen. Der Gedanke an Selbstmord kam erst nach einiger Zeit auf, und zwar bei der Polizei, nicht etwa bei Verwandten und Freunden der Toten.

Das erste Problem der Polizei war das Fehlen von Zeugen. Man machte einen LKW-Fahrer ausfindig, der ganz in der Nähe des schwarzen PKW über Nacht geparkt hatte. Der Mann erinnerte sich noch deutlich, daß eine Vordertür des Wagens offen gewesen war, doch, wie er erklärte, habe er sich nicht einmischen wollen, da der Ort, an dem der Wagen stand, offenbar so etwas wie eine romantische Anziehungskraft besaß. Es war üblich, daß junge Paare gerade hier hielten.

Als einige Zeit mit diffuser Polizeiarbeit ohne greifbaren Erfolg vergangen war, meldeten sich Samanthas Eltern bei der beliebten BBC-Sendung »Gesucht wird …« Dort reagierte man, wenn auch eher halbherzig, und brachte ein kurzes Feature, in dem die laufende Mordermittlung beschrieben wurde. Eventuelle Zeugen wurden gebeten, sich zu melden. Man zeigte auch ein Foto von Samantha Arnolds verschwundener Handtasche und dem Schlüsselbund mit dem Wagenschlüssel.

Der Fernsehsender erhielt kurz darauf einen interessanten Tip eines Mannes, der Samantha Arnold wiederzuerkennen behauptete. Er meinte, sich an Zeit und Ort zu erinnern sowie an einen elegant gekleideten Mann neben einem grünen BMW. Später stellte sich heraus, daß dieser Hinweis die Polizei entweder nicht erreicht hatte oder bei der Ermittlungsarbeit irgendwie verlorengegangen war.

Erst zwei Monate später konnte ein Kriminalreporter in einer lokalen Zeitung mitteilen, daß die Polizei jetzt dazu neige, von Selbstmord auszugehen. Der springende Punkt war dabei natürlich das Motiv, und der Reporter wußte »von einer hochgestellten Quelle bei der Polizei« zu berichten, daß Samantha an panischer Angst vor AIDS gelitten habe und daß diese Furcht offenbar zu schwermütigen Grübeleien geführt habe, die in Depressionen und Selbstmord geendet hätten.

Als ihre aufgebrachten Eltern und Freunde am folgenden Tag die örtliche Polizei belagerten, wurden die Spekulationen über Selbstmord mit allgemeinen Phrasen dementiert wie etwa »Sie wissen doch, wie Journalisten sind«.

Die Selbstmordtheorie gewann jedoch so sehr an Boden, daß sie am Ende zur Grundlage der Untersuchungen wurde.

Demzufolge war es Samantha Arnold also mit großem Erfolg gelungen, jede Neigung zu Grübeleien und Depressionen zu verbergen, selbst vor ihren Eltern, ihrem Freund und ihren Mitbewohnerinnen.

Ihren Selbstmord hatte sie schließlich so arrangiert, daß er sowohl für Polizisten wie für Laien wie ein Mord aussehen mußte. Sie muß diesem Vorhaben beträchtliche intellektuelle Mühen gewidmet haben – man beachte nur das verschwundene Gras sowie die leeren Plastiksäcke auf dem Vordersitz. Ganz zu schweigen von der nicht auffindbaren Handtasche, den verschwundenen Autoschlüsseln und dem schadhaften Getriebe. Ferner mußte sie dafür gesorgt haben, daß ihr Wagen so zugerichtet wurde, als wäre er in aller Hast durchsucht worden.

Die Wagenschlüssel mußte sie in nicht allzu großer Entfernung versteckt haben, denn der Wagen mußte schließlich dorthin gefahren worden sein, wo man ihn vorfand – das ganze Gelände wurde zu Beginn der Ermittlung durchsucht, als man noch von einem Mord ausging. Es wurden fünfzig Polizeibeamte mit Metalldetektoren eingesetzt – ohne Erfolg. Und dennoch waren dies noch die einfacheren Bestandteile von Samanthas Arrangements.

Möglicherweise kann man akzeptieren, daß sie sich einige blaue Flecken beibrachte, unter anderem an den Händen, blaue Flecken eines Typs, den man in der Sprache der Gerichtsmedizin Abwehrverletzungen nennt. Allerdings müßte man sich über die kriminologischen Kenntnisse der fünfundzwanzigjährigen Frau wundern: Woher sollte sie etwas von solchen Abwehrverletzungen gewußt haben?

Es ist auch kein Problem, sich selbst einen Knebel in den Mund zu stopfen. Man kann sich auch eine Schlinge um den Hals legen und sich damit Würgemale beibringen. Wenn man so weit gekommen ist, ist es auch keine Schwierigkeit, die eigenen Beine mit einem Stromkabel zu fesseln.

Dann wird es jedoch schwieriger. Erst danach sollte sie sich der Thames Valley Police zufolge mit einem Sprungseil die Hände auf dem Rücken gefesselt haben, um anschließend in dieser insgesamt äußerst seltsamen Ausstaffierung mit hohen Absätzen dreißig Meter zum Seeufer hinunterzuhüpfen und dann einen endgültigen, wenn auch sehr kurzen Sprung ins Wasser zu tun. Schließlich ertrank sie in fünfzig Zentimetern Tiefe.

Solche Schlußfolgerungen fordern natürlich jeden Kriminalreporter heraus. Und diese Reporter amüsierten sich königlich, unter anderem bei einer Pressekonferenz, bei der der Experte der örtlichen Polizei für Seemannsknoten et cetera behauptete, den Trick mit Selbstfesselung auf dem Rücken an sich ausprobiert zu haben; er verstummte jedoch, als ihm die höhnische Frage gestellt wurde, ob er das Experiment mit hochhackigen Schuhen durchgeführt habe, nachdem er sich erst die Beine mit einem Stromkabel zusammengebunden habe.

Der verantwortliche Gerichtsmediziner erregte mit seiner Erklärung, es sei durchaus üblich, daß Leute, die ins Wasser gehen wollten, sich einen Knebel in den Mund stopften, um nicht um

Hilfe schreien zu können, eine gewisse Begeisterung; wieviel Hilfe braucht man in fünfzig Zentimeter Tiefe?

Was die Presse verstummen ließ, war entweder eine entsetzliche Wahrheit oder ein zynischer Trick.

Off the record ließ die Polizei durchsickern, welches Motiv dem Selbstmord angeblich wirklich zugrunde lag. Samantha Arnolds vermeintliche Phobie in Sachen AIDS sei in Wahrheit eine beschönigende Umschreibung. Tatsächlich aber sei sie tief verzweifelt gewesen, weil sie ihr Leben lang von ihrem Vater sexuell mißbraucht worden sei.

Es war nicht ratsam, diese Erklärung zu drucken. Erstens würde sie den Hinterbliebenen schaden. Zweitens würden solche Angaben bei Klagen gegen die englische Presse einen Schadensersatz von mindestens zweihunderttausend Pfund zum Ergebnis haben.

Die Presse verstummte, und der Fall Samantha Arnold geriet bis auf weiteres in Vergessenheit.

*

Carl war völlig verunsichert, als er sich dem achtjährigen Jungen auf der Anlegebrücke näherte. Er schlich weiter, als würde er sich einem Feind von hinten nähern. In ein paar Metern Entfernung blieb er unentschlossen stehen und betrachtete die Szene.

Eine schwedische Anlegebrücke bei schönem Mittsommerwetter, eine leichte Brise, von Zeit zu Zeit eine Kräuselung der Wasserfläche, das grüne Schilf, das sich weich im Wind neigte, um sich dann wieder raschelnd zu erheben.

Dort saß ein kleiner Junge und angelte. Der rotweiße Schwimmer hüpfte behäbig ein paar Meter draußen im Wasser, und auf der frisch geteerten Anlegebrücke lagen drei kleine Barsche mit Haut und Schuppen, die, nach Größe geordnet, schon in der Sonne trockneten.

Der Junge hatte dunkles, aber kein schwarzes Haar, etwa so, wie Carl es bei seinem eigenen neugeborenen Sohn in einigen Jahren erwartete.

Er mußte den Jungen auf seine Seite ziehen, das war ebenso zwingend wie der Befehl eines Oberbefehlshabers. Er mußte den Jungen dazu bringen, seine Einstellung zu ändern, denn bisher waren Mißtrauen, Furcht und entschiedene Abneigung das einzige, was er zeigte.

Stan war Tessies Sohn. Carl und Tessie verfolgten die Absicht, mit List, Güte sowie mit mehr oder weniger echter Liebe, je nachdem, von welcher Seite, den Jungen in einem Sorgerechtsstreit zurückzugewinnen. Bisher war alles nach Plan gelaufen. Das Gericht in Santa Barbara hatte ein weitgehend gemeinsames Sorgerecht verfügt, wie es hieß. Daraufhin war Stan per Gerichtsbeschluß dazu gezwungen worden, von Kalifornien nach Schweden zu fliegen, um in den Sommerferien seine Mutter zu treffen.

Zwei Tage lang war Carl jeder Versuch einer Annäherung mißlungen; der freundlichste Ausdruck, den der kleine Flegel für ihn fand, war »dieser Mann da«. Tessie hatte Carl beschuldigt, sich nicht genug Mühe zu geben, und er hatte erwidert, es sei erstens gar nicht so leicht, und zweitens wolle er nach dem Grundsatz »Eile mit Weile« verfahren. Das war ein Begriff, der Tessie unbekannt war.

Jetzt hatte er sich auch noch an den mißtrauischen Achtjährigen angeschlichen. Er stand wie festgefroren da; wenn er jetzt zurückschlich, um sich dem Jungen etwas lauter zu nähern, würde er sich lächerlich machen.

»Hast du nachgesehen, was der Wurm macht?« fragte er plötzlich.

»Himmel, verdammt, du kannst einem vielleicht Angst einjagen!« erwiderte der Junge, während er herumwirbelte. »Aber du bist wahrscheinlich so einer, der sich an Leute anschleicht«, fuhr er sauer fort und wandte sich erneut dem Schwimmer zu, den er jetzt mit einer alles verschlingenden Konzentration im Auge zu behalten schien. Carl stand eine Weile unentschlossen da.

»Gerade hier vor der Brücke ist es ziemlich tief. Wir haben den Grund nämlich ausgebaggert, damit ein Boot hier Platz hat. Wie wär's, wenn du es ein wenig tiefer versuchst, näher am Seeboden?« fragte Carl mit angestrengter Freundlichkeit.

»Glaub ja nicht, daß du mir was über Fische beibringen kannst. Ich bin am Meer aufgewachsen«, erwiderte der Junge mürrisch.

»Das bin ich auch. Ich bin an schwedischen Gewässern aufgewachsen, genau dort, wo diese Fische wohnen. Glaub mir, die gehen ein bißchen tiefer, zumindest die großen«, sagte Carl lahm. Er fühlte sich völlig deplaziert.

Der Junge antwortete nicht, und Carl blieb schweigend hinter ihm stehen. Plötzlich schien der Junge sich anders zu besinnen und zog entschlossen den Köder aus dem Wasser. Er nahm die Schnur und schob den Schwimmer ein wenig höher, um Wurm und Haken tiefer sinken zu lassen.

»Warte!« sagte Carl, dem gerade eine Eingebung kam. »Dieser Wurm sieht nicht mehr sehr munter aus, und außerdem haben die Plötzen an beiden Enden schon was abgeknabbert.«

Er fing den Haken ein und streifte die Wurmreste ab. Dann kramte er aus der Kaffeedose, die er am Morgen selbst mit Erde und Regenwürmern gefüllt hatte, zwei Würmer hervor. Er riß einen Wurm in kleine Stücke, die er in einem kreisförmigen Muster von der Brücke ins Wasser warf, und befestigte schnell den zweiten Wurm am Haken.

»Jetzt wollen wir mal sehen«, sagte er mit übertrieben gespielter Erwartung und warf die Schnur aus.

»Warum hast du das gemacht?« fragte Stan neugierig.

»Ganz einfach, Kleiner«, erwiderte Carl, der mit Bedacht das englische Wort *kid* und nicht *son* gewählt hatte, »wir bringen den Barschen jetzt bei, daß Würmer etwas Leckeres sind. Überall da unten im Dunkeln sinken jetzt ungefährliche kleine Wurmstücke zu Boden. Stell es dir vor: Die Barsche naschen ein bißchen davon und entdecken, daß Würmer was Schönes sind, nicht wahr? Und dann beißen sie an und sitzen am Haken!«

Stan antwortete nicht, starrte aber mit sichtlich zunehmendem Interesse auf den Schwimmer.

So blieben sie eine Zeitlang sitzen und betrachteten den Schwimmer, der plötzlich mit einer schnellen Bewegung unterging. Der Junge schrie entzückt auf, riß intuitiv die alte Angelrute aus Bambus hoch und hatte den Fisch am Haken.

Einen Augenblick später lag ein Barsch zappelnd auf der Brücke. Er war dreimal so groß wie die anderen. Der Haken hatte sich tief ins Maul gebohrt.

Stan ergriff ihn mit beiden Händen, um ihn an der Brückenkante totzuschlagen, aber der glitschige Fisch rutschte ihm aus den Händen und verschwand wieder im Wasser, den Haken noch immer im Maul.

Als Stan die Rute erneut hochriß, ergriff Carl den an der etwas verhedderten Schur hängenden Barsch mit einer Hand. Dann stieß er dem Fisch den Daumen der anderen Hand schnell ins Maul und brach ihm mit einem Knacken das Genick. Vorsichtig zog er den Haken aus dem toten Fisch, legte die Wurmreste zur Seite und den Fisch neben die anderen Barsche. Dann griff er erneut nach der Dose mit den Regenwürmern.

»Himmel, den hast du aber schnell getötet«, keuchte Stan.

»Es ist wichtig, daß man sie schnell tötet«, erwiderte Carl ohne nachzudenken. Dann ging ihm auf, was er gerade gesagt hatte, und er beschloß, einige mildernde Worte hinterherzuschicken.

»Also, wenn wir uns schon das Recht nehmen, diesen Fisch zu töten, müssen wir zumindest dafür sorgen, daß er möglichst wenig leidet«, fuhr er verlegen fort, als er einen neuen Regenwurm auf den Haken streifte und die Reste des alten Wurms im selben Muster wie zuvor ins Wasser warf.

Fast augenblicklich biß wieder ein Fisch an, ein Barsch von der gleichen Größe wie der letzte. Diesmal wollte Stan ganz genau sehen, was Carl tat, um dem Fisch das Genick zu brechen. Dann saßen sie erneut gespannt und schweigend auf der Brücke und betrachteten den Schwimmer. Doch diesmal dauerte es.

»Glaubst du, sie sind inzwischen mißtrauisch geworden?« fragte Stan mit einem Anflug von Enttäuschung in der Stimme.

»Nix da, so schlau sind Fische nicht, aber sie kommen und gehen. Nur Geduld, dann kriegen wir wieder einen«, sagte Carl mit einem zufriedenen Zwinkern; er hatte das Gefühl, als würde jetzt auch bei ihm bald jemand anbeißen.

»Hast du das da, seitdem du unsere Hunde getötet hast?« fragte Stan nach einer Weile und zeigte mit einem Kopfnicken auf das Gewirr von weißen Narben auf Carls nacktem Unterarm.

»Mmh«, bestätigte Carl vorsichtig. »Tut mir leid, aber damals hatte ich kaum eine Wahl.«

»Ach was, scheiß auf die Hunde!« erwiderte Stan schnell. Carl mußte über den groben amerikanischen Ausdruck lächeln. »Ich hatte sowieso nicht viel für die Köter übrig. Aber hast du nicht Schiß gehabt? Diese verdammten Hunde jagen sonst allen Leuten eine Wahnsinnsangst ein.«

»Achte ein bißchen auf deine Sprache, junger Mann«, sagte Carl mit einem mühsam unterdrückten Lächeln. »Nein, man hat gar keine Zeit, vor solchen Hunden Angst zu haben. Wenn man Angst hat, erledigen sie einen. Hast du danach neue Hunde bekommen?«

Der Schwimmer tauchte erneut unter, und Carl hatte das Gefühl, als hätte ihn dieser neue Barsch gerettet wie der Gong einen angeschlagenen Boxer. Dies war mit Sicherheit eins der Themen, das er sich bei Gesprächen mit dem Jungen am wenigsten wünschte. Stan brach dem Barsch nach einigem Zögern selbst das Genick und streifte einen neuen Regenwurm auf den Haken.

»Papa sagt, du bist ein Mörder«, sagte Stan dann, als hätte er die ganze Zeit vorgehabt, auf diese Bemerkung hinzusteuern. Er sagte es mit abgewandtem Gesicht.

»Das ist eine ungerechte Beschreibung«, erwiderte Carl langsam und vorsichtig, während er verzweifelt überlegte, wie er fortfahren sollte: Sollte er alles als Bagatelle abtun und ein paar begütigende Worte sagen oder gestehen und alles romantisch verklären?

»Ich bin Marineoffizier. Ich habe in der schwedischen Marine einen Job gehabt, bei dem es dazugehört, daß man gegen die bösen Jungs kämpft. Man könnte sagen, daß ich etwas Glück gehabt habe, denn die bösen Jungs haben verloren, während ich gewonnen habe.«

»Und dann hast du ihnen den Hals durchgeschnitten!« erwiderte der Junge schnell mit fast eifrigem Tonfall und brachte Carl damit erneut aus dem Gleichgewicht.

»Nun ja …«, sagte er zögernd. »Gerade diese Methode ist wohl nicht so üblich, wie manche Leute glauben. Fußtritte und solche Dinge, die du in Filmen siehst, sind eher die Ausnahme. Wenn jemand ankommt und tritt und zappelt so wie diese Pyjamaringer, ist es doch praktischer, eine funktionierende Waffe in der Hand zu haben.«

»Das ist aber nicht fair!« wandte der Junge beinahe entrüstet ein.

»Wie wahr, wie wahr«, gab Carl zu. »Aber wir sprechen von Kriegshandlungen und nicht von Sport. Im Krieg gibt es nur die Regel, daß wir die Guten sind und gegen die anderen kämpfen, die Bösen. Es ist unser Job zu gewinnen, ihrer übrigens auch, und andere Regeln gibt es im Krieg nicht.«

Der Junge verstummte und wandte seine Konzentration wieder

dem rotweißen Korkschwimmer zu. Carl grübelte darüber nach, was Stans Vater seinem Sohn wohl über die schlechten Eigenschaften des anderen Mannes eingetrichtert hatte. Meuchelmörder, Spion und weiß der Himmel was sonst noch.

Er beschloß, dem Thema nicht auszuweichen. Stan war immerhin ein achtjähriger Amerikaner, der im Kino und im Fernsehen inzwischen mehr als fünfundzwanzigtausend Morde gesehen haben mußte; natürlich wußte er nicht, ob der Junge in seiner Phantasie zwischen der Fernsehwelt und der Wirklichkeit unterscheiden konnte. Doch es war sicher ein Gesprächsthema, das ihn faszinierte. Inzwischen hatte wieder ein Fisch angebissen. Die anschließende Prozedur, den Barsch vom Haken zu nehmen, ihm das Genick zu brechen und einen neuen Wurm auf den Haken zu streifen, gab Carl Zeit, sich zu entschließen, wie er die Unterhaltung fortführen sollte.

Doch als der Schwimmer wieder auf dem Wasser hüpfte, schlug Stan unerwartet eine ganz andere Richtung ein.

»Papa sagt, daß du auch Kommunist bist«, sagte er mit einem Tonfall, der um ein Dementi zu bitten schien.

Carl reagierte mit einer Gegenfrage. »Weißt du, was die SEALS der Navy sind?«

»Aber klar! Special Warfare Center auf Coronado in San Diego, das weiß doch jeder Idiot«, erwiderte Stan entrüstet, als wäre es eine absurde Vorstellung, daß ein normaler achtjähriger Amerikaner die militärischen Eliteeinheiten der Nation nicht kannte.

»Na schön«, sagte Carl und lächelte über den Eifer des Jungen. »Ich bin ein SEAL. Åke, der große Blonde, der gerade zu Besuch ist, ist auch einer. Du glaubst doch wohl nicht, daß die amerikanische Marine irgendwelche verdammten Kommunisten bei den SEALS der Navy zulassen würde?«

Der Junge sah ihn zunächst fragend und forschend an, doch dann sprudelte er begeistert los.

»Wow!« rief er aus. »Stimmt es wirklich? Bist du ein echter SEAL?«

»Aber ja, so echt, wie man nur sein kann«, lächelte Carl zufrieden und richtete einen gespielten, weichen, freundschaftlichen Schlag gegen das Gesicht des Jungen.

»Jesses! Du kannst also sozusagen hier ins Wasser tauchen und richtig verschwinden?«

»Aber ja«, sagte Carl. »Ich verschwinde hier im Wasser, du siehst nicht, wo ich bleibe, und entdeckst mich erst, wenn ich dich fünf oder zehn Minuten später berühre. Kinderleicht. Wie ein Spaziergang im Park.«

»Wollen wir um einen Dollar wetten?« sagte der Junge verschmitzt.

»Okay, um einen Dollar, abgemacht«, erwiderte Carl und stand auf. Er zog die Brieftasche aus der Gesäßtasche, reichte sie dem Jungen und stürzte sich ins Wasser. An der Anlegebrücke war das Wasser drei Meter tief. Der Mälarsee war an dieser Stelle um diese Jahreszeit so voller Algen, daß Carl nicht zu sehen war. Der Lichteinfall von der Oberfläche machte es ihm trotzdem leicht, sich zu orientieren. Er schwamm zunächst so nahe am Grund wie möglich vom Ufer weg und verschwand zwischen den langen Fäden der Wasserpest. Carl spürte plötzlich ein Glücksgefühl, als er mit ruhigen Zügen durch das kühle Wasser schwamm. Die Kleidung und die Turnschuhe bremsten seine Bewegungen, doch wenn er ökonomisch schwamm, würde er sich mindestens fünfzig Meter entfernen können, bevor er den Schilfgürtel erreichte. Der letzte Teil war schwierig: Er mußte ins Schilf hineinkommen, ohne es in eine Bewegung zu versetzen, die man an der Wasseroberfläche sehen konnte. Er zog sich langsam voran; seine Lungen drohten zu zerplatzen, und der Körper meldete den Sauerstoffmangel. Er zwang sich trotzdem noch mehrere Meter weiter, bevor er vorsichtig zwischen den Schilfhalmen auftauchte. Dann bog er sie langsam zur Seite und spähte hindurch. Er sah, wie Stan aufstand und intensiv aufs Wasser spähte.

Carl kroch langsam an Land und zog im Schutz des Schilfs seine Kleider aus. Mit den Kleidern in der Hand schlich er in einem weiten Halbkreis, bis er nahe der Brücke hinter einem dicken Ulmenstamm gleich neben dem Pfad zum Haus stehenblieb. Jetzt blieb noch der schwierigste Teil. Sollte er die Wette gewinnen oder nicht? Was würde dem Jungen am besten gefallen: Wenn er einen Dollar damit gewann, daß Carl den Versuch machte, sich draußen auf der Anlegebrücke von hinten anzuschleichen, um dann in ein paar Meter Entfernung entdeckt zu werden? Oder wenn Carl wartete, bis der Junge es nicht mehr aushielt und am Baum vorbei zum Haus lief, um die anderen zu alarmieren?

Die Entscheidung fiel Carl nicht leicht. Es war verführerisch zu warten, bis der Junge in Panik geriet und die Wette verlor. Darin läge so etwas wie Wahrheit. Es wäre pädagogisch richtig. Carl würde erklären können, daß es in Wirklichkeit genau so funktionierte.

Doch was hatte die Wirklichkeit mit dieser Wette zu tun? Für ihn ging es darum, Stan für sich einzunehmen, und nicht darum, ihn mit maximalem Einsatz zu besiegen. Es war besser, die Wette knapp zu verlieren, als sie mit dem Einsatz seiner überlegenen Kräfte zu gewinnen.

Als der Junge sich auf den Bauch legte, um ins Wasser zu spähen, nahm Carl die Chance wahr und ging schnell weiter, und zwar neben dem Kiesweg, auf dem seine Schritte zu hören gewesen wären. So konnte er den Fuß auf die von der Sonne erwärmte Holzbrücke setzen, bevor der Junge sich gerührt oder seine Stellung verändert hatte.

Jetzt durfte er nicht allzu schnell weitergehen, damit die Vibrationen seiner Schritte ihn nicht verrieten. Doch als er langsam weiterschlich, spielte er gegen die Zeit. Der Junge würde bald ungeduldig werden und die Körperhaltung ändern.

Carl hatte noch einen Meter vor sich, als Stan sich leicht drehte, aus dem Augenwinkel etwas entdeckte und zusammenzuckte, erst ängstlich, dann triumphierend.

»Ha! Ich hab dich erwischt! Du hast noch einen Meter übrig, ich hab gewonnen!« sagte Stan lachend.

»In Ordnung«, sagte Carl und ließ seine nassen Kleider mit einer übertrieben resignierten Geste auf die Brücke fallen. Er breitete die Arme aus. »Ich werde wohl allmählich alt. Die Kräfte lassen nach«, sagte er mit einem Lächeln und setzte sich auf die Brückenkante. Er bekam seine Brieftasche wieder und entnahm ihr einen Zwanzig-Kronen-Schein, den er dem Jungen reichte. Stan küßte ihn triumphierend und stopfte ihn in die Hosentasche.

»Obwohl wir natürlich am besten darauf trainiert sind, so was im Dunkeln zu machen«, sagte Carl nach einiger Zeit mit einem gespielt nachdenklichen Gesichtsausdruck.

»Wow! Im Dunkeln«, bemerkte Stan sichtlich beeindruckt. »Aber erzähl doch, wo bist du abgeblieben? Ich dachte fast schon, du wärst ertrunken, und eine Zeitlang glaubte ich … ach was, ich weiß nicht mehr, was ich glaubte. Aber wie hast du es gemacht?«

Carl berichtete pflichtschuldigst und exakt, was er getan hatte. Er zeigte die Richtung, in die er geschwommen war, und die weit entfernte Stelle, an der er das Schilf erreicht hatte, und erklärte dann, wie er an Land einen weiten Bogen geschlagen hatte, um nicht gesehen zu werden.

Stan wollte natürlich alles über die Einheiten für spezialisierte Kriegführung erfahren, wie die offizielle Bezeichnung für SEAL bei der amerikanischen Marine lautete. Und Carl war nicht gerade unwillig, es zu erzählen.

Sie zogen noch zwei weitere Barsche aus dem Wasser und beschlossen, daß sie für heute genug geangelt hätten. Carl würde die Fische putzen und versprach, zum Essen eine Vorspeise daraus zu machen.

Auf dem Weg zum Haus fragte Stan, ob Carl einen Film mit dem Titel *Lethal Weapon* gesehen habe. Dieser gab lachend und scheinbar beschämt zu, daß ihm dieser einzigartige Film leider entgangen sei. Stan zufolge war die Hauptperson in diesem Film ein Mann, der teuflisch gut mit einer Baretta-Pistole schießen könne – Carl korrigierte, es heiße Beretta, und erwähnte gleichsam nebenbei, daß dies eine seiner Dienstwaffen sei. Stans Frage, ob er genauso gut schieße wie Mel Gibson, mußte Carl unbeantwortet lassen.

Stan beschrieb eifrig, wie Mel Gibson, also der Polizist, den Mel Gibson darstelle, in eine Schießscheibe in schneller Folge die Form eines grinsenden Gesichts geschossen hatte. Carl brummte, in der ganzen Welt gebe es keinen Menschen, der das in Wirklichkeit könne. Die unvermeidliche Frage folgte natürlich, bevor sie das Haus erreicht hatten.

»Bitte, kannst du mir nicht zeigen, wie man mit einer richtigen Pistole schießt?«

Bei Carl meldeten sich verschiedene Alarmglocken gleichzeitig. Doch als er in die dunklen, bittenden Augen des Jungen blickte, wurde er weich. Außerdem würde es ihm dabei helfen, den Jungen auf seine Seite zu ziehen.

»Na schön, mein Junge, ich werd's dir zeigen. Zumindest kann ich dir die Anfangskenntnisse vermitteln«, sagte Carl schließlich. Er schob den Jungen vor sich her zum Kellereingang auf der Rückseite des Hauses.

Sie stellten die Angelrute neben der Kellertür ab und legten die Fische auf den kühlen Steinfußboden. Dann führte Carl den Jungen durch die Dunkelheit zu der großen Stahltür mit dem Zahlenschloß, gab die Kombination ein, schob den Jungen hinein, folgte ihm und zog die Tür hinter sich zu, ohne sie zu verschließen. Er wartete einige Sekunden in der totalen Dunkelheit und lauschte dem heftigen Atem des Jungen. Dann machte er das Licht an.

Die Neonleuchten flimmerten und knackten, als eine Reihe nach der anderen anging, bis der Schießstand von grellem Licht erhellt wurde. Am anderen Ende des Raums befanden sich vier gängige Militärziele, Viertelgestalten mit Kopf und Helm. Zwei große Waffenschränke standen an der Wand. Die dunklen Augen des Jungen waren fast so groß wie Untertassen.

Während Carl einen der Schränke öffnete, begann er mit seiner Instruktion. Am wichtigsten sei die Konzentration auf das, was man vorhabe. Bis auf das Zielen selbst müsse man alles ausschalten können. Außerdem komme es auf das weiche Abdrücken an. Die meisten Menschen brauchten viele Jahre, um das zu lernen, obwohl sich im Grunde jeder für das Schießen eigne. Wer am meisten trainiere, werde auch am besten.

Carl nahm zwei Pistolen aus dem Schrank, eine kleinkalibrige französische Wettkampfpistole, die er nur zu Übungszwecken brauchte, und seine großkalibrige Beretta. Er kontrollierte, daß die Waffen ungeladen waren. Er gab sie dem Jungen, der sie befühlte und einige Male blind abfeuerte. Dann lud Carl die kleinkalibrige Pistole und schoß eine langsame Serie auf das größte Ziel, wobei er beschrieb, was er tat.

Sie gingen hinunter und betrachteten das Ergebnis. »Du kannst dich begraben lassen, Mel Gibson!« sagte Stan beeindruckt. Dann klebten sie die Einschußlöcher an der Schießscheibe zu.

Carl lud die kleinkalibrige Pistole erneut mit fünf Schuß und ging mit dem Jungen den Gang entlang, bis sie sieben oder acht Meter von der Schießscheibe entfernt waren. Er stellte sich hinter seinen Schüler, drückte ihm die Waffe in die Hand, korrigierte die Schußposition und erteilte dann einen kurzen militärischen Befehl:

»Fünf Schuß auf das rechte Ziel. Feuer!«

Die Schüsse der Serie erfolgten zu schnell und waren weit

gestreut. Carl ging mit dem Jungen zur Schießscheibe und wies auf die Treffer. Er erklärte, weshalb sie zu niedrig gelandet seien, weshalb beispielsweise tief links sieben Uhr ein schnelles und ruckhaftes Abdrücken bedeute.

Sie wiederholten den Versuch mit einem etwas besseren Ergebnis. Nach mehreren weiteren Versuchen einigten sie sich darauf, daß Stan mit der »richtigen« Pistole schießen dürfe, wenn es ihm gelinge, alle fünf Schuß ins Ziel zu bringen.

Carl hatte geglaubt, damit eine risikofreie Zusage zu geben. Doch der Junge gab sich ganz besondere Mühe. Beim zehnten Versuch brachte er alle fünf Schuß in dem Kreis unter, der zu treffen war.

Das Spiel hatte eine unangenehme Wendung genommen. Carl konnte sich nicht recht erklären, weshalb er es so empfand. Aber versprochen ist versprochen, und so lud er seine Beretta, beschrieb kurz ihren Rückstoß und schoß eine schnelle Serie, um zu zeigen, wie man es machte. Bei dieser kurzen Entfernung konnte er der Versuchung nicht widerstehen, ein grinsendes Gesicht zu schießen. Sie verklebten die Schießscheibe, und Carl lud erneut. Er stellte sich hinter den Jungen, bevor er ihm die Waffe reichte. Es folgten die letzten Ermahnungen, Stan solle langsam schießen und weich abdrücken. Wie erwartet machte der erste Rückstoß dem Jungen angst. Carl beruhigte ihn und zeigte, wie Stan die Waffe mit beiden Händen greifen könne, wie er sich etwas breitbeiniger hinstellen und den Lauf direkt aufs Ziel richten solle. Der Junge erklärte, in Kinofilmen schössen sie auch immer mit beiden Händen.

In dieser Stellung fand sie die Mutter des Jungen. Sie hatte gedämpfte Geräusche aus dem Keller gehört und Unheil gewittert. Und jetzt sah sie ihren Sohn mit einer der schauerlichen Mordwaffen Carls in den Händen. Sie schrie auf, doch die beiden hörten sie nicht. Dann dröhnte ein Schuß und noch einer. Carl gab dem Jungen freundliche Anweisungen und schien ihm noch einmal den richtigen Griff zu zeigen, bevor erneut geschossen wurde.

Als sie fertig waren und zu den Schießscheiben gingen, entdeckte Carl Tessie hinten an der Tür. Er erkannte an ihren Augen und ihrer Körperhaltung sofort, was sie dachte und empfand.

»Okay, mein Junge, ich glaube, für heute ist es genug«, seufzte er und nickte Tessie über die Schulter hinweg zu.

Stan lief ihr entgegen. Seine Wangen glühten vor Eifer.

»Mami, Mami, ich habe auch mit der richtigen Pistole getroffen. Außerdem haben wir fünf große Barsche geangelt, die wir nachher essen«, zwitscherte er.

Tessie umarmte ihn und blickte über die Schultern ihres Sohnes hinweg dunkel auf Carl.

»Mm, Liebling, wir sollten vielleicht anfangen, ans Essen zu denken«, sagte sie tonlos, nahm ihren Sohn bei der Hand und führte ihn hinaus, während er wieder lossprudelte und von seinem überwältigenden Erlebnis zu erzählen begann.

Carl blieb mit seiner Beretta in der Hand allein zurück. Er verstand sehr wohl, was Tessie fühlte, er verstand es nur zu gut. Vielleicht sollte er sich schämen, vielleicht sollte er sie um Entschuldigung bitten und versprechen, so etwas nie mehr zu tun, und so weiter. Doch andererseits hatte sie ihm einen klaren Auftrag gegeben: mit im großen und ganzen allen zu Gebote stehenden Mitteln Feindseligkeit und Mißtrauen ihres Sohnes zu brechen.

Auftrag befehlsgemäß ausgeführt, dachte er und ging zum Waffenschrank zurück. Er schloß die beiden Pistolen und die Ohrenschützer ein, machte das Licht aus und holte die Barsche, bevor er auf der Innentreppe zur Küche hinaufging.

Auf dem Weg nach oben hängte er seine nassen Kleider auf und schlich fast beschämt ins Obergeschoß, um sich ein paar trockene Sachen anzuziehen, bevor er mit den Barschen in die Küche ging; aus reiner Zerstreutheit hatte er sie mit ins Schlafzimmer genommen.

Er mußte im Erdgeschoß eine Zeitlang suchen, bevor er Tessie und Stan in dem großen Wohnzimmer fand. Sie waren in eine leise, aber heftige Diskussion vertieft. Sie verstummten und blickten zu ihm hoch, als er eintrat.

»Okay, Mel Gibson, höchste Zeit, deine Barsche zu filieren«, sagte er so unbeschwert wie möglich und wedelte mit den Fischen.

Stan machte sich vorsichtig von seiner Mutter frei und ging ihm langsam und mit gesenktem Blick entgegen, ohne etwas zu sagen. Carl legte dem Jungen einen Arm um die Schultern und drehte ihn in Richtung Küche, während er zu Tessie gleichzeitig eine Grimasse schnitt, die bedeutete: Was zum Teufel hätte ich denn tun sollen. Sie quittierte das nur mit einer ruckhaften Kopfbewegung und blickte demonstrativ zur Seite.

»Mami fand es nicht gerade die allerbeste Idee, so mit einer echten Pistole zu schießen«, brummte Stan, als Carl die Barsche auf den Küchentresen knallte und ein geeignetes Messer aus einer Schublade zog.

»Na ja, du kennst doch Mütter«, erwiderte er neutral und unergründlich. Doch dann ging ihm auf, daß er ein paar Worte mehr dazu sagen mußte.

»Stan, deine Mutter liebt dich, nur darum geht es. Mütter mögen Schußwaffen nicht, weil die gefährlich sind, und damit haben Mütter auch verdammt recht.«

»Ja, aber das ist gerade der Spaß«, knurrte Stan übellaunig. »Und außerdem ist es doch nicht so gefährlich, wenn man einen Profi bei sich hat.«

»Jetzt wollen wir nicht logisch sein, Stan. Bei fast allen Menschen, die nicht beruflich mit Waffen umgehen müssen, geht es bei Waffen um Gefühle. So, jetzt laß mal sehen! Hier, so macht man das! Du legst den Fisch platt hin, dann mit dem Messer am Rücken entlang, so!«

Nachdem er Stan eine Zeitlang darin unterwiesen hatte, wie man einen Barsch putzt, kam ihm plötzlich der Gedanke, daß Tessie auf die Messerklinge vielleicht genauso reagieren würde wie auf die Pistole. Ein Messer läßt sich als Mordwerkzeug ebensogut einsetzen wie als Küchenwerkzeug, so wie eine Pistole ein kriminelles Werkzeug sein kann, ein militärisches Ausrüstungsstück oder ein Sportgerät. Außerdem stimmte es ja, daß er Menschen schon den Hals durchschnitten hatte, aber es stimmte auch, daß es nicht jeden Tag vorkam.

Sie aßen draußen auf der Terrasse mit Aussicht auf den See und das Hirschgehege. Åke Stålhandske und Anna waren mehr als zwei Stunden mit ihrem Kinderwagen im Gehege spazierengegangen. Anna erzählte, immer wieder durch Gelächter unterbrochen, von den Mühen ihres Mannes, den Kinderwagen über Stock und Stein zu ziehen. Einmal habe er es sich nicht verkneifen können, sich den Kinderwagen mit Tochter unter den Arm zu klemmen, als wäre er nichts weiter als eine Aktentasche.

Die Neugeborenen schliefen im Obergeschoß in ihren Kinderwagen-Einsätzen. Die Fenster waren geöffnet, damit unten zu hören war, wenn sie aufwachten. Die Gesellschaft verbrachte lange Zeit mit einem munteren ironischen Bericht darüber, wie man sich schließlich auf die Namen der Kinder geeinigt hatte.

Åkes und Annas Tochter hieß Lis Erika, obwohl Åke sich Liisa Erika gewünscht hatte, was trotz seiner sentimentalen Hinweise auf seine finnische Herkunft daran gescheitert war, daß der Name in Schweden immer falsch geschrieben werden würde.

Bei Tessies und Carls Sohn verhielt es sich ähnlich; sie hatten diskutiert, welche Namen in verschiedenen Ländern möglich waren und auf spanisch, englisch oder schwedisch ausgesprochen werden konnten, und waren am Ende zu dem Kompromiß Ian Carlos gelangt. Ian war in Schweden einer der Hamiltonschen Vornamen und würde auch gut nach Kalifornien passen, wenn sie erst mal dorthin gezogen waren. Der Name Carlos drückte Tessies mexikanische Herkunft aus.

Carl hatte die in Butter gebratenen Barschfilets als Zwischengang eingeschoben, um seine Essenskomposition nicht zu stören, die mit frischer Entenleber und einem unaufdringlichen Gewürztraminer, einer Spätlese, begonnen hatte. Anschließend wurden die Barschfilets unter lautem Lob, wie gut Stan sie geangelt habe, vertilgt. Sie wurden mit einem trockenen Muscadet heruntergespült, um nach dem leicht süßen Beginn eine Unterbrechung zu schaffen, bevor sie zu dem gedünsteten Lachs und dem weißen Burgunder übergingen.

Inmitten der vollkommenen schwedischen Sommerdämmerung und der guten Laune der Tischgesellschaft läutete das Telefon. Carl und Åke wechselten einen schnellen besorgten Blick, weil der Apparat ohne Anrufbeantworter, über den nur spezielle Gespräche einlaufen konnten, geläutet hatte.

Bei Tisch gab es so etwas wie einen schnellen Wetterumschwung, als Carl mit düsterem Blick aufstand, um ins Haus zu gehen und im großen Wohnzimmer abzunehmen. Während er eine kurze leise Unterhaltung führte, erstarb das Gespräch am Tisch. Als er wiederkam, blickten ihn vier fragende und unruhige Gesichter in Erwartung einer Nachricht an; auch Stan hatte an der Reaktion der anderen gemerkt, daß dieser Anruf den Rest des Abends ruinieren könnte.

Carl trat an den Tisch und umfaßte seine Stuhllehne, als wollte er sich sammeln, bevor er etwas sagte. Niemand am Tisch bewegte sich.

»Nun«, begann er sehr ernst. »Das war der Ministerpräsident. Er bittet übrigens um Entschuldigung für die Störung unseres netten kleinen Essens.«

Carl überlegte, wie er fortfahren sollte. Doch dann wandte er sich an Stan und zeigte ein schiefes kleines Lächeln.

»Der Ministerpräsident hat mir mitgeteilt, daß der Präsident der Vereinigten Staaten soeben angerufen hat, um zu sagen, daß man mir das Navy Cross zuerkannt hat. Einige der Anwesenden werden übermorgen in der Botschaft der USA erwartet, wo eine kleine Zeremonie stattfinden wird.«

Carl zuckte die Schultern und wollte sich gerade wieder setzen, als er zufällig den Gesichtsausdruck des Jungen bemerkte. Natürlich, es war undenkbar, daß ein achtjähriger Amerikaner nicht wußte, was das Navy Cross bedeutet.

Carl richtete sich auf und sah Stan in die Augen. »Well, junger Mann«, begann er mit gespielter Strenge. »Ich kann verstehen, daß du unter dem Coca-Cola-Verbot bei diesem Essen gelitten hast. Aber«, fuhr er in scherzhaftem Ton fort, »das hier muß natürlich gefeiert werden, und wenn du bisher noch keinen Champagner getrunken hast, ist jetzt eine gute Gelegenheit dazu!«

»Mit oder ohne Erlaubnis deiner Mutter«, fügte er hinzu und zwinkerte dem Jungen zu. Dann drehte er sich um und ging mit schnellen Schritten in Richtung Weinkeller.

*

SELBSTMORD MIT INDISCHEM SEILTRICK lautete die zynische Schlagzeile der größten Tageszeitung Bristols. Der Artikel war nicht allein aus journalistisch-ethischen Gründen mehr als fragwürdig.

Der siebenundzwanzigjährige Computerspezialist Ashraf Dajibhai war erstens kein Inder, sondern pakistanischer Herkunft. Zudem waren die Umstände seines Todes dermaßen kurios, daß es eigenartig erscheinen konnte, weshalb die Polizei von Bristol so schnell mit ihrer Schlußfolgerung an die Öffentlichkeit ging, es handle sich um Selbstmord.

Ashraf Dajibhai sollte sich auf folgende Weise selbst erdrosselt haben: Zunächst verband er vier Abschleppseile aus Kunststoff der Marke Cyclone miteinander, befestigte das eine Ende an einem großen Baum und legte sich das andere um den Hals. Danach sollte er sich ans Lenkrad seines grünen Audi 80 gesetzt haben und ziemlich langsam losgefahren sein, bis das Seil sich streckte und die Schlinge um seinen Hals ihn erdrosselte.

Auf dem Rücksitz des Wagens lagen zwei Weinflaschen, die er in einer nahe gelegenen Tankstelle gekauft haben sollte. Die eine Flasche war zu zwei Dritteln leergetrunken.

Schon dieser Umstand hätte genügen müssen, um das Vorliegen eines Verbrechens zu rechtfertigen, also eines arrangierten Selbstmords. Ashraf Dajibhai war gläubiger Moslem, was nicht nur Selbstmord zu einer Todsünde machte. Selbstmord in Verbindung mit Alkoholkonsum erschien zumindest seinen Verwandten als weit jenseits der Grenze zum Bizarren; Ashraf Dajibhai hatte in seinem ganzen Leben keinen Tropfen Alkohol getrunken.

Nachdem die Polizei von Bristol mit Hilfe ihrer Londoner Kollegen von New Scotland Yard rekonstruiert hatten, was Ashraf Dajibhai in seinen letzen Tagen und Stunden getan hatte, hätte noch weniger für einen Selbstmord sprechen müssen.

Dajibhai war eins dieser jungen Computergenies, denen es sehr schnell gelungen war, sich in gute finanzielle Verhältnisse emporzuarbeiten. Er war schuldenfrei und hatte ein Gehalt von rund vierzigtausend Pfund im Jahr. Seit zwei Jahren war er verheiratet. Er hatte einen einjährigen Sohn. Seine Frau Nita erwartete ihr zweites Kind. In seiner letzten Lebenswoche hatte er die Stromleitungen in dem neuerworbenen Haus in Kenton im Norden Londons restauriert. Zuvor hatte er das Haus frisch gestrichen und ein neues Rohrleitungssystem verlegt. Seine ehemaligen Kommilitonen an der Loughbourough University, an der er drei Jahre zuvor sein Examen als Bachelor of Science der EDV-Technik abgelegt hatte, waren ebenso verstört wie seine nahen Verwandten. Alle vertraten die Ansicht, daß Ashraf »der letzte wäre, dem man einen Selbstmord zutraut«. Soweit man wußte, hatte er keinerlei Sorgen, schien nie deprimiert zu sein, war immer fröhlich und hilfsbereit – was er häufig unter Beweis stellte. Unter anderem schrieb er für seinen Vater und

Onkel, die je ein Feinkostgeschäft betrieben, die Buchführungsprogramme.

Keine vierundzwanzig Stunden vor seinem Tod hatte er für zweihundertachtzig Pfund einen neuen Anzug und für fünfundachtzig Pfund ein Paar Schuhe gekauft.

Am späten Nachmittag hatte er einen Anruf erhalten und seiner Frau gesagt, er müsse weg, um einem früheren Studienfreund bei einer kleinen Sache zu helfen. Dann hatte er den Wagen genommen, seiner Frau zugewinkt und war für immer aus ihrem Leben verschwunden.

Die Stelle, an der er am nächsten Tag außerhalb von Bristol gefunden wurde, war genau einhundertsechzig Kilometer von seinem Haus in Kenton entfernt.

Es gab noch drei weitere Umstände, welche die Schlußfolgerung, es liege ein Selbstmord vor, fast als einen bizarren Versuch der Behörden erscheinen ließen, etwas zu verbergen.

Erstens einige kriminaltechnische Details: Unter dem Fahrersitz, auf dem der Tote aufgefunden wurde, lag eine fünfzig Zentimeter lange Rohrzange, die niemand vorher im Wagen gesehen hatte. Die Länge der Rohrzange war absolut ausreichend, um es jemandem zu ermöglichen, neben dem Opfer zu sitzen, das Gaspedal von Hand zu betätigen und so das Seil zwischen Baum und Hals langsam zu strecken. Unter Ashraf Dajibhais hinterlassenen Papieren befand sich tatsächlich eine Quittung für ein einziges gekauftes Abschleppseil der Marke Cyclone; am Tatort wurden jedoch vier solcher Abschleppseile gefunden, die miteinander verknotet worden waren.

Zweitens: Ashraf Dajibhai arbeitete in der britischen Rüstungsindustrie. Er war darauf spezialisiert, Computersimulationsprogramme zu schreiben, mit denen sich sowohl Steuerungssysteme von Torpedos testen ließen als auch Störungsmöglichkeiten bei dem äußerst geheimen Feuerleitsystem Zeus.

Drittens: Der Vorfall erschien beinahe wie eine Kopie eines Falls, der sich vor zehn Jahren ereignet hatte, eigentümlicherweise gerade in Bristol. Es hatte den Anschein, als wiederholte sich die Geschichte, entweder infolge unerforschlicher göttlicher Ironie oder weil Menschen die Geschichte wiederholen wollten.

Zwischen 1983 und 1989 gab es eine Serie eigentümlicher Selbstmorde unter Personen, die bei der britischen Rüstungsindustrie angestellt waren, vor allem bei General Electrics. Von fünfundzwanzig Personen hieß es, sie hätten in diesen Jahren Selbstmord begangen. Die Umstände ihres Todes waren in mehreren Fällen so aufsehenerregend merkwürdig, daß die britische Presse schon bald eine große Sache daraus machte; eine Reportagereihe in der EDV-Zeitschrift *Computer News* wurde für die Darstellung der verschiedenen Fälle sogar mit einem Journalistenpreis belohnt. Da die Sache anschließend sogar im Parlament aufgegriffen wurde, wurde sie für das Innenministerium schon bald zu einer heißen Kartoffel. Das Ministerium setzte nämlich einige Untersuchungsausschüsse ein, die zu dem Ergebnis kamen, daß nichts Verdächtiges vorliege, daß Selbstmorde zwar eine düstere Angelegenheit, jedoch nicht sonderlich ungewöhnlich seien, und da General Electrics mehr als einhunderttausend Menschen beschäftige, müsse man rein statistisch davon ausgehen, daß ein paar Dutzend von ihnen sich in dem fraglichen Zeitraum das Leben nähmen.

Diese Statistik konnte durchaus logisch erscheinen. Bemerkenswert war allerdings, daß die Statistik sich dramatisch veränderte, nachdem die Frage in der britischen Presse groß behandelt worden war. Nach 1989 hörten die Angestellten von General Electrics damit auf, sich im Einklang mit der Statistik umzubringen.

Der neueste Fall erinnerte an diese Serie, überdies handelte es sich um eine Kopie eines früheren Selbstmords. Das öffentliche und politische Interesse war schnell geweckt, Untersuchungen wurden durchgeführt.

Dennoch verschlimmerte sich die Situation rasch.

Eine Woche nach Ashraf Dajibhais behauptetem *da capo* des indischen Seiltricks wiederholte ein Wissenschaftler indischer Herkunft, Vijai Samjani, einen weiteren Selbstmord aus dem Zeitraum 1983–1989.

Die Umstände waren verblüffend ähnlich.

Vijai Samjani hatte in einem Monat heiraten wollen. Was die Eheschließung hinauszögerte, waren die durchaus nicht ungewöhnlichen Schwierigkeiten, ein Einreisevisum für seine künftige Frau zu erhalten. Er hatte seinen lokalen Parlamentsabgeordneten einen Tag vor seinem Tod aufgesucht, um Druck in der Angelegenheit zu machen.

Auch Vijai Samjani fuhr plötzlich mit seinem Wagen los und

verschwand nach Bristol. Er parkte in der Nähe der Clifton-Brücke über den Avon, ging auf die Brücke und sprang auf die Steinplatten am Widerlager der Brücke. Es war ein Sturz von mehr als siebzig Metern.

Auch in seinem Fall gab es kriminaltechnische Umstände, die sich schwerlich erklären ließen. Beispielsweise fand man im Aschenbecher des Wagens drei halbgerauchte Zigarillos, obwohl Samjani Nichtraucher war. Später stellte sich heraus, daß er in einem Bed & Breakfast übernachtet hatte, das weniger als einen Steinwurf von British Aerospace entfernt lag, wo er früher angestellt gewesen war und an Programmsystemen für die Luftabwehrrakete Rapier gearbeitet hatte. Zur Zeit seines Todes war Vijai Samjani bei Marconi Naval Systems angestellt und arbeitete an einer neuen Generation Torpedos des Typs Sting Ray.

In den meisten Ländern der Welt wäre es den zuständigen Polizeibeamten außerordentlich schwergefallen, die Ermittlungen einzustellen. Das britische Rechtssystem kennt jedoch eine Spezialität, die es in manchen Fällen ermöglicht, die gesamte Verantwortung für eine bestimmte Ermittlung in die Hände eines einzigen Menschen zu legen; dies völlig unabhängig von der allgemeinen Überzeugung der Briten, daß die Mächtigsten im Staate sich in alles einmischen und alles entscheiden könnten, indem sie einander in einem Herrenclub nur etwas zugrunzten.

In Großbritannien haben Gerichtsmediziner, die Coroner, eine sehr bedeutende juristische Prüfungsfunktion. Der Gerichtsmediziner sammelt sämtliches relevante Material und führt anschließend eine amtliche Leichenbeschau durch, eine Art Gerichtsverhandlung, die öffentlich ist. Dabei wird das Beweismaterial vorgelegt, das zumindest der Form nach von jedem Anwesenden diskutiert und in Frage gestellt werden kann. Bei einer solchen Prüfung kann der Gerichtsmediziner zwischen vier verschiedenen »gerichtlichen Entscheidungen« wählen: Tod durch Fremdeinwirkung, Tod infolge von Unglücksfall oder Selbstmord oder Tod durch ungeklärte Umstände (*open verdict*).

Die gerichtsmedizinische Prüfung der beiden Fälle von Vijai Samjani und Ashraf Dajibhai in Bristol führte zu dem Beschluß, daß Tod durch ungeklärte Umstände vorliege. Damit gab es für die Polizei von Bristol offiziell einen zwingenden Grund mehr, ihre Ermittlungen fortzusetzen. Es war nicht behauptet worden, es liege Mord vor.

Einige Zeit später ließ die die Polizei jedoch mehr oder weniger absonderliche Erklärungen für gedachte Selbstmordmotive durchsickern. Von Ashraf Dajibhai wurde behauptet, er sei mit der mystischen Sekte Anoopam Mission in Buckinghamshire in Berührung gekommen, einer Sekte, die in früheren bekanntgewordenen Fällen Menschen dazu gebracht hatte, in Grübeleien und Depressionen zu verfallen.

Es stellte sich jedoch bald heraus, daß hier bestenfalls eine Verwechslung vorliegen konnte. Die Sekte war hinduistisch, Ashraf hingegen ein gläubiger Moslem. Die Wahrscheinlichkeit, daß er, der überdies ein gelinde gesagt rationaler und moderner Mensch war, EDV-Experte mit der Spezialtät Militärtechnologie, ausgerechnet unter wirrköpfigen Hindus gelandet sein sollte, die in weißen Gewändern, mit Blumen, Weihrauch und aneinandergelegten Handflächen weißen Mittelstandsfrauen ins Ohr bliesen, es werde auf Erden Friede und Ruhe einkehren, wenn sie nur ein paar Dutzend Pfund für die weisen Worte des Abends beitrügen, nein, die Wahrscheinlichkeit war nicht groß.

Die inoffiziellen Sprecher der Polizei von Bristol wandten sich deshalb mit einer Berichtigung an die Presse. In Wahrheit sei Vijai Samjani in den Klauen der Sekte gelandet.

Wie einer seiner Freunde bestätigen konnte, hatte Vijai bei einer einzigen Gelegenheit die Sekte besucht. Allerdings sei er lauthals lachend wieder weggegangen. Offensichtlich also ohne Anzeichen einer beginnenden Depression.

Was nun Ashraf anging, den Moslem, der folglich keine hinduistische Sekte besucht haben konnte, so lautete nun die inoffizielle Erklärung, er habe eine außereheliche Beziehung unterhalten, über die man sich mit Rücksicht auf die Betroffenen nicht näher äußern könnte. Diese Tatsache habe es jedoch mit sich gebracht, besonders angesichts seiner streng moslemischen Religiosität, daß er seine Familie auf eine Weise entehrt habe, die nur eine drastische Art der Wiedergutmachung zulasse, eine, die mit moslemischen Traditionen vereinbar sei. Er habe die Wunden nur durch seinen Tod heilen können.

Sein Vater und sein Onkel schnaubten nur über diese Erklärung, als sie von eifrigen Reportern weitergegeben wurde. Entweder sei das, erklärten sie, ein zynischer Scherz, oder man habe sie mit irakischen Schiiten oder derlei verwechselt. Untreue sei ihrer Religion zufolge gewiß ein schweres Verbrechen, das die Familie entehre. Doch es hätte die Schande nur noch größer gemacht, wenn Ashraf dieses Verbrechen durch ein noch schändlicheres hätte sühnen wollen, nämlich durch einen Selbstmord in Verbindung mit Trunkenheit. Älteren Sitten in dem Teil Pakistans zufolge, aus dem die Familie ursprünglich stammte, hätte der junge Ashraf die Entehrung möglicherweise dadurch auslöschen können, daß er die Frau tötete, die der Anlaß zu seiner Untreue gewesen sei. Doch es erschien ihnen nicht wahrscheinlich, daß Ashraf, der Pakistan noch niemals besucht hatte, auf die Idee hätten kommen sollen, zu derart altertümlichen Sitten zurückzukehren.

Der britischen Presse kann mit Rücksicht auf die Sicherheit des Landes von der Regierung eine Schweigepflicht auferlegt werden. Dies ist für die Obrigkeit ein zweischneidiges Schwert, da das Risiko besteht, daß sich britische Journalisten dann ausländischer Kollegen bedienen und ihnen Hinweise geben, um anschließend »die ausländische Presse« zitieren zu können.

Es gibt jedoch eine Zwischenform in der englischen Obrigkeitsgesellschaft, die manchmal als »Gesellschaft für bescheuertes Händeschütteln« bezeichnet wird – damit ist die Art und Weise gemeint, wie Freimaurer einander die Hand geben. Die britischen Machthaber in Verwaltung, Industrie und Medien pflegen bei ungezwungenen Essen in ihren Herrenclubs täglichen Umgang miteinander. Irgendwo dort mußte jemand gegrunzt, die Augenbrauen gehoben oder auf andere Weise eine Andeutung gemacht haben. In kürzester Zeit war sich nämlich die gesamte Chefgarnitur der britischen Medien darin einig, daß es den Interessen der Nation nicht nützen würde, in dieser Bristol-Sache herumzurühren.

Bis auf weiteres kam damit die lästige Publizität zum Erliegen.

*

Carl lag in einer zwischen zwei spätblühenden Apfelbäumen gespannten Hängematte und versuchte sich einzureden, daß es bequem war. Diese Form der Ruhe hatte er sich schon immer als die höchste Form von Freizeit, ja, Pensionierung vorgestellt. Er übte sich nämlich nicht nur darin, bequem in einer Hängematte zu liegen, sondern auch in der Vorstellung, pensioniert zu sein. In einem Monat würde er seinen vierzigsten Geburtstag feiern. Vor sich hatte er ein schwindelerregendes Abenteuer in Form eines vollkommen zivilen Lebens; er hatte ein Gebot auf eine kleine EDV-Firma im Silicon Valley abgegeben, die sich darauf spezialisiert hatte, Software für militärische Systeme herzustellen. Das war ein Bereich, der ihm maßgeschneidert erschien. Er hatte in San Diego ein Bankkonto eröffnet und verhandelte mit einem deutschen Unternehmen über den Verkauf seiner schwedischen Immobiliengesellschaften. Der Fall der schwedischen Krone war ebenso groß wie unvermeidlich geworden, nachdem sich der Reichsbankchef des Landes als Vorstandsvertreter eines Großunternehmens an einer Spekulation gegen die eigene Währung beteiligt hatte. Carl fiel ein, daß der Reichsbankchef für zehn Jahre in den Kahn gegangen wäre, wenn er sich in den USA etwas Vergleichbares geleistet hätte. Wenn es in der alten Sowjetunion dazu gekommen wäre, wäre er von einem Erschießungspeloton hingerichtet worden; in Schweden blieb er in seinem Job sitzen und administrierte die Währungskatastrophe.

Eine für das Land weniger bedeutende, für Carl möglicherweise jedoch sehr bedeutende Konsequenz des dramatischen Währungsverfalls ergab sich daraus, daß die im Vergleich zur schwedischen Krone unnatürlich starke D-Mark zu Immobilienkäufen geradezu einlud. Mit etwas Glück würde er mit wenigen Schachzügen sein gesamtes Vermögen freimachen können, und dann brauchte er nur die nächste Maschine nach Kalifornien zu besteigen.

Tessies Vorgesetzte bei IBM waren einigermaßen entgegenkommend gewesen und hatten zugesagt, die Möglichkeiten zu prüfen, ihr innerhalb des Konzerns einen Juristenjob zu geben, entweder in Los Angeles oder San Diego; Carl stellte sich immer vor, daß sie wahrscheinlich nach Hause ziehen würden, also nach San Diego.

Die Geschichte mit dem Navy Cross hatte ihre Möglichkeiten wohl kaum verschlechtert. Carl war schamlos zufrieden, weil es ihm gelungen war, einen Vorgang, den er im Grunde als peinlich betrachtete, schon jenseits der Grenze zum Lächerlichen – nämlich die Verteilung von Medaillen –, in einen doppelten privaten Vorteil zu verwandeln.

Er hatte Tessie und Stan zur amerikanischen Botschaft mitgenommen. Beide waren amerikanische Staatsbürger. Der schwedische Ministerpräsident mußte sich damit abfinden, in dieser Gesellschaft nicht zur meistfotografierten Person zu werden.

Die eigentliche Veranstaltung war peinlich übertrieben, genau wie Carl es erwartet hatte, doch es war ihm gelungen, es so zu sehen, als wäre es ein Job, ein Falschspiel, mit dem er bestimmte Vorteile erlangen wollte.

Das war auch geschehen. Als der Junge ihn in Uniform gesehen und sofort die SEAL-Schwingen erkannt hatte, schwanden seine allerletzten Zweifel, was den neuen Mann seiner Mutter betraf. Immerhin hatte Stan mindestens zwei Abenteuerfilme mit SEAL-Einheiten in der Hauptrolle gesehen (wenn Carl den Zusammenhang richtig verstanden hatte, war es in beiden Fällen um den heldenmütigen Kampf von SEALS gegen Araber im Burnus mit Messern zwischen den Zähnen gegangen). Die Rhetorik des amerikanischen Botschafters hatte die übertriebenen Vorstellungen des Jungen von dem heldenmütigen Kampf für Demokratie und Frieden, den die USA und Schweden so tapfer gemeinsam führten, natürlich nicht im mindesten untergraben.

Die Rhetorik des schwedischen Ministerpräsidenten bei einer sogenannten »improvisierten Pressekonferenz« hatte der amerikanischen kaum nachgestanden.

Damit war der Junge gewonnen und das strategische Ziel erreicht, das Carl bei der lächerlichen Operation verfolgt hatte. Tessie hatte ihm einen Auftrag gegeben, und er hatte ihn ausgeführt. An etwas anderes wollte er nicht denken, geschweige denn deswegen erröten.

Obwohl er noch einen Schritt weitergegangen war. Immerhin gab es noch einen Rechtsstreit vor dem Bezirksgericht von Santa Barbara, den es endgültig zu gewinnen galt.

Nach den Zeremonien hatte er einer der anwesenden Zeitungen ein sogenanntes Exklusivinterview gewährt. Damit hatte er dem über diesen Bescheid fast schockierten Vertreter von CNN eine klare Absage erteilt. Dieser hatte stammelnd versichert, *niemand* erteile CNN eine Abfuhr.

Carl hatte den Reporter der *Los Angeles Times* für das Interview ausgewählt.

Sie hatten in der Botschaft um ein Zimmer gebeten, um ungestört reden zu können. Carl hatte zur kaum verhohlenen Irritation des Reporters Tessie und Stan mitgenommen und anschließend alle politischen Fragen oder Fragen, die seinen Job betrafen, mit vagen Floskeln oder mit einem »no comment« beantwortet, von Zeit zu Zeit aber mit einer Andeutung auf die wahrscheinliche Wiedervereinigung einer glücklichen Familie in Kalifornien hingewiesen.

Dem lag ein sehr einfacher Gedanke zugrunde. Nach Carls Erfahrung funktionierten Journalisten ebenso vorhersagbar wie KGB-Leute früherer Zeiten. Die Zeitung, die das Gefühl hat, etwas »exklusiv« bringen zu können, glaubt damit einen Knüller zu haben. Und ein Knüller muß möglichst groß aufgemacht werden. Für Carl war die Wahl der Zeitung wegen des Sorgerechtsstreits einfach gewesen. Es war wichtig, daß die *Los Angeles Times* die Sache groß herausbrachte, denn alle Angehörigen der Sozialbehörde und des Gerichts von Santa Barbara lasen dieses Blatt. Kleine Schnipsel in allen anderen Medien der Welt hätten ihn seinem Ziel nicht näher gebracht.

Damit hatte er seinen Beitrag geleistet. Er hatte Tessie erklärt, was er gedacht und wie er sich verhalten hatte. Schließlich hatte sie ihm sogar verziehen, daß er ihrem Sohn eine schwarze 9-mm-Pistole in die Hände gegeben hatte. Immerhin war sie sowohl Juristin als auch Amerikanerin, und es bereitete ihr keine Mühe, die Logik dieser Medien-Operation zu verstehen.

Und jetzt war all dies vorbei. Daher Hängematte, Urlaub, ziviles Leben, Zukunftspläne. Statt der ewigen russischen Sprachkassetten in seinem Walkman lauschte er jetzt der *Pastorale* von Beethoven. Er stellte sich vor, daß ein Sommertag in der Hängematte und Urlaub und Lebensplanung nach der Pensionierung recht gut zur *Pastorale* passen würden, ebenso wie die Aussicht auf das blaue Wasser des Mälarsees.

Im übrigen mochte er den kleinen Stan ganz freiwillig. Der Junge war neugierig, von großer Wißbegier, impulsiv und phantasiebegabt. Sie hatten zusammen viel Spaß gehabt, besonders als der riesige Åke, der heimlich Carls indiskretes Getratsche bestätigt hatte, daß auch er die SEAL-Schwingen trage, Stan mehrere Meter in die Luft geworfen hatte, um ihn dann weich aufzufangen und überraschend zu Carl hinüberzuwerfen, etwa so, wie die beiden es immer im Scherz mit Messern machten. Plötzlich warf der eine ein Messer auf das Gesicht des anderen, am liebsten bei Tisch mit anwesenden Ehefrauen.

Es erstaunte ihn, daß er es als so vollkommen normal empfand, wieder Vater geworden zu sein. Es war ein Wunder mit allem, was so dazugehört, aber nicht das gleiche Wunder wie beim ersten Mal. Es kam ihm vor, als hätte er schon eine gewisse Routine.

Carl hob die Hände und betrachtete sie. Sie waren inzwischen weicher geworden und paßten besser zu Kindern. Sie waren keine Waffen mehr, und so sollte es auch sein. Er drehte zwar immer noch jeden Tag seine Runden und schoß seine Serien, das eine auf Verlangen des Körpers und das andere auf Verlangen der Seele. Die Nahkampfübungen hatte er aber so gut wie eingestellt. Genau dieses Leben wollte er schließlich hinter sich lassen.

Ein kleiner dunkler Anflug von Unruhe machte sich in ihm bemerkbar, etwa wie ein vorübergleitende Wolke an einem sonst völlig klaren Sommerhimmel. Wenn er den Dienst quittierte, würde Åke, Vater von Lis, höchster operativer Chef der besonderen Abteilung des Nachrichtendienstes werden, wie ihre Abteilung offenbar seit kurzem hieß.

Dabei ging es natürlich um die baltischen Staaten und Rußland. Carl sah eine lange Reihe von Möglichkeiten für illegale schwedische Aktionen auf baltischem Territorium in den nächsten Jahren. Und wer sich auf so etwas einließ, ging immer eine Wette mit dem Tod ein. Sie selbst hatten meist Glück gehabt. Ihre Verluste waren klein gewesen, doch ein einziger Zufall genügte, und es konnte für eine ganze Gruppe auf dem Feld vorbei sein.

Das ist nicht gerecht, sagte er sich. Er selbst riß aus höchst privaten Gründen aus, und Åke blieb zurück. Und dieser würde früher oder später gezwungen sein, das Risiko auf sich zu nehmen, Anna zur Witwe zu machen. Und damit würde Lis Erika ohne Vater dastehen.

Seine Sentimentalität gefiel ihm nicht, und so schaltete er wieder die Kassette mit der *Pastorale* ein. Es ist aber trotzdem ungerecht, sagte er sich. Åke hat dieses russische Roulette schon so oft mitgemacht, daß er etwas anderes verdient, als einfach nur mit der Tätigkeit weiterzumachen, die logischerweise so enden muß, wie sie für Joar Lundwall, unseren ersten gemeinsamen Rottenkameraden, geendet hat.

Plötzlich überspülten Carl die Erinnerungen mit so brutaler Heftigkeit, daß er sich den Kopfhörer mit der *Pastorale* vom Kopf riß. Er sah Joar Lundwalls Körper vor sich, der unter den Treffern der Automatikwaffe zuckte wie unter elektrischen Stößen. Er sah das Blut, das in kleinen Strömen auf einen schmutzigen Bürgersteig in Palermo lief, bevor er selbst hinzukam, sah vor sich, wie er die Einschußlöcher in der Lungenregion zuzuhalten versuchte, sah, wie er es mit einer Herzmassage versuchte, sah, wie das Blut in kleinen vulkanischen Strömen überall aus Joars Körper hervorschoß, sah, wie er selbst verzweifelt und jenseits von Sinn und Vernunft eine Mund-zu-Mund-Beatmung versucht hatte, um die schon zusammengebrochene Lungenfunktion wieder in Gang zu bringen. Er würde selbst so enden, wenn er lange genug in diesem Job blieb. Doch jetzt stand Åke an seiner Stelle.

Carl stand mit einem unterdrückten Fluch auf. Die entspannte Körperhaltung, die eine Hängematte angeblich ermöglichte, hatte seinen Rücken steif werden lassen. Außerdem wirbelte sie herum, so daß er mit dem Hinterteil auf dem Boden landete und verzweifelt nach der verhedderten Hängematte griff. Er stand brummend auf und machte leichte Dehnübungen, die er sonst immer vor den Nahkampfübungen absolvierte.

Nachdem sich der Schmerz des Sturzes gelegt hatte, schlenderte er zur Anlegebrücke hinunter und betrachtete das wogende Schilf.

Er hatte fünf Jahre in Kalifornien gewohnt. Er konnte sich Geruch und Geräusche ins Gedächtnis zurückrufen, indem er die Augen schloß. Dort fiel es ihm leichter, sich anzupassen, als irgendwo sonst außerhalb Schwedens. Doch das war es nicht.

Er blickte zum Haus hinauf, einem sehr schönen schwedischen Herrenhaus mit gepflegten Rasenflächen und einer Fahnenstange, an der zum Spaß die Kriegsflagge aufgezogen war. Das war seine wahre Identität, wenn er überhaupt eine besaß hinter all der Verstellung, die er sich in mehr als dreizehn oder vielleicht vierzehn Jahren antrainiert und berufsmäßig betrieben hatte. Nein, wenn er die Ausbildungszeit in Kalifornien mitrechnete, wurden es achtzehn Jahre.

In Kalifornien würde er mühelos mit der Umgebung verschmelzen, möglicherweise sogar in seiner echten Identität als Charles Hamlon. Als jener Hamlon, der sogar einen vollkommen echten Paß mit seinem Foto besaß, wenn auch in etwas verfremdeter Version mit dunklem Kurzhaarschnitt. Blieb nur die Frage, ob er das Navy Cross für all das bekommen hatte, was in den schönen Ansprachen erwähnt worden war, oder für das, was Charles Hamlon getan hatte. Charles Hamlon hatte nämlich, sogar mit ziemlich großer Lust, einen übergelaufenen amerikanischen CIA-Offizier ermordet. Würde er in den USA nun zu Hamlon oder zu Hamilton werden?

Vielleicht war das ganze Vorhaben falsch. Vielleicht würde Stan Schwede werden können. Wenn alle ein Stimmrecht hätten, würden Tessie und Stan für Kalifornien stimmen. Und er selbst und Johanna Louise würden sich für Schweden entscheiden.

Wie er das Problem auch drehte und wendete, entweder er oder Tessie mußte ein Kind in einem anderen Land im Stich lassen. Für ihn war es jedoch leichter, Amerikaner zu werden, als für Tessie, Schwedin zu werden; falls erforderlich, war er schon in der nächsten Sekunde Amerikaner, zumindest in seiner Vorstellung. Es gab kein Zurück.

Außerdem war es vermutlich die gesündeste Lösung. Hier, ganz allein mit sich, die Hände tief in den Shortstaschen vergraben, auf einer Anlegebrücke an einem schwedischen Sommernachmittag, konnte er sich zumindest den Gedanken durch den Kopf gehen lassen, der sein Innerstes und Heimlichstes berührte. Er wußte nicht mal mehr, wie viele Menschen er ermordet hatte. Er wollte sich nicht erinnern, verdrängte die Erinnerungen, so gut es ging. Doch so war es, er mordete von Berufs wegen und war nicht sicher, was Jahr für Jahr und Tod für Tod in ihm geschah. Im Kampf hatte er sich nie anders denn als unverwundbar gesehen, zwar als vorsichtig und sorgfältig, aber unverwundbar. Das, wovor er sich fürchtete, war etwas anderes. Es war etwas, was in den Nächten kam. Er erinnerte sich gut daran, und zwar seit sehr langer Zeit, und sah es vor sich als etwas, was schwarzen Eisschollen ähnelte.

Er zog den dünnen weißen Pullover aus, trat sich die Turnschuhe von den Füßen und tauchte direkt von der Brücke in den See. Dann lag er still im Wasser und ruhte mit gestrecktem Körper aus, während er zwischen den flimmernden Sonnenstrahlen, die ihr Licht schon in zwei Meter Tiefe verloren, in dem dunklen Wasser nach unten glitt. Wenn er überhaupt an etwas dachte, dann an seine Tochter Johanna Louise. Er sah ihr Gesicht deutlich vor sich. Sie hatte inzwischen einen ihrer Vorderzähne verloren und lispelte beim Sprechen.

*

DAS TÖDLICHE SEXSPIEL DES COMPUTERGENIES lautete die sehr englisch geschmacklose Schlagzeile in der Lokalzeitung. Die Geschichte wurde auf der ersten Seite mit folgender Schilderung zusammengefaßt:

»Bei der Voruntersuchung stellte sich heraus, daß ein junger Computerexperte des Boscombe-Down-Flugplatzes ein verblüffendes Doppelleben als Transvestit geführt hat. Der Junggeselle Mark Wisner, der an den EDV-Programmen des Angriffsjägers Tornado arbeitete, litt an einem heimlichen Verlangen, sich selbst in Frauenkleidern zu fotografieren. Seine Jagd nach sexueller Anregung nahm vor zwei Wochen jedoch ein tragisches Ende, als er sich bei einem sexuellen Experiment selbst erstickte. Er wurde in seiner Wohnung in Durrington tot aufgefunden. Er trug hochhackige Damenstiefel, Strumpfhalter und eine Spitzencorsage.«

Die Schilderung stimmte an und für sich. Doch es gab an dem vermeintlichen Selbstmord einige Details, die sich nicht ohne weiteres erklären ließen. Der Tod durch Ersticken war eingetreten, da der Mann selbst oder ein anderer seinen Kopf in mehr als drei Meter Klebeband gewickelt hatte, was mehr als ausreichend war, um das Atmen wirksam zu verhindern. Immerhin hätte man sich fragen sollen, welches sexuelle Stimulans diese reichlich komplizierte und zeitraubende Maßnahme hätte bringen sollen. Und was geschah, nachdem er sich so eingewickelt hatte? Lehnte er sich behaglich zurück und genoß sein sexuelles Stimulans, bis er starb?

Bei der öffentlichen Untersuchung des Gerichtsmediziners wurde eingehend dargelegt, wie Erstickungsgefühle im Verein mit sexueller Aktivität sensationelle Lustempfindungen schaffen könnten und daß diese Wirkungen unter, nun ja, bei einigen Menschen wohlbekannt sei. Es gebe auch andere bekannte Fälle, in denen ähnliche Experimente ebenfalls ein fatales Ende genommen hätten. Das Innenministerium hatte für die amtliche Leichenbeschau einen besonders qualifizierten Experten abgestellt, einen Dr. William Kennard. Nach Dr. Kennards zum Teil pikantem Vortrag über Lustempfindungen im Zusammenhang mit exklusiven Sexgewohnheiten lautete die offizielle Schlußfolgerung: Tod durch Unfall, ausgelöst durch eigenes Verschulden.

Normalerweise wäre ein solches Ereignis trotz mancher delikater Details nur recht kurz in den britischen Medien abgehandelt worden. Doch jetzt ging es wieder einmal um eine Person mit einem qualifizierten und geheimen Arbeitsplatz in der Rüstungsindustrie. Der vierundzwanzigjährige Mark Wisner war Angestellter von A & AEE (Aeroplane and Armament Experimental Establishment), und sein Arbeitsplatz befand sich auf einer von größter Geheimhaltung umgebenen Fliegerbasis.

In den meisten Ländern der Welt, möglicherweise besonders in Großbritannien, sind Jobs, bei denen Geheimhaltung verlangt wird, unvereinbar mit bizarren sexuellen Gewohnheiten, mit Alkoholismus, Kriminalität, Homosexualität, finanziellen Sorgen oder anderen Faktoren, die, mehr oder weniger von kulturellem Milieu abhängig, als Sicherheitsrisiko gelten. Mark Wisner war wie alle, die in ähnlichen Funktionen arbeiteten, einer eingehenden Sicherheitsprüfung unterzogen worden. In seinen Papieren fand sich keine Notiz über sexuelle oder sonstige Abweichungen. Für seine Kollegen und Bekannten war diese angebliche Veranlagung überdies eine totale und für manche unglaubliche Überraschung. Sollte er also ein heimliches Leben als Transvestit geführt haben, ein Leben mit Klebeband und Spitzencorsagen, ohne daß die beiden Freunde, mit denen er das Haus teilte, je auch nur einen Lackstiefel entdeckt haben sollten?

Vielleicht war es so. Es lag unleugbar in der Natur der Sache, daß er sich in dem Fall die größte Mühe gegeben haben mußte, seine Neigungen zu verbergen. Sonst wäre er Gefahr gelaufen, als Sicherheitsrisiko eingestuft zu werden und damit seinen Job zu verlieren.

Als die Presse herauszubekommen suchte, mit welchen EDV-Geheimnissen Mark Wisner zu tun gehabt hatte, stieß sie auf eine Mauer des Schweigens, sowohl bei A & AEE wie bei der Royal Air

Force. Es hieß, es verstoße gegen britisches Recht, auch nur anzudeuten, womit der Verstorbene beschäftigt gewesen sei.

Jetzt griffen die Journalisten der großen Londoner Zeitungen den Fall auf. In ihren Archiven entdeckten sie schnell ein vergleichbares Ereignis.

1983, während der früheren Epidemie statistisch angeblich normaler Selbstmorde in der Rüstungsindustrie, sollte ein fünfundzwanzigjähriger »Beamter« sich mit Hilfe einer Plastiktüte über dem Kopf erstickt haben. So hatte die Lokalzeitung in Cheltenham zunächst über das Ereignis berichtet: »Beamter«.

Doch ausgerechnet in Cheltenham befindet sich eine der sagenumwobensten und geheimsten Anlagen der britischen Streitkräfte, Government Communications Headquarters, normalerweise unter der Abkürzung GCHQ bekannt. Die Anlage ist das Zentrum des gesamten Funk- und Nachrichtenverkehrs sowie für Ver- und Entschlüsselung militärischer Nachrichten und damit auch eine der wichtigsten Stationen der NATO für alles, was das Abhören fremden Funkverkehrs und Entschlüsselung betrifft.

Natürlich hatte dieser »Beamte«, Stephen Drinkwater, dort seinen Arbeitsplatz gehabt, überdies in der einzigen Abteilung des GCHQ, in der geheime Akten kopiert werden durften. Dieses vermeintliche Sicherheitsrisiko aufgrund sexueller Neigungen sollte also den Job gehabt haben, die größten Geheimnisse der NATO täglich zu kopieren.

Sein heimliches Laster, sexueller Genuß mit einer Plastiktüte auf dem Kopf, war, was kaum überraschen kann, für seine Eltern eine totale Neuigkeit; er hatte zu Hause gewohnt, und es waren die Eltern, die ihn tot in seinem Zimmer vorfanden.

Die Schlagzeilen der britischen Presse wurden jetzt schwärzer und dicker. Alle früheren Fälle des Zeitraums 1983 bis 1989 wurden wieder aufgegriffen, und überdies wurden Entdeckungen gemacht, was bestimmte neuere Selbstmorde betraf.

Der Fall der Samantha Arnold, des Mädchens, das sich die Hände selbst auf dem Rücken gefesselt haben sollte, um anschließend auf sieben Zentimeter hohen Absätzen ins Wasser zu hüpfen und in fünfzig Zentimetern Tiefe zu ertrinken, gewann neue Aktualität. Einige Wochen zuvor hatte man nicht gefragt, wo sie angestellt gewesen war. Man hatte sie lediglich als sechsundzwanzigjährige Sekretärin bezeichnet.

Doch jetzt stellte sich heraus, daß das Unternehmen, in dem sie gearbeitet hatte, Micro Scope war, ein EDV-Unternehmen, das sich darauf spezialisiert hatte, verschiedene EDV-Systeme »miteinander kommunizieren zu lassen«, ob sie sich nun im selben Gebäude oder in verschiedenen Ländern befanden. Bei Micro Scope leugnete man zunächst überhaupt irgendwelche Aufträge zu haben, die etwas mit der britischen Rüstungsindustrie zu tun hätten. Man versuchte auch, die Tatsache zu bagatellisieren, daß das Unternehmen als Mitglied jener Industriegruppe lizensiert war, die für die Streitkräfte arbeitete, die Defence Manufacturers' Association. Als die Reporter aufdringlicher wurden, verwies man auf Schweigepflicht und Staatsgeheimnis.

Ungefähr zu der Zeit, als die Dementis von Micro Scope schon brüchig zu werden begannen und die Verbindung zu den Streitkräften offenkundig wurde, kam es zu einem weiteren mysteriösen Selbstmord.

John Whiteman, ein einunddreißigjähriger EDV-Ingenieur bei British Aerospace, ertränkte sich aufgrund von Streß bei der Arbeit in der Badewanne, wie es in der offiziellen Verlautbarung hieß.

Seine Frau Dorothea fand ihn, und das, was sie zunächst sah, deutete unleugbar auf Selbstmord hin. Er lag tot in der Badewanne des Hauses. Neben der Wanne stand eine leere Dose, die einmal Schlaftabletten enthalten hatte. Neben der Dose wiederum standen zwei Flaschen Whisky. Die eine war leer, und die andere enthielt nur noch eine Pfütze.

Das Bild schien damit klar zu sein. Der Mann hatte sich mit Schlaftabletten vollgestopft und zwei Flaschen Whisky geleert. Dann war er eingeschlafen und unter Wasser gesunken. Wegen der Gifte hatte das natürliche Alarmsystem des Körpers nicht reagiert. Einfach und klar.

Die gerichtsmedizinische Untersuchung jedoch, die der öffentlichen Anhörung des Gerichtsarztes vorausging, brachte einen sehr eigentümlichen Umstand ans Licht. Es fanden sich nämlich nur äußerst geringe Mengen Alkohol im Blut des Verstorbenen und überhaupt keine Spuren eines Schlafmittels.

Frau Dorothea Whiteman erkundigte sich ausführlich bei einem Pathologen, ob es überhaupt möglich sei, sich ohne Alkohol und Schlafmittel in einer Badewanne zu ertränken. In dem Gutachten hieß es, daß dies kaum möglich sei. Sobald jemand Wasser einatme, würden die Reflexe des Körpers sich derart kraftvoll melden, daß der Betreffende hustend und schniefend an die Oberfläche komme. Es gebe keine Möglichkeit, solche Reflexe allein mit Willenskraft niederzukämpfen.

Auch das, was dem angeblichen Selbstmord vorausgegangen war, schien eigenartig zu sein, zumindest als Vorbereitung eines Selbstmords. In den letzten neunzig Minuten seines Lebens hatte sich John Whiteman zunächst der Reparatur eines Rennrads in der Garage gewidmet, um sich anschließend eine Zeitlang in sein Arbeitszimmer zu setzen. Dort hatte er einige Rechnungen beglichen und eine Glückwunschkarte versteckt, die sein Schwiegervater zum Geburtstag seiner Frau Ende der Woche geschickt hatte. Anschließend sollte er sich zwei Flaschen Whisky genommen und sie irgendwo ausgekippt haben, nur nicht in sich selbst, eine Dose mit Schlaftabletten geleert haben, offenbar ebenfalls nicht in seinen Körper, sondern in die Toilette. Dann hatte er die drei leeren Glasgefäße neben die Badewanne gestellt, um den Eindruck zu hinterlassen, er hätte sich den Inhalt einverleibt und sich schließlich auf eine Weise zu ertränken, die in der Medizingeschichte unbekannt war.

Seine Spezialität bei British Aerospace in Warton, Lancashire, war die Entwicklung besserer Kommunikationsmethoden zwischen verschiedenen EDV-Systemen bei dem Waffensystem, das allgemein Eurofighter genannt wird, einem von Deutschland, Großbritannien und Italien gemeinsam betriebenen Entwicklungsvorhaben für ein Kampfflugzeug.

In jedem westeuropäischen Land hätten die Massenmedien sich jetzt gegenseitig in mehr oder weniger düsteren Spekulationen übertroffen, wie es möglich sei, daß die Nation schon wieder von einer neuen Welle bizarrer Selbstmorde in der Rüstungsindustrie betroffen ist. So natürlich auch in Großbritannien.

Es fällt nicht schwer, sich einige spannende und attraktive spekulative Erklärungen etwa in der schwedischen, der deutschen oder amerikanischen Presse vorzustellen:

Der Feind ist verrückt geworden und will die intellektuellen Ressourcen unserer Verteidigung beseitigen. Der Feind ist wahrscheinlich Rußland, und folglich hat Jelzin seine Militärs nicht mehr unter Kontrolle, die inzwischen in der Technologie weit hinterherhinken. Aus diesem Grund sind sie darauf verfallen, die Konkurrenz auf etwas drastischere Weise in die Schranken zu weisen.

Oder: Bei den Toten handelt es sich um russische Spione, die nicht mehr für Moskau arbeiten wollten. Sie wurden »geselbstmordet«, damit sie keine Zeit mehr haben, die eigenen Sicherheitsorganisationen zu alarmieren.

Etwa so hätten die Zeitungen anderer Länder der westlichen Welt spekuliert. Aber in England ist eben alles ein bißchen anders.

Die beliebteste Erklärung unter den Journalisten, die über die Selbstmordwelle der Jahre 1983 bis 1989 berichtet hatten, wäre außerhalb Englands undenkbar gewesen. In Großbritannien hieß es, daß die Behörden des eigenen Staates potentielle Sicherheitsrisiken ermordet hätten. Es handle sich mit anderen Worten um eine aus Sicherheitsgründen erfolgte Sanierung des Korps der Staatsangestellten oder der Angestellten in der Rüstungsindustrie.

Eine amerikanische, schwedische oder deutsche Zeitung, die mit einer solchen Erklärung an die Öffentlichkeit gegangen wäre, wäre sowohl von ihren Lesern wie von anderen Medien glatt ausgelacht worden.

In Großbritannien lachte man nicht. Hingegen verlagerte sich der Ereignisverlauf jetzt zwangsläufig ins Parlament, wo zunehmend aggressive und impertinente Fragen an den Verteidigungsminister gerichtet wurden. Darunter auch Fragen, die in vollem Ernst Auskunft darüber verlangten, unter welchen Umständen der Geheimdienst Ihrer Majestät oder andere staatliche Organe britische Staatsbürger hinrichteten.

2

Die Publizität in der *Los Angeles Times* übertraf Carls Erwartungen bei weitem. Irgendwie war es beinahe zu gut.

Erstens hatte das Blatt, von der sogenannten Exklusivität leicht berauscht, das Interview mit Carl, seiner kalifornischen Ehefrau und dem jungen Stan groß auf der ersten Seite aufgemacht, mit Fotos, die den Eindruck erweckten, der Leser betrachte die glückliche Wiedervereinigung einer Familie (worauf in eingestreuten kleinen Schnipseln Carls mehr oder weniger sinnlose Kommentare zu Dingen folgen, die er eigentlich nie kommentiert hatte).

Zweitens brachte das Blatt am folgenden Tag noch eine Fortsetzung, mit Fotos des Hauses in Santa Barbara, des nicht ganz glücklichen Vaters und Stans in einer Art Schuluniform. Wahrscheinlich war es ein Klassenfoto, das bei irgendeiner Abschlußfeier aufgenommen worden war.

Stans Vater wurde mit der sehr offenen amerikanischen Interviewtechnik konfrontiert. Was für ein Gefühl sei es, bei einem Sorgerechtsstreit einen internationalen bekannten Kriegshelden zum Gegner zu haben, dem soeben das Navy Cross zuerkannt worden war?

Das ist ja ganz nett, aber was für ein Handicap hat er beim Golf?

Habe der erwähnte Kriegsheld nicht überdies die Wachhunde des Hauses in Stücke gerissen, die offenbar durch ein unglückliches Versehen frei herumliefen und wohl nicht nur ihren Job, sondern auch die Fähigkeit des Gegners verkannt hätten, mit Hunden umzugehen?

Aber gewiß. Die Hunde hatten einige intellektuelle Schwächen.

Ob neue Hunde angeschafft worden seien?

Ja. Aber die sind besser in Form.

Kann man eine Revanche erwarten?

Auf keinen Fall. Ein Tierfreund würde sich so etwas nie erlauben.

Wie sieht der nächste Schritt im Sorgerechtsstreit aus?

Jetzt hören Sie mal zu, ja! Geben Sie mir doch eine Chance! Wir sprechen nicht von einem Feldzug, denn dabei ginge es, wenn ich es recht verstehe, um Alexander den Großen gegen Huckleberry

Finn. Wir sprechen vom Recht eines Jungen, eines sehr jungen Mannes, auf ein Privatleben, und ich finde, das sollten Sie respektieren.

Stans Vater machte sich recht gut bei diesem Interview. Tessie hatte die Zeitung per Kurierpost von einer alten Freundin erhalten und las den Text zweimal sorgfältig durch, bevor Carl einen Blick darauf werfen durfte. Ihr Urteil, ob nun das Urteil der Anwältin oder der Mutter, lautete, ihr Ex-Mann habe tatsächlich die Schnauze gehalten (bei Gesprächen, bei denen es um Amerika ging, unterhielten sie sich immer auf englisch). Er habe nichts gesagt, was ihm selbst, Stan, seiner geschiedenen Frau oder dem jetzigen Mann der geschiedenen Frau geschadet hätte, und zwar in der Reihenfolge.

Carl las mit gerunzelter Stirn, als er die zerknüllte Zeitung endlich in die Hand bekam. Was ihm nicht gefiel, vertraute er nicht einmal Tessie an, nämlich, daß die Zeitung mit Karte und Luftbild das Haus abbildete.

Das rief unangenehme Assoziationen bei ihm hervor. Stenhamra, ihr eigenes Haus, war in letzter Zeit für mehr als eine Million umgebaut worden. Tessie hatte mit kaum verhohlener Irritation einige der Veränderungen bemerkt, aber nicht alle. Grund für die Maßnahmen war eine gefälschte »Zu Hause bei …«-Reportage, die vor rund einem Jahr in einer der zwei Klatschzeitungen des Landes publiziert worden war. Dabei hatte man die Grundrißzeichnungen von Stenhamra abgebildet, Stockwerk für Stockwerk mit kleinen Zeichnungen, die Carl (in Uniform!) mit seiner Frau und seiner kleinen Tochter bei der Hausarbeit zeigten. Die Zeitung hatte gute Verbindungen zum früheren Eigentümer des Hauses gehabt, einer Person, die nach Festen im Café Opera oft zusammen mit Björn Borg per Hubschrauber nach Hause geflogen war, um dort weiterzufeiern. Entscheidend war, daß diese erfundene Reportage sehr gute Grundrißzeichnungen des Hauses enthielt. Überdies hatte man den Artikel damals bei sizilianischen Mördern im Hotel Sheraton gefunden.

Die Sizilianer waren tot. Stenhamra war inzwischen an mehreren Stellen umgebaut worden. Aus diesem Grund ließen sich die Türen der »französischen Fenster« im Salon nur so schwer öffnen, aus diesem Grund flimmerte das Licht im Haus hellgrün (Panzerglas in den Fenstern). Das Erdgeschoß hatte ein angeblich »mexikanisches« Aussehen erhalten, da sämtliche Fenster mit schmiedeeisernen Gittern versehen worden waren, die nach Kunsthandwerk aussahen. In Wahrheit bestanden die Gitter aus schwarzgestrichenem, spezialgehärtetem Stahl. Stenhamra war jetzt in der Nacht, wenn Türen und Fenster verschlossen waren, so gut wie uneinnehmbar. Nur eine Kampfwagenbrigade hätte das Haus stürmen können. Carl war schwer erschüttert gewesen, als er im vergangenen Herbst entdeckte, daß es einer schwedischen Waldmaus irgendwie gelungen war, ins Haus zu gelangen. Er hatte anscheinend übertriebene Mühe darauf verwendet herauszufinden, wie der schnell getötete Eindringling in das gut gesicherte Haus hatte kommen können. Tessie war in ihrer Ahnungslosigkeit entzückt gewesen und hatte herzlich über diesen Mäusekampf gelacht.

Die Berichte in der *Washington Post* behandelten andere Themen. Sie wurden zu großen Teilen in der schwedischen Presse wiedergegeben, jedoch ohne jeden Kommentar von Carls Seite und mit einigen versteckt zustimmenden »kein Kommentar«-Äußerungen des schwedischen Ministerpräsidenten.

Die *Washington Post*, die hohe amerikanische Regierungsquellen zitierte, brachte eine recht ausführliche und in weiten Teilen korrekte Erklärung dafür, weshalb der bekannte oder berüchtigte schwedische Offizier Carl Hamilton sowie ein namentlich nicht genannter schwedischer Marineoffizier für würdig gehalten worden waren, mit dem Navy Cross ausgezeichnet zu werden.

Der *Washington Post* zufolge hatten der amerikanische und der schwedische Nachrichtendienst bei einer komplizierten und gefährlichen Operation in der Wüste Libyens zusammengearbeitet. Dabei sei eine sowjetische Flugzeugbombe älteren Datums aufgespürt und zerstört worden. Diese habe eine Sprengkraft von mehr als einer Megatonne gehabt.

Es habe sich folglich um eine lebenswichtige internationale Zusammenarbeit gehandelt, die zum Ziel hatte, mit einem der drängendsten und zugleich unterschätztesten Problemen der Welt fertigzuwerden: dem Kernwaffenschmuggel aus der ehemaligen Sowjetunion.

Den Ermittlungen der *Washington Post* zufolge sei es dem schwedischen Admiral Carl Hamilton, dem operativen Chef des Unternehmens, gelungen, die Kernwaffenträume des libyschen Diktators Moammar Gaddhaffi zu vereiteln. Die Bombe sei irgendwo in den Grenzregionen zum Tschad in einem Feuerball vernichtet worden.

Die einzige offene Quelle, die das Blatt zitierte, war der schwedische Ministerpräsident. Sein Name war falsch geschrieben worden. Seine Worte waren, daß es angesichts solcher alles überschattenden internationalen Probleme auf schwedischer Seite keinerlei Zögern gebe, mit allen verfügbaren Mitteln an dem Kampf für eine Weltordnung ohne Terror und so weiter teilzunehmen.

Tessie knallte die Zeitung auf den Küchentisch, als sie von ihrer Einkaufsrunde in Stockholm zurückkehrte; einer der Gründe, weshalb sie an jedem zweiten Tag in die Stadt fuhr, um dort einzukaufen, war ihr Wunsch, amerikanische Zeitungen zu lesen.

Carl war gerade dabei, Zwiebeln zu schneiden, und nebenbei eine Babyflasche zu erwärmen. Er fühlte sich vollkommen unschuldig und konnte Tessies Empörung zunächst nicht verstehen. Er überflog den Artikel, nickte und sagte, nichts davon sei falsch, doch andererseits sei es eine etwas vereinfachte Darstellung. Was sei schon dabei? Er hatte die Frage absichtlich auf schwedisch gestellt und nicht auf englisch, obwohl es sich um einen englischen Text handelte.

Doch auf diesen Trick fiel Tessie nicht herein.

»Was soll das heißen, was ist schon dabei?« begann sie auf englisch und zeigte mit der ganzen Hand und der Handfläche nach oben auf den Zeitungstext. »Du bist letzten Sommer also in Libyen gewesen und hast so eine verdammte Atombombe gesprengt? Ich weiß nicht mal mehr, was du damals behauptet hast, aber es ist darum gegangen, so eine gottverdammte Atombombe in die Luft zu jagen! Sollen wir uns für das Haus Geigerzähler anschaffen?«

»Mach dir wegen eines Geigerzählers keine Sorgen«, sagte er mit einem vorsichtig unterdrückten Lächeln. »Das ist schon erledigt. Ich bin von Kopf bis Fuß untersucht worden. Ich bin wahrscheinlich bedeutend reiner als der geräucherte Rehschinken in der Speisekammer, der schlimmstenfalls sogar aus Gävle kommt.«

»Gävle!« fauchte sie mit blitzenden Augen. »Was meinst du mit Gävle?«

»Tschernobyl«, erwiderte er lakonisch. »Der radioaktive Niederschlag aus Tschernobyl wurde von Pilzen aufgenommen. In der Gegend von Gävle ist besonders viel davon niedergegangen. Rehe fressen Pilze, und aus diesem Grund mißt man noch heute jedes Stück Wild aus Gävle, und der Argumentation halber können wir sagen, mit Geigerzählern.«

Er sah ihr an, daß er sie jetzt durch ein Lachen aus dem Gleichgewicht bringen konnte, und wechselte deshalb ins Schwedische.

»Ich bin reiner als ein Rentier«, sagte er und breitete die Arme aus. In der einen Hand hielt er das Messer mit den Zwiebelresten, in der anderen eine halbe Zwiebel.

Sie lachte laut los. Es war unwiderstehlich.

Sie lachte und winkte abwehrend mit der Hand, damit er gar nicht erst sagte, was unweigerlich kommen würde, nämlich daß ohnehin alles vorbei sei. In San Diego würde es nicht mehr so sein wie bisher, daß sie nur unvollständige Informationen in kleinen Portionen erhielt.

Die inzwischen zwei Tage alte Darstellung der *Washington Post* über amerikanischen Heldenmut im Kampf für Frieden et cetera, wenn auch mit ein wenig schwedischem Beistand, war vermutlich auch in anderen Medien breitgetreten worden, zum Beispiel unzählige Male bei CNN.

Damit ließ sich vielleicht eine der beiden unerwarteten Einladungen, die sie am nächsten Tag in ihrer privaten Post fanden, erklären. Die Einladungsschreiben waren auffallend ähnlich, obwohl die Absender höchst unterschiedlich waren.

Der eine Brief kam von dem Botschafter der Palästinensischen Befreiungsbewegung PLO in Stockholm. Jassir Arafat äußerte über seinen Botschafter den Wunsch, Carl in Tunis zu sehen, wo er mit etwas behängt werden sollte, was »Palästinensische Ehrenlegion« genannt wurde.

Der zweite Brief kam von einer Person, die sich als Herzog von Hamilton in Lennoxlove in Schottland vorstellte.

Bei beiden Einladungen schien es sich um ziemlich harmlose gesellschaftliche Ereignisse zu handeln. Carl sah bei Arafats Einladung jedoch einen großen Pferdefuß, bei der des Herzogs einen etwas kleineren.

Der Herzog, der einen Namen trug, der an ein besonders leckeres Rinderfilet erinnerte, Angus Hamilton, schrieb sehr freundlich, etwas umständlich und von Hand. In zehn Tagen werde er in seiner Residenz Lennoxlove einen kleinen Empfang geben, und zwar aus Anlaß des Erscheinens seines Buches über Maria Stuart: *Mary Queen of Scots, The Crucial Years* (ISBN 1-85158-3637); ein Exemplar des Buches folge mit getrennter Post. Als Oberhaupt aller Hamiltons der Welt sei es ihm angenehm, von Zeit zu Zeit Clan-Angehörige von nah und fern einzuladen. Es wäre ihm ein großes Vergnügen, wenn der Herr Flotillenadmiral ihm mit Ehefrau Teresia die Ehre erweisen wolle, zu dem genannten Datum Lennoxlove zu besuchen. Es werde ein großes Essen geben, traditionelle schottische Unterhaltung und so weiter.

»Er wagt offenbar nicht, offen zu sagen, daß wir Dudelsackmusik zu hören bekommen«, kicherte Tessie. »Natürlich fahren wir hin.«

»Aber ja, selbstverständlich«, murmelte Carl zerstreut. »Es ist aber dreihundert Jahre her, seit ich Schotte war, und ich habe nicht die blasseste Ahnung, wie man sich da benimmt.«

»Du bist doch Offizier des Nachrichtendienstes, finde es heraus!« sagte Tessie in ironischem Befehlston und überreichte ihm einen schreienden kleinen Sohn, der neue Windeln brauchte.

Carl machte sich daran, die Windeln zu wechseln. »Der Herzog will wahrscheinlich nur ein bißchen Werbung für sein Buch. Die können wir ihm gern bieten«, brummte er.

»Warum mußt du bei anderen Leuten immer nach versteckten Motiven suchen? Vielleicht ist er nur neugierig auf sein Clan-Mitglied Hamilton. Vielleicht will er nur nett sein«, wandte Tessie ein.

»Das eine schließt das andere nicht aus«, entgegnete Carl, während er schnell das neue Windelpaket verschnürte und mit dem Sohn auf dem Arm nach der Babyflasche griff. Dann sank er in einen knarrenden Sessel. »Aber das heißt doch nicht, daß wir naiv sein müssen. Er will, daß Journalisten zu seiner Buchpräsentation kommen. Das ist ja wohl so üblich. Aber gut, es macht vielleicht Spaß, seinen schottischen Wurzeln nachzugehen, obwohl ich nicht gerade das Gefühl habe, Dudelsackmusik im Blut zu haben. Die Sache mit Arafat ist schon ein bißchen kühner, aber ich glaube, ich werde auch dort zusagen. Carl Bildt wird durchdrehen.«

Bei diesen Worten sah er sehr zufrieden aus, und Tessie überlegte einen Moment, bis sie schließlich nachfragte.

Carl zufolge war es offensichtlich: Arafat hatte natürlich die amerikanische Darstellung gelesen, die in der *Washington Post* gestanden hatte. Der Artikel erweckte den Eindruck, als wären bestimmte, für den Frieden höchst wertvolle Einsätze von den USA organisiert worden und schwedische Marineoffiziere hätten diese unterstützt. Doch so einfach sei es nicht. Wenn er, Carl, jetzt nach Tunis reise und sich dort der Öffentlichkeit stelle, könne er ebensogut Tessie die Einzelheiten erzählen, erklärte Carl unschuldig.

Sie hätten diese Bombe nie ausfindig machen und zerstören können, wenn der Nachrichtendienst der PLO nicht mit einem entscheidenden Einsatz geholfen hätte. Wenn man die Einsätze irgendwie nach ihrer Wichtigkeit bewerten solle, würde die PLO unter den drei beteiligten Parteien wahrscheinlich an erster Stelle landen, Schweden auf dem zweiten Platz und die USA auf dem letzten.

»Nicht dem letzten, auf einem ehrenvollen dritten Platz, das bedeutet Bronzemedaille«, korrigierte Tessie.

Wie auch immer. Arafat fühlte sich natürlich um eine Menge politisches Ansehen betrogen. Sein Motiv, sich überhaupt an einer Intrige gegen einen arabischen Bruder zu beteiligen, wie es in arabischer Rhetorik heißen würde, war der Wunsch, vor allem in Washington politische Pluspunkte zu sammeln. Er wollte die Verhandlungsposition der PLO stärken. Folglich wollte er jetzt Washingtons Medaillentrick mit einem ebenso einfachen Kunstgriff wiederholen. Indem er Carl die Medaille umhängte und eine Ansprache hielt, würde er die Möglichkeit erhalten, die amerikanische Geschichtsschreibung zu korrigieren, und das war die Absicht der ganzen Veranstaltung.

Carl verstummte und widmete sich eine Zeitlang konzentriert seinem Sohn und der Flasche. Dann lachte er plötzlich auf, als wäre ihm etwas eingefallen. Als Tessie ihn fragend anblickte, antwortete er sofort.

»Also, die Dinge liegen so«, gluckste er leise. »Wenn wir ganz förmlich sein wollen, wie es in meinen Kreisen ja unleugbar üblich ist, darf ich ohne Genehmigung meiner Regierung, also des

Ministerpräsidenten, von einem fremden Staat keine Auszeichnung entgegennehmen. Und ich habe das dumpfe Gefühl, daß Carl Bildt es, sagen wir, nicht ebenso eilig hat, sich an die Seite Arafats zu stellen, wie uns zur amerikanischen Botschaft zu kommandieren. Wenn ich jetzt nach Tunis fliege und neben Arafat vor die Öffentlichkeit trete, wird Bildt vor Wut platzen, und damit taucht die komische Frage auf, wie dumm ich mich eigentlich stellen darf.«

»Eine sehr interessante Frage«, entgegnete Tessie ironisch. »Dummheit ist ja eins deiner markantesten Kennzeichen.«

»Genau«, sagte Carl mit einem Lächeln. »Manchmal kann ich in politischer Hinsicht bemerkenswert naiv sein. Was werde ich sagen. Was? War es *falsch*, in meiner Freizeit nach Tunis zu reisen und Arafat zu begrüßen? Er hat doch die Operation Green Dragon erst ermöglicht, und es war ja auch nicht falsch, zur amerikanischen Botschaft zu gehen. Was? Meinst du etwa, ich hätte deine Genehmigung einholen sollen? Aber hör mal, das gilt doch nur für Auszeichnungen eines fremden *Staates*, und ich habe nicht gewußt, daß Arafat in deinen Augen ein Staatschef ist.«

Carl legte sich seinen Sohn über die Schulter, klopfte ihm vor sichtig auf den Rücken, bis er ein paar deutlich hörbare Bäuerchen ausgelöst hatte.

»Was für ein Glück, daß ich ein politischer Idiot bin«, sagte er lachend.

Tessie fiel auf, daß er in diesem Augenblick vollkommen entspannt und ausgeglichen wirkte, als wäre alle Grübelei über Emigration und Trennung von der Tochter vorüber, als hätte er sich auch damit abgefunden, das militärische Leben hinter sich zu lassen, um, wie er manchmal witzelte, zu einem gewöhnlichen Malocher zu werden, einem unbewaffneten Malocher.

Ein ernstes Problem, das Carl mit Tessie nicht einmal andeutungsweise besprochen hatte, war der Umstand, daß er sich in der sogenannten sicherheitspolitischen Analysegruppe des Ministerpräsidenten, der persönlichen Nachrichtenzentrale des Regierungschefs, zunehmend isoliert fühlte. Es gab einen Riß in der Gruppe, der Tag für Tag unwiderruflich größer wurde. Dabei ging es in der Hauptsache um die Ansichten über die Entwicklung in Rußland und den baltischen Staaten, den Gebieten, die für den militärischen und politischen Nachrichtendienst Schwedens zunehmend interessanter wurden und alles andere überschatteten.

Carls offizielle Hauptaufgabe bestand darin, Analyseergebnisse des Nachrichtendienstes des Regierungschefs und des militärischen Nachrichtendienstes zu synchronisieren. Er war so etwas wie ein Verbindungsoffizier zwischen den beiden Einheiten und traf einmal pro Woche mit Samuel Ulfsson im Generalstab zusammen, um Informationen auszutauschen und analytische Ergebnisse abzuwägen.

Die Schwierigkeit war, daß der Ministerpräsident und einige seiner Berater sich ganz einfach weigerten, nachrichtendienstliches Material, das ihren Thesen zuwiderlief und nicht dem entsprach, was man von »hochgestellten Quellen der Regierung im Kreml« erfuhr, zu akzeptieren. Hauptquelle der Regierung war ein schwedischer Professor, der als Wirtschaftsberater für die russische Regierung arbeitete. Der Ministerpräsident vertrat die Ansicht, daß eine ökonomische Schocktherapie für das russische Volk nützlich sei. Sie werde schnell Wohlstand, Kapitalismus und Demokratie bringen – das entsprach den Ideen des schwedischen Professors.

Die Analysen des militärischen Nachrichtendienstes sahen erheblich düsterer aus. Beim Militär war man der Ansicht, daß die zunehmende Unzufriedenheit beim Volk mit etwas, was die Allgemeinheit in Rußland eher als eine Gangsterkomödie ansah denn als eine Therapie, sich schon bald zu einem Bürgerkrieg auswachsen könnte. Bereits der Gegensatz zwischen Parlament und dem russischen Präsidenten laufe darauf hinaus, in Gewaltakten zu enden. Und die näherrückende Wahl werde vermutlich kaum anständige demokratische Kräfte begünstigen, sondern ganz im Gegenteil lose zusammengefügte Gruppierungen aus Ultra-Nationalisten, Demokratiefeinden, Antisemiten und Kommunisten vom alten Schlag stärken.

Schon jetzt breitete sich in Moskau eine Dolchstoßlegende aus, derzufolge die westliche Welt eine vorübergehende Schwäche Rußlands ausnutzen wolle. Die westliche Welt und die Juden hätten sich miteinander verschworen und dem Saufbold Jelzin eingeredet, eine sogenannte »Schocktherapie« werde alle ökonomischen Probleme lösen. In Wahrheit ziele man mit dieser Schocktherapie darauf ab, Rußland in seine Bestandteile zu zerlegen, um somit einen unüberwindlichen Abstand zu dem ökonomischen und militärischen Vorsprung des Westens zu sichern. Der Westen verspreche immer wieder wirtschaftliche Unterstützung, verbinde seine Zusagen aber mit Forderungen nach mehr »Schocktherapie«, um dann die versprochene Unterstützung unter Hinweis darauf zurückzuhalten, daß der Schock noch nicht groß genug sei. Die Verschwörungstheorie schien kurzzeitig tatsächlich so glaubwürdig, daß selbst Sam und Carl sich gelegentlich fragten, ob an diesen Vorstellungen nicht doch etwas dran sei.

Diese düstere Prognose der Entwicklung in Rußland, ließ daran zweifeln, ob man tatsächlich alles auf Verbindungen mit Boris Jelzin setzen sollte, der immerhin Gefahr lief, jederzeit abgesetzt zu werden oder an seinem Wodkakonsum zu sterben.

Und sollte Boris Jelzin durch ultranationalistische Kräfte ersetzt werden, würde die Bedrohung der baltischen Nachbarn schnell zunehmen. Die Ultranationalisten sprachen nämlich von einer Wiederherstellung von Rußlands Größe, und überdies wollten sie die Grenzen erweitern, die westlichen Verschwörer aus dem Land jagen, und so weiter.

Der schwedische Nachrichtendienst sollte die Entwicklung in Rußland und den baltischen Staaten beurteilen, und zwar unter besonderer Berücksichtigung möglicher Kriegshandlungen, die auf die eine oder andere Weise Schweden betreffen konnten.

Wenn aber die schwedische Regierung, und vor allem der schwedische Ministerpräsident selbst, sich weigerte, die Analysen zu akzeptieren, die der Nachrichtendienst vorlegte, da man es vorzog, den »eigenen Quellen« im Kreml zu vertrauen, das heißt dem obersten Schocktherapeuten persönlich, näherte sich die Arbeit rasch der Grenze zur Sinnlosigkeit.

Der Riß zwischen Politikern und Nachrichtendienst war für Carl von großer Bedeutung gewesen. Er hatte begonnen, seine Arbeit als hoffnungslos anzusehen, und spekulierte nicht auf eventuelle Veränderungen, falls die bürgerliche Regierung die nächste Wahl verlieren sollte. Daß ein sozialdemokratischer Ministerpräsident die private Nachrichtenzentrale seines Vorgängers in Rosenbad schnell auflösen würde, sah Carl als gegeben an. Doch das brauchte nicht unbedingt ein Nachteil zu sein. Im Gegenteil, es konnte die nachrichtendienstliche Arbeit vereinfachen und ihm sowohl doppelte Arbeit als auch merkwürdige Verbindungsprobleme zwischen Rosenbad und Generalstab ersparen. Er hatte jedoch nicht die blasseste Ahnung, wie eine neue sozialdemokratische Regierung mit der nahezu totalen Umstellung des Verhältnisses zu Rußland und dem Baltikum umgehen würde, die sich in den drei Jahren, in denen Carl Bildt Ministerpräsident war, entwickelt hatte. Schlimmstenfalls würden die Sozialdemokraten sämtliche Hebel in Bewegung setzen, um alles umzukrempeln und in eine andere und in diesem Fall weniger wichtige Richtung zu lenken, nur weil das, was »die Rechte« getan hatte, immer schon definitionsgemäß falsch sein mußte. Jedenfalls ließ sich nicht mit Klarheit sagen, was geschehen würde, falls es zu einem Regimewechsel kam. Carl rechnete damit, zu diesem Zeitpunkt Schweden schon verlassen zu haben.

Er reiste allein nach Tunis. Der sichtlich enttäuschten Tessie erklärte er, es könne mühsam sein, ein Kind mitzunehmen. In Tunis herrschten Temperaturen um fünfunddreißig Grad. Außerdem werde es seltsame nächtliche Zusammenkünfte geben. Arafat habe offenbar alle möglichen Gewohnheiten, nur nicht die, nachts zu schlafen. Vor allem aber sei es unter Arabern nicht selbstverständlich, daß Ehefrauen mitreisten.

Carl schämte sich ein wenig der letzten Erklärung. Er hatte einfach Tessies amerikanisierte Ansicht über Araber ausgenutzt. Der wirkliche Grund für seinen Wunsch, allein zu reisen, war handfester, doch mit solchen Gedanken wollte er sie nicht beunruhigen. Das Attentatrisiko war in Tunis um ein Vielfaches höher als in Schottland. Und wenn er mit Frau und Kind reiste, boten sie eine Zielscheibe, die dreimal so groß war.

Er hatte vorgeschlagen, sie sollten ihre Reise nach Schottland verlängern, mit der Autofähre nach England fahren und sich als Touristen Edinburgh und Umgebung ansehen. Am Ende schien es, als hielte Tessie das letztlich doch für einen recht guten Kompromiß, obwohl sie auf Tunis neugierig war.

In Tunis entwickelte sich das meiste genau so, wie Carl es erwartet hatte. Niemand holte ihn am Flugplatz ab, obwohl er per Fax sehr bestimmte und wiederholte Angaben über seine Ankunft gemacht hatte. Er hatte sicherheitshalber einen Mietwagen bestellt und im selben Hotel ein Zimmer gebucht, dem Abou Nawas draußen an der Küste, in dem er auch bei seinem letzten Besuch in Tunis gesessen und gewartet hatte. Als er ankam und in Arafats Kanzlei anrief, bekam er niemanden an den Apparat, der etwas von seiner Ankunft wußte, oder auch nur davon, wer er war. Er hinterließ seine Telefonnummer, wühlte seine Badehose hervor und ging zum Strand. Nichts an diesem Empfang erstaunte ihn. Das einzige, was ihn beunruhigte, war die Aussicht, möglicherweise eine Woche lang im Hotelzimmer zu sitzen und CNN als einzige Unterhaltung zu haben.

Das Baden war nicht sehr angenehm. Es wehte ein heftiger Wind, die Wellen gingen hoch, und das Wasser war zu warm. Er kehrte übellaunig in sein Zimmer zurück, rief beim Empfang an, um zu kontrollieren, ob er eine Mitteilung erhalten hatte, duschte und sank dann fast resigniert aufs Bett. Er schaltete den Fernseher ein, der schon auf CNN eingestellt war. Dort lief eine Art Ökonomie-Show, die ihn an das erinnerte, was er gelegentlich auch im schwedischen Fernsehen sah: geschniegelte junge Menschen, die das Lob des Geldes sangen und von der Entwicklung der jüngsten Aktienkurse in Tokio und Frankfurt berichteten. Carl verlor schnell die Konzentration und gab sich Grübeleien über sein eigenes Geld hin. Im nächsten Jahr würde die schwedische Regierung Dividendenzahlungen völlig steuerfrei machen. Mit der Begründung, daß die vermögendsten Individuen der Gesellschaft dieses so gewonnene zusätzliche Geld sofort in der Industrie investieren oder für den Kauf neuer Aktien ausgeben würden. Damit würden sie die Räder zum Rollen bringen, was zu mehr Beschäftigung und allgemeinem wirtschaftlichem Wohlstand führe. Somit ruhte auf den reichsten Mitgliedern der Gesellschaft eine schwere Verantwortung. Gleichwohl bestand ein großes Risiko, daß die Reichen überhaupt keine Räder in Bewegung setzten, sondern nur ihre restlichen Schulden bezahlten, da es sich nicht mehr lohnte, Schulden zu haben. Vielleicht würden sie noch ihren persönlichen Konsum ein wenig steigern und importierte Autos kaufen, importierte Lebensmittel und importierte Kleidung und damit die Räder in Deutschland, Frankreich und Italien in Bewegung setzen. Für Carl bedeutete die kommende Reform, daß er für seine und Tessies Auswanderung nach Kalifornien zehn Millionen

Dollar abheben konnte, ohne eine Krone Steuern zu bezahlen. Seine so geplünderten Immobiliengesellschaften würde er danach etwas billiger verkaufen müssen, als er sich ursprünglich vorgestellt hatte. Doch einerseits war der steuerliche Effekt nicht mehr sonderlich gravierend, wenn es um einen Verkauf eigener Aktien ging, denn auch diese Steuer würde im nächsten Jahr gesenkt werden, und zum andern gewann er auf diese Weise einen geringeren steuerpflichtigen Verkaufsbetrag, wenn er schon eine maximale und steuerfreie Dividende abgeschöpft hatte.

Er streckte die Hand nach Bleistift und Notizblock aus, die neben dem Telefon auf dem Nachttisch lagen, und stellte einige schnelle Berechnungen an. Je nachdem, wie er handelte, würde er höchstens fünf Millionen Dollar und mindestens zweihundertzwanzigtausend Dollar an Steuer bezahlen. Er konnte das Steuerniveau selbst wählen, und das war absurd. Wenn er wie bisher verfuhr und ein möglichst hohes Steuerniveau wählte, nämlich unter Hinweis auf Solidarität und Verantwortung, Begriffe, die niemand, nicht einmal er selbst, noch in den Mund nahm, wäre er vermutlich der einzige vermögende Mensch in Schweden, der so handelte und damit das eine oder andere Rad in Bewegung setzte. Alle anderen würden so viel an sich raffen, wie sie überhaupt an sich raffen konnten, nicht zuletzt im Hinblick darauf, daß dies vor dem Regimewechsel im nächsten Jahr und den damit verbundenen Steuererhöhungen vermutlich die letzte Chance dazu war. Alle anderen, die die Möglichkeit dazu besaßen, würden alles in ihren Kräften Stehende tun, um an der Zertrümmerung der schwedischen Wirtschaft teilzunehmen und sich selbst zu bereichern. Anschließend würden sie ihr Geld außer Landes bringen. Was Carl als einzelnes Individuum unternahm, hätte nicht die geringste Bedeutung.

Carl erkannte, wie heuchlerisch diese Argumentation war. Was er als einzelner unternahm, hatte sehr wohl eine Bedeutung, und zwar für ihn selbst und seine morgendliche Begegnung mit seinem Spiegelbild.

Aber, versuchte er sich einzureden, wenn ich jetzt das Land und den Beruf verlasse, der der einzige ist, den ich perfekt beherrsche, und das mit einer Familie, für die ich für alle Zukunft die Verantwortung habe, ist damit nicht auch eine persönliche Verantwortung vorstellbar, die darauf hinausläuft, daß ich für mich und die anderen möglichst gut vorsorge? Habe ich denn meiner Nation nicht besser gedient als irgendeiner dieser anderen Reichen, die jetzt möglichst viel an sich raffen und einfach mit dem Geld verschwinden, solange noch Zeit ist? Das Gehalt, das ich in all diesen Jahren für meine Arbeit im Geheimdienst Seiner Majestät bezogen habe, wie sie manchmal oben bei Sam scherzten, beträgt nicht einmal ein Zehntel dessen, was ein erfolgloser Bankdirektor als Fallschirm auf seinen künftigen Lebensweg mitbekommt, wenn er gefeuert wird oder, was noch schlimmer ist, selbst kündigt.

Aber auch dieser Versuch, sich von Schuld freizusprechen, ist unhaltbar, wie er sich im stillen vorbehaltlos eingestand. Unabhängig von allem anderen muß ich mir morgens mein Spiegelbild ansehen, und was diese Frage der Reisekasse bei einer Auswanderung in die USA angeht, so haben die Millionen Auswanderer, die vor mir gekommen sind, kaum mehr als Träume von einem besseren Leben als Reisegepäck mitgebracht. Während ich mir um rund zehn Millionen Dollar mehr oder weniger Gedanken mache. Ich behaupte von mir, Sozialist zu sein, und dabei bin ich mir nicht einmal sicher, was das überhaupt bedeutet. Wahrscheinlich bin ich Sozialdemokrat.

Bei seinen weiteren Überlegungen brachte Carl es jedoch nicht über sich, sich selbst mit diesem Wort zu belegen. Sozialdemokrat – diesen Begriff verband er immer mit dem ermordeten Ministerpräsidenten, unter dessen Herrschaft die schwedische Spionage mit Hochdruck daran gearbeitet hatte, aus der Botschaft in Hanoi so viele interessante Informationen wie möglich herauszubekommen, um sie anschließend sofort an die CIA weiterzuleiten, während der Vietnamkrieg tobte und der Ministerpräsident die Jugend verdammte, die auf den Straßen Stockholms gegen den Krieg demonstrierte. Das war gewiß nicht die offizielle Erinnerung an Olof Palme, im Gegenteil, von ihm wurde behauptet, er sei der Anführer der schwedischen Volksmeinung gegen den Krieg der USA in Vietnam gewesen, diesen widerwärtigen Völkermord. Doch es war Carls eigene Erfahrung, und der vertraute er mehr.

Die Nachrichten bei CNN wurden mit großem Getöse eingeleitet. Carl hatte keine Ahnung, wie die Wirtschaft der westlichen

Welt in jüngster Zeit gefeiert worden war, und die Hauptnachricht nahm sofort seine ganze Konzentration in Anspruch. Die USA hatte Marschflugkörper nach Bagdad geschickt, und amerikanischen Angaben zufolge hatte man das Hauptgebäude des iranischen Nachrichtendienstes in der Stadt zerstört. Im Bild wurden die Trümmer eines brennenden Hauses gezeigt, ebenso Bilder von einem teilweise zerstörten Villenviertel, das vielleicht in der Nähe lag.

Die aufgeregten Reporter hörten sich an, als wäre jeder einzelne der von Cruise Missiles Getöteten Saddam Hussein persönlich. Sie beriefen sich sogar auf die UNO-Regeln über Selbstverteidigung. Die USA hatten sich also selbst verteidigt, indem sie rund hundert Menschen töteten, die, falls das Gebäude korrekt beschrieben worden war und tatsächlich den irakischen Nachrichtendienst beherbergt hatte, mit Saddam ebensowenig zu tun hatten wie irgendein Deutscher in Hamburg oder Dresden am Ende des Zweiten Weltkrieges mit Hitler. Es wurde behauptet, es habe offenkundig irakische Pläne gegeben, den früheren amerikanischen Präsidenten George Bush bei einem Besuch in Kuwait zu ermorden.

Carl grübelte eine Zeitlang über das, was er da hörte. Es war natürlich nicht auszuschließen, daß irgendeine irakische Organisation, ob staatlich oder nicht, vielleicht nur irgendein Trunkenbold in einer Kneipe, etwas von einem Mordplan geflüstert hatte, ob es stimmte oder nicht, ob gegen Bezahlung oder auch nicht. So etwas passierte ständig; die schwedische Sicherheitspolizei verpestete Carls Dasein ebenfalls mit Memoranden über verschiedene »Bedrohungen«, die aus unerfindlichen Gründen darauf hinausliefen, daß ausgerechnet die Feinde der Säpo oder deren vermutete Feinde, das heißt Araber oder andere Moslems, ständig unterwegs seien, um ihn zu ermorden. Immer wieder wurde behauptet, es gebe klare Hinweise darauf.

Natürlich war es möglich, daß die CIA solche Hinweise bekommen hatte. Dann hätte die erste Maßnahme darin bestehen müssen, das Objekt zu schützen, etwa durch eine Änderung von Reiserouten oder derlei. Aber das besiegte Bagdad noch einmal zu bombardieren und es Selbstverteidigung zu nennen, noch dazu unter Berufung auf die UNO-Statuten? Merkwürdig, sehr merkwürdig.

Die sehr schöne und gelackt puppenhafte Frau asiatischer Herkunft, die im Augenblick all das herunterleierte, ohne sich ein einziges Mal zu versprechen, hatte an diesem Morgen beim Aufstehen vermutlich nicht eine Sekunde darüber nachgedacht, ob die UNO Regeln besaß, die besagten, man dürfe jederzeit Bomben abwerfen, wenn man wütend sei oder Hinweise auf böse Absichten bekomme. Sicher bot die UNO dem Irak im Moment kein besonderes Recht, sich gegen das Bombardement zu verteidigen. Carls Verachtung für Journalisten erhielt reichlich neue Nahrung. Entweder waren sie kollektiv und auf höchst perverse Weise leichtgläubig, oder sie wollten getäuscht werden.

Als ein vermeintlicher Militärexperte etwas über die »chirurgische Präzision« der Cruise Missiles zu verlesen begann, streckte Carl die Hand irritiert nach der Fernbedienung aus und schaltete den Fernseher ab. Dann rief er zu Hause an, niemand nahm ab. Er hatte dieses unbestimmte Warten vorhergesehen und sich daher mit Zeitvertreib eingedeckt; die russischen Sprachkassetten, die in den letzten Jahren seine ständigen Begleiter gewesen waren, hatte er jetzt gegen russische Literatur in der Muttersprache eingetauscht. Er zog »Krieg und Frieden« hervor sowie sein russisches Militärlexikon, da er vermutete, auf ältere militärische Begriffe zu stoßen, auf Kavalleriegruppierungen, die Technik der Lanzenreiter, Artillerieeinsatz mit Pferdefuhrwerken und ähnliches, das ihm vermutlich unbekannt war. Die moderne russische Militärterminologie beherrschte er sicher besser als die meisten Russen.

Er las einige Stunden, ohne ein einziges Wort nachschlagen zu müssen, da die militärischen Kommentare des Romans von zivilen Beobachtern stammten, die den Krieg nach moralischen Maßstäben beurteilten und nicht nach technologischen, ein Ansatz, der Carl sehr zusagte.

Als es dunkel geworden war und er ohnehin aufstehen mußte, um im Zimmer Licht zu machen, rief er erneut zu Hause an. Diesmal nahm sie ab.

Tessie war allerbester Laune. Sie war im Generalstab bei Sam gewesen und hatte einen dicken Umschlag mit einem Geheim-Stempel und der Klassifizierung OPERATION RED TARTAN erhalten. Sie wollte wissen, ob er etwas dagegen habe, daß sie ihn aufmachte und zu lesen begann.

Einige schwindelerregende Augenblicke lang begriff er gar nichts. Daß sein Chef Tessie als Kurier einsetzte, war ebenso undenkbar wie die Vorstellung, daß sie darum bat, geheime Akten lesen zu dürfen. Dann ging ihm auf, worum es sich handelte; er hatte Sams Sekretärin Beata angerufen und sie gebeten, für ihn einige Informationen über Schottland zusammenzustellen, über die Herkunft der Hamiltons und andere Dinge, die bei der bevorstehenden Reise von Nutzen sein konnten. Irgendein Witzbold, vermutlich Sam selbst, hatte dann die Gelegenheit genutzt, einen passenden Namen für diese »Operation« zu erfinden, der in etwa dem entsprach, womit sich der schwedische Nachrichtendienst in den letzten Jahren beschäftigt hatte. Er lachte und bat Tessie, den Umschlag zu öffnen.

Wie zum Spaß hatten einige Leute beim Generalstab ihre Aufgabe sehr ernst genommen. Unter dem Material befanden sich Berichte über den Eintritt des Geschlechts der Hamiltons in die schwedische Geschichte, über Hamiltons, die während des Dreißigjährigen Krieges Söldner gewesen waren, Auszüge aus englischer und schottischer Hamilton-Geschichte, Farbtafeln des »Red Tartan«, des roten Tuchs mit dem Karomuster, das jeder Hamilton bei Festen offenbar als Rock tragen mußte. Man hatte sogar jemanden draußen auf dem Feld, der sich irgendwo in England befand, nach Edinburgh beordert, um dort Kleiderfragen zu klären sowie in einem bestimmten Geschäft Hamilton-Klamotten zu bestellen; die Ausstattung sei mit Mitteln des Nachrichtendienstes im voraus bezahlt worden. Lieferdatum: persönliche Abholung in Edinburgh. Es sei zugesagt worden, Instruktionen über die Kleiderordnung gratis mitzuliefern.

Da gab es für ihn offenbar eine ganze Menge zu lernen. Sie einigten sich lachend darauf, daß Tessie anfangen sollte, sich in das Material einzulesen, um nach Carls Rückkehr darüber zu referieren.

Als sie wissen wollte, wie lange er in Tunis bleiben werde, zögerte er. Wahrscheinlich nicht mehr als ein paar Tage, doch genau könne man es nie wissen, wenn es um die palästinensische Führung gehe. Der Arbeitsstil dieser Leute lief darauf hinaus, daß jeder warten mußte, und alle Arbeit nachts stattfand.

Und tatsächlich kam der Anruf erst nach Mitternacht. Carl hatte sich schon ins Bett gelegt und sich gerade entschlossen, mit dem Lesen aufzuhören, da er auf ein Wort gestoßen war, das er nicht verstand, das auf derselben Seite dreimal vorkam und für den Zusammenhang bedauerlicherweise entscheidend war. Entweder mußte er jetzt aufstehen und sein Lexikon hervorkramen oder aber mit dem Lesen aufhören und zu schlafen versuchen. In dem Moment, in dem er die Hand nach der Nachttischlampe ausstreckte, um das Licht zu löschen, kam der Anruf.

Sie wollten in zwanzig Minuten kommen und ihn abholen.

Mit einem ironischen Brummen stand er auf, rasierte sich, duschte und kleidete sich sorgfältig und elegant, wie die Veranstaltung es seiner Ansicht nach erforderte. Uniform wäre in gewisser Weise am einfachsten gewesen, in diesem Zusammenhang jedoch undenkbar. Eine Uniform würde signalisieren, daß er Schweden offiziell vertrat. Und es gab Grenzen dafür, wie dumm er sich später stellen konnte, wenn der Ministerpräsident ihm eine Standpauke hielt und ihn womöglich sogar wegen des politischen Schülerstreichs feuerte, auf den er sich eingelassen hatte.

Erst jetzt begann er ernsthaft darüber nachzudenken, wie weit er würde gehen können. Aus irgendeinem Grund hatte er diese Frage solange wie möglich vor sich hergeschoben. Er ging davon aus, daß es einen rein juristischen Haken gab, nämlich die Frage, ob man ihm würde nachsagen können, geheime militärische Informationen seines Landes preisgegeben zu haben. Ließ sich die palästinensische Teilnahme an der *Operation Green Dragon* tatsächlich als geheime Militärinformation *Schwedens* ansehen?

Zur Klärung dieser Frage bedurfte es wohl einer Menge Juristerei, doch soweit Carl es beurteilen konnte, wollte der schwedische Ministerpräsident die amerikanische Mythenbildung nur zu gern am Leben erhalten. Deshalb würde er sich sicher persönlich gekränkt fühlen, wenn ein allzu korrektes, das heißt »pro-arabisches« Bild entstand.

Was natürlich genau das war, was Jassir Arafat in der bevorstehenden Nacht zu erreichen gedachte.

Carl nahm an, daß er theoretische Grenzlinien nicht schon im voraus zu ziehen brauchte. Alles hing davon ab, was Jassir Arafat sagte, und anschließend brauchte Carl nur »no comment« zu sagen, und zwar in einem Tonfall, der klar erkennen ließ, daß es sich um fröhliche Zustimmung handelte.

Sie holten ihn zur festgesetzten Zeit und in einem sauberen Wagen ab, was er fast als eine feierliche Ehrenbezeigung auffaßte. Als er einstieg, irritierte ihn nur, wie offen sie ihre Waffen zeigten. Damit zogen sie die Aufmerksamkeit auf sich und setzten sowohl sich selbst als auch ihr Schutzobjekt unnötigen Gefahren aus.

Seine Vermutung, daß ihnen unbekannt war, in welcher Angelegenheit er unterwegs war, erwies sich schnell als falsch. Als der Wagen auf dem Weg vom Hotel zur Autobahn nach Tunis in das Gewirr kleiner Gassen hineinfuhr, begannen der Fahrer und einer der Leibwächter eifrig Konversation zu machen. Ihre Bemerkungen zeigten, daß ihnen die ganze Geschichte im Detail bekannt war. Die Fragen, die sie stellten, ließen eher persönliche Neugier erkennen als Neugier auf die Ereignisse: Ob die palästinensischen Genossen ihre Sache gut gemacht hätten, ob es nicht schrecklich anstrengend sei, auf einem Kamel zu reiten, was für ein Gefühl es sei, daß die Amerikaner ihn nicht wie versprochen abgeholt hätten?

Carl erwiderte ironisch und kurz angebunden, es sei verdammt anstrengend, ein Kamel zu reiten, doch ein Offizier in Diensten Seiner Majestät des schwedischen Königs dürfte nicht einmal vor starken Schmerzempfindungen im Hinterteil zurückschrecken, wenn der Weltfrieden auf dem Spiel stehe. Im übrigen wich er den Fragen aus, tat sie mit einer scherzhaften Bemerkung ab oder erwiderte mit demonstrativ übertriebenem Tonfall, daß er überhaupt keine Ahnung davon habe, worüber sie überhaupt sprächen.

Die Männer lachten und stellten hartnäckig neue Fragen, die er mit Gegenfragen beantwortete. Woher zum Teufel wüßten sie soviel über ein Unternehmen, das angeblich geheim sei, und was für einen Job hätten sie bei der PLO, wenn man davon absehe, daß sie Auto führen und sichtbar mit ihren AK 47-Karabinern herumfuchtelten?

Sie berichteten munter, sie seien erstens operatives Personal beim Nachrichtendienst Jihaz ar-Razed, folglich Kollegen, und außerdem habe Abu Ammar vor einer halben Stunde ein Kommuniqué veröffentlicht, in dem alles enthalten sei.

Carl schluckte und lächelte angestrengt. Seine Überlegungen über ein einigermaßen taktisch geschicktes und diskretes Auftreten erschienen jetzt vollkommen unmöglich. Arafat war offenbar wild entschlossen, tatsächlich die große Propagandatrommel zu rühren, und damit war Carl ohne Zweifel auf dem Weg in eine Situation, die er weder vorhersehen noch steuern konnte, wenn die Dinge erst mal ihren Lauf nahmen.

Er nahm es jedoch von der heiteren Seite, lachte in sich hinein und schüttelte den Kopf. Sein Begleiter fragte erstaunt, was denn so lustig sei, worauf er erwiderte, daß lasse sich schwer beschreiben. Kurz gesagt gehe es darum, daß sein höchster Vorgesetzter, der schwedische Ministerpräsident, ein Freund Israels und Araberhasser sei, und zwar so generell, wie es bei europäischen Politikern der Rechten zu sein pflege. Und dieser Mann schlafe gerade ruhig zu Hause in seinem Bett, morgen früh aber werde er wie ein Tischtennisball zwischen Fußboden und Decke rauf und runter springen, wenn er sich im Radio die Nachrichten anhöre, was er vermutlich immer tue.

»Er wird mich festnehmen lassen, sobald ich in Arlanda einen Fuß auf den Boden setze«, brummte Carl zufrieden.

Jassir Arafats Vorsichtsmaßnahmen erwiesen sich als bedeutend raffinierter als Carl befürchtet hatte. Es lag nicht an den schlappen und nachteulenhaften Gewohnheiten der Palästinenser, daß Pressekonferenz und Zeremonien auf Mitternacht verlegt worden waren. In den USA war es noch immer eine Stunde bis zur Prime time der Nachrichtensendungen, und darauf wartete Jassir Arafat. Möglicherweise hatten ihn die amerikanischen Bombenangriffe auf arabische Ziele, die fast immer nachts stattfanden, darauf gebracht. Damit waren gelungene Bombenabwürfe auf Araber unmittelbar in den Mittelpunkt der Nachrichten der Prime time gerückt und beherrschten auch die Nachrichten der nächsten vierundzwanzig Stunden.

Die Veranstaltung lief bereits eine halbe Stunde, als Carl erschien. Er hatte keine Ahnung, was von Arafat oder anderen Anwesenden inzwischen gesagt worden war. Das Treffen fand in einem hochgelegenen Stadtteil von Tunis statt, den Carl bereits kannte. Auch das Gebäude war ihm nicht fremd, es war das Haus Abu Lutufs, des Außenministers der PLO.

Carl wurde schnell durch einen Hintereingang und unter einiger Heimlichtuerei ins Haus geschmuggelt und eine Treppe hinauf geleitet, bis sie im Obergeschoß vor einer Doppeltür standen. Einer seiner Begleiter gab ihm ein Zeichen, er solle warten. Dann öffnete er vorsichtig die Tür und schlüpfte hinein. Carl konnte sehen, daß sich viele Menschen im Raum befanden. Der Raum war grell erleuchtet. Es mußten Fernsehspots aufgestellt sein. Carl fühlte sich wie ein Gladiator, der in die Arena treten soll, ohne vorher zu wissen, was ihn dort erwartet. Seine Gedanken kamen plötzlich zum Stillstand. Er versuchte zu denken, konnte aber nur zwei schnelle Entscheidungen treffen. Improvisiere, keine ausdrückliche Bestätigung, sondern nur Improvisation.

Dann gingen die Doppeltüren auf, und das grelle Fernsehlicht stach ihm in die Augen. Er bekam einen Schubs in den Rücken und trat mit unsicheren Schritten in die Lichtkegel, während das Publikum Beifall klatschte. Er sah, wie ihm ein kleiner Mann mit ausgestreckten Armen entgegenging. Er zögerte, bis ihm klar wurde, daß er auf dem Bildschirm schon zu sehen war und nicht zögern durfte. Gleichzeitig ging ihm auf, daß der Kleine mit den ausgebreiteten Armen Jassir Arafat war. Carl beugte sich höflich hinunter, wurde umarmt und bekam einen schmatzenden und feuchten Kuß. Voller Galgenhumor dachte er an Boris Jelzin; es war nicht das erste Mal, daß Carl auf einer Propagandaveranstaltung geküßt wurde.

Nach diesem überschwenglichen Freundschaftsbeweis führte der kleine Arafat Carl mit erhobenem Arm zu einer Frau in Uniform.

Carl erkannte sie sofort, inzwischen hatten sich seine Augen an das grelle Licht gewöhnt. Es war Mouna. Wie zum Teufel sollte er sich jetzt verhalten? Sollte er zu erkennen geben, daß er sie kannte?

Doch Arafat schob sie beinahe unsanft zusammen, wie bei einer klassisch arabischen Vernunftehe, bei der die direkt Beteiligten keine eigene Meinung haben durften. Carl blieb keine Wahl, und so umarmte er Mouna, küßte sie auf beide Wangen, nahm sie behutsam in die Arme, schob sie dann ein wenig zurück und sah sie an.

»Guten Abend, Oberst, das ist eine höchst unerwartete Überraschung«, sagte er.

»Ich wünsche dir auch einen guten Abend, Admiral«, kicherte Mouna nervös.

Danach hüpfte Arafat schnell zwischen sie und nahm sie bei der Hand. Dann reckte er beide Arme in die Höhe, so daß alle drei wie ein Stilleben in der Flut der Fotoblitze dastanden. Carl zwang sich, an seinen Ministerpräsidenten zu denken. Das entlockte ihm ein echtes und fröhliches Lächeln. Er vermutete, daß das Bild, das jetzt entstanden war, durchaus einen Herzinfarkt auslösen konnte, wenn es auf der Titelseite von *Expressen* erschien. Süßer Jesus!

Als sie viel zu lange so dagestanden hatten und das Blitzlichtgewitter allmählich abnahm, schloß sich eine kurze Zeremonie an. Zwei uniformierte Ehrenwachen brachten grün-weiß-schwarz-rote Etuis. Jassir Arafat gab Carl und Mouna ein Zeichen, sich vor ihn zu stellen und streckte die Hand nach dem einen Etui aus. Er öffnete es und zeigte den Inhalt vor, der nach Carls Meinung zumindest der Größe nach die ansehnlichste Auszeichnung war, die ihm einer dieser ewigen Küsser je um den Hals gehängt hatte.

»Die Palästinensische Ehrenlegion«, sagte Jassir Arafat feierlich und hielt die Medaille hoch. Dann trat er theatralisch auf Carl zu, der nun versuchte, dem Vorgang mit einem kleinen Scherz die Dramatik zu nehmen. Er trat demonstrativ einen Schritt zurück, zeigte mit einer kurzen Verbeugung auf Mouna und sagte »Ladies first«, was große Begeisterung und donnernden Applaus auslöste.

Jassir Arafat gewann nach kurzer Verblüffung schnell die Fassung wieder, nickte ironisch und sagte in verständlichem Englisch, »Sie wissen schon, schwedische Männer«. Er wurde mit ebenso stürmischem Beifall belohnt wie Carl.

Als Jassir Arafat Mouna die Medaille anlegte, musterte Carl sie neugierig; unter den weiten Uniformhosen zitterten ihre Knie leicht, und sie biß sich fest auf die Unterlippe, um ihre Gesichtsmuskeln zu kontrollieren. Teufel auch, dachte Carl. Normalerweise zittert sie nicht so leicht.

Das Ganze war schnell vorbei, nachdem auch Carl erneut geküßt worden war und seine Medaille erhalten hatte. Dann schob Jassir Arafat beide zu einem kleinen Tisch, nötigte sie, sich links und rechts von ihm aufzubauen, hob vor der versammelten Presse die Hände und sagte, jetzt könnten sie Fragen beantworten. Falls es welche gebe, fügte er ironisch hinzu.

Sofort prasselte ein Hagel von Fragen auf sie nieder. Die Journalisten hatten offensichtlich ein eingehendes Briefing erhalten. Arafat wehrte amüsiert mit einer Geste ab und zeigte dann demonstrativ auf einen der am nächsten stehenden Reporter, der die Frage wiederholte, die er vermutlich gleichzeitig mit allen anderen gestellt hatte.

»Admiral Hamilton! Ist es wahr, daß die Operation Green Dragon hauptsächlich von Palästinensern und Schweden durchgeführt worden ist und daß der amerikanische Beitrag praktisch gleich Null gewesen ist?«

Carl mußte sich entscheiden: Natürlich war es wahr, doch es war klar, daß er das nicht sagen konnte.

»Gentlemen«, begann er amüsiert und blickte an die Zimmerdecke. »Ich bin, wie Sie vielleicht wissen, Offizier beim Nachrichtendienst der schwedischen Streitkräfte, und Sie wissen auch, was Burschen wie ich auf diese Art von Fragen zu beantworten pflegen: Es gehört nicht zu unserer Politik, zu bestätigen oder zu dementieren, und all das. Aber lassen Sie mich folgendes sagen. Als Anhänger der palästinensischen Sache habe ich sowohl mit Rührung als auch mit Stolz diese Auszeichnung des Vorsitzenden Arafat entgegengenommen.«

Es war ein enttäuschtes Gemurmel zu hören. Die Journalisten machten aber trotzdem einen höchst amüsierten Eindruck.

»Was sagen Sie, Oberstleutnant Mouna, stimmt es?« fragte derselbe Reporter in einem zweiten Anlauf.

»Natürlich«. erwiderte Mouna schnell und nervös. »Die Operation Green Dragon wurde ausschließlich von palästinensischem und schwedischem Personal durchgeführt. Der Beitrag der USA zur eigentlichen Operation bestand darin, daß sie uns geholfen haben, einige Waffen zu schmuggeln.«

Im Raum war an einigen Stellen erstauntes Gelächter zu hören; von nun an war die Strategie für die Journalisten klar.

»Und was haben Sie dazu zu sagen, Admiral Hamilton?« fragte eine Journalistin süßsauer, während ihre Kollegen kicherten.

Carl verschnaufte demonstrativ und lachte dann. Er wartete eine Weile, bevor er antwortete.

»Nun«, begann er knapp, als hätte er sich plötzlich zusammengenommen. »Ich kenne Oberstleutnant Mouna als hervorragenden Offizier des Nachrichtendienstes. Überdies betrachte ich es als einen Vorzug, sie auch privat gut zu kennen. Lassen Sie mich deshalb folgendes sagen. Es würde mich *zutiefst* (Kunstpause) erstaunen, wenn Oberstleutnant Mouna die Unwahrheit sagte.«

Dann machte er eine neue Kunstpause und strahlte plötzlich mit einem ironischen, wölfischen Grinsen.

»Aber, wie ich vorhin schon sagte, gehört es nicht zu unseren Gewohnheiten, Angaben über geheime Operationen zu dementieren oder zu bestätigen.«

Die Journalisten amüsierten sich köstlich. Das war bei Pressekonferenzen durchaus nicht üblich, doch die von Arafat teuflisch konstruierte Konstellation war ebenfalls nicht alltäglich. Carl saß rettungslos in der Falle, und so blieb ihm nur eins: Er mußte mitspielen.

»Auf wessen Befehl wurden die Kernphysiker ermordet, die sich in der libyschen Basis befanden. Admiral Hamilton?« lautete die nächste Frage.

Carl zuckte fröhlich und demonstrativ die Schultern, bevor er antwortete.

»Ich fürchte, ich kann nicht kommentieren, inwieweit die andere Seite bei der Operation Verluste erlitten hat – jener Operation, deren Existenz von palästinensischen, schwedischen und amerikanischen Behörden bestätigt worden ist und auf die Sie sich jetzt beziehen. Wir kommentieren nie Verluste, weder eigene noch fremde.«

Während Carl von einigen ironischen Beifall erhielt, ging die Frage an Mouna weiter, die sich die Lippen leckte und sich räusperte, bevor sie eine für Carls Geschmack entsetzlich unzweideutige Antwort gab.

»Wir haben entsprechend den Wünschen unserer amerikanischen Partner bei der Operation rund zehn Wissenschaftler verschiedener Nationalitäten getötet«, erwiderte sie leise.

Alle Blicke wanderten zu Carl. Man stellte ihm jedoch diesmal keine Frage. Dennoch breitete er die Arme aus und sagte, es gehörte nicht zu seinen Gewohnheiten, und so weiter, doch dann kam die Frage, ob er Anlaß gefunden habe, die Aufrichtigkeit seiner palästinensischen Kollegin neu zu bewerten.

»Nein. Keineswegs«, entgegnete er entschieden. »Aber, wie ich schon vorher sagte, gehört es nicht zu unseren Gewohnheiten …«

Gemurmel und Gelächter unterbrach ihn, bis jemand alle anderen übertönte und eine äußerst brisante Frage stellte.

»Die palästinensische Teilnahme an dieser Operation, hat die … könnte man sagen, daß sie so etwas wie einen politischen Preis hat? Ich meine, verpflichtet die Teilnahme der Palästinenser die amerikanische Regierung zu einer Gegenleistung der PLO gegenüber? War das sozusagen der Hintergedanke? Was sagen Sie dazu, Admiral Hamilton?«

Diese Frage kam von einem offenbar amerikanischen Journalisten mit einer dicken Hornbrille älteren Modells. Der Mann war mittleren Alters. Carl machte eine resignierte Handbewegung.

»Was Sie mich da fragen, Sir, betrifft unleugbar eine politische Beurteilung, die weit über meine Kompetenz hinausgeht. Ich bin Marineoffizier und kein Politiker.«

»Sind Sie plötzlich vom Nachrichtendienst zur Marine übergewechselt?« fragte der Amerikaner triumphierend. Er schien seine Gratispointe sehr zu genießen.

»Okay, eins zu null für Sie, Sir. Nein, die Politik hat mich vielleicht nur nervös gemacht …« Er machte eine Pause, um das Lachen einzukassieren, bevor er fortfuhr. »Aber es gilt dennoch: Ich kann als Offizier des Nachrichtendienstes solche politischen Urteile nicht abgeben, wie Sie sie haben wollen, Sir.«

»Aber Sie wissen, ob der Operation ein solcher politischer Kontrakt zugrunde lag?«

»Ja, das ist möglich. Doch wenn es so ist, bin ich nicht befugt, mich dazu zu äußern.«

Jetzt griff plötzlich Jassir Arafat ein. Er hob eine Hand in die Höhe, streckte einen Zeigefinger hoch und bewegte die Hand langsam hin und her. Dann trug er ein Resümee des politischen Hintergrunds der Operation Green Dragon vor, das Carl in Erstaunen versetzte, weil es erstens vollkommen korrekt war und zum anderen, weil Arafat ein bedeutend besseres Englisch sprach, als er erwartet hatte.

Was Arafat sagte, entsprach den Tatsachen. Der Hintergrund dieser einzigartigen operativen Zusammenarbeit von PLO, amerikanischer und schwedischer Regierung sei sehr konkret gewesen. Carl Hamilton – deutliche Geste zu Carl, der keine Miene verzog – sei nach Tunis gekommen, um Abu Lutuf zu treffen. Bei dieser Gelegenheit habe er einen Gruß der amerikanischen Regierung überbracht: Findet die Bombe und zerstört sie mit Hilfe schwedischen Personals. Das werden wir als Beweis eurer politischen Verantwortung werten und anschließend eine neue Verhandlungsrunde mit Israel eröffnen.

Es sei, so Arafat, nicht leicht gewesen, diesen amerikanischen Vorschlag anzunehmen, da er unter anderem bedeutet habe, daß die PLO eine militärische Operation gegen ein arabisches Bruderland richten sollte. Doch hier hätten der Weltfrieden und das Leben vieler Menschen auf dem Spiel gestanden. Und Bruder Moammar habe nur verlieren können, da sein Geheimnis jetzt bekannt sei. Aus diesem Grund hätten er, Arafat, und die übrige PLO-Führung unter großen Schmerzen beschlossen, die am wenigsten blutige Lösung zu wählen. Die politisch verantwortungsvollste Lösung des Problems habe tatsächlich darin bestanden, auf den amerikanischen Vorschlag einzugehen. Aus diesem Grund seien Mittel und Möglichkeiten des Nachrichtendienstes der PLO Carl Hamilton zur Verfügung gestellt worden. Eine der Pointen sei ja gewesen, daß die PLO operativ mit einem neutralen Staat zusammengearbeitet habe und nicht mit den USA. Hinterher sei er, Arafat, zu Bruder Moammar nach Tripolis gereist und habe das Ganze erklärt. Bruder Moammar habe großes Verständnis für das Handeln der PLO gezeigt, obwohl er sich kritisch über die Morde an den Wissenschaftlern geäußert habe.

Die Journalisten schienen nicht im mindesten erstaunt zu sein. Carl vermutete, daß sie alles schon früher am Abend gehört haben mußten, Arafat aber jetzt die Chance ergriff, es in derselben Fernsehaufnahme zu sagen, in der Carl und die zweifellos sehr effektvolle Mouna zu sehen waren. Carl grübelte schon darüber nach, welche Konsequenzen es haben mußte, daß ihr Cover jetzt zerstört war; die PLO mußte dieser Propaganda-Show sehr große Bedeutung beigemessen haben.

Als Arafat endete und die Handflächen mit einer sehr arabischen Geste nach oben hob, die nichts weiter bedeutete als: So einfach ist das, fragten drei Journalisten in etwa das gleiche, wenn auch in unterschiedlichen Formulierungen. Alle drei sprudelten gleichzeitig los:

»Haben Sie in die Aufrichtigkeit des Vorsitzenden Arafat das gleiche Vertrauen wie in die von Oberstleutnant Mouna, Admiral Hamilton?«

»Natürlich nicht«, erwiderte Carl mit versteinerter Miene, »der Vorsitzende Arafat ist Politiker und kein Offizier seines Nachrichtendienstes.«

Das Publikum kicherte und stürzte sich dann sofort auf Mouna.

»Aber was ist mit Ihnen, Oberstleutnant Mouna? Wie beurteilen Sie das, was Ihr Vorsitzender gerade beschrieben hat?«

Mouna überlegte, bevor sie antwortete. Sie sah ein wenig gequält aus, doch als sie schließlich die Antwort gefunden hatte, strahlte sie.

»Ich bin wie mein Kollege Admiral Hamilton Offizier des Nachrichtendienstes und keine Politikerin. Es steht mir nicht zu, politische Urteile abzugeben. Ich habe bestimmte operative Anweisungen erhalten, denen ich in Zusammenarbeit mit Admiral Hamilton nachgekommen bin. Das ist alles. Als Palästinenserin kann ich allerdings nicht umhin, die einfache Überlegung anzustellen, daß die USA uns einen Gefallen schuldig sind.«

Inzwischen war unter den Journalisten Unruhe entstanden, die Carl zunächst mißverstand. Doch es geschah nichts weiter, als daß die amerikanischen Fernsehteams jetzt einen Personalwechsel vornahmen. Einige zogen sich zurück, um ihre Texte zu redigieren oder eine Einführung in exotischem Milieu zu drehen, während andere Teams sich um Exklusivinterviews bemühten. Carl wurde in der folgenden halben Stunde von einem gehetzten Fernsehteam zum anderen geschleift; die Journalisten mußten gemietete Satellitenzeit einhalten, um ihr Material zu einem bestimmten Zeitpunkt zu senden. Sie wollten sowohl sich selbst als auch die befragten Personen auf eine möglichst effektvolle Weise zeigen, also während der amerikanischen Prime time. Der Zeit der Bombardements.

Zu Carls Erstaunen stellte man ihm jetzt Fragen anderer Natur. Als er spät in der Nacht darüber nachgrübelte, begriff er, daß die Journalisten aus Zeitgründen um jeden Preis Fragen vermeiden wollten, auf die sie nur nichtssagende Antworten bekommen würden – es sei denn, ein »Kein Kommentar« versprach ebenfalls einen guten Effekt.

Unzufrieden entdeckte Carl, daß CNN bei dieser Veranstaltung wie selbstverständlich das Recht beanspruchte als erster Sender zu fragen. Was tut man nicht alles für die Sache der Palästinenser, brummelte Carl auf schwedisch, als er sich dieser Hackordnung fügte.

Die junge Frau von CNN war eine kalifornische Mexikanerin, was ihn, wie er verlegen erkannte, unbegründet positiv stimmte. Im Grunde war sie die gleiche hart geschminkte, im Fitneß-Studio gestählte und steif plappernde Idiotin wie alle anderen. Aber sie war wenigstens wie Tessie eine *chicana*.

»Was schätzen Sie am höchsten, nachdem Sie nun für diese sogenannte Operation Green Dragon doppelt ausgezeichnet worden sind, Admiral Hamilton? Das Navy Cross oder die sogenannte Palästinensische Ehrenlegion?« lautete die erste Frage, die natürlich das letzte war, was er beantworten wollte.

»Nun«, erwiderte Carl und setzte ein möglichst eindrucksvolles Lächeln auf, während er daran dachte, daß man im amerikanischen Fernsehen so kurz antworten muß wie in Filmrepliken. »Als Kalifornier schätze ich das Navy Cross unerhört hoch ein, das würden alle meine alten Kumpel auf Coronado auch tun. Wichtig ist aber, daß uns mit palästinensischer Hilfe eine Operation gelungen ist, mit der die Welt vielleicht vor einigem Elend bewahrt worden ist.«

»Haben Sie eine schwedische Auszeichnung erhalten?«

»Nein. Wir haben nur eine Auszeichnung dieser Art in Schweden. Und die habe ich schon bekommen.«

»Ist es wahr, daß die Regierung der USA die Ermordung von Wissenschaftlern in Libyen bestellt hat und daß diese Morde im Verlauf der Operation Green Dragon erfolgt sind?«

»Falls wir bei dieser Operation Personen liquidiert oder im Kampf getötet haben, kann ich nur wie gewohnt kommentieren. Und das wissen Sie. Der Kommentar lautet, kein Kommentar.«

»Vielen Dank, Admiral«, sagte die Journalistin, die mit ihrem Kameramann schon halb aus dem Saal war, um rechtzeitig den Satellitensender zu erwischen.

CBS ging etwas anders an die Sache heran. Mit etwas gutem Willen könnte man den Ansatz sogar als intellektuell bezeichnen.

»Ist es in Ihrem Tätigkeitsbereich üblich, Admiral, operativ mit weiblichem Personal zusammenzuarbeiten?«

Die Reporterin sprach mit einem jüdischen New Yorker Akzent und sah aus wie das Musterbild amerikanischen Feminismus.

»Nein, das ist natürlich höchst ungewöhnlich«, erwiderte Carl ernst. »Ich habe bisher nur eine operative Zusammenarbeit dieser Art erlebt, nämlich mit dem außerordentlich kompetenten Oberstleutnant Mouna. Und ich kann mir im Grunde nur vorstellen, daß so etwas bei Palästinensern oder Israelis möglich ist.«

»Sie sollen, wie Sie es selbst ausdrücken, ein großer Freund der palästinensischen Sache sein?«

»Das stimmt. Das ist möglicherweise ein Grund, wenn auch nicht unbedingt der entscheidende, weshalb ich nicht den Vorzug gehabt habe, Oberstleutnant Mounas israelischem Pendant zu begegnen.«

»Wie lautet ihr Kommentar zu der heutigen Strafexpedition gegen Bagdad?« kam die nächste schneidende Frage.

»Daß es nicht mit der gleichen UNO-Logik geklappt hätte, wenn Libyen nach einem Versuch Präsident Reagans, Präsident Gaddhaffi zu ermorden, das CIA-Hauptquartier bombardiert hätte. Es ist bedauerlich, es sagen zu müssen, aber die Welt wird eher vom Recht des Stärkeren beherrscht als von irgendeinem höheren Recht.«

Damit war das Interview offenbar zu Ende. Der Kameramann eilte schon mit seiner Kamera davon. Vermutlich hatte er eine Satellitenzeit einzuhalten.

Carl war unsicher, ob er richtig oder falsch gehandelt hatte. Es war alles so schnell gegangen, daß er rein nach seinem amerikanischen Instinkt agiert hatte. Nämlich aufrichtig zu sein, ohne zu weit zu gehen, niemanden unnötig zu beleidigen und vor allem lakonisch zu sprechen, wie es Europäer nicht schaffen, nicht einmal Schweden.

Als die New Yorker Journalistin alles beisammen hatte, sagte sie etwas, was Carl an diesem Abend mehr erstaunte als alles andere. Sie riß seine Krawatte an sich, und er besaß Geistesgegenwart genug, sich nicht dagegen zu wehren.

»Okay, Sailor, du warst wunderbar, einfach wunderbar. Wenn meine alte jüdische Momme nicht schon beim bloßen Gedanken an weit weniger in Ohnmacht fiele, würde ich dir heute abend am liebsten das Gehirn aus dem Schädel vögeln.«

Sie küßte ihn schnell auf die Wange, ließ die Krawatte los und ging. Carl sah ihr lange nach. Er war unsicher, wie er ihre Worte deuten sollte. Zu spät, viel zu spät, fiel ihm die Replik ein: »Ach was, das sagst du jedem Spion.«

Als die Stars der amerikanischen Fernsehsender verschwanden, machten sich auch Arafat, Mouna und einige Leibwächter davon. Carl blieb eine Zeitlang allein mit dem Vertreter des tunesischen Fernsehens zurück, einem jungen und sichtlich nervösen Mann.

Das Interview wurde zu etwas völlig anderem, als Carl erwartet hatte, nämlich zu einem Verhör in Moral- und Religionsfragen.

»Sind Sie gläubig, Admiral Hamilton?«

»Ja«, log Carl, ohne mit der Wimper zu zucken. »Ich bin Christ und Mitglied der protestantischen Kirche Schwedens. Meine Frau ist Katholikin.«

»Was halten Sie von dem Recht zu töten?«

»In unserer Kultur, und wie ich glaube, auch in Ihrer, haben wir das merkwürdige Phänomen, daß man ein Verbrecher sein kann, der die Todesstrafe verdient, wenn man andere Menschen tötet. Man kann sich damit aber auch Verdienste erwerben und Medaillen bekommen.«

Carl deutete mit einer Handbewegung auf die Jackentasche, in die er die protzige Palästinensische Ehrenlegion gesteckt hatte.

»Sie haben andere Menschen getötet, ich meine, als Militär?«

»Die Antwort darauf ist bekannt. Es ist bei einigen Gelegenheiten bestätigt worden, daß ich es getan habe. Ja.«

»Sind Ihnen deswegen irgendwelche Zweifel gekommen, und haben Sie Ihren Gott um Rat gefragt?«

»Ja. Ich kenne solche Zweifel. Und natürlich habe ich versucht, meinen Gott zu Rate zu ziehen.«

»Was haben Sie für eine Antwort erhalten?«

»Ich weiß es nicht. Das ist es ja, ich weiß es nicht.«

»Haben Sie das unter bestimmten Umständen als ein Problem angesehen?«

»Natürlich.«

»Woher wollen Sie wissen, daß Sie für das Gute eintreten, und daß derjenige, den Sie töten, das Böse repräsentiert?«

»Manchmal kann ich es wissen, und zwar hängt es von recht mechanischen Umständen ab. Der Mann, der eine Wasserstoffbombe in der Hand hält und droht, damit Millionen anderer Menschen zu töten, ist definitionsgemäß böse. Deshalb kann ich ihn töten.«

»Aber wenn er nicht böse ist?«

»Sehr gute Frage. Ich töte ihn dennoch, aus rein praktischen Gründen. Dann werden wir sehen, wie ich beim Jüngsten Gericht dafür zur Rechenschaft gezogen werde.«

»Haben Sie in solchen Situationen denn nie gezögert?«

»Leider nicht. Wenn man zögert, stirbt man selbst. Nachträglich tut man vielleicht alles nur Denkbare, um das zu rechtfertigen, was man gerade getan hat. In meinem Fall gibt es wohl keinen einzigen Priester oder auch Mullah, der mir nicht mit allen Anstrengungen seines Herzens geholfen hätte, das zu rechtfertigen, was ich gerade getan habe.«

»Haben Sie gebeichtet?«

»Nein, die Beichte gibt es beim Protestantismus nicht. Ich kann aber sagen, daß ich es auf unsere Weise getan habe. Mein früherer Chef, den ich noch immer gelegentlich um Rat frage, ist gläubiger Christ. Mit ihm habe ich gesprochen.«

»Und was hat er gesagt?«

»Nichts Überraschendes, falls wir ein wenig zynisch sein wollen. Er hat mir einmal ein Gedicht zugesteckt, ein Gedicht von einem schwedischem Nobelpreisträger für Literatur, und in diesem Gedicht geht es darum, daß man sich selbst bewaffnen muß, wenn das Böse sich bewaffnet. Sonst gewinnt das Böse. Was ist dies eigentlich für ein Interview? Wie lange wollen Sie noch so weitermachen?«

»Dies ist das tunesische Staatsfernsehen, aber wir liefern auch an die ganze verdammte arabische Welt. Unsere besten Kunden sind die Saudis und Kuwait. Wir werden das hier übrigens wegschneiden. Machen wir weiter:

Was für eine Ansicht haben Sie über die Kreuzzüge?«

»Eine Torheit der damaligen Zeit. Ich glaube, daß die Zeit, in der wir jetzt leben, in mehrfacher Hinsicht an die Zeit der Kreuzzüge erinnert. Leider hat der Iran mit seinem Todesurteil über Salman Rushdie den schlimmsten Reaktionären und den rassistischsten Kräften in Europa und USA ziemlich auf die Sprünge geholfen. In der Zeit der Kreuzzüge saßen die Ajatollahs in Europa, falls Sie verstehen, was ich meine.«

»Es ist eine gottgefällige Tat, die ungläubigen Hunde zu töten?«

»Genau. Dieser sündige, schändliche und menschenfeindliche Gedanke hat unsere Kulturen mehrmals immer wieder in bewaffnete Konflikte miteinander gestürzt. Das Problem im Augenblick besteht darin, daß Sie in militärischen Begriffen gedacht keine Chance haben.«

»Wir müssen also einen neuen Steigbügel erfinden?«

»Falls Sie entschuldigen, ich bin nicht ganz sicher, ob ich die Frage verstehe.«

»Die Araber haben den Steigbügel erfunden. Das führte dazu, daß die halbe Welt erobert wurde. Weder Persien noch Ost-Rom hat das geschafft, wir wurden die Eroberer.«

»Natürlich. Wenn Sie eine Waffe mit folgenden Charakteristika entwickeln können, gewinnen Sie. Diese Waffe muß alle anderen Waffen auf der Welt neutralisieren können, einschließlich der Kernwaffen, sie muß sich ohne Schwierigkeit um die ganze Welt transportieren lassen, sie muß fähig sein, alle militärischen Radar- und Funkverbindungen der anderen zu zerschlagen und ausschließlich die Menschen töten, die sie nach Ihrem Willen töten soll. Erfinden Sie diese Waffe, dann gewinnen Sie.«

»Sie sprechen also von Gott?«

»Genau. Das Problem ist nur, daß wir in der gesamten Menschheitsgeschichte bei unseren Kriegen nicht mal einen Anflug von Gott gesehen haben. Statt dessen haben wir einfachen und brutalen Typen wie mir vertrauen müssen. Oder besser: der Klugheit, Weisheit, Diplomatie und bestenfalls sogar Demokratie. Wahrscheinlich ist es genau das, was Gott will.«

Der junge Reporter, der wie irgendein beliebiger Kaffeehaus-Intellektueller in Paris aussah, verstummte plötzlich. Er hatte während der ganzen Sitzung fast wie in Trance schnell und selbstverständlich gesprochen. Carl erinnerte sich an diese Stunde später eher als Séance denn als Interview.

»Wissen Sie, Genosse Hamilton«, sagte der Tunesier nachdenklich, »dies ist vermutlich das beste Fernsehinterview, das ich in meinem ganzen Leben gemacht habe. Was ist passiert?«

»Sie haben gefragt, ich habe geantwortet, das ist passiert«, erwiderte Carl mißtrauisch. Zufriedene Journalisten waren in seinen Augen ein Zeichen persönlichen Mißerfolgs.

»Dieses Interview werden wir in jedes Land der arabischen Welt verkaufen können, angefangen bei Mauretanien und Marokko bis hin zu Qatar und Oman«, fuhr der Journalist mit einem nachdenklichen Kopfschütteln fort, als spräche er eine Beschwörung.

»Teufel auch«, bemerkte Carl trocken. »Ich hoffe, daß Sie bei den Verkäufen Prozente bekommen. Aber was ist denn so Besonderes daran?«

»Besonders ist alles, was Sie über Salman Rushdie gesagt haben. Sie als Schwede und Christ und überdies frischgebackener arabischer Held können all das sagen, was wir anderen auch gern sagen würden. Das war am wichtigsten.«

»Aha, wie schön«, erwiderte Carl verwirrt. »Sind es aber nur meine ethnischen Qualifikationen, die mich das sagen lassen dürfen, was Sie zwar auch sagen wollen, aber nicht sagen dürfen? Wenn Sie entschuldigen, das kommt mir ein wenig verrückt vor.«

»Natürlich ist das verrückt«, erwiderte der Journalist mit einem begeisterten Lächeln. »Aber wenn ich es sage, kann man mich beschuldigen, die Geschäfte des westlichen Imperialismus zu besorgen. Sie sind Europäer, ethnisch qualifiziert, doch gleichzeitig gibt es bei Ihnen überzeugende Belege dafür, daß Sie nicht unser Feind sind. Das macht das Ganze so perfekt. Eine Viertelmilliarde Araber bekommen einen Europäer zu sehen, der auf eine ganz selbstverständliche und ganz und gar nicht araberfeindliche Weise unbequeme Wahrheiten äußert. Das ist ganz einfach Spitze.«

Carl lächelte und schüttelte den Kopf, schlug dem Journalisten freundschaftlich auf die Schulter und drehte die Handfläche hoch, wie es Amerikaner und Araber tun, wenn sie sich einig sind; der Tunesier schlug mit der offenen Hand auf Carls, worauf sie sich trennten.

Anschließend suchte Carl den Weg zu Abu Lutufs Dienstzimmer, da man ihm gesagt hatte, dort würden sich alle treffen, sobald die Fernsehjournalisten aus dem Haus seien.

Das Fest war schon in vollem Gang. Junge Männer und junge

Mädchen brachten eine überladene Schüssel nach der anderen mit gegrilltem Lammfleisch, marinierten Hähnchen, Salaten, Gemüse, Joghurt sowie Kichererbsen- und Auberginencreme und andere Spezialitäten. Carl nahm sich einen Teller und legte sich etwas Lammfleisch und Petersiliensalat der palästinensisch-libanesischen Variante *tabouleh* auf. Er sah sich nach Getränken um und entdeckte zu seiner Enttäuschung, daß er nur zwischen Wasser und Johnny Walker Black Label wählen konnte; er hatte die arabische Unsitte nie begriffen, puren Whisky zum Essen zu trinken.

»*Mabruk, mabruk, mabruk*«, gratulierte einer seiner Freunde, ein Mann, der urplötzlich im Gedränge vor ihm auftauchte. Es war Arafats persönlicher Berater Bassam Abu Sharif. Carl nahm die ausgestreckte verstümmelte Hand und hielt sie vorsichtig, während er sich zu erinnern versuchte, welches Auge ein Glasauge war und in welches er folglich blicken sollte; Bassam Abu Sharif war einer der wenigen Palästinenserführer, die einen israelischen Mordanschlag überlebt hatten.

»In was habt ihr mich da reingezogen, ihr verdammten Kanaillen?« fragte Carl mit übertrieben bekümmerter Miene.

»Hohe Politik«, entgegnete Bassam schnell und verzog das Gesicht zu einem grotesken Lächeln. »Wir wollen dem neuen amerikanischen Präsidenten eine Chance geben, etwas für den Weltfrieden zu tun. Wenn ihr noch eure alte sozialdemokratische Regierung hättet, hätten wir euch auch in die Geschichte hereingezogen. Jetzt nehmen wir statt dessen die Norweger.«

»Die Norweger? Das darf doch wohl nicht wahr sein. Meinst du tatsächlich *Norweger*, solche Figuren in Zipfelmützen mit Rentieren auf der Brust?« erwiderte Carl mit gespielter Entrüstung.

»Ich habe gar nicht gewußt, daß ihr ein gespanntes Nachbarschaftsverhältnis habt. Was haben die Norweger euch denn angetan, wenn man davon absieht, daß sie eure Kolonialherrschaft abgeschüttelt haben? Haben Sie euch etwa im Eishockey geschlagen?«

»Nein, nein«, fuhr Carl in demselben scherzhaften Ton fort, »das tun nur die Finnen, die Norweger ganz und gar nicht. Die schlagen uns andererseits im Skilaufen und bei Schlittschuhrennen. Sonst habe ich nichts gegen Norweger. Einige meiner besten Freunde sind sogar Norweger, mußt du wissen.«

Bassam Abu Sharif schlug Carl freundschaftlich auf den Rücken und schob ihn durchs Gedränge zu der Sofaecke. Dort saßen Arafat und Abu Lutuf in Tabakrauch gehüllt mit einigen Personen, die Carl nicht kannte. Eine recht heftige Diskussion war im Gange. Doch im selben Moment, in dem Carl hinzutrat, brach Arafat mit einer einzigen Handbewegung die ganze Diskussion ab und überfiel Carl mit einem Schwall arabischer Worte, deren ungefährer Inhalt nicht mißzuverstehen war. Carl wollte nicht schon wieder geküßt werden und ging in Deckung. Er hielt den Teller mit Lammfleisch und *tabouleh* vor sich, wurde aber trotzdem aufs Sofa gezogen, wo ihm schnell jemand Platz machte und ihm ein Glas mit purem, dunklem Whisky überreichte.

Bassam Abu Sharif mußte etwas ins Carls Gesichtsausdruck entdeckt haben. Er lachte auf und bot an, Wein oder Bier zu holen. Carl hatte gar nicht die Zeit, sich zu entscheiden, da war der Araber schon verschwunden.

»Wo ist die Ehrenlegion?« rief Arafat mit einer Miene, die zwischen tiefem Kummer und Entrüstung schwankte. »Mr. Carl, du mußt sie anlegen, denn dieses Fest findet dir zu Ehren statt.«

»Ich habe den Orden in die Tasche gesteckt, denn ich hatte Angst, man könnte ihn mir hier stehlen«, entgegnete Carl schnell. Die Männer auf dem Sofa quittierten die Bemerkung mit brüllendem Gelächter.

Bassam Abu Sharif kam im selben Augenblick mit einer Flasche libanesischem Rotwein wieder, die er vor dem leicht mißtrauischen Carl hinstellte. Dann wurde die vorhin so intensive arabische Diskussion weitergeführt. Nach einigen Minuten stahl sich Carl mit seiner Rotweinflasche davon. Er nahm ein Glas und goß sich vorsichtig ein. Er blickte sich verlegen um, bevor er an dem Wein schnupperte. Überrascht und fast beschämt stellte er fest, daß der Duft, der aus dem Glas aufstieg, mehr als angenehm war. Er kostete vorsichtig. Dann lachte er über sich selbst, schüttelte den Kopf und murmelte, das hat man nun von seinen Vorurteilen. Er goß das Glas voll und nahm zwei kräftige Schlucke. Château Musar, notierte er. Eine Kiste davon würde zu Hause im Weinkeller nicht schaden, oder, wie er sich leicht schuldbewußt korrigierte, in dem neuen Weinkeller irgendwo in Kalifornien.

Weiter hinten im Zimmer entdeckte er Mouna. Sie war gerade

in eine eifrige Diskussion mit zwei Männern in tarnfarbenen Felduniformen vertieft, die auf dem Rücken amerikanische Pistolen in den Gürtel gesteckt hatten. Carl füllte sein Weinglas auf, stellte die Flasche beiseite und schlenderte zu Mouna und den beiden Soldaten hinüber. Als sie ihn entdeckten, erstarb ihr Gespräch sofort. Mouna stellte höflich die beiden Männer vor, die den Rangabzeichen nach zu urteilen ihr unterstellte Offiziere waren.

»Englisch?« fragte Carl erst, und als alle mürrisch nickten, fragte er ganz einfach, worüber sie sich stritten. Ob dies möglicherweise die Konsequenz dessen sei, daß eine operative Chefin in geheimen Diensten plötzlich als Fernsehprominente präsentiert worden sei?

Allen dreien war anzusehen, daß er ins Schwarze getroffen hatte.

»Darüber habe ich mich vorhin auch schon gewundert«, fuhr Carl nachdenklich fort. »Eure Führungstruppe da hinten auf dem Sofa muß hohe Erwartungen haben, daß sie dich verbrannt hat, Mouna. Worauf hoffen sie?«

»Auf eine Art Durchbruch bei den Friedensverhandlungen. Sie phantasieren von Norwegern und noch so mancherlei«, entgegnete Mouna verdrießlich. »Aber ich bin auf jeden Fall hoffnungslos verbrannt. Sie haben mir einen neuen Job versprochen, aber ich kann nur das, was ich kann. Jetzt ist die Frage, welcher der beiden hellen Köpfe hier meine Nachfolge antreten soll.«

Sie lächelte bei diesen letzten Worten freundlich und tätschelte beide Männer gleichzeitig.

»Ich bin schon seit vielen Jahren verbrannt«, betonte Carl leise und nippte an seinem Wein. »Das hat mich aber nicht davon abgehalten, mich zumindest gelegentlich nützlich zu machen. Als wir draußen in der Wüste waren, hat es beispielsweise keine Rolle gespielt, wie wir aussahen.«

»Nein, du kannst das leicht sagen«, brummte Mouna. »Aber bei uns sehen die Realitäten ein bißchen rauher aus, um es mal vorsichtig auszudrücken.«

»Meuchelmörder?« fragte Carl erstaunt und erkannte im selben Augenblick, wie naiv er gewesen war. »Aber ja, natürlich, das ist ein denkbarer Aspekt. Wenn jetzt aber die Friedensverhandlungen richtig in Gang kommen, wie die Truppe da drüben auf dem Sofa hofft, dürfte auch Israels Interesse an nassen Jobs abnehmen, nicht wahr?«

»Aber ja«, seufzte Mouna mit einem feinen Lächeln, mit dem sie andeutete, daß Carl keine besonders brillante Analyse der Lage geliefert hatte. »O ja, die Israelis stellen das Feuer vielleicht ein, wenn es so kommt, wie die Optimisten da hinten glauben. Dann bleiben nur Abu Nidal und Abu Dieser und Abu Jener und der kleine Löwe in Syrien und der größte Führer der Welt seit Napoleon in Bagdad, du weißt schon, und ungefähr ein halbes Dutzend weiterer Irrer, so daß ich mich wohl um eine freie Zelle in einem israelischen Gefängnis bemühen sollte, wenn ich mich wirklich sicher fühlen will.« Carl war verwirrt und peinlich berührt. Es gab nichts, was er für Mouna tun konnte. In Schweden hatte die Regierung vor kurzem entschieden, daß alle politischen Flüchtlinge ein Visum haben müßten, um anerkannt zu werden. Ferner wurde beschlossen, daß Moslems als politische Flüchtlinge kein Visum erhalten würden. Carl wagte nicht einmal zu vermuten, was der Ministerpräsident sagen würde, wenn er ihn um Hilfe bat, um eine Palästinenserin zu schützen. Eine Palästinenserin, die mitgeholfen hatte, den Auftrag zu erledigen, den der Ministerpräsident und der amerikanische Botschafter sich neulich selbst gutgeschrieben hatten. Das Herz der Ministerpräsidenten würde kaum für einen weiblichen Offizier des palästinensischen Nachrichtendienstes bluten. Carl selbst fiel nichts anderes als Geld ein, doch er sah ein, daß jeder Vorschlag in dieser Richtung als zutiefst unwürdig aufgefaßt werden würde. Was vielleicht auch so war.

Im Raum wurde nun alles bereit gemacht, um die Nachrichten von CNN zu sehen. Zwei Fernsehgeräte wurden von starken Armen auf Abu Lutufs Schreibtisch gehoben. Carl kam es vor, als wäre der Rauch im Zimmer plötzlich dichter geworden vor gespannter Erwartung. Das Stimmengewirr legte sich, und dann trompetete Bobby Batista, die Nachrichtenmoderatorin von CNN mit dem Silberblick, die Hauptnachrichten des Senders hinaus.

Der Jubel war groß, als sich herausstellte, daß Jassir Arafats sensationelle Enthüllungen in Tunis die Hauptnachrichten des Abends waren.

Punkt eins der Story war unbestreitbar Jassir Arafats Enthüllung, daß die Operation, die in der amerikanischen Presse als amerikanisch-schwedisch dargestellt wurde, eher als palästinensisch-schwedisch gelten müsse.

Doch dann wurden die Bilder von Mouna und Carl gezeigt, als sie einander umarmten und küßten, als sie ihre Medaillen bekamen und Arafat ihre Arme in die Höhe hob. Der Sprecher nannte sie die palästinensische Mata Hari und den schwedischen James Bond (Standbild von Carl mit dem Navy Cross auf der Uniformbrust). Die beiden seien auf Kamelen durch die libysche Wüste geritten, wahrlich ohne amerikanische Hilfe, und hätten die Welt vor einer Kernwaffenkatastrophe bewahrt. Überdies wurden sie, ohne daß es ausdrücklich gesagt wurde, fast als ein Liebespaar dargestellt.

Dann folgte Carls Äußerung, daß er als Kalifornier dem Navy Cross großen Wert beimesse, *aber* (und dieses Aber wurde in einem Kommentar besonders herausgestellt) auch Arafats sensationelle Äußerung bestätige:

»Wichtig ist aber, daß wir mit palästinensischer Hilfe eine gelungene Operation hinter uns gebracht haben, mit der wir die Welt vielleicht vor großem Elend bewahrt haben.«

An dieser Stelle wurde ins Studio geschaltet. Dort teilte ein politischer Kommentator mit, das Weiße Haus habe bisher nur ein »Kein Kommentar« verlauten lassen, für die nächste Stunde aber eine Pressekonferenz angekündigt. Der in Ehren ergraute politische Kommentator von CNN hielt das für selbstverständlich, da das Weiße Haus nicht einfach einen Kriegshelden dementieren könne, der soeben mit dem Navy Cross dekoriert worden sei. Und damit befinde man sich in der recht lustigen politischen Zwickmühle, daß ein ziemlich untergeordneter Offizier in einem fremden Land das Weiße Haus in eine Lage gebracht habe, in der diesem kaum eine Wahl bleibe. Am besten sei es wohl, in den sauren Apfel zu beißen und mitzuziehen.

Danach tauchte wieder die Reporterin in Tunis auf der Mattscheibe auf, die mit ihrer Story fortfuhr.

Sie ging jetzt auf die Frage ein, ob die USA die Ermordung westlicher Wissenschaftler angeordnet habe, und betonte, die Umstände deuteten darauf hin. Dann wurde erneut Carl gezeigt:

»Inwieweit wir bei dieser Operation Personen liquidiert oder im

Kampf getötet haben, kann ich nur auf eine Weise kommentieren. Und das ist Ihnen bekannt. Der Kommentar lautet: Kein Kommentar.«

Anschließend wurde wieder ins Studio geschaltet, in dem der ergraute Kommentator glucksend versicherte, von den »Kein Kommentar«-Antworten, die er in seinem langen Leben als politischer Reporter gehört habe, sei diese wohl eine der besseren. Kurz, es hatte den Anschein, als bliebe dem Weißen Haus jetzt nur eine kluge Wahl. Es müsse die Schuld auf die frühere Administration schieben, alles bestätigen und den Palästinensern ihren wohlverdienten Lohn geben.

Bei diesen Worten kam Jubel im Raum auf, und während CNN zur nächsten Nachricht überging und die Lautstärke der Fernsehgeräte heruntergedreht wurde, schenkte man noch mehr Whisky ein. Alle gratulierten einander, doch Carl setzte sich matt hin und starrte düster in sein Weinglas. Kein Wunder, daß sie mir das Gehirn aus dem Schädel vögeln wollte, brummte er. Es muß ja als eine außerordentlich kurze und einfache Operation erschienen sein. Dann fiel ihm auf, daß er CNN und CBS verwechselt hatte.

Carl versuchte, seine Gedanken zu ordnen. Niederlagen gefielen ihm natürlich nicht, und er mochte es genausowenig, ausgenutzt und hereingelegt zu werden. Und jetzt mußte er sich eingestehen, daß er sich zum Affen gemacht hatte. Doch im Moment konnte er kaum etwas dagegen unternehmen.

Doch andererseits, tröstete er sich, ist dies ein guter Grund, um meinen Abschied einzureichen. Wenn ich vom Ministerpräsidenten gefeuert werde, was im Augenblick fast selbstverständlich zu sein scheint, dann dafür, daß ich Jassir Arafat geholfen habe. Das ist nicht das Schlechteste.

Diese fröhlichen Menschen hier im Raum schienen mir nicht gerade Spezialisten für amerikanische Politik und amerikanische Medien zu sein. In diesem Punkt habe ich mich vollständig getäuscht. Vielleicht habe ich mich sogar wie eine Art Amerikaner unter heiteren Eingeborenen gefühlt. In Wahrheit ist ihnen zu hundert Prozent gelungen, was sie sich vorgenommen haben. Und mich haben sie fast nebenbei wie einen Baseballschläger benutzt. So ist es. Zu spät zum Jammern, und jetzt bleibt mir nur noch, zu erröten und zu gratulieren. Wenn ich schon ein Idiot bin, dann jedenfalls ein nützlicher Idiot und nützlich für eine Sache, gegen deren Unterstützung ich nichts einzuwenden habe. Im Grunde war alles in Ordnung, mochte er auch gründlich hereingelegt worden und sowohl auf Palästinenser als auch amerikanische Fernseh-Journalistinnen hereingefallen sein.

Er stand langsam auf und ging zu dem Sofa, auf dem Arafat und Abu Lutuf heftig miteinander stritten. Arafat schrie und polterte, und Abu Lutuf schien so daran gewöhnt zu sein, daß er in aller Ruhe die Momente nutzte, in denen Arafat Luft holen mußte, um seine Repliken einzuflechten.

Carl gab beiden die Hand und teilte mit, daß er sich zurückziehen wolle. Falls der schwedische Ministerpräsident anrufe, sollten sie sagen, er habe Tunis schon verlassen. Sie quittierten die Bemerkung über den schwedischen Ministerpräsidenten mit einem anerkennenden Lächeln und stürzten sich dann erneut in den Streit oder die Diskussion, bei der es um den nächsten Schritt der politischen Planung zu gehen schien.

Er ging zu Mouna und sagte, er wolle gehen. Aus einem Impuls heraus fragte er sie plötzlich, ob sie mit ihm ins Hotel kommen wolle, worauf sie zunächst mit einem Lachen reagierte:

»Du hast dir also gedacht, CNN auch zu dem romantischen Teil der Geschichte zu verhelfen? Lieber Carl, du hast uns auch so genug unterstützt«, schnaubte sie scherzhaft.

»Nein, so doch nicht«, erwiderte er beschämt, »nicht ins Hotelzimmer. Ich komme aber nie mehr wieder. Wir beide haben uns nur in operativ angespannten Lagen getroffen. Wir werden uns nie mehr wiedersehen, weder im Job noch privat. Und dies ist die einzige Chance, uns ein wenig zu unterhalten.«

Sie sah ihn nachdenklich an und nickte dann.

»Bist du bewaffnet?« fragte sie kurz und geschäftsmäßig. Als er den Kopf schüttelte, streckte sie die Hand nach einem der Militärs in der Nähe aus, zog ihm eine Pistole aus dem Hosenbund und reichte sie an Carl weiter.

Er wog sie in der Hand, kontrollierte, daß sie geladen und gesichert war und stopfte sie sich auf dem Rücken in den Hosenbund. Dann nickte er kurz.

»Bist du selbst bewaffnet?« fragte er, als sie zum Ausgang gingen.

»Ja«, erwiderte Mouna. »Von heute an werde ich immer bewaffnet sein. Sogar im Bett.«

»Ich bin dabei, den Job aufzugeben«, entgegnete er. »Ich werde bald nie mehr bewaffnet sein.«

*

Falls der sechsundvierzigjährige Wissenschaftler Peter Peapell tatsächlich Selbstmord begangen hatte, war es ihm auf eine Weise gelungen, die es sowohl den mit dem Fall befaßten Polizeibeamten und den Gerichtsmedizinern als auch seiner Familie völlig unbegreiflich machte, wie er es angestellt hatte. Und wenn er ermordet worden war, war dem Mörder oder den Mördern das perfekte Verbrechen gelungen.

Als er am Sonnabend abend mit seiner Frau Maureen von zu Hause wegfuhr, um ein paar Freunde in Shrivenham zu besuchen, gab es keinerlei Anzeichen dafür, daß er keine zwölf Stunden mehr zu leben hatte. Während des ganzen Abendessens war er strahlender Laune, und gegen Ende des Abends hatte er es überdies geschafft, ein munteres Trivial-Pursuit-Turnier als Sieger zu beenden. Als er den Wagen nach Hause fuhr – die erlaubte Alkoholgrenze hatte er natürlich überschritten, war aber nicht betrunken – erzählte er einiges über seinen Job. Er hatte neue Aufgaben erhalten, auf die er sich freute, und außerdem hatte man sein Gehalt erhöht.

Während der Rückfahrt meinte er ein rätselhaftes Knacken aus dem Motorraum zu hören, als er vom dritten in den vierten Gang schaltete, erklärte aber, daß es wohl nichts Ernstes sei.

Sie kamen gegen drei Uhr nachts nach Hause. Maureen Peapell stieg aus, bevor ihr Mann den Wagen in die Garage fuhr, und begab sich unmittelbar darauf zu Bett. Sie war müde und glaubte später, innerhalb weniger Minuten eingeschlafen zu sein.

Als sie am Sonntagmorgen aufwachte, war es neun Uhr dreißig. Da ihr Mann im Doppelbett nicht neben ihr lag, nahm sie an, daß er in die Küche gegangen war, um Tee zu machen.

Sie ging hinunter und fand die Küche zu ihrem Erstaunen unberührt. Sie rief nach ihm, erhielt aber keine Antwort. Als sie in den Garten ging, hörte sie den Motor des Wagens in der Garage laufen, und als sie das Garagentor aufmachte, entdeckte sie ihren Mann. Peter Peapell lag parallel zur hinteren Stoßstange unter dem Wagen eingeklemmt, mit dem Gesicht direkt unter dem Auspuffrohr. Sie zog ihn heraus und versuchte verzweifelt eine Mund-zu-Mund-Beatmung, doch er war tot.

Als sie später zu begreifen versuchte, was geschehen war, stellte sie sich zunächst nichts anderes als einen Unfall vor. Sie nahm an, daß er sich unter den Wagen gelegt hatte, um das knackende Geräusch zu lokalisieren.

Doch das Licht in der Garage war kaputt, und ihr Mann hatte keine Taschenlampe bei sich gehabt. Hätte er sich also so hingelegt, um etwas zu untersuchen, hätte er nicht das geringste sehen können.

War dies ein Selbstmord, wie ein Blitz aus heiterem Himmel?

Die Eheleute waren fast fünfundzwanzig Jahre verheiratet gewesen. Sie hatten weder eheliche noch finanzielle Probleme gehabt. Sie arbeitete halbtags in einem Büro, und er – was auch diesen Fall zu einem Fall für die großen Schlagzeilen machte – war Dr. rer. nat., angestellt beim Royal Military College of Science, und zwar in der Abteilung, welche die militärische Verwendbarkeit des Elements Titan erforschte, eines Metalls, das beim Bau der Rümpfe von Überschallflugzeugen verwendet wird und, soviel man weiß, auch bei den Rümpfen der modernsten russischen U-Boote. Quellen beim britischen Nachrichtendienst behaupteten, bestimmte in der Sowjetunion gebaute U-Boote hätten doppelte Titanrümpfe, was sie unter bestimmten Umständen für konventionelle Torpedos unverwundbar mache.

Professor John Belk, Peter Peapells Abteilungsleiter, gab bei der späteren polizeilichen Vernehmung an, sein Tod sei für alle seine Kollegen unbegreiflich. Professor Belk zufolge »hatte keiner von uns auch nur das kleinste Anzeichen von etwas wahrgenommen, was wir nicht als vollkommen normal eingeschätzt hätten.«

Peter Peapells Familie und seine engen Freunde waren schon bald überzeugt, daß er sich unmöglich mit Absicht umgebracht haben konnte. Auch die ermittelnden Polizeibeamten begannen Zweifel zu hegen, was die Selbstmordtheorie betraf. Zunächst einmal gab es nicht mal einen nachgelassenen Abschiedsbrief mit einer Erklärung von Peapells vermeintlichem Handeln, und überdies hielten es die ermittelnden Beamten für fast undenkbar, daß Peapell einen Zeitpunkt und eine Todesart gewählt haben sollte, die dazu hätte führen können, daß seine Frau ihn noch rechtzeitig fand und rettete.

William Fuller, der Pathologe der Gerichtsmedizinischen Station in Oxfordshire, meinte erstens, Leute, die auf diese oder ähnliche Weise Selbstmord begingen, verbänden meist mit Hilfe eines Gummischlauchs das Auspuffrohr mit dem Wageninneren und leiteten die Abgase hinein, nachdem sie Türen und Fenster möglichst dicht verschlossen hätten.

Zweitens konnte der Pathologe nicht begreifen, wie es Peter Peapell gelungen sein sollte, die Lage einzunehmen, in der man ihn gefunden hatte. Die Garage war sehr klein, und der Wagen paßte mit knapper Not hinein. Dr. Fuller machte einige Experimente. So versuchte er sich bei geschlossener Garagentür hinter dem Wagen auf den Boden zu zwängen. Es war unmöglich. Ebenso unmöglich war es, sich erst hinzulegen und dann die Garagentür hinter sich zuzuziehen. Der Ford Escort paßte genau in die Garage. Es war nicht einmal möglich, hinter dem Wagen hinzufallen, nachdem ein anderer die Garagentür verschlossen hatte.

Wenn aber Peter Peapells Tod weder ein Unglücksfall noch ein Selbstmord war, konnte sich der Pathologe dann dazu entschließen, in seinen Schlußbericht Tod durch Fremdeinwirkung zu schreiben?

Auch diese Schlußfolgerung schien weit hergeholt zu sein. Wenn Peter Peapell ermordet worden war, mußten die Mörder bis drei Uhr nachts in der Nähe seines Hause gewartet haben. Und wie hätten die Täter wissen sollen, nachdem sie den Mann lebend unter dem Auspuffrohr hatten liegen lassen, daß er auch dort blieb, oder daß seine Frau ihn nicht entdeckte und rettete?

Es gab noch einen weiteren fragwürdigen Umstand. Wenn der Motor des Wagens von drei Uhr morgens bis neun Uhr dreißig, als Maureen Peapell ihren Mann entdeckte, gelaufen wäre, hätte dieser Leerlauf von sechs Stunden sämtliches Benzin im Tank verbraucht. Die Abgase hätten überdies deutlich sichtbare schwarze Rußflecken an der Garagentür hinterlassen müssen. Doch dort gab es keine solchen Spuren, und der Tank war halbvoll. Diese Umstände ließen sich nicht erklären.

Die Untersuchung des Gerichtsarztes führte also nicht zu eindeutigen Schlußfolgerungen, und somit ließ sich nicht festhalten, ob ein Unglücksfall, Selbstmord oder Tod durch Fremdeinwirkung vorlag. Der Gerichtsarzt mußte die einzige noch verbleibende Alternative wählen, Tod durch ungeklärte Umstände.

Der Tod Peter Peapells regte die britische Presse natürlich dazu an, nach ähnlichen Fällen zu suchen; Abgasvergiftung unter dem eigenen Wagen war gewiß kein so schlagzeilenfreundliches Ereignis wie Tod in Spitzencorsage und hochhackigen Stiefeln mit einer Plastiktüte auf dem Kopf. Die Frage war jedoch, ob bei der britischen Rüstungsindustrie in letzter Zeit jemand unter Umständen gestorben war, die dem Fall Peter Peapell ähnelten.

Diese Frage wurde mit ja beantwortet. Der Tod des zweiundfünfzigjährigen Dr. rer. nat. John Brittan war ein solcher Fall, der sich vor knapp sechs Monaten ereignet hatte.

Dr. Brittan war Spezialist für elektronische Kriegsführung und einer der leitenden Forscher auf diesem Gebiet beim Royal Armament Research and Development Establishment (RARDE) gewesen.

Er war unter ähnlich plötzlichen und überraschenden Umständen an einer Kohlenmonoxydvergiftung gestorben wie Peter Peapell. Seinem Tod war ein rätselhafter Zwischenfall im Straßenverkehr vorausgegangen, und zwar kurz vor Weihnachten. Er hatte plötzlich die Gewalt über seinen Wagen verloren und war von der Straße abgekommen, obwohl gute Straßenverhältnisse herrschten und sich kein anderer Wagen in der Nähe befand. Seinen Kollegen hatte er erzählt, er begreife einfach nicht, was da passiert sei: »Es kam mir vor, als hätte eine äußere Kraft den Wagen plötzlich von der Straße geschleudert, ohne daß ich auch nur das mindeste dagegen hätte tun können.«

Einige Wochen später wurde er in der Garage seines Hauses in Camberley, Surrey, tot aufgefunden. Die Todesursache war eine Vergiftung durch Autoabgase. Genau wie im Fall Peter Peapell konnte niemand in seiner Familie oder in seiner Umgebung verstehen, wieso er sich hätte umbringen sollen. Er hatte weder eheliche oder private Probleme, noch finanzielle Schwierigkeiten gehabt, und litt auch nicht an einer längeren Krankheit oder an Depressionen.

Es war ein kalter Januarmorgen. Dr. Brittan hatte einen vollkommen normalen Eindruck gemacht. Er war guter Laune, weil eine lästige Halsentzündung sich endlich gelegt hatte und er wieder mit der Arbeit anfangen konnte.

Beim Frühstück an jenem Tag sagte seine Frau Rosemary, der Sohn Christopher habe gemeint, man könne den Wagen eine Weile warmlaufen lassen, bevor man sich auf die Straße begebe. Daraufhin habe sich ihr Mann gegen halb neun in die Garage der Villa begeben. Eine Stunde später wurde er auf dem Fahrersitz seines Wagens tot aufgefunden. Einer der Söhne war hinuntergegangen, um Wäsche in den Trockner zu füllen und fand seinen Vater in der Garage. Der Motor des Wagens lief, Garagentür und Fenster waren geschlossen.

Der Gerichtsarzt würde kurze Zeit später zu der Schlußfolgerung gelangen, es liege Tod durch Unfall vor, da nichts auf einen Selbstmord hindeutete. Die Polizei in Surrey hatte keinen Einwände gegen diese Schlußfolgerung.

Einige Umstände dieses angeblichen Unfalls ließen sich jedoch nicht erklären. Falls Dr. Brittan die Absicht gehabt hatte, den Wagen warmlaufen zu lassen – wie kam es dann, daß man ihn mit Hut und Brille übers Lenkrad gebeugt fand? Warum hatte er die Garagentür nicht geöffnet? Er war ja ein gelinde gesagt qualifizierter Wissenschaftler gewesen und hätte wissen müssen, daß man sich nicht in einer geschlossenen Garage in einen Wagen setzen und den Motor anlassen darf. Er hätte auf keinen Fall drei oder mehr Minuten gewartet, bis die Bewußtlosigkeit einsetzte. Ein solches Verhalten wäre Selbstmord gewesen, was alle, einschließlich des Gerichtsarztes, als höchst unwahrscheinlich abgetan hatten.

Außerhalb der Lokalpresse hatte der Fall keine Aufmerksamkeit erregt. Doch jetzt geriet er natürlich in die Serie spektakulärer Todesfälle in der Rüstungsindustrie. Die Todesepidemie der Jahre 1983-1989 hatte scheinbar erneut eingesetzt.

Außerdem gelang es der Londoner Presse schließlich, einen Zusammenhang mit einem der angeblichen Selbstmorde zu finden, nämlich mit dem Fall Mark Wisner, des angeblichen Transvestiten, der mit einer Plastiktüte über dem Kopf gefunden worden war. Wisner, der einige Monate nach Dr. Brittan gestorben war, arbeitete an mindestens zwei Forschungsvorhaben, die auf Material von RARDE beruhten, aus genau der Abteilung, deren Chef Dr. Brittan gewesen war. Dieser Zusammenhang konnte natürlich völlig zufällig sein, aber dennoch war es ein Zusammenhang.

Doch was die Spekulationen der Presse über die Hintergründe betraf, schwächten diese beiden Todesfälle durch Kohlenmonoxydvergiftung die Theorie, es seien die Behörden des eigenen Landes, die Sicherheitsrisiken liquidierten. Wer insgeheim mit Plastiktüten und Spitzencorsagen experimentierte, konnte zumindest nach traditioneller Betrachtungsweise als Sicherheitsrisiko gelten. Als Sicherheitsrisiko konnte auch der gelten, der zu Grübeleien und Selbstmordgedanken neigte.

Doch bei Dr. Brittan und Peter Peapell fehlte es offenbar an allen solchen Kennzeichen. Beide waren, soweit sich das feststellen ließ, heterosexuelle Männer in geordneten Verhältnissen und mit einem perfekten Familienleben. Nichts deutete darauf hin, daß man die beiden als Sicherheitsrisiko hätte ansehen können. Folglich neigte die Presse allmählich immer mehr zu der Ansicht, daß eine fremde Macht beteiligt sein müsse und es sich natürlich um als Selbstmorde getarnte Morde handle.

3

»Ist es nicht ein bißchen inflationär mit dem Adel, wenn man doppelter Herzog und außerdem doppelter Graf ist?« fragte Tessie ohne jede Ironie.

»Wie bitte? Na ja, das nehme ich an«, erwiderte Carl zerstreut. Er hatte sich gerade in einige Verwicklungen des englischen Bürgerkrieges gegen Ende der 1640er Jahre vertieft.

»Wieso?« fügte er hinzu.

»Na ja, es geht in erster Linie um unseren Gastgeber«, sagte sie. »Wenn ich es richtig verstanden habe, ist er der 15. Herzog von Hamilton, der 12. Herzog von etwas, was Brandon heißt, der 22. Earl von Angus, was sich wie eine Speise anhört, und der 19. Earl von Arran. Alles der Dokumentation des schwedischen Nachrichtendienstes zufolge. Ob es uns beeindrucken soll?«

»Vermutlich«, erwiderte Carl. »Das schwedische Modell ist demokratischer. Alle Familienangehörigen werden ohne weiteres Grafen, ob es sich nun um adoptierte Schlagersängerinnen handelt oder um Hunde und Katzen. Schwedische Gleichheit. Das britische Modell sieht so aus, daß man die Titel anhäuft und sie auf das Oberhaupt der Familie und dessen Kinder verteilt. Offenbar kommt es dann zu solchen Auswüchsen.«

Sie waren den zweiten Tag in Edinburgh, und es regnete. Sie saßen im Wohnzimmer ihrer Hotelsuite und büffelten methodisch in der dicken Dokumentation mit der Codebezeichnung Operation Red Tartan, die sie vom schwedischen Nachrichtendienst erhalten hatten. Ian Carlos lag im Schlafzimmer in seinem Kinderwageneinsatz und schlummerte.

Sie hatten an je einem Ende der Geschichte angefangen, Tessie in der Gegenwart und Carl im Mittelalter. Carl hatte sich mühsam zu einem Hamilton vorgearbeitet, der endlich etwas interessanter schien als die anderen, etwa im ersten Drittel des siebzehnten Jahrhunderts, während des Dreißigjährigen Krieges. Bisher zeichneten sich sämtliche Hamiltons, auf die er gestoßen war, einerseits aus durch einen unbegreiflichen gesellschaftlichen Status im Verhältnis zu dem, was sie leisteten – sie leisteten nämlich nie etwas, sondern waren nur unerhört fein –, während sie andererseits von Zeit zu Zeit geköpft wurden, weil sie in irgendeinem Erbfolgestreit auf das falsche Pferd gesetzt hatten. Soweit ersichtlich, gründete sich die Stellung der Familie Hamilton als Nummer eins in Schottland in erster Linie auf verschiedenen Eheschließungen. Sofern sie nicht geköpft worden waren, hatten sie klug geheiratet.

Doch dieser James Hamilton, der dritte Marquis und erster Herzog von Hamilton, schien mehr zu bieten als clevere Heiraten.

Im Alter von vierundzwanzig Jahren hatte er von dem König Englands den Befehl über 6 600 Schotten erhalten, die über den Kanal verschifft worden waren, um mit Gustav II. Adolf zu kämpfen. Auf diesem Wege mußten Hamiltons nach Schweden gekommen sein; wenn Carl es richtig verstand, hatte der Clanchef der Hamiltons, also der Herzog, besonders viele Clanmitglieder mitgebracht. Einige waren nicht nach Schottland zurückgekehrt, sondern wie die Montgomerys, die Douglas und andere in schwedischen Diensten verblieben. Dann waren sie offenbar von dem schwedischen König geadelt worden und hatten das Wappen ihres Clanchefs angenommen. Danach hatten sie, zumindest im Fall Hamilton, einen Stamm adliger Hamiltons gezeugt.

Die Karriere dieses ersten Herzogs sah zunächst gut aus. Er war ein gutes Gesprächsthema, wenn er überdies derjenige war, der Carls Vorfahren nach Schweden exportiert hatte.

Bedauerlicherweise nahm die Laufbahn dieses ersten Herzogs schnell eine unglückliche Wendung.

James Hamilton stand erst in Diensten des *englischen* Königs. Und als er nach einer Reihe von Husarenstreichen in die Dienste des *schwedischen* Königs zurückgerufen wurde, sandte ihn Karl I. nach *Schottland*, wo er einen Aufstand niederschlagen sollte. Daraus wurde jedoch nichts. Als er in Schottland an Land gehen wollte, wurde er von seiner eigenen Mutter empfangen, die als äußerst keß und unerhört adelig beschrieben wird. Sie hatte Reiterpistolen am Sattel und schwor, daß sie die erste sein werde, die auf ihren Sohn schieße, wenn er in englischen Diensten auch nur den Fuß auf schottischen Boden setze. Das war im Jahre 1639. James Hamilton versuchte zu vermitteln, wurde aber nach zehnjährigen Versuchen gleichwohl geköpft, nachdem er sich an die Spitze einer schottischen Streitmacht gestellt hatte, die allzu halbherzig versucht hatte, die Engländer unter Cromwell zu besiegen. Der Herzog wurde gefangengenommen und als Landesverräter vor Gericht gestellt. Er wies die Anklage mit dem Hinweis zurück, er sei Schotte und müsse folglich als Kriegsgefangener betrachtet werden und nicht als Landesverräter. Man lastete ihm aber an, für den inzwischen abgesetzten englischen König gearbeitet zu haben, der ihm überdies zu seinem Titel verholfen habe. Folglich wurde er geköpft.

Carl seufzte. Die Geschichte der Hamiltons handelte meist davon, wer wen geheiratet hatte. Sogar in dem Buch über Maria Stuart, das der jetzt lebende Herzog, ihr Gastgeber, geschrieben hatte, ließ sich nur schwer ersehen, worin die ruhmreiche Vergangenheit gelegen haben sollte. Die Hamiltons hatten offenbar viel mit Maria Stuart zu tun gehabt, und einer von ihnen war einige Jahre lang ihr Stellvertreter gewesen. Doch auch sie war geköpft worden.

Carl begnügte sich damit, einige Details zu memorieren, die für etwas Konversation reichen würden, falls der Herzog ihn fragte, ob er das ihm zugesandte Buch gelesen habe. Im Gedächtnis blieb ihm etwa das rätselhafte Kinderskelett, das in der Festung auf dem Felsen in ein Schloßfundament eingemauert worden war. Die Legende oder Zeitungsente oder was immer es war beschrieb, daß das Kinderskelett genau dort gefunden worden war, wo man Maria Stuart 1566 gefangengehalten hatte. Demnach wäre ihr Sohn, der spätere Jakob VI. von England, ein Wechselbalg gewesen, ein Ersatz für ihr totgeborenes Kind, das in den Felsen eingemauert worden war. In dem Fall würde die schottische Königskrone eigentlich der Familie Hamilton zustehen, die immerhin seit dem sechzehnten Jahrhundert richtig geheiratet hatte.

Carl schaufelte die historischen Referate zu einem kleinen Haufen zusammen und stopfte sie wieder in die grüne Mappe; ihr Paket war nach dem beim ersten Nachrichtendienst üblichen Verfahren zusammengestellt worden. So bedeutete beispielsweise eine grüne Mappe historisches Hintergrundmaterial.

Er stand mit einer resignierten Geste hastig auf und warf die Mappe auf den Glastisch vor Tessie, zog die weiße Tüllgardine zur Seite und warf einen Blick aus dem Fenster. Es hatte den Anschein, als hätte der Wind aufgefrischt. Eine Windbö schleuderte eine Kaskade von Regenwasser gegen das Fenster. Er und Tessie mußten noch gemeinsam etwas erledigen, also mit Kinderwagen, bevor die Geschäfte schlossen. Doch damit sollten sie noch einen Augenblick warten.

»Also«, sagte Carl und drehte sich um. »Früher heirateten sie reich und wurden geköpft. Was haben sie in der Neuzeit gemacht?«

»Geköpft wurde keiner mehr, doch das liegt wohl hauptsächlich daran, daß diese Maßnahme sogar in England in einem frühen Stadium abgeschafft worden ist«, kicherte Tessie.

»Großbritannien«, korrigierter er. »Der schwedische Nachrichtendienst ermahnt uns in diesem rosa Umschlag, vorsichtig zu sein. Auf dem Umschlag steht Manieren und Etikette. Dämlicher Einfall, übrigens, wir verwenden nie rosagefärbte Mappen. Jedenfalls warnen sie uns davor, Schottland England zu nennen und umgekehrt. Nun, was ersehen Sie aus den Akten, Frau Anwältin?«

»Erstens, daß wir einen Burschen mit einem starken Vaterkomplex kennenlernen werden«, lächelte Tessie spöttisch und warf den Kopf in den Nacken.

»Steht das da?« fragte Carl erstaunt. »Woher wollen die das wissen?«

»Nein, es steht nicht ausdrücklich da, aber die Umstände deuten zumindest an, daß diese Schlußfolgerung im Bereich des Möglichen liegt, wie wir Juristen sagen«, entgegnete Tessie und schlug auf ihre Mappe. »Unser Typ, also dieser Angus, den wir morgen treffen sollen, ist der 15. Herzog von Hamilton. Sein Vater war folglich der 14. und offenbar ein recht harter Bursche. Schottischer Meister im Boxen, und ich glaube nicht, daß die rothaarigen schottischen Vertreter der Arbeiterklasse sich mit ihren Schlägen zurückhielten, nur weil der Gegner Herzog war. Flieger-As im Zweiten Weltkrieg, Rennfahrer, der erste Pilot der Welt, der mit einer einmotorigen Maschine um den Gipfel des Mount Everest flog; später übrigens auch von der Nazi-Staatsführung in Deutschland hoch geachtet.«

»Wie bitte!?« rief Carl aus. »War er Nazi?«

»Keineswegs«, sagte Tessie. »Dann wäre er wohl auf jeden Fall geköpft worden. Nein, es war so: Als Rudolf Heß 1941 mit einer geklauten Maschine auf eigene Faust nach Schottland flog, um wegen eines Separatfriedens zu verhandeln, hatte er sich in den Kopf gesetzt, mit dem Herzog von Hamilton zu verhandeln, mit niemandem sonst, nicht mal mit Churchill. Schließlich mußte sich der Herzog einfinden, denn der wichtige Kriegsgefangene bestand darauf. Es muß äußerst peinlich gewesen sein. Jedenfalls konnte von Verhandlungen kaum die Rede sein. Rudolf Heß war verrückt.«

»Dann war es falsch, ihn als Kriegsverbrecher zu verurteilen«, sagte Carl und nickte mit tiefem gespieltem Ernst.

»Versuch nicht, den Juristen zu spielen. Du kannst nicht mal einen Mord von einem Mundraub unterscheiden. Natürlich war er verrückt, aber bei den Nürnberger Prozessen ging es nicht um Gerechtigkeit im gewöhnlichen Sinn, nur darum, für die Nachwelt bestimmte symbolische Exempel zu statuieren. Soll ich fortfahren, oder möchtest du mit mir über Juristerei sprechen?«

»Nein, ich kann einen Mord tatsächlich nicht von einem Mundraub unterscheiden. Was ist mit den anderen modernen Herzögen? Hat beispielsweise einer reich geheiratet?«

»Ja, stell dir vor!« sagte Tessie lachend und schlug sich demonstrativ auf die Stirn. »Ist es sicher, daß du mit denen hier verwandt bist? Du hast ein wenig außerhalb der Tradition geheiratet, jedenfalls die paar Mal, die du es versucht hast.«

»Nach angelsächsischer Rechtstradition nennt man so etwas einen Angriff auf die Persönlichkeit. Die Geschworenen werden aufgefordert, die letzte Äußerung nicht zur Kenntnis zu nehmen.«

»Richtig. Aber wo hast du das gelernt?«

»Von Perry Mason im Fernsehen. Wie war das jetzt mit dem, der reich geheiratet hat?«

»Das war Il Magnifico.«

Sie breitete die Hände zu einer Geste aus, mit der sie andeutete, daß doch schließlich jeder wußte, wer Il Magnifico war, oder es zumindest wissen sollte. Carl machte eine übertrieben untertänige Handbewegung, damit sie mehr über ihre Erkenntnisse erzählte.

Das tat sie auch, sichtlich erheitert, besonders als sie beim Erzählen einige Illustrationen zeigte.

Il Magnifico, der 10. Herzog von Hamilton, hatte seinen Kosenamen vermutlich einer großen Portion Ironie seiner Umgebung zu verdanken. Er war nämlich fest davon überzeugt, der rechtmäßige Erbe des schottischen Throns zu sein; was vermutlich den Tatsachen entsprach.

Um seinen Anspruch zu untermauern, ließ er ein neues Hamiltonsches Hauptschloß errichten, das den Namen Hamilton Palace erhielt. Aber, und an dieser Stelle begann Tessie zu kichern, diese Pläne ließen sich erst verwirklichen, nachdem er eine Erbin geheiratet hatte, die eine runde Milliarde wert war. Hamilton Palace außerhalb von Glasgow müsse jedoch sehr ansehnlich gewesen sein; Tessie betonte ausdrücklich, daß das Schloß ansehnlich *gewesen sein* müsse und es folglich nicht mehr war.

Im Hamilton Palace wurde eigens ein Thronsaal eingerichtet, den man nur mit gesenktem Haupt betreten durfte. Im Park ließ der 10. Herzog über einem Gedenkstein für den römischen Kaiser Hadrian für sich und andere nachfolgende Hamiltonsche Könige und Königinnen Schottlands ein Mausoleum errichten. Dieses, fuhr Tessie fort, sehe übrigens aus wie ein riesiger Phallus (sie zeigte Carl ein Bild, das ihren Vergleich unumstößlich bestätigte). Das Mausoleum sei alles, was von der ganzen Herrlichkeit geblieben sei.

Die nachfolgenden Herzöge fanden eine handfeste, aber nicht sehr edle Methode, diese Prachtbauten zu bezahlen. Unter dem Haus wurde Kohle gefunden, und man begann mit dem Abbau. Nach zwei Herzögen war der Untergrund derart ausgehöhlt, daß alles ins Erdinnere zu sinken drohte. Damit war das üppige Leben für die Herzöge vorbei.

Tessie war jedoch der Meinung, daß die Geschichtsschreibung ein wenig unklar sei. Der 10. Herzog sei also Il Magnifico gewesen. Der 13. Herzog war Offizier, Kriegsheld und noch einiges mehr. So wie der Sohn, der 14. Ebenso der jetzige.

Zwei Herzöge wurden aus der Geschichte ausgelassen, der 11. und der 12.

»Bei denen ging es mit dem Geld zu Ende«, stellte Tessie nachdenklich fest. »Ich möchte gern wissen, wie man soviel Kohle ausgibt. Dieser Il Magnifico hat unter anderem Rubens-Gemälde gesammelt. Er konnte offenbar aus dem vollen schöpfen. Was meinst du?«

»Wann war was?« fragte Carl, als interessierte ihn das Problem plötzlich.

»Um die Jahrhundertwende und in den darauffolgenden Jahrzehnten. Wein, Weib und Gesang?«

»Nein, das kostete nicht allzuviel. Ich habe einmal von einem Lord gelesen, der sich mit der Jagd ruinierte. Ach nein, übrigens, das war ein Maharadscha. Vielleicht Aktienspekulationen, besonders wenn wir von den zwanziger und dreißiger Jahren sprechen. Jede Zeit hat ihre Methode, mit der man sich ruinieren kann. Unsere schwedischen Lords haben es durch Immobilienspekulationen und andere Albernheiten geschafft. Unser Herzog ist also knapp bei Kasse?«

»Ja, vergleichsweise«, erwiderte Tessie mit einem breiten Lächeln. »Wenn ich das Ganze richtig verstanden habe, ist er von allen Herzögen in Schottland zwar der feinste, aber gleichzeitig der ärmste. Du glaubst nicht, daß er dich eingeladen hat, um von dir Kohle zu leihen?«

»Das kann ich mir unmöglich vorstellen«, sagte Carl und machte eine, wie es schien, königliche arrogante Geste. »Ein echter Hamilton, der aufgrund kluger Eheschließungen seit dem dreizehnten Jahrhundert zur besten Gesellschaft gehört, würde niemals so tief sinken. Wie redet man einen Herzog übrigens an?«

»Euer Gnaden«, kicherte Tessie.

»Wie bitte?!«

»Doch, ich schwöre! Es heißt so. Es steht hier in der rosafarbenen Dokumentation.«

»Wie zum Teufel finden die so was heraus«, seufzte Carl matt und strich sich über die Stirn.

»Für den schwedischen Nachrichtendienst gibt es keine Geheimnisse«, entgegnete Tessie mit dramatischer Baßstimme.

»Nein, offenbar nicht. Euer Gnaden … Glaubst du tatsächlich, daß wir den Kerl so anreden müssen?«

»Keine Ahnung. Wir werden wohl die anderen fragen oder es ihnen nachmachen müssen. Unser Freund Angus hat übrigens vier Kinder. Da haben wir Alexander, neunzehn Jahre. Marquis von Douglas und Clydesdale, Lady Anne, sechzehn Jahre, Lord John, dreizehn Jahre, und Lady Eleanor, neunzehn Jahre, Vorsitzende des Fanclubs des Popstars Fish!«

»Fish! Gibt es einen Popstar, der Fish heißt?«

»Keine Ahnung. Es muß irgend was eng … Verzeihung, britisches sein!«

Sie lachten gleichzeitig los. Großbritannien war ihnen vollkommen fremd. Ein eigentümliches Gefühl, wenn man bedenkt, daß alle Welt Englisch spricht. Sie hatten zweieinhalb Tage auf britischem Territorium verbracht, vierundzwanzig Stunden in England und den Rest der Zeit in Schottland. Natürlich hatte man sie überall als Amerikaner angesehen, da Tessie es tatsächlich war und Carl sich so anhörte. Die Menschen waren sehr freundlich. An den Tankstellen, in denen ihre Kreditkarten nicht akzeptiert wurden, in Restaurants, in denen sie das Wechselgeld nicht auseinanderhalten konnten, und in den Hotels, in denen sie zunächst zahlreiche Formulare ausfüllen und im voraus bezahlen mußten, bis sich herrausstellte, daß sie Europäer waren, vielmehr daß Mr. Hamilton es war. Wie auch der einige Monate alte Ian Carlos. Doch hinter all dieser Freundlichkeit, auf die sie trafen, steckte auch eine bemerkenswerte herablassende Attitüde, als müßte man langsam sprechen, da das Gegenüber ein wenig unwissend ist, als wären Amerikaner so etwas wie Halbidioten oder zumindest Kinder, die allein nicht zurechtkommen.

Bei einer einzigen Gelegenheit hatte sich die Haltung der Einheimischen so blitzschnell wie überraschend verändert. Nämlich bei der Anmeldung in dem Hotel, in dem sie jetzt wohnten. *The Caledonian* war vermutlich das älteste und feinste Hotel Edinburghs. Der Empfangschef hatte sie selbstverständlich für Amerikaner gehalten und war, wenn nicht gerade unhöflich – sowohl in England als auch in Schottland undenkbar, solange der Gast bezahlen kann –, so doch zumindest eine Spur arrogant gewesen. Nur eine Spur. Auf diese typisch britische Art und Weise.

Bis dem Mann aufging, daß er es mit einem schwedischen Hamilton zu tun hatte.

Danach wurden sie vom gesamten Hotelpersonal, von den Putzfrauen bis hin zu den Kellnern, mit dem Adelstitel angeredet. Von da an nannten sie ihren Sohn manchmal scherzhaft Lord Ian Carlos. Bis Tessie in dem rosafarbenen Studienmaterial entdeckte, daß es so nicht heißen konnte. Sie sei Lady Tessie, erklärte sie. Ian Carlos könne nicht Lord Hamilton sein, da er kein Brite sei. Das Kind sei nur Count Hamilton.

Als der Regen an diesem dritten Tag aufhörte und ein schwacher

Sonnenstrahl durch die Tüllgardinen drang, nahm sich Carl feierlich die rote Mappe mit der Aufschrift *Operative Anweisungen* vor.

In der Mappe befanden sich die wenigsten Unterlagen. Sie fanden eine Karte, die das »Ziel« benannte: das Geschäft Hector Russel Kiltmaker in 95 Princes Street, ganz in der Nähe. Auf einem Stadtplan war der Weg dorthin rot eingezeichnet. Ferner fanden sich alternative Fluchtwege sowie die Angabe, wann der beste Zeitpunkt fürs Zuschlagen sei, nämlich kurz vor Ladenschluß. Es waren Quittungen der bestellten Waren beigelegt, die abgeholt werden sollten. Was den rein operativen Einsatz betraf, hieß es also *go on all systems*, besonders seit ein lauthals brüllender Sohn gefüttert und für die Expedition ausstaffiert worden war.

Als sie nach einem kurzen Spaziergang ankamen, stellte sich heraus, daß das Erdgeschoß des Ladens eine einzige gigantische Touristenfalle mit Schottenkaros war. Die eigentliche Kiltmacherei lag im Obergeschoß; das Personal erbot sich, auf das Baby aufzupassen, während sich Carl und Tessie die bestellten Waren abholten. Carl lehnte jedoch ab und trug seinen Sohn die Treppe hinauf. Er konnte sich nicht vorstellen, sein Kind in einer fremden Stadt in fremde Hände zu geben. Obwohl wahrscheinlich kaum jemand wußte, daß er sich überhaupt hier befand. Nicht einmal die schwedische Regierung wußte es, und es war nicht ganz leicht gewesen, dafür zu sorgen.

Sie wurden von einer strengen, stämmigen Dame mit einem Haarknoten im Nacken und einem entschieden schottischen Akzent in Empfang genommen. Sie stellten sich höflich als Mr. und Mrs. Hamilton vor, und Carl zog seine Quittung für die bestellten Waren hervor. Die strenge Schottin setzte ihre Lesebrille auf, die an einer Kette an ihrer Brust hing, und betrachtete den Bestellzettel einige Augenblicke, bevor ihr Gesicht sich plötzlich aufhellte.

»Aha«, sagte sie, »Sie sind die Herrschaften aus San Diego. Sie wollten, glaube ich, schottische Verwandte treffen, nicht wahr? Wenn Sie bitte mitkommen wollen, dann holen wir die Sachen. Es ist alles fertig.«

Sie wurden durch einen langen schmalen Gang, der vollgestopft war mit schottischen Stoffen in allen erdenklichen Varianten, in einen kleinen Raum geführt. Die bestellte Kleidung wurde ihnen an zwei Schneiderpuppen vorgeführt.

Die männliche Figur vor ihnen trug kurz darauf einen Kilt im Hamiltonschen Muster. Das Tartan der Hamiltons war blau, weiß und rot. Blau und rot dominierten. Die weiße Linie, die sich hier und da durch das Muster zog, war sehr dünn. Offenbar mußte man einen Rock tragen, wenn man zu einem Festessen ging; Carl hatte es im Grunde schon gewußt, sich sogar darauf vorbereitet, doch die Albernheit des Ganzen war heftiger, als er sich vorgestellt hatte. Er mußte ferner eine schwarze kurze Jacke mit schweren Knöpfen an den Ärmeln, die silbern glänzten, eine schwarze Fliege sowie ein gefälteltes Rüschenhemd tragen. Dazu waren schwarze Schuhe vorgeschrieben, die an der Oberseite eine Art Netz hatten, das die weißen Wollstrümpfe freigab, die bis kurz unter die Knie reichten. In dem rechten Strumpf streckte ein kleiner Dolch. Vor der Männlichkeit der Figur hing eine beutelähnliche Tasche aus Seehundfell.

Tessies Kleidung war weniger kompliziert. Sie brauchte einfach einen langen Rock im vorgeschriebenen Karomuster, eine weiße, oben geknotete Bluse sowie ein Schal, der von der linken Schulter über den Torso reichte, ebenfalls im Tartan-Muster. An die Schuhe wurden keine bestimmten Anforderungen gestellt.

»Aha, es geht also um ein Festessen«, bemerkte die strenge schottische Dame, als sie zu dem Schluß gekommen war, daß die beiden Yankees genug gestaunt hatten. »Was wir sehen, ist in aller Einfachheit eine gewöhnliche Variante des *full Highland evening dress.* Ich möchte nur noch auf einige kleine Details hinweisen. Die schwarze kurze Jacke des Mannes heißt *Prince Charlie jacket.* Hier haben wir den traditionellen *sporran*, und dazu müßte ich vielleicht eine Frage stellen«, endete sie mit einer Pause, als wollte sie Carl Zeit geben, wieder zu sich zu kommen und mit dem Erröten aufzuhören.

»Ja, was ist mit diesem *sporran*«, sagte Carl resigniert und betrachtete den lächerlichen kleinen Beutel, den er unterhalb des Bauchs tragen sollte.

»Nun«, fuhr die Dame mit spürbarer Geduld fort, »traditionsgemäß soll der *sporran* aus Seehundfell sein. Aber da viele Ihrer Landsleute, wie soll ich sagen, in diesem Punkt ein wenig empfindlich sind, haben wir auch eine amerikanische Variante aus künstlichem Seehundfell ...«

»Wir nehmen echtes. Wenn schon, denn schon«, erwiderte Carl.

»Muß die Frau so aussehen?« fragte Tessie sanft. »Ich meine, gibt es keine Möglichkeit, ein anderes langes Kleid anzuziehen statt dieses gemusterten? Es kommt mir reichlich sportiv vor.«

»Aber ja, das geht ganz ausgezeichnet«, erwiderte die strenge Dame schnell. Sie sprach mit einem Tonfall, dem ein Hauch Enttäuschung anzumerken war, bevor sie fortfuhr: »Aber die Sachen sind bestellt.«

»Aber ja«, erwiderte Tessie, »das ist kein Problem. Natürlich werden wir die Sachen nehmen. Aber kann ich trotzdem ein anderes Kleid nehmen als diesen Jagddreß?«

»Selbstverständlich«, erwiderte die Verkäuferin erleichtert. »Die Hauptsache ist, daß Sie Ihr *sash* behalten.«

»Mein was?« fragte Tessie vorsichtig.

»Ihr *sash*, Madame«, sagte die Verkäuferin und zeigte mit einer ausholenden Handbewegung auf die karogemusterte Schärpe, die von der linken Schulter schräg um den Körper verlief.

»Aber ja!« bestätigte Tessie begeistert. »Das Ding lege ich gern um. Das heißt also *sash*. Gut. Aber ich kann dazu einen eigenen langen Rock anziehen und Schuhe meiner Wahl, ebenso eine Bluse eigener Wahl, vorausgesetzt, alles paßt farblich zusammen?«

Tessie machte eine triumphierende Handbewegung, hielt eine Handfläche hoch, worauf Carl ohne Begeisterung mit seiner Hand dagegenschlug.

»Du bist am Zug, Capablanca«, kicherte sie.

»Ach ja, äh, diese Samtjacke namens Charlie«, begann Carl verlegen. »Jemand hat mir gesagt, daß man abends auch eine kurze Uniformjacke tragen kann, wenn man Soldat ist. Ich habe nämlich eine mitgebracht ...«

»Die Jacke ist aber auch bestellt«, sagte die Verkäuferin und fixierte Carl.

»Aber ja«, gab er resigniert nach. Wir nehmen sie natürlich. Aber jetzt war also die Frage ...«

»Ich erinnere mich durchaus an die Frage«, unterbrach ihn die Verkäuferin. »Bei bestimmten Anlässen kann man auch eine entsprechende Uniformjacke zur traditionellen Abendgarderobe tragen. Aber man sollte vielleicht nicht gerade nur Sergeant des amerikanischen Marine Corps sein, wenn ich so sagen darf.«

»Nein, aber dann haben wir das Problem schon gelöst, denke ich«, sagte Carl vorsichtig. Er hielt hinter dem Rücken die Handfläche hoch, und Tessie schlug mit der Hand leicht auf seine. Jetzt stand es eins zu eins.

Ihre Kleidungsstücke wurden eingepackt, während Carl passende Schuhe anprobierte und sich erkundigte, was für einen Dolch im Strumpf sitzen sollte. Tessie wurde ausdrücklich darauf hingewiesen, daß die Schärpe an der linken Schulter befestigt werden müsse. Nur die Ehefrau des Clan-Chefs oder die Königin von England habe das Recht, die Schärpe an der rechten Schulter zu befestigen.

Der Mann solle übrigens, so die Verkäuferin, rechts an seinem Kilt eine kleine Spange tragen. Sie empfehle, sowohl für den Kilt als auch für die Schärpe Spangen mit der Hamiltonschen Standarte zu wählen.

Die Standarte der Hamiltons war eine Eiche, die in ihrem grünen Laub drei goldene Eicheln hielt. Der Stamm der Eiche wurde von einer Säge durchschnitten. Über der ganzen Herrlichkeit befand sich der Wahlspruch *Through*. Am Fuß der Eiche war eine Krone mit drei Zacken.

»Solche Kronen haben wir bei einer Footballmannschaft in San Diego«, sagte Carl scheinbar nachdenklich und gab Tessie gleichzeitig einen leichten Tritt, damit sie nicht protestierte. »Was sollen diese drei Kronen eigentlich bedeuten?«

»Das ist natürlich die Krone des Clanchefs, eine Herzogskrone«, erwiderte die Verkäuferin mit einer Geduld, die inzwischen schon etwas angestrengt wirkte.

»O Teufel«, sagte Carl sichtlich verblüfft und legte dabei den Südstaaten-Dialekt an, dessen sich Tessie und er gelegentlich zum Scherz bedienten. »Man kann die Krone des Herzogs also kaufen. Bekommt er Provision?«

»Natürlich nicht«, entgegnete die Verkäuferin entrüstet. »Der Herzog ist ein Gentleman vom Scheitel bis zur Sohle. Aber dort dürften die Herrschaften ja wohl nicht zum Essen eingeladen sein.«

»O nein, Jesses, Maam«, erwiderte Carl mit einer verschleppten

Aussprache des amerikanischen Worts Madam, die an die britische Anrede der Königin erinnerte.

Sie erhielten dann eine für Amerikaner gedachte Broschüre, deren Inhalt ihnen sicherheitshalber auch mündlich vorgetragen wurde: Wer die Hamiltonsche Standarte trage, drücke damit nur seine Treue gegenüber dem Clanchef aus, dem Herzog. Man könne beispielsweise nicht eigenes Briefpapier mit dieser Standarte drucken lassen. Das sei dem Herzog vorbehalten. Ebensowenig könne man den Stander an seinem Cadillac führen, denn das würde ebenfalls darauf hinweisen, daß der Wagen dem Herzog gehöre. Wer wie ein Hamilton oder ein Angehöriger eines anderen Clans ausstaffiert sei, sei gesellschaftlich dadurch weder erhöht noch erniedrigt. Damit allein könne man nicht adlig spielen.

Carl und Tessie hörten sich die Moralpredigt mit gesenktem Kopf an. Sie nickten nachdenklich und bezeugten beide, solche Überlegungen lägen ihnen völlig fern.

Doch eins wüßten sie noch gern: Falls sie bei schottischen Verwandten zu einem Essen eingeladen würden, also zu einem besseren Essen, sollten sie sich dann so kleiden? Liefen sie nicht Gefahr, sich lächerlich zu machen?

Die strenge Dame wurde gestrenger als je zuvor, und ihr schottischer Akzent hörte sich strafend an.

So *seien* die Sitten der Schotten nun mal. Die wirklichen Schotten, zumindest die, die hier in Schottland lebten, pflegten diese Art Umgang, und zwar von Schloß bis Hütte.

Als Carl und Tessie gemeinsam den mit Paketen überladenen Kinderwagen mitsamt dem soeben aufgewachten schreienden Sohn aus der Vornehmheit des Obergeschosses zur Touristenfalle im Erdgeschoß hinuntertrugen, konnten sie endlich loslachen und über die gesellschaftlichen Eigenheiten Schottlands scherzen.

*

Samuel Ulfsson hatte noch zwei Monate als Leiter des militärischen Nachrichtendienstes Schwedens vor sich. Vor seiner endgültigen Pensionierung würde er dann noch rund ein Jahr als Chef der Flottenbasis von Berga Dienst tun. Anschließend blieben ihm nur noch das Segeln und vielleicht etwas Schriftstellerei.

In gewisser Weise war es ein merkwürdiger Zeitpunkt, um aus dem Job zu scheiden. Der schwedische Nachrichtendienst befand sich in einer bemerkenswerten Phase des Umbruch. Das Material wurde nach wie vor aus offenen Quellen gesammelt, der Überwachung fremden Funkverkehrs entnommen sowie von Operateuren auf dem Feld gewonnen, aber das Verhältnis der Methoden zueinander hatte sich erheblich verschoben.

Niemals hatte Schweden im Osten so viele Männer im Feld gehabt wie zur Zeit. Dafür gab es eine Reihe guter Gründe.

In der Gemeinschaft der westlichen Nachrichtendienste war Schweden für die baltischen Staaten zuständig. Rußland wurde von allen bearbeitet; dort befanden sich jetzt zweifellos mehr Leute der westlichen Nachrichtendienste als jemals in der Sowjetzeit. Manch einer, besonders Hamilton, hatte sich immer wieder ironisch darüber geäußert, daß man eigentlich von amerikanischen Wünschen herumkommandiert werde. Das war nicht sonderlich neu. Der schwedische Nachrichtendienst hatte in seiner langen Zeit vermeintlicher Neutralität schon immer mit den Amerikanern gegen den Osten zusammengearbeitet. Zuvor sogar mit den Briten, und zwar während eines Zeitraums, den man als das größte Fiasko des schwedischen Nachrichtendienstes ansehen muß. Man hatte berichtet, daß die Norweger bei einer Volksabstimmung über die Frage der Eigenstaatlichkeit als gute Untertanen dafür stimmen würden, auch weiterhin zu Schweden zu gehören. So war Norwegen frei und unabhängig geworden. Weniger als ein Prozent der Wähler sprachen sich gegen die Selbständigkeit aus.

Die von Großbritannien gesteuerten Operationen gegen das Baltikum in den fünfziger Jahren waren auf eine ganz andere Weise katastrophal. Die Briten hatten in Schweden die Ausbildung von Agenten organisiert, eine Ausbildung, die wohl nicht sehr gründlich gewesen war. Nach ihrem Ende waren die Agenten nachts an der baltischen Küste an Land gegangen. Sie waren sofort verschwunden, die Verluste betrugen einhundert Prozent. Nachträglich ließ sich leicht erkennen, woran es gelegen hatte. Um diese Zeit war der britische Nachrichtendienst MI 6 nämlich praktisch von Moskau gesteuert worden.

Einer dieser verschwundenen Agenten hatte offenbar einige

Jahrzehnte der Gefangenschaft im Gulag überlebt. Eine Abendzeitung hatte ihn jetzt ausfindig gemacht.

Von sämtlichen Agenten dieser Epoche gab es offenbar nur einen einzigen Überlebenden.

Seit einem halben Jahr etwa quollen die Informationen aus diesem Gebiet förmlich ins Haus, in einem Tempo, das es allen, die mit dem Sortieren der Nachrichten und der Analyse beschäftigt waren, immer schwerer machte, mit den Kollegen draußen im Feld Schritt zu halten.

Der Erfolg war auf eine Diskussion vor einem Jahr zurückzuführen. Damals hatte die Regierung Direktiven erlassen. Im Generalstab hatten sich die Angehörigen der Leitungsgruppe zusammengefunden, um zu sehen, wie die Wünsche der Staatsführung zu erfüllen waren. Es war zwar Hamilton gewesen, der den Vorschlag zur *Operation Titan* gemacht hatte, der einleitenden Phase. Aber Samuel Ulfsson glaubte, es mit einer abgekarteten Sache zu tun zu haben; der gute Carl hatte das gesamte Wochenende vor dem Treffen unten bei dem Alten in Kivik verbracht. Und die ganze Anlage des Plans trug unverkennbare Spuren alter IB-Operationen aus der Zeit, in der der Alte frei im schwedischen Nachrichtendienst hatte schalten und walten dürfen.

Der Plan war einfach und wurde durch ebenso zahlreiche wie logische Fakten gestützt. Der KGB war zerschlagen. Damit verringerte sich das Risiko illegaler Operationen. Die fortlaufende Kriminalisierung Estlands und Lettlands bewirkte, daß die Grenzen zwischen Legalität und Illegalität fließend waren, denn ein bedeutender Teil der Bevölkerung schien jetzt nach Kräften alles zu stehlen, was einmal Staatseigentum gewesen war, vor dem niemand mehr auch nur den geringsten Respekt empfand.

Der schwedische Nachrichtendienst sollte sich ganz einfach ins Getümmel der baltischen Kriminalität stürzen und mit der Unterwelt Geschäfte machen, folglich direkt mit der organisierten Kriminalität, aber auch mit den in aller Hast pensionierten Offizieren des Nachrichtendienstes und – im Hintergrund das eigentliche Ziel – der früheren Sowjetarmee. Die Logik dieses Vorgehens ergab sich aus der Außenhandelsstatistik. Estland, das nicht über eigene Mineralien verfügt, war im vergangenen Jahr zum weltweit führenden Titan-Exportland geworden. Bei anderen Metallen wie

Kupfer, Kobalt, Chrom und Wolfram lagen die Esten auf Platz vier.

All dies war Diebesgut aus Rußland oder den Ländern, die Rußland umgaben. Um diese Diebestätigkeit jedoch zu organisieren, waren Transportmöglichkeiten und Schutz nötig – im Fall von Titan sogar von Sibirien an –, und das wäre ohne militärische Beteiligung nicht möglich. Die Hypothese lautete, daß die frühere Sowjetarmee damit begonnen habe, ihren Haushalt durch diese Plünderung des eigenen Landes zu finanzieren; in bestimmten abgelegenen ehemaligen Sowjetrepubliken funktionierte beispielsweise das Telefonnetz nicht mehr, weil die Plünderer Kupferleitungen aus dem Boden gerissen und sie mit der Bahn oder Lastwagen nach Tallinn verfrachtet hatten.

Wenn man sich in den estnischen Metallhandel stürzte, sollte man also schnell ein Netz von Verbindungen sowohl zu den Militärs als auch zu Gangstern aufbauen können. Es würde hilfreich sein, daß sich bestimmte schwedische Unternehmen schon auf diesem Feld betätigen, bevor der militärische Nachrichtendienst Schwedens sein Interesse an dieser Branche anmeldete. Der Generalstab hatte im Folgenden ganz einfach ein eigenes Unternehmen gegründet, eine Tochtergesellschaft einer der kommerziellen schwedischen Firmen, die sich vor Ort schon etabliert hatten. Das Unternehmen, das schon jetzt glänzende Gewinne abwarf, war auf den wenig phantasieanregenden Namen Heiskanen Steel Import getauft worden, HSI. Der Name stammte von dem frischgebackenen Direktor Heiskanen, einem Fallschirmjägeroffizier der Reserve, den man wegen früherer Operationen im Feld ausgewählt hatte und weil er Finnisch sprach. Åke Stålhandske hatte sich als Teilhaber beteiligt und war in der Firma angestellt. Dann waren die zwei nach Tallinn gereist, um dort *biznizz* zu machen, wie es dort und sogar in Moskau neuerdings hieß.

In der ersten Zeit hatten sie bei ihrer Rückkehr köstliche Geschichten erzählt. Ihr Auftrag hatte zunächst nur gelautet, sich mit kriminellen Kreisen gemein zu machen. Sie sollten prahlen und angeben und überall Angebote machen, Nachtclubs besuchen und sich auch ein wenig prügeln, um zu lokalen Berühmtheiten zu werden. Es war kein ganz risikoloser Auftrag. Gerade in diesem Jahr hatte es in Estland schon mehr als dreihundert Morde gegeben, was auf die Bevölkerungszahl umgerechnet, amerikanisches Ghetto-Niveau erreichte. Die Zahl der Bomben- und Autoattentate lag bei rund fünfzig im Jahr. Die Grundsätze für das Benehmen der beiden Schweden während der kurzen Pionierzeit waren einfach: Verprügelt nie einen Boß, nur Handlanger, verderbt niemandem ein Geschäft, haltet eure Gier im Zaum, schafft euch keine Feinde oberhalb des Handlangerniveaus. Die Taktik funktionierte bestens, und schon bald waren sie im Geschäft.

Ihren ersten Schnitt machten sie nach nur einer Woche. Mit ihrem gemieteten Chauffeur fuhren sie zum Rüstungsbetrieb Dvigate und kauften neunzig Tonnen Aluminium. Sie bezahlten bar in Dollar. Der russische Chef gab ihnen sogar eine offizielle Quittung über das Geschäft. Die gleiche Operation wiederholten sie anschließend mit einem weiteren russischen Chef, nämlich dem Leiter der Radiofabrik Punane Ret, wo sie für ein Spottgeld das restliche Kupferlager kauften, auch diesmal »legal« gegen offizielle Quittung.

Damit waren sie auf dem Markt etabliert und hatten im übrigen die Kosten der eigentlichen Operation für mehrere Jahre im voraus finanziert. Ihr nächster Schritt bestand darin, sich der sogenannten Nowosibirsk-Bande zu nähern. Die Idee war, sich einerseits bei einer der mächtigsten Gangsterorganisationen Schutz zu verschaffen und andererseits zum Vorteil beider Seiten mit ihnen Geschäfte zu machen. Sie wollten sich auf Titan spezialisieren und wegen der sibirischen Titanlagerstätten mußten sie eine Verbindung zur Sowjetarmee etablieren.

Alles lief wie am Schnürchen. Seit kurzem hatte HSI – ein eigenes und einigermaßen luxuriöses Hauptbüro in Tallinn, das sowohl von Büropersonal als auch Sicherheitswachen des früheren KGB bevölkert war. Und mit einigen zivilen Schweden, die keine Ahnung hatten, für wen sie eigentlich arbeiteten. HSI hatte sich schon bald als einer der führenden Exporteure oder Importeure von Titan etabliert, je nach Betrachtungsweise.

Eine pikante und in bürokratischer Hinsicht nicht ganz einfache Schwierigkeit war dadurch entstanden, daß die Operation Titan aus dieser Sektion des Nachrichtendienstes, der geheimen operativen Abteilung, ein höchst gewinnträchtiges Unternehmen gemacht hatte. Wie dieser Gewinn im Verteidigungshaushalt untergebracht werden sollte, war ein Problem, für das man noch keine Lösung gefunden hatte. Man witzelte darüber und sagte, bei der Spionage habe man sich schließlich nur an die neuliberale Privatisierungswelle angepaßt, die jetzt über das Land hinwegfege. Wenn man eine private Eisenbahn haben könne, könne man doch auch eine Spionagefirma haben, die Gewinn abwerfe?

Die Hauptsache war jedoch, daß das Unternehmen in Tallinn jetzt eine Flut von Informationen lieferte, die sowohl die politisch-wirtschaftliche Lage im Baltikum als auch die Hintergrundgeschäfte der Sowjetarmee betrafen. Die erfolgreichen Direktoren Heiskanen und Stålhandske hatten ein perfektes Cover erhalten. Sie konnten ihre Fühler jetzt auch nach Riga ausstrecken, um dort mit Hilfe ihrer Kontakte bei der Nowosibirsk-Bande die Möglichkeiten zur Eröffnung einer Filiale in Lettland zu untersuchen.

Anfänglich war das Ergebnis mager. Ein Metallhandel, der dem estnischen Konkurrenz machte, war nicht möglich, weil das zu einem Gangsterkrieg führen konnte. Und die Waren, die auf dem lettischen Schwarzmarkt am naheliegendsten erschienen – Drogen und Waffen –, waren aus dem Blickwinkel der schwedischen Verteidigungspolitik höchst unpassend. Bei allen nachrichtendienstlichen Operationen wurde routinemäßig überlegt, was bei einer Enthüllung zutage gefördert werden könnte, beispielsweise durch den falschen Journalisten beim falschen Blatt im falschen Augenblick. Wenn der schwedische Nachrichtendienst jetzt dabei erwischt wurde, halb legal mit Titan gehandelt zu haben, würde man damit wohl leben können. Waffen und Drogen hingegen würden einiges an Erklärungen verlangen und viele Nerven kosten.

Der Umgang mit den Kreisen der *biznizzmeny* Rigas, mit Gangstern, abgehalfterten Spionen und Sicherheitsleuten hatte jedoch erste Früchte gezeigt. Einige Ganoven hatten so heftig angebissen, daß es zunächst nach einer Falle aussah, einer Provokation. An einem Abend in einer Kneipe stellten sich Åke Stålhandske zwei Männer vor und sagten, sie seien GRU-Offiziere, angestellt bei den Diversionsverbänden der jetzt russischen Streitkräfte. Kurz gesagt U-Boot-Spezialisten. Die Ware, die sie verkaufen wollten, waren Erkenntnisse über die Bewegungen der Diversionsverbände auf schwedischem Territorium. Sie hätten es jedoch eilig, denn sie würden bald nach Rußland zurückgerufen oder nach Kaliningrad versetzt werden, da die russischen Basen in Lettland abgewickelt werden sollten.

Åke Stålhandske hatte sich natürlich dumm und betrunken gestellt und gesagt, er begreife nichts vom Wert dieser Ware. Er tat jedoch so, als ließe er sich widerwillig überreden, in einer Woche wiederzukommen. Er müsse zunächst untersuchen, ob es überhaupt Käufer gebe. Er behauptete, in einer Woche ohnehin in Riga zu tun zu haben.

Er war natürlich sofort nach Hause geflogen und hatte sich dann mit Sam und dem Oberbefehlshaber zusammengesetzt, um das Problem ein paar Tage hin und her zu wälzen.

Falls dies eine Provokation war, bedeutete es, daß der russische Nachrichtendienst die ganze Operation Titan schon durchschaut hatte. Dann war es höchste Zeit, sich möglichst schnell zurückzuziehen.

Falls aber nicht, bedeutete es, daß sie einen Hai am Haken hatten, und zwar einen unter lauten Dorschen. Wenn diese Burschen tatsächlich die Absicht hatten, die Ware zu liefern, wenn sie also bereit waren, Landesverrat zu begehen und die Todesstrafe zu riskieren, war ihr Wissen fast unschätzbar. Wenn dies aber ein Köder sein sollte, um den schwedischen Nachrichtendienst zu fangen, war er wirklich fett. Und wenn es kein Köder war, sondern es sich nur um demoralisierte Kollegen handelte, die sich zu verkaufen versuchten, wäre es fast verbrecherisch, nicht kaufen zu wollen.

Die Frage war nur, wie. Wenn Åke Stålhandske, Heiskanen oder sonst jemand auf lettischem Territorium geheime Informationen gegen Geld entgegennahm, handelte es sich unbestreitbar um ein kriminelles Tun.

Die drei Männer einigten sich darauf, daß Åke nach Riga zurückkehren und so tun sollte, als hätte er einen Käufer. Er sollte einige Fragen stellen, aus denen hervorging, daß er mit jemandem gesprochen hatte, der genau verstand, worum es ging, und auch einige Kontrollfragen anbringen, um zu sehen, ob das Angebot noch galt. Wenn er zu diesem Zeitpunkt festgenommen wurde – die Gefahr bestand immerhin –, würde es wohl möglich sein, ihn freizubekommen. Wenn man ihn aber nicht festnahm, sollte er den beiden Russen die Flucht außer Landes anbieten sowie Bezahlung im Ausland gegen Lieferung der Erkenntnisse.

Das war für beide Seiten ein gewagtes Spiel. Die beiden künftigen Landesvertreter würden ganz einfach das Land verlassen, ohne erst bezahlt worden zu sein. Dafür würden sie erst ein Risiko eingehen, wenn sie sich außer Landes befanden.

Doch als Åke Stålhandske in Riga mit den beiden wieder Kontakt aufnahm, erklärte sich keiner von ihnen bereit, ins Ausland zu gehen, da sie beide Familien hätten, die dann zurückbleiben würden. Ihr Gegenvorschlag: Sie wollten eine Kostprobe in Form von Dokumenten liefern, und zwar über einen Mittelsmann, um sich dann über einen anderen Mittelsmann bezahlen zu lassen. Anschließend weitere Erkenntnisse gegen neue Bezahlung, und so weiter. Sie waren ohne jeden Zweifel Profis.

Åke Stålhandske löste das Problem schließlich auf eine elegante, wenn auch kaum risikolose Weise. Nicht nur er und Heiskanen, sondern auch andere einflußreiche *biznizzmeny* in Tallinn hatten ehemalige KGB-Offiziere angestellt. Die Königin von Tallinn, Tiiu Silves, hatte sogar Estlands letzten KGB-Chef Rein Sillari angestellt, was sie zu Recht als ihren großen Geniestreich bezeichnete. Sie hatte als Straßenverkäuferin begonnen, und inzwischen lag ihr Jahresumsatz zwischen fünfhundert und sechshundert Millionen Dollar. Bei ihren Geschäften ging es mehr um Geldtransaktionen als um Metallexport.

Åke Stålhandske hatte sich in einem frühen Stadium mit ihr bekannt gemacht und sich so weit mit ihr eingelassen, wie es sein privates Gewissen als Ehemann noch zuließ; sie war eine üppige Frau mit Kleidern in schreienden Farben, um die vierzig Jahre alt, obwohl ein hartes Leben sie älter aussehen ließ. Åke war bei einer Gelegenheit zu einem Essen bei ihr zu Hause eingeladen worden und konnte bemerkenswerte Geschichten über Ledersessel und kostbare Teppiche erzählen. Das Ziel war natürlich Rein Sillari gewesen, der frühere KGB-Chef, und Åke hatte ohne größeren Erfolg versucht, diesen Kontakt zu kultivieren. Bei einer Gelegenheit hatte er unverblümt zu hören bekommen, daß ein Mann sich jeweils nur einmal verkaufen könne.

Hingegen hatte er eine Menge wichtiger Informationen über das KGB-Personal erfahren, die sich jetzt *biznizzmeny* und Gangsterorganisationen teilten. Aus Åkes Perspektive bestand schließlich das offenkundige Risiko, daß einige von ihnen immer noch für ihren alten Arbeitgeber tätig waren, der gegenwärtig *Zentralnaja Raswedka* hieß, was übersetzt annähernd der CIA entspricht.

Rein Sillari hatte fast wütend erzählt, wie ihr alter Arbeitgeber sie alle im Stich gelassen habe und daß die Russen überhaupt Mißtrauen gegen alle Nicht-Russen empfänden; aus Moskau seien Majore gekommen, die ihn behandelt hätten, als wäre er ihr Bursche.

Aus diesen weitschweifigen und für Åkes Geschmack leicht heuchlerischen Klageliedern entstand ein neuer Plan. Man würde KGB-Personal für die Spionageoperation gegen den militärischen Nachrichtendienst GRU einsetzen.

Sicherheitshalber stellte sich Åke Stålhandske dumm und tat, als wäre er von eigenen Behörden abhängig, als er einen seiner schon im Unternehmen angestellten KGB-Offiziere anwarb. Er beschrieb sich als einen ehrlichen *biznizzman*, der jetzt in die Klauen von etwas geraten sei, das schlimmer sei als eine konkurrierende Gangsterorganisation, nämlich die Spionage des eigenen Landes. Dort drohe man nämlich, die gesamte Tätigkeit von HSI mit Hilfe verschiedener legaler Kniffe zu beenden, wenn ihnen nicht bei bestimmten Projekten der Industriespionage geholfen werde. Andererseits versprächen sie, alle Beteiligten gut zu bezahlen.

Und gut könne Zehntausende von Dollar bedeuten.

Selbstverständlich biß der frühere KGB-Major sofort an. Außerdem tröstete er Åke damit, Spione seien nicht so gefährlich, wenn man nur wisse, wie man sich im Umgang mit ihnen verhalten müsse. Außerdem sei das Risiko, geschnappt zu werden, in Estland und Lettland minimal, denn es gebe schließlich kein KGB mehr.

Der nächste Schritt der Operation: Luigi Bertoni-Svensson fuhr nach Tallinn und spielte den harten und professionellen Offizier des Nachrichtendienstes. Er wurde von einem nervösen und untertänigen Åke Stålhandske mit dem früheren Major zusammengebracht, bezahlte diesem zehntausend Dollar in bar und bat ihn, das Geld zu quittieren.

Das war eine wichtige symbolische Handlung, und alle drei im Raum wußten es, obwohl Åke Stålhandske tat, als begreife er nichts. Sobald der Mann quittierte, hatte er sich verkauft. Wenn er immer noch für das neue KGB arbeiten wollte, mußte er das Geld sofort seinem Arbeitgeber in Moskau übergeben.

Alle weiteren Zahlungen mußten selbstverständlich auf dem gleichen Weg erfolgen. Am Ende winkte vielleicht eine Beförderung und womöglich ein Job in Moskau für ein russisches Monatsgehalt, das heißt für gar nichts. Wenn er quittierte, hatte er sich an eine unwiderstehliche Versuchung verkauft.

Bemerkenswert war, daß der Mann nicht einmal zögerte. Nach gelungener Anwerbung konnte Luigi wieder nach Schweden fahren.

Damit hatten sie einen *bag man*, der Dokumente abholen und Geld übergeben konnte. Kurz darauf war die Operation in Gang gekommen. Der einzige, der in schwedischen Spionageangelegenheiten zwischen Estland und Lettland hin und her reiste, war ein ehemaliger estnischer KGB-Offizier, der, ob er es nun wußte oder nicht, die früheren Kollegen beim GRU verriet.

Die Operation Titan in Tallinn konnte also weitermachen und *business as usual* betreiben, als hätte man dort kaum etwas mit den Geschäften mit den GRU-Spionen in Riga zu tun. Heiskanen und Stålhandske reisten von Zeit zu Zeit nach Riga, natürlich ohne ihre GRU-Quellen ein einziges Mal zu treffen; sie wußten kaum mehr, als daß das Unternehmen erfolgreich verlief.

Åke hatte die Zusage von Sam, sein Engagement in Estland nach und nach abwickeln zu dürfen; er hatte dafür familiäre Gründe, die Sam ohne weiteres akzeptierte. Jetzt, wo HSI AB in Tallinn schon ein bekanntes und wohletabliertes Unternehmen war, überdies in einer Nische des Wirtschaftslebens tätig, die den Interessen allzu wichtiger Konkurrenten nicht in die Quere kam, ließ sich Åke von einem unverheirateten, kinderlosen Offizier des Nachrichtendienstes ablösen. Åke hatte also »seine Aktien verkauft« und Tallinn verlassen. Der neue Offizier hatte etwa die gleichen Fähigkeiten. Heiskanen hatte zwar nichts dagegen einzuwenden, in geheimen Diensten für Seine Majestät reich zu werden, hatte hingegen sehr wohl etwas dagegen, ohne Rottenkamerad gelassen zu werden, falls es zum Knall kam. Samuel Ulfsson hatte deshalb Göran Karlsson, Carls Rottenkameraden von der libyschen Operation, nach Tallinn befohlen, wo die beiden jetzt in der Operation Titan den nachrichtendienstlichen Teil übernahmen. Das rein

Geschäftliche hätte man mit nur militärischem Personal nicht bewältigen können. Jetzt arbeiteten einige junge Diplomkaufleute und hochqualifizierte Sekretärinnen bei HSI AB, ohne eine Ahnung davon zu haben, in wessen Diensten sie eigentlich tätig waren.

Doch inmitten des glatten Geschäftsgangs hatte sich ein großes Problem ergeben. Einer der beiden GRU-Offiziere, die über das ehemalige KGB und HSI Informationen an den Nachrichtendienst Seiner Majestät lieferten, hatte plötzlich kalte Füße bekommen. Jetzt wollte er flüchten. Er hatte rechtzeitig mitgeteilt, wann er seine Familie in Riga erwartete, und ein Segelboot gekauft. In seiner letzten Mitteilung hatte er einen exakten Punkt und eine Uhrzeit draußen auf See mitgeteilt, gleich außerhalb der Grenze der lettischen Territorialgewässer. Er setzte voraus, daß man ihn abholte. Immerhin war er Offizier des Nachrichtendienstes und begriff folglich sehr wohl, was er geliefert hatte und welchen Wert es repräsentierte.

Plötzlich stand sehr viel auf dem Spiel. Ob die auf den Codenamen Castor getaufte Quelle dabei war, die Nerven zu verlieren, oder ob der Mann ganz einfach der Meinung war, für ein besseres Leben im Westen genug gespart zu haben, ließ sich nicht ausmachen. Ebenfalls war nicht klar, ob die zweite Quelle, Pollux, in eine Situation geriet, die der Mann nicht meistern konnte, wenn sein Militär sich plötzlich absetzte. Das übergebene Material deutete darauf hin, daß beide innerhalb der Organisation des GRU völlig verschiedene Funktionen hatten. Vermutlich waren sie nur gute Freunde. Doch in dem Fall war ihr Verhältnis innerhalb der GRU-Region allgemein bekannt, und folglich würde man Pollux die Hölle heiß machen, wenn Castor plötzlich überlief.

Es ging aber auch um einige der goldenen Regeln der Spionage. Man darf eine Quelle nie im Stich lassen oder verraten; trotz Glasnost, trotz Perestrojka, Boris Jelzin und neuer Weltordnung war in keinem Land des Westens kein einziger ehemaliger sowjetischer oder danach russischer Spion aufgrund von Verrat entlarvt worden. Kein einziger.

Da Schweden nun mal diesen Spion angeworben hatte, mußte Schweden ihn auch retten. Was nichts mit Moral, Gentlemanship oder sonstiger Sentimentalität zu tun hat. Es ist zwingend notwendig. Wenn ein Land dafür bekannt wird, daß es seine gemieteten Spione im Stich läßt, wird es ihm schwerfallen, neue anzuwerben.

In diesem Falle mußte man befürchten, daß der Mann schon überführt worden war und daß zur festgesetzten Zeit russische Kriegsschiffe am vereinbarten Treffpunkt auftauchen würden.

Doch dies war in gewisser Hinsicht das einfachste Problem. Die Abholung würde natürlich per U-Boot erfolgen. Das Gebiet würde zuvor mit Aufklärungsflugzeugen abgesucht werden, und in rein militärischem Sinn würden die Russen nur dann eine Falle stellen können, wenn sie ein eigenes U-Boot auf dem Meeresboden warten ließen. Doch was sollten sie dann tun, wenn das schwedische U-Boot in internationalen Gewässern an die Oberfläche kam? Das Feuer eröffnen? Was würden sie damit erreichen, abgesehen von einer politischen Krise?

Die Angelegenheit war jedoch nicht so alltäglich gewesen, daß man sie dem an nachrichtendienstlichen Fragen besonders interessierten Ministerpräsidenten Schwedens vorenthalten konnte. Samuel Ulfsson war in Rosenbad gewesen und hatte Vortrag gehalten. Er hatte eine Abholung per U-Boot nach vorhergehender Luftüberwachung empfohlen.

Der Ministerpräsident, der mit der Situation im großen und ganzen sehr wohl einverstanden war, also der Tatsache, daß es dem schwedischen Nachrichtendienst gelungen war, GRU-Offiziere zu kaufen, deren besonderes Wissensgebiet Diversionsverbände und Mini-U-Boote waren (obwohl er nicht wußte, daß der schwedische Nachrichtendienst sich des KGB als Mittler bediente), widmete sich dem Problem mit intensiver Aufmerksamkeit. Und da der Chef seines Nachrichtendienstes vorgeschlagen hatte, man solle zur vereinbarten Zeit Schiffe an den vereinbarten Ort schicken, mußte er diese natürlich mißbilligen. Hätte Samuel Ulfsson die Möglichkeit gehabt, vorher mit Carl zu konferieren, hätte er möglicherweise einige brauchbare Vorschläge dazu erhalten, wie man den Regierungschef des Landes dazu bringt, Vorschläge zu akzeptieren. Samuel Ulfsson hätte auch erfahren, wie man das auf keinen Fall erreicht, nämlich indem man selbst als erster den besten und einfachsten Vorschlag macht.

Folglich wurde diese Operation kompliziert. Erstens mußte ein

Kontaktmann losgeschickt werden, um die Lage zu sondieren. Zweitens sollte dieser Kontaktmann die Fähigkeit des Überläufers erkunden, tatsächlich zur rechten Zeit zum richtigen Ort zu navigieren. Eventuell sollte der Betreffende mit angemessenen Navigationsinstrumenten ausgerüstet werden, nach Möglichkeit aber nicht mit schwedischen Fabrikaten.

Åke Stålhandske war bis an die Grenze der Feindseligkeit unwillig gewesen, als er von seinem Sommerurlaub in die Stadt zurückgerufen wurde. Doch er mußte die Logik seiner bevorstehenden Rückreise ins Baltikum akzeptieren.

Er war immerhin der erste Schwede gewesen, mit dem Castor persönlich Verbindung aufgenommen hatte. Und seitdem hatte alles funktioniert. Das war ein Beweis für Åke Stålhandskes Glaubwürdigkeit. Überdies ging es um ein gewöhnliches Treffen, bei dem mündliche Informationen ausgetauscht werden sollten. Dabei sollten weder irgendwelche Dokumente übergeben noch Geld auf den Tisch gelegt werden. Überdies war Åke Stålhandske als Geschäftsmann in Riga und Tallinn bekannt und hatte nachweislich Geschäfte betrieben, die mit Billigung der Behörden erfolgt waren.

Die juristischen Risiken, die Åke Stålhandske einging, schienen also lösbar zu sein. Er besaß immerhin ein echtes Cover, war *tatsächlich* Geschäftsmann und überdies, nicht zuletzt aufgrund seines auffälligen Äußeren, ein wohlbekannter Besucher des Landes bei halblegalen Geschäften.

Er hatte murrend eingewandt, er sei überdies Inhaber des Großkreuzes des russischen Sankt-Georg-Ordens, dies nur als Hinweis zu der Bemerkung über den normalen Geschäftsmann.

Sam hatte lachend darauf hingewiesen, daß Carl Hamilton die einzige bekannte Identität sei, die man so belohnt habe. Alle anderen seien anonym gewesen, sogar für den freigebigen Boris Jelzin.

Åke Stålhandske bat um vierundzwanzig Stunden Bedenkzeit. Er sah ein, wie wichtig es war, einen Rettungsversuch zugunsten eines eigenen Spions zu unternehmen. Doch dagegen mußte er sein Privatleben abwägen; Samuel Ulfsson hatte keine Ahnung und fragte auch nicht danach, welche Diskussion Åke mit seiner Frau geführt hatte. Schließlich stellte sich Åke zur Verfügung.

Das Treffen in Riga verlief gut. Beide Seiten waren immerhin

Profis. Der Kollege mit dem Codenamen Castor zeigte sich fast gekränkt, als man ihm den Gedanken des schwedischen Ministerpräsidenten vortrug, er werde bei der Navigation vielleicht Hilfe brauchen. Immerhin hatte er den größeren Teil seines Lebens in der Marine zugebracht, war Korvettenkapitän und Spezialist für die Navigation auf kurze Entfernungen. Was sollte also diese Hilfe bei der Navigation?

Åke kritzelte einen neuen Treffpunkt auf ein Blatt Papier, der einige Seemeilen von der Stelle entfernt war, die Castor vorgeschlagen hatte.

Castor hatte genickt, die Positionsangabe betrachtet und die Notiz sofort verbrannt.

Åke hatte danach, ein wenig unsicher, ob er immer noch den unschuldigen schwedischen Geschäftsmann spielen sollte oder ob der andere ihn vielleicht von Anfang an durchschaut und ihn gerade deswegen als Kontaktmann ausgewählt hatte, eine vorsichtige Vernehmung begonnen, um zu erfahren, welche Konsequenzen das Überlaufen Castors für Pollux haben würde.

Die Antwort war zufriedenstellend. Pollux war schon nach Kaliningrad versetzt worden, und Castor sollte ihm nach ein paar Monaten folgen. Wenn er, Castor, jetzt überlaufe, werde man sie beide nicht ohne weiteres miteinander in Verbindung bringen können. Pollux wisse nicht einmal Bescheid.

Wieder kehrte Åke Stålhandske mit Informationen zurück, die fast zu gut erschienen. Für Sam wie für ihn selbst war es am wichtigsten, daß er von diesem garantiert letzten Job draußen auf dem Feld im Baltikum tatsächlich zurückkehrte. Åke war der Pionier gewesen, und das war mehr als genug.

Und jetzt sollte das Ganze durchgeführt werden.

Unum sed leonum, dachte Samuel Ulfsson. Er zündete eine Zigarette an und nahm einen tiefen, genußvollen Zug. Die lateinische Devise war auf den Turm des U-Boots »Västergötland« aufgemalt, »Einer, aber ein Löwe«. Jetzt war es noch eine halbe Stunde bis zum Rendezvous, und dann würde sich sein Dienstzimmer in einen Stabsraum verwandeln. Ein großer Teil der technischen Apparatur war schon da. Schon bald würde man möglicherweise einen rauchfreien Konferenzraum verlangen.

Esse non videri, überlegte Samuel Ulfsson weiter. Das war das

U-Boot »Sjöormen«. Dessen Devise schien zumindest zu einem Auftrag des Nachrichtendienstes zu passen: Da sein, ohne gesehen zu werden.

Er würde demnächst in Pension gehen. Sie würden bald wissen, ob eine der wichtigsten Operationen seiner gesamten Zeit als Chef des schwedischen Nachrichtendienstes am Ende erfolgreich gewesen war. Die Informationen hatten sie schon eingestrichen, doch jetzt galt es, auch den Spion zu retten, den russischen Kollegen, der aus zweifelhaften Gründen sein Leben riskiert hatte, aber trotzdem gerettet werden mußte. Es war wie beim Kunstspringen. Der Springer kann im Flug alle möglichen Figuren machen, einen dreifachen Mollberger mit dreifacher Schraube. Wenn er aber nicht richtig eintaucht, ist das meiste verloren.

In weniger als einer Stunde würde er es wissen.

Sein Telefon läutete. Im Augenblick konnte es nur eine von drei Personen sein: der Oberbefehlshaber, der Marinechef oder der Ministerpräsident. Unbewußt zählte er seine Vorgesetzten in dieser Reihenfolge auf.

Der Anrufer war jedoch einer der engsten Ratgeber des Ministerpräsidenten, der *auf der Stelle* zu erfahren verlangte, wo Flottillenadmiral Carl Hamilton sich befinde und wie man *auf der Stelle* Verbindung mit ihm aufnehmen könne.

Samuel Ulfsson drückte verblüfft seine Zigarette aus und tastete nach einer neuen, während er den Hörer gegen die Schulter klemmte.

»Soviel ich weiß ist er im Urlaub … Entschuldige, aber wir sind hier in einer schwierigen Lage. Können wir morgen vielleicht darauf zurückkommen?«

»Der Ministerpräsident verlangt, auf der Stelle mit Hamilton Verbindung zu bekommen«, kanzelte der junge Mann ihn ab.

Plötzlich kam im Kopf von Samuel Ulfsson alles zum Stillstand. Der Ministerpräsident war sehr gut darüber informiert, was im Augenblick vorging. Wenn er folglich inmitten einer laufenden Operation verlangte, den im Urlaub befindlichen Carl zu erwischen, war es gelinde gesagt schwer zu verstehen. Carl hatte nicht das geringste mit dem laufenden Unternehmen zu tun, sondern nur die ursprüngliche Idee lanciert, die wiederum von dem Alten in Kivik ausgeheckt worden war.

»Verzeihung, aber warum ist das im Augenblick so wichtig?« fragte Samuel Ulfsson vorsichtig.

»Ich bin vom Ministerpräsidenten beauftragt worden, Hamilton aufzuspüren und versuche schon seit einem halben Tag, den Admiral zu erreichen«, erwiderte der junge Mann, der wohl so etwas wie ein Redenschreiber war oder ein Nummerngirl oder was auch immer. Er hörte sich an, als wäre er um die Fünfundzwanzig.

»Na ja«, sagte Samuel Ulfsson zögernd, »wir haben wie gesagt im Moment harte Arbeit vor uns. Warum ist es so dringend, Hamilton zu erreichen? Soviel ich weiß hält er sich im Augenblick in Schottland auf. Er hat Urlaub ...«

Die letzte Bemerkung sprach er etwas gedehnt und ironisch. Ihm war gerade wieder eingefallen, daß die Operation Red Tartan wahrlich etwas anderes war als die laufende Operation Baltic Rescue, von der der aufgeregte Nachwuchspolitiker offenbar keine Ahnung hatte.

»Aber verdammt noch mal!« fuhr der junge Mann aufgebracht fort. »Es kann dir doch wohl kaum entgangen sein, wie sich Hamilton bei verschiedenen Gelegenheiten politisch geäußert hat. Kalle ist stinkwütend und will Hamilton so schnell wie möglich sprechen.«

»Welche politischen Äußerungen denn?« fragte Samuel Ulfsson, der sich jetzt bewußt dumm stellte.

»Diese PLO-Sache, all das mit den Arabern. Was zum Teufel treibt ihr da drüben beim Nachrichtendienst eigentlich?« brüllte der junge Mann in einem Befehlston, der nicht recht überzeugend war.

»Wir befassen uns mit einer außerordentlich wichtigen und schwierigen Operation, und ich kann dir versichern, daß der Ministerpräsident informiert ist. Wahrscheinlich versucht er gerade, mich auf dieser Leitung zu erreichen. Kann diese Urlaubsfrage möglicherweise bis morgen warten?«

Damit erstarb das Gespräch blitzartig.

Samuel Ulfsson hatte nur noch Minuten der absoluten Ruhe vor sich, er war im Auge des Orkans. Da draußen kreuzten acht Kriegsschiffe, in der Luft flogen zwei oder drei Aufklärer, und unter Wasser befand sich Seiner Majestät U-Boot »Västergötland«. Irgendwo auf dem Wasser schipperte ein lettisches Segelboot mit einer Familie, bestehend aus Vater, Mutter und zwei halbwüchsigen Kindern. Die Radarschirme hatten sie schon längst eingefangen. Und in dieser Situation rief ihn einer dieser Halbstarken des Ministerpräsidenten an, der um jeden Preis den armen Carl aufspüren wollte, dem beim schwedischen Nachrichtendienst vermutlich eine ebenso kurze Zeit blieb wie Samuel Ulfsson selbst. Sie hatten eingehend darüber gesprochen, und Carl hatte ihm alles erklärt. Und dazu war nicht viel zu sagen gewesen, vor allem nicht dagegen.

Carl hatte sich also entschieden, endlich die Konfrontation mit dem Regierungschef zu suchen. Für Samuel Ulfsson oder irgendwelche seiner Kollegen im Westen war es vermutlich kein Geheimnis, welche Rolle die Palästinenser bei der Operation Green Dragon gespielt hatten. Die USA hingegen hatten nur einen kleinen und recht zweifelhaften Anteil an der Sache. Trotzdem hatten sie feierlich eine Medaille verliehen, wobei der schwedische Ministerpräsident sich unerhört wichtig gefühlt hatte. Die Palästinenser hatten das gleiche getan. Und Carl hatte mitgemacht. Was auf diesem Weg bekannt geworden war, entsprach den Tatsachen, und hatte weder einem Kollegen noch einem Nachrichtendienst geschadet. Doch der Ministerpräsident des Landes fühlte sich bedrängt, weil ... Ja, weshalb? Vermutlich weil einige amerikanische Politiker enttäuscht waren, und für den Ministerpräsidenten des Landes war natürlich schon das ein schrecklicher Gedanke.

Samuel Ulfsson hörte draußen auf dem Korridor Schritte. Jetzt braute es sich zusammen. Schon bald würde auch der Ministerpräsident persönlich anrufen, um die Operation Schritt für Schritt per Telefon zu verfolgen.

Schweden hatte eine halb mobilisierte Flotte da draußen in bedrängter Lage; wenn die Schiffe in internationalen Gewässern angegriffen wurden, hatten sie den Auftrag, den Feind zu versenken.

*

Auf Schloß Lennoxlove wurde ihnen ein überraschender Empfang bereitet. Tessie und Carl kamen von Süden, da sie am Vormittag eine Rundfahrt in der Gegend gemacht hatten, die sie für die

Hamiltonsche hielten. Um Edinburgh herum hatte die Landschaft wenig schottisch ausgesehen, eher wie in Skåne, doch als sie eine Stunde nach Süden gefahren waren, hörten die beiden Straßen auf. Sie bogen ab und kamen in ein großes und der Karte zufolge unbebautes Gebiet namens Lammermuir Hills, einem Hochplateau mit Heideflächen in mehr als tausend Meter Höhe. Dann fuhren sie plötzlich in Nebel, Wildnis und Schafherden hinein. Tessie weigerte sich zu fahren. Der Linksverkehr erschien ihr lebensgefährlich. Statt dessen hatte sie es übernommen, immer sofort *Achtung, Linksverkehr* zu sagen, sobald sie sich einer Kreuzung oder einem Kreisverkehr näherten, was alle paar Minuten geschah.

Als sie das Hochplateau verlassen und den kurzen Ausflug in der Landschaft beendet hatten, die aussah, wie Schottland aussehen sollte, und in die Region zurückkehrten, die sie an Skåne erinnerte, mußten sie eine Weile suchen, bis sie das Schloß fanden. Sie waren an der langen Steinmauer mit der kleinen Einfahrt und dem Hinweisschild, auf dem es hieß, Besuchszeiten seien von Montag bis Sonntag um so und so viel Uhr, vorbeigefahren.

Sie kamen auf einen sehr schmalen asphaltierten Weg, der sich zwischen hohen Buchen hindurchwand, unter denen sich Fasane und Kaninchen auf der Erde tummelten. Das Schloß hatte viereckige Türme, die ältesten Teile stammten vermutlich aus dem Mittelalter. Schließlich landeten sie auf einem inneren Burghof. Niemand schien ihre Ankunft bemerkt zu haben.

Ein wenig erstaunt nahmen sie Gepäck und Kinderwageneinsatz aus dem Kofferraum und montierten die Schale auf die Räder. Dann sahen sie einander kurz unschlüssig an, bevor sie zu einer Art Hintertür gingen und läuteten.

Nichts geschah. Sie läuteten erneut und hörten dann schnelle Schritte auf hochhackigen Schuhen. Jemand rief etwas wie, jajaja, ich komme ja schon, verdammt.

Einen Augenblick später ging die Tür auf, und da stand eine Frau um die Dreißig mit wirr abstehenden schwarzen Haaren und einer Art Stirnband. Sie hatte eine Zigarette im Mund und trug einen sehr kurzen schwarzen Lederrock.

»Guten Tag, Miss«, sagte Carl amüsiert und doch gemessen. »Mein Name ist Hamilton. Dies ist meine Frau Tessie. Wir gehören zu den Gästen des Abends.«

Die Frau zog hastig an der Zigarette und machte den Eindruck, als dächte sie nach. Dann hellte sich ihr Gesicht plötzlich auf.

»Wie schön! Sie müssen diese Schweden sein, von denen Angus gesprochen hat. Schön, Sie hier zu haben. Ich heiße Liza und bin die Dame des Hauses, wie man so sagt.«

Sie sprach mit einem starken australischen Akzent.

Bevor Carl antworten konnte, trat die angebliche Herzogin ihre Zigarette entschlossen mit ihrem hochhackigen Schuh aus und ging auf das Gepäck der Besucher zu.

»Ich helfe Ihnen, die Sachen auf Ihr Zimmer zu bringen«, erklärte sie. Die beiden Frauen nahmen das Gepäck, und Carl nahm den Kinderwagen.

»Angus ist draußen auf der Vorderseite und müht sich mit diesem verdammten Zelt ab«, erklärte die Herzogin, als sie auf einer langen, knarrenden Treppe das Gepäck ins Obergeschoß schleppten.

»Verzeihung, welches Zelt?« fragte Tessie höflich.

»Also, das ist so!« kicherte die Herzogin. »Angus hatte schreckliche Angst, daß es regnen würde, was in diesem verdammten Land gar nicht so verdammt ungewöhnlich ist, wenn ich das sagen darf. Also hat er so ein türkisches oder vielleicht auch persisches Zelt für die eigentliche Veranstaltung gemietet. Ich lasse Sie eine Weile in Ruhe, und dann können Sie ja auf den Rasen vor der Hütte kommen, dort finden Sie Angus.«

Dann standen Carl und Tessie in einem gigantischen Schlafzimmer und versuchten ihre Verblüffung zu überwinden. Der Raum hatte eine blaue Decke sowie blaue und schwarze Tapeten in einem samtartigen Muster. Auf dem Fußboden lagen persische Teppiche. Das Zimmer wurde von einem Bett und einem offenen Kamin aus schwarzem Eisen und weißgeflammtem italienischem Marmor beherrscht.

Das Bett war etwas ganz Besonderes. Es war aus schwarzem Edelholz geschnitzt und hatte hohe Bettpfosten, die einen schweren Betthimmel trugen. Am Fußende entdeckten sie geschnitzte Amoretten, am Kopfende orientalische Intarsien. Das Bett war riesig, aber es würde für Carl zu kurz sein. Der Bettüberwurf war schwarzgelb in einem Muster, das ein wenig an Tigerfell erinnerte.

»Wir werden uns wohl quer hinlegen müssen«, sagte Carl. Plötzlich fiel ihm ein, daß er immer noch mit dem Kinderwagen im Arm dastand. Er stellte ihn vorsichtig ab.

»Teufel auch, wenn man so sagt«, bemerkte Tessie und äffte das australische Englisch nach. »Dies kann doch wohl nicht die Mutter von Lady Eleanor, neunzehn Jahre und Vorsitzende des Fanclubs des Popstars Fish sein. Dem schwedischen Nachrichtendienst scheinen einige wesentliche Informationen entgangen zu sein.«

Sie verzog bei diesen Worten keine Miene.

»Es hat tatsächlich den Anschein, als hätte der schwedische Nachrichtendienst ein paar wesentliche Dinge übersehen«, erwiderte Carl. Es gelang ihm, zwei Sekunden ernst zu bleiben, doch dann platzten beide heraus.

Tessie tauchte lachend in das imposante, aber zu kurze Bett und prüfte scheinbar kritisch die Federung.

»Hier dürfte schon so mancher Herzog gezeugt worden sein. Was meinst du, Sailor, wollen wir es auch versuchen?« sagte sie.

»Ich kann dir nur eine kleine Gräfin versprechen«, entgegnete er. Er tat, als nähme er Anlauf, stürzte sich in einem wilden Sprung in die Luft und landete weich mit den Händen an ihren Seiten, während er gleichzeitig den Stoß abfing.

Sie schloß die Augen und spielte einige Sekunden die Ängstliche, bevor sie ein Auge aufschlug.

»Nette Hütte, was?« sagte sie mit australischem Akzent.

Was zunächst ein Scherz gewesen war, wurde schnell Ernst. Sie taten, was Tessie vorgeschlagen hatte. Die Spontaneität übte einen unwiderstehlichen zusätzlichen Reiz aus. Hinzu kam, daß es gerade *äußerst unpassend* war, wie es in englischem Englisch geheißen hätte.

Carl empfand so etwas wie kindliche Euphorie. Verantwortung, Pflicht, Mäßigung, Takt und guter Ton, Bierernst und Vernunft – vor all dem befand er sich glücklich auf der Flucht. Er fühlte sich wie einmal vor sehr langer Zeit, als er an einem Frühsommertag die Schule geschwänzt hatte. Statt dessen war er Barsche angeln gegangen und hatte dabei dieses rauschhafte Glücksgefühl erlebt, das sich mit der Gewißheit mischte, daß Repressalien folgen würden.

Doch jetzt fürchtete Carl sich nicht vor Repressalien. Als sie am Morgen das Hotel verlassen hatten, war kurz zuvor ein Fax gekommen, das unverkennbar nach Generalstab oder Regierung roch. Carl hatte mit einem Blinzeln dem sich ständig verneigenden, unerhört höflichen und verständnisvollen Empfangschef erklärt, dieses Fax sei leider erst angekommen, nachdem Seine Lordschaft das Hotel verlassen habe.

Im Augenblick befand er sich nämlich in Schottland und spielte Ivanhoe. Von so düsteren Bagatellen wie der Sicherheit des Landes wollte er jetzt nicht gestört werden. All das würde nach seiner Rückkehr, wenn er den Ministerpräsidenten traf, ohnehin unter mehr oder weniger empörenden und mehr oder weniger theatralischen Umständen zu Ende gehen.

Hinterher blieben sie eine Weile still liegen. Sie hielten sich umschlungen und lauschten ihrem Sohn, der in seinem Kinderwagen etwas zu »erzählen« schien. Keiner von beiden wollte etwas sagen, da Worte der Stimmung ein Ende gemacht hätten.

»Vielleicht sollten wir uns jetzt zu diesem verdammten türkischen oder persischen Zelt hinunterbegeben«, sagte Tessie schließlich mit einem australischen Akzent, der in seinen Ohren perfekt klang.

Sie kleideten sich an und gingen hinunter. Sie trafen den Herzog auf dem großen, perfekten Rasen vor dem Schloß, wo er gerade die Eingänge der persischen oder türkischen Zelte befestigte. Er hatte sich die Hemdsärmel aufgekrempelt und trug eine Krawatte. Er sah aus, als wäre er ein sportlicher Fahnenträger beim Einmarsch der britischen Mannschaft in ein Stadion vor einem großen Wettkampf. Im Film hätte er jedenfalls als Statist in dieser Rolle eine gute Figur gemacht. Er verkörperte das Urbild eines britischen Gentleman, und sobald er den Mund aufmachte, waren Eton und Oxford unverkennbar.

»Wirklich schön, daß Sie kommen konnten«, begrüßte er sie auf eine Weise, die tatsächlich herzlich wirkte. »Liza sagte, sie hätte Sie gut untergebracht. Alles in Ordnung, wie ich hoffe?«

»Alles bestens, Euer Gnaden. Ist das übrigens die korrekte Anrede?« erwiderte Carl.

»Ja, ich nehme an, daß es vor hundert Jahren eine gute Anrede gewesen wäre. Nun ja, es gibt tatsächlich noch ein paar steife Kollegen, die sich immer noch so anreden lassen. Ich selbst pflege einen etwas einfacheren Stil. Sie können mich gern Angus nennen«, erwiderte der Herzog in seinem wohlklingenden Oxford-Englisch, das sogar einfache Umgangssprache zu adeln schien.

»Sind Sie übrigens zum ersten Mal in Schottland? Ach was, hör mal, hilf mir mal schnell, sei so nett«, fuhr er unbeschwert fort und reichte Carl einen Strick, der gegenhielt, während der Herzog die letzte Zeltbahn hochhievte.

»Ja, ich glaube schon«, erwiderte Carl. »Ich bin als Schüler mal in England gewesen, aber meine Frau hat den Boden Großbritanniens bislang noch nie betreten.«

»Sie sind wirklich sehr schön, Madame«, sagte der Herzog, als er sich den Schweiß aus der Stirn wischte und zufrieden feststellte, daß die Konstruktion zu halten schien. Dann blickte er Tessie ins Gesicht: »Aber ob Vorurteil oder nicht, ich muß gestehen, daß Sie nicht gerade meinem Bild einer schwedischen Frau entsprechen.«

»Das liegt daran, daß mein Vater Ire ist und meine Mutter Mexikanerin«, erwiderte Tessie.

»Das Mexikanische ist natürlich recht reizvoll, aber achte um Gottes willen darauf, daß es nicht zu den anderen Gästen durchsickert, daß du auch *Irin* bist. Konservative Personen könnten das als ziemlich schockierend ansehen«, erwiderte er.

Carl und Tessie konnten nicht erkennen, ob das ein Scherz sein sollte, und zögerten eine Sekunde, doch dann half der Herzog ihnen mit einem breiten Lächeln aus der Klemme.

Inzwischen kamen die ersten Gäste hinzu. Mitarbeiter des Buchverlags trugen ein paar Stapel des Buches heran und verteilten die Exemplare auf die mit Champagnerkühlern und Canapés gedeckten Tische in den Zelten. Der Herzog eilte davon, um sich umzuziehen, und Tessie warf einen demonstrativen Blick auf die Uhr. Carl war an der Reihe. Er begab sich in ihr phantasievolles Schlafzimmer, um den Sohn zu füttern und die Windeln zu wechseln.

Tessie blieb allein und fühlte sich angestarrt. Sie konnte diese Blicke nicht recht deuten. Vielleicht stimmte mit ihrer Kleidung etwas nicht. Doch schon einen Moment später wurde sie von Herzogin Liza gerettet, die jetzt keinen Minirock mehr trug, aber immer noch rauchte. Sie gesellte sich zu Tessie und hakte sich bei ihr unter. Nachdem Tessie einigen Gästen vorgestellt worden war, führte die Herzogin sie entschlossen in die Gartenanlage, die von einem Meer aus Rosen beherrscht wurde.

»Die Leute zahlen sogar Eintritt, nur um sich das Gemüse ansehen zu können, ich meine, die Leute, die es ein bißchen billiger lieben und nicht auch das Schloß besichtigen wollen«, scherzte die Herzogin.

»Es ist ein wunderbarer Garten. Ich finde, daß er seinen Preis wert ist«, erwiderte Tessie in neutralem Tonfall.

»Du bist Amerikanerin, nicht wahr?« sagte die Herzogin freundschaftlich.

»Ja! Und du bist Australierin. Wir scheinen in der Minderheit zu sein«, bemerkte Tessie.

»Man fragt sich manchmal, was diese Langweiler von Leuten wie uns halten. Vor der Herzogin mußt du dich im übrigen in acht nehmen.«

»Ich dachte, du wärst die Herzogin. Das hast du doch selbst gesagt.«

»Ja, das stimmt schon. Aber jetzt rede ich von der *richtigen* Herzogin, Angus' lieber Mutter. Ich kann dir sagen! Sie ist Tochter eines Herzogs und verheiratet mit einem Herzog und Mutter eines Herzogs. Damit habe ich wohl einigermaßen vorsichtig angedeutet, was sie von einer australischen Journalistin hält.«

»Du bist Journalistin?« fragte Tessie erstaunt.

»Ja. Ich war es wenigstens. Ich habe bei der *Daily Mail* gearbeitet, die heute nicht gerade zu den geachtetsten Publikationen gezählt wird, wenn ich so sagen darf.«

»Bist du immer noch Journalistin? Sag das bloß nicht meinem Mann. Er hat eine Heidenangst vor Journalisten«, sagte Tessie, ohne den Mund zu verziehen; sie redete sich ein, jetzt den britischen Stil zu trainieren.

»Mein Journalismus liegt im Augenblick brach. Ich bin überwiegend damit beschäftigt, Herzogin zu sein, obwohl der Drachen immer fast in Ohnmacht zu fallen scheint, wenn das Thema zur Sprache kommt. Ich habe zum Beispiel in Holyrood ein wenig die Möbel umgestellt, allein das!«

»Holyrood?«

»Ja, nicht Hollywood, obwohl man es leicht verwechseln kann. Das ist die Bleibe der Königin hier in der Stadt, und die Hamilton, na ja, der Obermotz der Hamiltons, ist, wie es heißt *Wächter von Holyrood*. Das bedeutet, daß wir in der Hütte seit dem siebzehnten Jahrhundert oder so auch eine Bude haben. Angus muß von Zeit zu Zeit die Königin empfangen, wenn sie Schottland einen offiziellen Besuch abstattet.«

»Das ist ja ein Ding«, sagte Tessie. »Und der Drachen und du, ihr habt nicht den gleichen Geschmack, wenn es um Möbel geht?«

»Nein, es hat einen ziemlichen Aufstand deswegen gegeben.«

»Kommt der Drachen heute auch?«

»Ich fürchte, ja, aber wahrscheinlich bleibt sie nicht bis zum Essen. Sie soll hyperempfindlich sein und befürchten, ich könnte schlürfen oder mich sonst irgendwie danebenbenehmen.«

»Schlürfst du tatsächlich? Das kann ich mir einfach nicht vorstellen. Journalisten essen doch oft in Lokalen?«

»Nein, zum Teufel, natürlich schlürfe ich nicht. Aber es ist wie bei der Prinzessin auf der Erbse, du weißt schon. Ein Schlürfen, das nicht einmal von einer verdammten Abhöranlage im Buckingham Palace registriert werden würde, hört sie garantiert. Warum hat dein Mann Angst vor Journalisten? Ich dachte, er hätte vor gar nichts Angst?«

Tessie wurde plötzlich wachsam. Sie hatte das Gefühl, daß da eher die Journalistin Liza als die Herzogin Liza gefragt hatte.

»Nun ja, er hat nicht nur gute Erfahrungen gemacht«, erwiderte sie vorsichtig.

»Ach was, hör doch auf! Mann des Jahres auf der Titelseite der Zeitschrift *Time* vor ein paar Jahren, Kriegsheld und wer weiß, was sonst noch. Es war übrigens meine Idee, euch einzuladen. Ich habe Angus den Vorschlag gemacht, obwohl ich damals natürlich noch nicht wußte, daß auch du so etwas Vulgäres bist wie ich. Na ja, versteh mich nicht falsch, aber diese Langweiler hier finden alles, was nicht britisch ist, *äußerst vulgär*.«

»Dann dürfte dein Leben hier nicht ganz leicht sein«, bemerkte Tessie und setzte sich auf eine kleine Parkbank neben einem Beet mit üppig blühenden Teerosen. Sie hatten sich inzwischen außer Sichtweite begeben. »Und was für eine Absicht steckte dahinter, uns einzuladen, wenn ich so offen fragen darf?«

»Das ist sehr einfach. Hast du was dagegen, daß ich rauche?« sagte die australische Herzogin und setzte sich neben Tessie.

»Ach was! Du solltest vielleicht die Rosen hier fragen. Die würden vielleicht an so etwas Vulgärem sterben. Nun?«

»Na ja, so merkwürdig ist das doch gar nicht. Angus fragte mich einmal, ob ich eine Ahnung hätte, wie man Journalisten dazu bringt, zu seinem Stapellauf zu kommen. Lad doch den bekanntesten Hamilton der Welt ein, sagte ich ihm. Wie bitte, sagte er, ich nehme an, sogar aufrichtig entrüstet, das bin doch *ich*. O nein, sagte ich. Das bist du nicht.«

»Ich glaube, mir ist alles klar«, entgegnete Tessie. »Nun, werden Journalisten kommen?«

»Eine sehr lustige Frage. Ich will es mal so ausdrücken: Jetzt werden zehnmal mehr Journalisten kommen.«

»Wie schön«, sagte Tessie. »Ich bin sicher, daß mein Mann außerordentlich begeistert sein wird.«

Genau in diesem Augenblick war Carl ziemlich begeistert. Er lag oben neben dem schrecklichen Bett auf dem Teppichboden und spielte mit seinem Kind. Angesichts des niedrigen Alters dieses Kindes spielte er sehr behutsam.

Er hatte in den unteren Räumen des Hauses eine Küche gefunden und höflich, wie er meinte, um Hilfe gebeten, da er Kinderbrei warm machen wollte. Dann hatte er ahnungslos versucht, damit zu beginnen, allerdings nur totale Verwirrung, ja fast Schrecken beim Küchenpersonal ausgelöst. Eine Schrecksekunde lang wurde gezögert, weil einige ihn für den Butler hielten, doch als die Köchin und ihre jungen Helferinnen verstanden, wen sie vor sich hatten, und daß er sein Kind füttern wollte, gerieten sie in Aufregung.

Die Situation wurde mit einem Kompromiß gelöst. Das Küchenpersonal hatte die Flasche fertig gemacht, und er hatte sie in das Schlafzimmer hinaufgetragen.

Als er auf dem Fußboden lag und seinen Sohn mit ausgestreckten Armen hochhielt, klopfte es an der Tür, auf eine eigentümliche Weise vernehmlich und diskret zugleich. Carl fragte sich, wie man so etwas schafft.

Er nahm sein Kind auf den linken Arm und machte auf. Vor ihm stand eine Frau, die ungefähr doppelt so alt war wie er selbst. Sie trug Schwarz und Weiß und erklärte, sie sei das Kindermädchen. His Lordship werde draußen im Garten erwartet.

Carl ließ die Frau verlegen ein, legte seinen Sohn in den Kinderwageneinsatz, worauf der Kleine sofort zu schreien begann. Dann ging Carl ins Badezimmer, um vor einem Spiegel seine Kleidung zu kontrollieren. Er trug einen grauen Anzug aus mattfarbener Wolle und eine hellblaue Krawatte. Als er Ian Carlos schreien hörte, bekam er sofort ein schlechtes Gewissen, doch als er wieder ins Zimmer trat, hörte das Geschrei auf, weil der Schnuller an der richtigen Stelle steckte.

»Wo bewahrt die Gräfin ihre Kleiderhülle auf?« fragte die runzlige alte Dame streng.

»Wir befinden uns auf Reisen, und ich fürchte, die Gräfin hat vergessen, ihre Kleiderhülle mitzunehmen«, erwiderte Carl schnell, ohne eine Ahnung davon zu haben, worauf die Frage zielte.

Kleiderhülle? dachte er verwirrt, als er die Treppe hinunterging, um in den Garten zu gelangen.

Plaudernde Menschen, die Champagnergläser in der einen Hand und Canapés in der anderen hielten, hatten sich auf dem perfekten Rasen versammelt. Carl hatte das Gefühl, den Centre Court von Wimbledon zu betreten. Er holte tief Luft und stürzte sich in das gesellschaftliche Gewimmel. Er entdeckte Tessie und die fesche, eifrig rauchende und gestikulierende Gastgeberin. Er steuerte auf sie zu, meldete, daß das Kind gefüttert und bei einem Kindermädchen gut untergebracht sei. Er versuchte, so zu wirken, als lauschte er dem, was die Herzogin zu erzählen hatte.

Dann sah er sich sorgfältig um, während er sich den Anschein zu geben versuchte, als täte er es nicht. Das war ein Verhalten, das ihm inzwischen in Fleisch und Blut übergegangen war und das er vermutlich nie mehr loswerden würde. Als erstes entdeckte er kleine Scharen von Pressefotografen. Dann bemerkte er einige Männer mit Sonnenbrillen, die sich auf der Rasenfläche verteilt hatten. Sie waren bewaffnet und trugen Kopfhörer mit Empfängern. Beide Entdeckungen mißfielen ihm.

»Oder was meinst du, Charlie«, fragte ihn plötzlich die Herzogin leise.

»Bin genau der gleichen Meinung«, erwiderte er schnell, obwohl er keine Ahnung hatte, worum es ging. »Aber sag mir, was zum Teufel ist eine Kleiderhülle?«

Die Herzogin zog intensiv an ihrer Zigarette, während sie nachdachte. Dann strahlte sie.

»Ach so«, bemerkte sie. »Du bist der sittsamen Mary in die Hände gefallen. Ja, eine Kleiderhülle ist etwas, was wie eine bestickte Aktentasche aussieht, die man auf einen Stuhl legt. Dann kann Mary oder sonst jemand einem diskret die Unterhosen hinlegen, und zwar eingeschlagen, damit man sie nicht zu sehen bekommt. Was hast du geantwortet?«

»Ich habe geantwortet, daß meine Frau wegen unserer überstürzten Abreise leider vergessen hat, ihre Kleiderhülle mitzunehmen«, erwiderte Carl zufrieden.

Die beiden Frauen machten ein Gesicht, als wollten sie gerade entzückte Kommentare über Kleiderhüllen abgeben, verloren aber den Faden, als eine kleine Schar von Pressefotografen mit ratternden Kameras auf sie zustürzte. Herzogin Liza trat sofort die Zigarette aus und gab Carl einen leichten Schubs, damit er sich zwischen die beiden Frauen stellte. Dann blieben sie so stehen, lächelten steif und drehten sich höflich mal zu dem einen, mal zu dem anderen Fotografen.

In der folgenden Stunde wurden beständig Kameralinsen auf Carl und Tessie gerichtet, mal von einem halben Meter, mal von zehn Metern Entfernung.

Die Präsentation des Buches wurde vom Verleger eingeleitet, der eine kleine Ansprache hielt.

Dann folgte eine kurze Rede des Herzogs, die an eine Oscar-Verleihung in Hollywood erinnerte. Er zählte all die Leute auf, denen er sich verpflichtet fühlte. Anschließend wurden einige unbeholfene Fragen gestellt, die nur zum Schein etwas mit dem Buch zu tun haben konnten. Die Journalistenschar schien nicht gerade auf Politik und Geschichte spezialisiert zu sein. Es waren wohl eher Klatschreporter. Sobald die Journalisten die Grenze überschritten hatten, über die sie die ganze Zeit hinweg wollten – jemand fragte, weshalb die Kinder Ellie, Annie, Alex und Johnny heute nicht dabei seien, obwohl ihnen das Buch gewidmet sei –, wurde die Pressekonferenz abgebrochen. Die Gäste wurden aufgefordert, sich bei Speisen und Getränken nach Belieben zu bedienen und im übrigen viel Spaß zu haben. Das letzte wurde sehr freundlich in korrektem Oxford-Englisch geäußert, konnte aber unschwer als »Schert euch zum Teufel« gedeutet werden.

Carl und Tessie hatten sich im Hintergrund gehalten, weil es ihnen immer lästiger wurde, ständig fotografiert zu werden. Als jetzt die Buchpräsentation zu Ende war, rannte die eine Hälfte der Journalisten zum Herzog, um ein signiertes Exemplar des Buches zu erhalten, während die andere Hälfte Carl und Tessie umringte.

Carl flüsterte auf schwedisch, ob es keine Möglichkeit gebe, einfach zu verschwinden, und Tessie flüsterte zurück, keine Chance, hier müßten sie einfach bei der Werbung helfen.

Carl wurden zunächst Fragen über das Buch gestellt, die er so höflich wie möglich beantwortete. Doch, er habe es mit großem Interesse gelesen und sei sehr beeindruckt. Natürlich faszinierten ihn auch die Launen der Geschichte, wie etwa einige Hamiltons in dieser Epoche in Schweden gelandet seien, während andere auf dem Richtblock endeten. Doch kurz darauf kam die erste Frage nach seiner Ansicht über Arafat.

»Netter Bursche, vermute ich«, erwiderte Carl lässig, »aber ich vermute auch, daß Sie, meine geehrten Damen und Herren von der Presse, kaum nach Lennoxlove gekommen sind, um Ihr Wissen in Sachen Arafat zu vertiefen.«

So mußte er eine Zeitlang die Attacken parieren, bis der Herzog entdeckte, daß Carl in der Klemme steckte, und ihm zu Hilfe kam.

»Wenn Sie entschuldigen, meine Damen und Herren«, sagte er und nahm Tessie beim Arm, »ich habe meinen Gästen versprochen, sie privat ein wenig herumzuführen.«

Dann führte er die beiden einfach durch den Haupteingang des Schlosses am Ende des Rasens und schlug die Tür zu.

»Ich verstehe mich nicht sehr gut auf den Umgang mit Journalisten«, sagte er entschuldigend, als sie in der kühlen Halle allein waren.

»Obwohl du mit einer Journalistin verheiratet bist«, sagte Tessie frech.

»Ja, das könnte sich wie ein Widerspruch anhören, aber ich fürchte, daß ich auch mit meiner Frau nicht umgehen kann. Sie versteht sich allerdings hervorragend darauf, mit mir fertig zu werden. Nun, was wollt ihr sehen?«

In den Salons des Obergeschosses waren die Wände mit prachtvollen Gemälden bedeckt. Sie betrachteten lange Van Dycks Porträt des ersten Herzogs von Hamilton, der die Hamiltons nach Schweden gebracht hatte. Ein junger, arroganter Mann in voller

Rüstung, der die rechte Hand fest um den Generalstab geballt hielt; zu diesem Zeitpunkt hatte er noch zehn Jahre bis zum Henkerbeil vor sich. Der Rundgang wurde zu einer Art Resümee berühmter Künstler. Der Herzog erklärte, er habe nach dem Kauf von Lennoxlove die Absicht gehabt, ein Haus anzuschaffen, eine Hütte, wie seine liebe Frau sich immer auszudrücken beliebe, das klein genug sei, damit eine Familie sich dort wohlfühlen könne, und andererseits groß genug, um die Kunstsammlung zu beherbergen. Natürlich seien beide Absichten fehlgeschlagen.

Vor dem Porträt, das den Vater des Herzogs zeigte, der Tessie zufolge beim Sohn einen ausgewachsenen Vaterkomplex ausgelöst haben sollte, blieben sie ein wenig zu lange fasziniert stehen, so daß die Situation beinahe peinlich wurde.

Es war ganz gewiß ein konventionelles Heldenporträt. Ein Mann in Uniform, offenbar Major oder etwas Entsprechendes in der Royal Air Force, mit Tapferkeitsmedaillen auf der Brust und eisernem Kinn, wie es sich gehört, den Blick entschlossen auf den Betrachter gerichtet.

Alle drei mußten es gesehen haben. Der Mann, der auf dem Bild vor ihnen stand, sah Carl verblüffend ähnlich. Der Mann, der neben Carl und Tessie stand, war hingegen ein ganz anderer Typ von Mann, ein weicherer, möglicherweise sympathischerer Mensch, der Oxford-Englisch sprach und immerzu sagte, *Ich nehme an*«. Der Porträtierte hingegen sah aus, als hätte er nie etwas angenommen und vermutlich hatte seine Sprache einen starken schottischen Klang gehabt.

Fast beschämt stahlen sie sich davon. Es dauerte eine Minute, bevor ihr Gastgeber sich wieder in der Lage sah, den Fremdenführer zu spielen, worin er wahrscheinlich große Routine besaß.

Im gelben Salon befand sich eine kleine Skizze von einer Person, die dem Pickwick-Club entsprungen zu sein schien und die ihr Gastgeber im Vorbeigehen als den 11. Herzog von Hamilton bezeichnete.

»Der Mann, der die Kohle Il Magnificos unter die Leute brachte?« fragte Tessie mit einem ungenierten Enthusiasmus, der Carl leicht verlegen machte.

»Nun ja, im Grunde war er nicht derjenige, nehme ich an«, erwiderte der Gastgeber. »Dieser Lebemann starb in einem Hotel in Paris. Ja, so wird es jedenfalls meist umschrieben. In Wahrheit war es ein Haus von zweifelhaftem Ruf. Ich habe mich schon immer gefragt, ob er beim Kommen oder beim Gehen von der Stange gefallen ist.«

»Aber Häuser von zweifelhaftem Ruf sind doch meist nicht so teuer?« fragte Tessie ungerührt weiter.

»Natürlich nicht. Na ja, ich habe keine näheren persönlichen Erfahrungen, aber ich vermute, daß solche Vergnügungen nicht allzu kostspielig sein müssen«, erwiderte der Herzog, der wieder einmal zeigte, daß er sich jederzeit in der Gewalt hatte. Carl hatte den Eindruck, daß Tessie sich teuflische Mühe gab, dieser Frage genau auf den Grund zu gehen.

»Nein, die richtige Kohle, wie meine liebe Frau sagen würde, kurz gesagt das Vermögen Il Magnificos, ist bei diesem Burschen hier verschwunden«, fuhr der Herzog fort und zeigte ihnen ein kleines Porträt in Öl, das einen dicken, hochmütigen Mann um die Vierzig zeigte.

»Er hatte eine Passion für Pferde, Hunderennen, Wetten und derlei«, fuhr der Herzog unbeschwert fort. »Bei seiner berühmtesten Wette ging es darum, welche Fliege als erste von einem bestimmten Fenster abheben würde. Dabei verlor er zweihunderttausend Pfund.«

»Wann war das?« fragte Carl, der automatisch begonnen hatte, den Betrag in eine korrekt vorstellbare Summe umzurechnen.

»Um die Jahrhundertwende etwa. Ein nettes, ansehnliches Sümmchen mit anderen Worten. Nach heutigem Wert ungefähr fünf Millionen Pfund.«

Die Fortsetzung der Geschichte war beinahe romantisch. Der Trunkenbold und Wettbruder war früh gestorben. Dem Porträt zufolge mußte der Mann wie ein wandelnder Herzinfarkt ausgesehen haben. Er hatte keinen natürlichen Erben hinterlassen. Anschließend wurden genealogische Berechnungen angestellt, und man fand heraus, daß ein Korvettenkapitän der britischen Flotte jetzt Titel, Pflichten und das verschwendete Hamiltonsche Erbe übernehmen sollte.

Der Korvettenkapitän befand sich zu der fraglichen Zeit auf See. Während eines Manövers erhielt er vom Geschwaderkommando via Morsezeichen eine Mitteilung, die wie ein Blitz bei ihm eingeschlagen haben mußte: *Kehren Sie sofort zur Basis zurück. Sie sind Herzog von Hamilton geworden. Der Geschwaderkommandeur.*

Der frischgebackene Herzog soll nicht entzückt gewesen sein. Eine vielversprechende, mit Salzwasser gewürzte Karriere in der königlichen Marine verwandelte sich jetzt in einen Sitz im Oberhaus, in Kilt und Dudelsack, in zugige und morsche Schlösser in Schottland und eine gründlich zerrüttete Ökonomie.

Seitdem hatten drei Herzöge hintereinander, im Augenblick Angus, ihr Leben dem Versuch gewidmet, das wiederherzustellen, was der leidenschaftliche Wetter zerstört hatte.

Nach dem Rundgang ließ sie ihr Gastgeber allein, damit sie, wie er sagte, vor dem Essen noch etwas Zeit für sich hätten. Um sieben Uhr sei es soweit. Doch als sie wieder in den Garten geschlendert waren, in dem sich nur noch wenige Gäste befanden und die Hausangestellten Porzellan und übriggebliebene Bücher über Maria Stuart ins Haus schleppten, holte Angus die beiden ein und sagte etwas verlegen, bei all dem Durcheinander habe er vergessen, sie seiner Mutter vorzustellen. Dann führte er sie zu zwei älteren Damen, die mitten auf dem Rasen standen und sich in einer Art Vakuum miteinander unterhielten. Im Umkreis von zehn Metern waren sie allein.

»Der Drachen«, flüsterte Tessie auf schwedisch. »Operation blaublütiger Drachen läuft.«

Es wurde eine sehr kurze Begegnung. Der Herzog stellte zunächst Tessie vor, die eine Andeutung von Knicks machte. Dann wandte sich die hochgewachsene, elegante Dame mit dem schwarzen Hut Carl zu, der ihr verborgenes Gesicht noch nicht richtig gesehen hatte. Sie streckte ihm die Hand entgegen, und Carl unterdrückte im letzten Moment den Impuls, ihr die Hand zu schütteln. Statt dessen brachte er einen Handkuß zustande, etwas, was er noch nie getan hatte.

»Du bist Offizier, nicht wahr? Verzeihung, ich habe so schlecht gehört«, sagte sie in einem Tonfall, der weder freundlich noch unfreundlich war.

»Das stimmt«, Euer Gnaden, ich bin Flottillenadmiral der schwedischen Marine«, erwiderte Carl, der jetzt ihrem Blick begegnete und von diesem angezogen wurde.

Es sah aus, als kramte sie in ihrem Gedächtnis, als überlegte sie, wo sie sich schon einmal gesehen hatten – was natürlich unmöglich war.

»Du erinnerst mich sehr an jemanden, junger Mann. Aber ich glaube nicht, daß wir uns schon begegnet sind?«

»Nein, Euer Gnaden, ich habe heute zum ersten Mal die Ehre«, erwiderte Carl, der jetzt begriff, was sie gesehen hatte – das Porträt ihres Mannes im selben Alter wie er.

»Es war wirklich sehr angenehm, dich kennenzulernen«, sagte sie und warf Carl einen letzten zweideutigen Blick zu. Sie schenkte ihm die Andeutung eines Lächelns und wandte sich dann langsam wieder ihrer Freundin zu, um das unterbrochene Gespräch fortzusetzen. Die Audienz war beendet. Ihr Sohn und die beiden Gäste zogen sich diskret zurück.

»Was für eine elegante Mutter du hast, Angus«, sagte Carl leichthin und fast spöttisch, als sie über den Rasen zurückschlenderten.

»Ja, ich nehme an, daß man sie tatsächlich so beschreiben kann«, erwiderte der Herzog in dem Gesprächston, der sich nur wie eine Reihe schöner Laute anhörte und sich im übrigen nicht deuten ließ. »Obwohl es Ihrer Gnaden nicht immer leichtfällt, Veränderungen zu akzeptieren. Lustig übrigens, daß du diese Anrede gebraucht hast.«

»Australischen Journalistinnen scheint es leichter zu fallen, Veränderungen zu akzeptieren«, sagte Tessie kühn.

»Nun, Madame, ich nehme an, daß du da den Nagel auf den Kopf getroffen hast. Ihr Amerikaner scheint nicht sehr schüchtern zu sein, wie ich finde.«

»Iren und Mexikaner«, korrigierte Tessie.

»Aber ja, natürlich, das hatte ich vergessen. Es ist doch nichts über deinen irischen Hintergrund durchgesickert? Wie du weißt, gibt es hier ein paar anmaßende Leute.«

»Sind deswegen Sicherheitsleute hier? Hat das etwas mit den Iren zu tun?« fragte Carl.

»Sicherheitsleute?« sagte der Herzog und blieb abrupt stehen. »Davon weiß ich nichts. Wie kommst du darauf?«

»Nun«, sagte Carl. Es überraschte ihn, daß dies für den Gastgeber eine Neuigkeit war. »Da hinten am Zelt steht einer, einer da neben am Parkplatz, einer zehn Meter von deiner Mutter entfernt. Laß es mich so sagen. Diese drei sind bewaffnet, und wenn sie keine Sicherheitsleute sind, würde ich gern wissen, wozu sie sonst Waffen brauchen.«

Der Herzog machte zum ersten Mal während ihrer kurzen Bekanntschaft den Eindruck, als hätte er sich nicht in der Gewalt.

»Nun«, sagte er mit einem Schulterzucken. »Wenn wir hier bewaffnete Gäste haben, werden wir wohl zu ihnen gehen und sie fragen müssen, worum zum Teufel es geht. Was dagegen mitzukommen?«

»Ganz und gar nicht«, erwiderte Carl. »Wollen wir erst den nehmen, der da beim Zelt steht?«

»Ein außerordentlich guter Vorschlag, Admiral. Aber bist du sicher, daß er wirklich bewaffnet ist? Ich meine, er würde einen eigenartigen Eindruck machen, wenn wir ...«

»Keine Angst«, entgegnete Carl. Dann gingen sie mit schnellen Schritten zu dem Mann hinüber. Tessie zögerte und blieb zurück, weil sie am Tonfall gehört hatte, daß sie nicht länger als anwesend galt.

»Verzeihen Sie mir, junger Mann!« sagte der Herzog mit klarer neutraler Stimme.

»Ja, Euer Gnaden?« sagte der Mann und nahm Haltung an, während er gleichzeitig die Sonnenbrille abnahm; Carl schüttelte den Kopf und blickte verlegen zu Boden, weil die Frage schon beantwortet war.

»Mein geehrter Gast hier sagt, er habe beobachtet, daß Sie bewaffnet sind. Stimmt das?« fragte der Herzog in seinem Nicht-Tonfall.

»Ja, Euer Gnaden, es stimmt«, erwiderte der Mann, der noch immer steif wie ein Ladestock dastand.

»Ich darf wohl annehmen, da sie nicht zur IRA gehören«, fuhr der Herzog fort.

»Nein, Euer Gnaden! Special Branch, Edinburgh, Euer Gnaden«, erwiderte der Mann.

»Das ist ja interessant. Und wer hat Sie zu meinem kleinen Buchfest geschickt?«

»Der Regionalchef unserer Abteilung, Euer Gnaden.«

»Und warum, wenn ich so neugierig sein darf? Es ist ja nicht so, daß ihr euch nicht willkommen fühlen sollt, Jungs, und ich möchte natürlich nicht mal davon träumen, in etwas so Wichtigem und für unsere Nation so Förderlichem wie dem Special Branch herumzuschnüffeln. Wenn Sie es aber nicht für pflichtvergessen halten: Könnten Sie mir einen Grund dafür nennen?«

»Natürlich, Euer Gnaden«, entgegnete der Mann. »Unter Ihren Gästen befindet sich ein Schutzobjekt, Euer Gnaden. Wir haben uns bemüht, so diskret zu sein, wie es die Lage erlaubt. Ich hoffe, daß Sie uns verstehen, Euer Gnaden. Wir haben unsere Befehle.«

»Aber natürlich«, erwiderte der Herzog. »Haben Sie etwas dagegen, mir die Sache ein bißchen näher zu erklären? Ich bin ja nun mal der Gastgeber hier im Haus.«

»Natürlich nicht, Euer Gnaden. Im Moment befinden Sie sich in Gesellschaft des Schutzobjekts, Euer Gnaden.«

Der Herzog drehte sich langsam um und sah Carl an.

»Ich darf doch wohl annehmen, daß dies nicht etwas ist, was dir eingefallen ist, alter Junge?« sagte er. Er legte Carl freundlich und demonstrativ den Arm auf die Schulter, um den Rückzug einzuleiten, während er gleichzeitig dem Sicherheitsmann zunickte. Dieser setzte sofort wieder die Sonnenbrille auf.

»Nein«, erwiderte Carl, als sie sich auf dem perfekten Rasen ein Stück entfernt hatten. »Ich habe wirklich nichts mit der Sache zu tun. Ich meine, ich habe sie nur gesehen und gedacht, daß du oder deine Mutter die Schutzobjekte sind. Ich selbst glaubte, in Schottland zu sein, ohne daß außer uns jemand etwas davon weiß.«

»Nein, nein. Wir sind nie Schutzobjekte, wie es offenbar heißt. Man kann über die IRA sagen, was man will, aber sie sind immerhin gälisch. Die fangen doch nicht plötzlich an, Schotten zu durchlöchern. Aber offenbar Schweden?«

»Nein, es ist nichts Ernstes, nehme ich an«, sagte Carl, den seine Formulierung eine Sekunde verlegen machte, bevor er weitersprechen konnte. »Solche Special-Branch-Fritzen arbeiten international mit anderen zusammen, mußt du wissen. Unsere Typen zu Hause in Schweden haben sich in den Kopf gesetzt, daß die Araber mich töten wollen, weil ich ein Araberfreund bin, und das verbreiten sie dann überall. Bei allem Respekt vor dem Special Branch in Edinburgh, aber die können ja nicht automatisch beurteilen, was für Fähigkeiten der schwedische Sicherheitsdienst hat.«

»Du scheinst keinen größeren Respekt vor diesen Fähigkeiten zu haben, wenn ich dich recht verstehe?«

»Nein, das könnte man sagen. Beim Nachrichtendienst nennen wir ihr Hauptquartier das Affenhaus, um ihre intellektuellen Fähigkeiten möglichst gerecht zu bezeichnen. Jedenfalls ist der Special Branch abkommandiert worden, um dafür zu sorgen, daß die Araber uns heute abend nicht angreifen.«

»Sie tun also nur ihre Arbeit, meinst du?«

»Ja, ich nehme an, daß man es so sagen könnte. Sehr gut ausgedrückt, Angus.«

Carl errötete, als ihm aufging, wie sehr er seinen Gastgeber nachäffte.

Als Carl und Tessie sich für das Abendessen umzogen, neckten sie sich unaufhörlich wegen der Handküsserei und des Hofknicks und sagten, »ich nehme an«, zu allem, so daß ihre Unterhaltung sich am Ende anhörte, als würde sie in Astrid Lindgrens Räubersprache geführt. Schließlich konnten sie sich nicht mehr von der gestelzten Sprache lösen.

Im Wettbewerb darum, wer am lächerlichsten aussah, siegte Carl mit sämtlichen Richterstimmen, weil es Tessie irgendwie gelungen war, vollkommen normal auszusehen. Daß sie eine Schärpe in blaurotweißem Karomuster wie eine Art schräggestellten Schal über der linken Schulter trug, machte sie nicht zu einer lächerlichen Figur. Carl befand sich definitiv in der schlechteren Position. Tessie lachte so sehr, daß sie rücklings auf das schreckliche Bett fiel, als er aus dem Badezimmer kam. Und da lag sie und hämmerte mit den Fäusten auf den Überwurf und lachte, während sie ihn gleichzeitig beschuldigte, sie so durcheinandergebracht zu haben, daß sie jetzt ihr Make-up erneuern müsse.

Carl sah im Gegensatz zu Tessie tatsächlich wie eine Figur aus einer Maskerade aus. Er trug zum ersten Mal in seinem Leben einen Rock.

Er war in voller Montur aus dem Bad gekommen, hatte sich mitten auf einen der persischen Teppiche gestellt und versucht, sehr würdig auszusehen. Und genau das hatte Tessie vor Lachen explodieren lassen. Er bemerkte säuerlich, sie sei immerhin seine Frau und müsse ihn in seinen schwersten Stunden unterstützen, *for better for worse*. Und dies sei möglicherweise ein Augenblick *for worse*. Aber sie lachte nur.

Als sie vor Gelächter fast erstickte und ins Badezimmer taumelte, um ihr Make-up zu erneuern, trat Carl vor einen Spiegel und betrachtete sich. Der Anblick erschien ihm nicht so grotesk und komisch, wie er offenbar auf Tessie wirkte.

Tessie kam mit sehr ernster Miene feierlich ins Zimmer zurück. Dann sah sie ihn an und fragte mit dumpfer Stimme, ob er darunter Unterhosen anhabe.

Er gab säuerlich zu, er habe welche darunter, jedoch mit einem karierten Schottenmuster. Er wisse aber nicht, von welchem Clan. Sie schlug schnell den Rock hoch und kontrollierte seine Aussage. Dann holte sie nachdenklich ihre Clan-Karte, suchte eine Weile, klappte sie zusammen und teilte mit unheilverkündender Stimme mit, er trage Unterhosen des Clans Douglas.

»Das macht nichts«, bemerkte Carl, »die Douglas und wir sind seit vielen Generationen verbunden.«

»Und ich dachte, darunter trüge man keine Unterhosen«, sagte Tessie.

»Das habe ich auch gedacht. Ich kann dir aber versichern, daß es schon jetzt ein komisches Gefühl ist. Ich habe mir aber gedacht, wenn man sich beim Essen wohl fühlen soll, muß man wenigstens Unterhosen tragen. Ich meine, die gestrenge Mary dürfte es ja kaum interessieren, die mit der Kleiderhülle. Also was soll's!«

Er sprang in die Luft und knallte mit ausgestreckten Beinen die Absätze zusammen und landete anschließend weich auf dem Perserteppich. Danach nahm er sofort wieder seine äußerst männliche und würdige Haltung ein und hob eine Augenbraue. Tessie sah aus, als würde sie vor Lachen gleich wieder losprusten, hielt flehentlich die Hände hoch und machte ihn darauf aufmerksam, daß sie vielleicht gehen sollten. Sie hätten sich ohnehin schon verspätet.

Das hatten sie. Als sie in den gelben Salon hinunterkamen, in dem sich die Gäste zu einem Drink vor dem Essen versammelt hatten, waren alle schon da, ungefähr zehn Personen. Und alle sahen höchst erstaunt aus – auf diese britische Weise, die es mit sich bringt, daß niemand auch nur eine Miene verzieht. Dennoch erweckten alle den Eindruck höchster Verblüffung, ob es nun daran lag, daß der eine oder andere die Augenbrauen hob, oder daran, daß die gesamte Konversation plötzlich erstarb. Carl erschien es, als hätte er ebensogut in einem gestreiften Schlafanzug erscheinen können oder einer Indianertracht mit Hühnerfedern auf dem Kopf.

Sämtliche Männer im Raum mit Ausnahme Carls trugen einen Smoking.

Der Herzog sah aus, als befände er sich mitten in einer Geschichte, doch jetzt verstummte er augenblicklich, drückte seine Zigarette im nächstgelegenen Aschenbecher aus und wandte sich an seine Frau.

»Liza, Liebling«, sagte er in dem Tonfall, der nie etwas Besonderes bedeutete, »sei doch so nett und sorge dafür, daß Carl und Tessie einen Drink bekommen. Ich verschwinde kurz, bin aber gleich wieder da.«

Und damit stand er auf und ging. Das Gemurmel im Salon kam langsam und zögernd wieder in Gang. Niemand sah Carl offen an, aber alle blickten ihn aus den Augenwinkeln an. Er selbst hatte das Gefühl, als pfiffe ihm kalte Zugluft um die Knie. Vielleicht war es auch umgekehrt, daß er sogar an den Knien errötete.

Liza Hamilton kam ihnen fröhlich entgegen. Sie küßte Tessie und machte ihr Komplimente wegen der großartigen Halskette und anderer Dinge und hielt ihr zwei Glas Sherry hin. Dann wandte sie sich heiter und ironisch an Carl.

»Wie ich sehe, hat der Kapitän sich aufgemoppt, wie man so sagt. Woher zum Teufel hast du diese Klamotten?«

»Von einem Kiltmacher unten in der Stadt. Sie haben uns versichert, daß man diese Dinge tragen muß. Und jetzt tun wir es. Ich nehme an, wir waren nicht gut genug informiert. Entweder sind wir leicht übertrieben gekleidet oder leicht untertrieben. Vielleicht bist du so nett, uns zu sagen, was davon zutrifft«, sagte Carl mit einer verzweifelten Anstrengung, nicht im mindesten angestrengt zu klingen.

»Ihr habt wirklich Pech«, stellte Herzogin Liza fest. »Angus ist der einzige verdammte Herzog in ganz Schottland, der nicht auf die Jagd geht, um damit anzufangen. Und zweitens ist er außerdem der einzige verdammte Herzog Schottlands, der keinen Kilt als Abendanzug trägt, höchstens dann, wenn er als erster unter den Peers die Königin in Schottland willkommen heißen muß. Ihr seid die einzigen, die in der ganzen Bude korrekt gekleidet sind. So ist das, und jetzt nehmen wir einen zur Brust, obwohl es nur so ein verdammter Sherry ist. Prost!«

Carl und Tessie prosteten angestrengt.

»Hast du übrigens Unterhosen darunter?« fuhr die Herzogin mit etwas zu hoher Stimme fort, die einige Gäste in der Nähe zu treffen schien, als hätten sie einen Peitschenhieb in den Rücken erhalten.

»Es gibt Fragen, auf die ein Gentleman nicht antwortet«, entgegnete Carl gemessen. »Ich bin überzeugt, daß Euer Gnaden nicht die Absicht haben, sich der Wahrheit in diesem Punkt zu vergewissern.«

Die Umgebung ließ ein, wie man es nicht anders nennen konnte, mitfühlendes und diskretes Lachen hören, obwohl ein diskretes Lachen in dieser Umgebung nicht diskret war.

In diesem Moment kehrte der Herzog von Hamilton zurück.

Er trug einen Kilt mit Uniformjacke als Oberteil.

Der Herzog steuerte direkt auf sie zu und schien aufrichtig guter Laune zu sein.

»Lieber Ehrengast«, begann er, hielt inne und machte eine leichte Verbeugung, »ich sehe zu meiner großen Freude, daß Sie sich genau so gekleidet haben, wie die Sitte es vorschreibt. Ich bitte um Entschuldigung dafür, Sie nicht darüber informiert zu haben, daß ich der einzige verflixte Herzog in dem ganzen verflixten Schottland bin, wie meine Frau zu sagen pflegt, der den traditionellen Stil nicht pflegt.«

»Ich habe soeben erfahren, daß Sie nicht einmal auf die Jagd gehen. Das freut mich, das tue ich auch nicht«, warf Carl ein. Er fühlte sich plötzlich sehr erleichtert.

Der Herzog nahm Carl und Tessie zu einem kleinen Rundgang unter den übrigen Gästen mit und stellte sie recht formlos vor. Da der Kilt am Herzog so perfekt saß, saß er jetzt an Carl ebenso perfekt. Überall hieß es Lord Soundso und Sir Soundso, und einer der Herren war offenbar Bruder des Herzogs und Minister für schottische Angelegenheiten oder etwas Ähnliches, und bei den Damen hieß es Lady Soundso und Lady Soundso. Nur der Verleger und dessen Frau hatten es offenbar noch nicht geschafft, geadelt zu werden.

Das Essen wurde in einem sehr schönen Raum serviert, den Carl und Tessie bei ihrem Rundgang noch nicht gesehen hatten. Die Wände waren mit vergoldetem Leder in einer warmen rot-goldenen Farbe tapeziert. Decke und Paneele waren weiß gestrichen, und an einer Längswand befand sich ein offener Kamin aus kunstvoll bearbeitetem weißem Marmor. Das Feuer brannte, und darüber hing ein Ölgemälde, das einen Reiter in rotem Rock auf einem schwarzen Pferd beim Sonnenuntergang zeigte. An der gegenüberliegenden Wand hing ein wertvolles Bild einer Ansicht Venedigs aus dem achtzehnten Jahrhundert. An den Wänden brannten Kerzen, während der golden schimmernde antike Kronleuchter über dem Eßtisch modernisiert war und Glühbirnen enthielt. Die Abenddämmerung fiel durch große Fenster am kurzen Ende des Raums in den Saal.

Tessie, die vom Herzog zu Tisch geführt worden war, erkannte erst nach einiger Zeit, daß sie ihre Vorurteile nicht mit allzu großem Erfolg bekämpft hatte. Die Umgebung und die Titel hatten ihr einen ganz entschiedenen Eindruck von Überheblichkeit und steifer Atmosphäre vermittelt. Doch davon bestätigte sich so gut wie nichts. Es wurden keine langatmigen Reden gehalten, das Essen war nicht mit Ritualen verbunden – so wurden beispielsweise keine Toasts in einer bestimmten Reihenfolge ausgebracht. Niemand führte den Suppenlöffel auf manierierte Weise zum Mund. Niemand mußte sich darauf konzentrierten, mit wem er Konversation machen sollte oder nicht. Obwohl nicht alle Gäste einander kannten, wurde die Stimmung schnell familiär und entspannt.

Die Unterhaltung wechselte ungezwungen von Thema zu Thema. Dabei ging es um alles mögliche mit Ausnahme der Skandale des englischen Königshauses. Das erstaunte Tessie, da sie bisher keine einzige Zeitung gesehen hatte, in der es nicht hauptsächlich um Prinz Charles oder Lady Di oder Fergie oder um Nacktfotos von Di oder Gymnastikbilder von Fergie gegangen wäre – oder war es umgekehrt? Schließlich fragte sie Angus, ob diese Skandale nur ein Steckenpferd der Presse seien, denn hier und jetzt habe sie den Eindruck, als existiere das alles gar nicht.

Angus erwiderte trocken und humorvoll, sie befänden sich in Schottland, und was die anmaßenden Engländer trieben oder ließen, sei von absolut nachrangigem Interesse. Da erinnerte sich Tessie an die Geschichte von dem Kinderskelett in der Mauer der Zitadelle, folglich an die Möglichkeit, daß es bei der jetzigen Publizität um eine eventuelle Scheidung der Hamiltons und nicht der Windsors hätte gehen können.

»Du meinst die Geschichte von einer in Goldbrokat eingehüllten Leiche, die wiederum in einem goldenen Sarg lag, was mich zum König von England hätte machen sollen?« fragte Angus amüsiert.

»Etwas in der Richtung, nehme ich an«, erwiderte Tessie mit einem Versuch, das Englische nachzuahmen, was Angus die Augenbrauen heben ließ.

»Nun«, sagte er, »das ist eine sehr gute Geschichte. Aber, wie ich schon demütig in Anmerkung drei auf Seite achtundsechzig meines Buches betont habe, hat man gewiß Gebeine gefunden. Da gibt es nur ein kleines Problem. Es gab keinerlei Goldbrokat, keinen Sarg und kaum eine Stütze für die These, daß die Gebeine die von Menschen waren. Vermutlich handelte es sich um eine Katze oder einen Welpen. Ich nehme an, daß es einigermaßen peinlich gewesen wäre, unter diesen Voraussetzungen zum König von England gekrönt zu werden. Wo hast du übrigens gelernt, so gut Sprachen nachzuahmen?«

Tessie zwinkerte geheimnisvoll und gab Angus ein Zeichen, er solle sich vorbeugen, damit sie es ihm ins Ohr flüstern könne.

»Vergiß nicht, daß ich einen irischen Vater habe«, erklärte sie mit irischem Akzent, warf den Kopf theatralisch in den Nacken und hob die Stimme. Dann schnatterte sie plötzlich in einem Englisch los, das sich wie Spanisch anhörte:

»Und meine Mutter ist eine dieser kleinen, sehr kleinen hübschen Carmencitas, die aus der kleinen Stadt Tijuana in das große freie Land gekommen sind, aus dem Land der flirrenden Sonne, der knallenden Absätze und der stolzen Männer, Mejico!«

»Du lieber Himmel! Diese Kunst beherrschst du tatsächlich«, stöhnte Angus und faßte sich an die Stirn.

»In Wahrheit ist es überhaupt nicht schwer. Kinderleicht«, erwiderte Tessie mit australischem Tonfall.

Carl saß extrem weit von Tessie entfernt, da er die Gastgeberin als Tischdame hatte. Sie beobachteten beide, daß Tessie da unten eine große Show abzog und die Gesellschaft drumherum ihren Spaß hatte.

»Was treibt deine Frau da eigentlich? Hat sie schon einen im Tee?« fragte Liza und sah sich nach einem Aschenbecher um, da das scheinbare taubstumme schottische Personal nach der Vorspeise schon abräumte.

»Sie äfft nur verschiedene Arten von Englisch nach. Das kann sie recht gut«, erklärte Carl.

Dann wurde wie selbstverständlich Aberdeen Angus serviert, ein etwas zu sehr durchgebratenes Rinderfilet. Zu diesem Hauptgericht gab es Rotwein aus Karaffen. Carl hatte zunächst den Verdacht, daß damit die vielleicht geringe Qualität des Weins verborgen werden sollte, da er von sehr dunkler Farbe war. Doch als er ihn kostete, war er beeindruckt. Nicht etwa wegen des Weins, der vermutlich aus Pauillac war, vielleicht ein Margaux, vielleicht ein Château Palmer und möglicherweise einer der besten Jahrgänge der Achtziger, vielleicht sogar ein 82er. Was ihm imponierte, war die Tatsache, daß der vorzügliche Wein ohne Etikett serviert wurde; ihm ging auf, daß er es selbst nicht so gemacht hätte, und er versuchte sich einzureden, daß es nur daran lag, wie gern er seinen Gästen erzählte, was gerade getrunken wurde. Wie auch immer: Er hätte einen Weltklassewein jedenfalls nicht in anonymen Karaffen auf den Tisch gebracht. Seine Laune wurde immer besser, und das lag nicht nur daran, daß die Blamage mit dem Kilt jetzt aus der Welt war. Es herrschte eine warmherzige, geheimnisvolle Stimmung von Gemeinschaft unter den Schotten am Tisch, die ansteckend wirkte. Nur zwei der Gäste am Tisch, der Verleger und ein weiterer, sprachen ein Englisch mit schottischem Klang, während alle anderen sich nach Eton und Oxford anhörten. Vermutlich aus dem einfachen Grund, daß man sie als Jungen dorthin geschickt hatte und sie dort geblieben waren, bis sie Männer waren. Sie waren jedoch alle unbeschwert, sie hatten einfach Spaß.

Beim Warten auf das Dessert war plötzlich ein Dudelsack zu hören.

»Ach du lieber Himmel, jetzt ist der Teufel los«, stöhnte die Gastgeberin neben Carl auf. »Alle anderen verdammten Herzöge haben ihre persönlichen Dudelsackpfeifer. Das können wir uns nicht leisten, aber du glaubst doch wohl nicht, daß mein Mann nicht selbst Dudelsack spielen kann«, erklärte sie schnell und nahm dann mit demonstrativ gelangweilter Miene eine Zuhörerposition ein.

»Am schlimmsten ist, daß die Kerle nie aufhören«, flüsterte sie.

So war das also. Der Herzog von Hamilton war sein eigener Dudelsackpfeifer. Er sammelte sogar Dudelsäcke. Und jetzt kam er herein, marschierte stampfend um den Tisch herum und spielte Scotland The Brave.

Carl wurde von unwiderstehlicher Sentimentalität befallen. Es fiel ihm schwer, die Tränen zurückzuhalten. Plötzlich empfand er seinen Kilt überhaupt nicht mehr als lästig oder albern.

Der Herzog, dem möglicherweise sehr wohl bewußt war, wie seine Frau und Ausländer über Dudelsackpfeifen dachten, spielte drei vermutlich sorgfältig ausgewählte Melodien. Nach Scotland The Brave fuhr er mit einer Melodie fort, die Carl noch nie gehört hatte – das sei das Hamilton-Lied, erklärte die schon jetzt gelangweilte Liza flüsternd –, und endete dann mit Amazing Grace, worauf er den Saal verließ.

Nach dem Dessert – einer regionalen Variante von Apfelkuchen mit Vanillesauce – wurde Portwein entgegen dem Uhrzeigersinn herumgereicht. Jeder goß sich selbst ein. Dankreden sollten nicht gehalten werden. Carl hatte vorher sicherheitshalber gefragt. In Schweden hätte man von ihm erwartet, jetzt eine Ansprache zu halten, die allen gerecht wurde. Statt dessen erklärte der Gastgeber am anderen Ende des Tisches überraschend, die Damen seien jetzt entschuldigt.

Alle Frauen mit Ausnahme Tessies erhoben sich sofort, doch nach einigem Zögern stand auch sie auf. Die Männer blieben sitzen, doch Carl war schon aufgesprungen, um seiner Tischdame beim Zurückziehen des Stuhls zu helfen.

»Übertreib bloß nicht, du Weiberheld«, zischte sie scherzhaft. Dann nahm sie die Frauen in einer langen Reihe mit und verschwand mit ihnen in einem der Salons.

Der Portwein ging noch ein paarmal um den Tisch. Die Männer zündeten sich Zigarren an, knöpften die Jacketts auf und änderten den Gesprächston ein wenig; Carl glaubte sogar, eine fast anzügliche Geschichte zu hören.

Als das Portwein-Ritual beendet war, erhob sich der Gastgeber. Die anderen taten es ihm nach und folgten ihm in einen anderen Salon als dem, in dem die Frauen verschwunden waren.

Auf einem Marmortisch unter großen Kronleuchtern mit brennenden Kerzen standen eine unerhörte Menge an Whiskyflaschen und eine Reihe von Gläsern. Kein Eiskübel. Die Männer rieben sich die Hände. Es war offenbar Zeit für das, was zumindest auf amerikanisch ein bißchen ernsthaftes Saufen heißen würde.

»Mein verehrter Ehrengast«, sagte der Herzog und zeigte mit dem Arm auf Carl. »Welche Whisky-Sorte ziehst du vor?«

Alle beobachteten Carl mit gespannter Aufmerksamkeit. Er warf einen schnellen Blick auf den Marmortisch mit der gewaltigen Menge von Whiskyflaschen, während er gleichzeitig seinen Impuls unterdrückte, um den einzigen Whisky zu bitten, den er sonst trank. Er war kein großer Whisky-Freund, aber normalerweise hätte er um einen Jack Daniels mit Eis gebeten.

»Mein verehrter Gastgeber«, begann er zögernd und schluckte nervös. »Obwohl meine Kleidung von einem ganz bestimmten Geschmack zu zeugen scheint, muß ich gestehen, daß ich angesichts dieser imponierenden Sammlung des Besten, was Schottland zu leisten vermag, was mir außer Zweifel zu stehen scheint, in aller Bescheidenheit das Lieblingsgetränk des Gastgebers wünsche.«

Seine Antwort löste großen Jubel aus. Der Gastgeber ging zu seinem Bruder, streckte demonstrativ die Hand aus und erhielt auf der Stelle einen Zehn-Pfund-Schein.

»Wir haben gewettet«, erklärte er. »Du hörst dich ja an wie ein Amerikaner, und da haben wir uns gefragt, ob du den einzigen gesellschaftlichen unverzeihlichen Fehler machen würdest oder nicht, nämlich etwa einen Johnny Walker on the rocks zu wünschen. Und ich habe gewonnen. Bitte sehr, hier hast du einen richtigen Whisky, einen Highland Park.«

Ein gewisser Tumult brach los.

»Du kannst ihm doch nicht so einen Whisky von den Orkney-Inseln geben, Angus, nimm einen Laphroaig!« rief einer der Herren.

»Nein, nein, einen Glenmorangie, der ist typischer«, schlug ein anderer vor.

»Den Teufel auch! Nimm einen Macallan, der gewinnt ja sowieso alle Blindtests!« schlug ein dritter vor.

Es hagelte weitere Vorschläge, bevor eine lautstarke Diskussion losging. Sie war so heftig, daß sie fast einem Streit gleichkam. Dabei ging es letztlich nur darum, ob Whisky von den Inseln mehr nach Seegras schmeckte als das Getränk aus der Küstenstadt Oban.

Carl nahm sein Glas und nippte vorsichtig.

Der Streit über die Qualität der verschiedenen Sorten wurde heftiger, als die Herren alle ein Glas in der Hand hatten, mit dem sie gestikulierten, um anschließend die Farben zu vergleichen, zu schnuppern und einen Probeschluck zu nehmen. Carl hatte zunächst geglaubt, daß man seinetwegen übertreibe. Vielleicht lief sogar eine neue Wette. Er versuchte sogar, mit Angus über dessen Wette um zehn Pfund zu witzeln. Sie sei immerhin eine gesunde Abweichung von den Gewohnheiten des 12. Herzogs. Einmal, weil die Wettsumme überschaubar sei, zum andern, weil der Gewinn in der Familie bleibe. Angus versuchte, höflich zu antworten, wurde aber schnell wieder in die Diskussion hereingezogen.

Alle außer Carl und einer nach Eton aussehenden Gestalt nahmen an der Auseinandersetzung teil. Der Mann hieß Sir Gerald oder so ähnlich. Er trat zu Carl hinzu und hob freundlich sein Glas.

»Ich warne dich, lieber Bruder, denn diese Schotten meinen es wirklich ernst. Die werden noch mindestens eine Stunde weiter diskutieren, ob der Seegrasgeschmack des Whiskys aus Oban zu stark ist oder ob Laphroaig wegen des starken Geschmacks untypisch ist.«

»Wie das mit den Dudelsäcken etwa?« fragte Carl.

»Ich fürchte, ich bin nicht ganz auf dem laufenden. Was meinst du mit Dudelsäcken?«

»Eine Zeitlang ganz nett, aber man muß befürchten, daß es zu lange dauert«, erwiderte Carl.

»Hoppla, da hast du mich einen Moment richtig durcheinandergebracht, aber du hast zweifellos recht. Sollten wir uns vielleicht eine Weile zurückziehen, während die Schotten die Frage entscheiden?«

Der Mann machte eine einladende Geste zu einer sieben oder acht Meter entfernten Sitzgruppe. Seine Handbewegung war auf eine Weise einladend, die eher nach einem Befehl aussah. Carl hatte das unangenehme Gefühl, daß er unmöglich nein sagen konnte. Somit nickte er kurz, nahm sein Whiskyglas mit und trottete zu dem Sofa.

Der Mann, der jetzt hinter ihm herging, sah fast wie eine Filmparodie eines Engländers aus, und jetzt hatte sich herausgestellt, daß er tatsächlich einer war.

»Man kann wie gesagt nie genau wissen, wie lange die Schotten so weitermachen«, sagte der Engländer mit einem Kopfnicken zu der übrigen Gesellschaft. Die Herren standen in einer kleinen Traube da und bemühten sich, mit lauter Stimme einander zu überzeugen. »Manchmal schaffen sie es in einer Viertelstunde, manchmal brauchen sie zwei Stunden.«

»Es ist offenbar einen Frage von entscheidender Bedeutung«, sagte Carl und nippte an seinem Whisky. Gleichzeitig versuchte er sich zu erinnern, was man ihm eingeschenkt hatte.

»Ja, nicht nur das. Diesen Burschen hier ist es sogar verdammt wichtig. Ach, übrigens, wie geht es denn meinem alten Freund, dem Alten?«

Carl erstarrte. Vermutlich so sehr, daß es ihm anzumerken war. Der Mann auf dem Sofa neben ihm lächelte nur, zog einen Aschenbecher zu sich heran und schlug die Asche von seiner Zigarette ab, bevor er fortfuhr.

»Wir wurden vorhin da draußen ja nur flüchtig miteinander bekannt gemacht«, fuhr er fast gedehnt langsam fort. »Ich bin Geoffrey Hunt.«

»Ich habe nur Sir Geoffrey verstanden. Wir sind uns ja persönlich noch nie begegnet«, erwiderte Carl entschuldigend. Inzwischen hatte er die Situation erkannt. Er saß neben dem neuen Chef des britischen Nachrichtendienstes MI 6, der einer der Freunde des Alten war.

»Und wie geht es nun dem Alten?« fragte Sir Geoffrey erneut.

»Danke, ausgezeichnet. Übrigens herzlichen Glückwunsch zur Ernennung«, erwiderte Carl mit zusammengebissenen Zähnen. Er fühlte sich sehr angespannt und war überzeugt, daß seine Anwesenheit hier kein Zufall war.

»Ich werde Ihren Gruß natürlich ausrichten, Sir Geoffrey«, fuhr Carl nervös fort, da der andere nichts sagte.

»Laß diese Förmlichkeiten! Nenn mich Geoff, sonst sehe ich mich noch genötigt, dich ebenfalls so merkwürdig anzureden.«

»Na schön, dann eben Geoff. Und worum geht es, Geoff?« sagte Carl und blickte mit finsterer Miene zu dem Streit um den Whisky am anderen Ende des Salons. Die Diskussion schien noch lange nicht beendet zu sein.

»Das nenne ich schnell zur Sache kommen, das muß ich schon sagen«, sagte Sir Geoffrey und nahm einen absichtlich langen Zug an seiner Zigarre.

»Aber ja! Was hast du denn erwartet Geoff!« sagte Carl mit übertriebener amerikanischer Direktheit.

»Daß wir erst ein bißchen Ball spielen, wie ihr Amerikaner es ausdrückt«, entgegnete Sir Geoffrey schnell.

»Von mir aus«, sagte Carl. »Du schlägst auf!«

»Es geht um ein paar Dinge, die mehr oder weniger ulkig sind, aber ich glaube, sie hängen irgendwie zusammen«, fuhr Sir Geoffrey fort.

Carl antwortete nicht. Er leerte erst seinen Whisky, machte eine Handbewegung, die Sir Geoffrey zum Reden aufforderte und verschränkte die Arme auf der Brust.

Das tat Sir Geoffrey dann auch.

»Wir haben da ein kleines Problem, das uns großen Kummer macht. Es ist nämlich so, daß die Russen dabei sein, Personal unserer Rüstungsindustrie zu ermorden. Es handelt sich um exquisite Morde. Ich meine, wir können wirklich nicht umhin, einige Bewunderung für die Technik aufzubringen, die sie dabei angewandt haben. Nichtsdestoweniger ist die Angelegenheit außerordentlich lästig.«

»Ich verstehe, daß sie außerordentlich lästig sein muß«, sagte Carl und senkte den Kopf und Blick. Die Albernheiten, in die er sich geflüchtet hatte, wurden allzu deutlich dadurch unterstrichen, daß er einen Kilt trug, wenn auch mit Unterhosen.

Die Flucht war vergeblich gewesen, eine Illusion. Hier kam das andere Leben wieder angerauscht. Kein Ivanhoe mehr.

»Du siehst ein bißchen düster aus, alter Junge«, sagte Sir Geoffrey, um ihn zu trösten.

»Es ist nichts. Ich nehme nur an, daß es ein bißchen plötzlich gekommen ist. Na schön, ich bin der stellvertretende Chef des militärischen Nachrichtendienstes in Schweden, und du bist der Chef des britischen. Worüber möchtest du sprechen?«

»In erster Linie über die MRO-Akte. Wofür steht übrigens diese alberne Abkürzung MRO?«

»The Moscow Rip-off, der Moskauer Reibach«, erwiderte Carl schnell. »Und in zweiter Linie?«

»In zweiter Linie geht es um eine operative Zusammenarbeit.«

»Laß hören.«

»Wir haben das MRO-Material nicht von euch bekommen. Das sage ich nur für den Fall, daß du es nicht weißt. Die Amerikaner haben es uns gegeben, unsere lieben Vettern. Und jetzt haben wir aus guten Gründen den Verdacht, daß sie uns nur kleine Kostproben geben, wie gewöhnlich nach ihrem Coca-Cola-Urteil, daß uns aber das vollständige Material vorenthalten bleibt. Kommentar?«

»Kein Kommentar.«

»Laß den Quatsch, es bleibt doch in der Familie.«

»*Kaneschna*.«

»Verzeihung?«

»Das ist russisch. Bedeutet: selbstverständlich.«

»Oh, Teufel auch.«

»Erstens habe ich keine Ahnung, was von dem MRO-Material weitergegeben worden ist. Zweitens habe ich keine Ahnung davon, daß das gesamte Material an unsere, wie du sagst, amerikanischen Vettern weitergegeben worden ist. Diese Informationsströme werden von der schwedischen Regierung gesteuert, und die ist im Augenblick wie ein Teenager in Washington verliebt.«

»Wie traurig, das zu hören. Kannst du trotzdem dafür sorgen, daß wir Zugang zum Originalmaterial erhalten?«

»Warum?«

»Aus folgendem Grund: Aus dem manipulierten Material, das wir von den Amerikanern erhalten haben, wird deutlich, daß es auf dich zurückgeht. Sie versuchen nur zu verbergen, daß ihr Schweden die Quelle seid. Es handelt sich um einen umfassenden Datendiebstahl beim GRU, immerhin.«

»Kein Kommentar.«

»Gut. Ich habe also recht gehabt. Das MRO-Material enthält an irgendeiner Stelle die Antwort darauf, was jetzt vorgeht. Dort befindet sich dann auch die Erklärung dafür, weshalb sich die Russen auf diese völlig durchgedrehte und altertümliche Methode eingelassen haben, als lebten wir noch in der Zeit der Schlapphüte und ähnlicher Dinge. Wir wollen nicht nur wissen, warum sie britische Staatsbürger ins Jenseits befördern, wir würden auch gern ein Ende dieser Aktivität erleben.«

»Das kann ich verstehen. Das ist sogar eine Einstellung, für die ich Sympathie empfinde«, erwiderte Carl und warf einen hilflosen Blick zu den Schotten am anderen Ende des Salons. Doch von dort war weder Hilfe noch eine Auszeit zu erwarten. Sie stritten wie besessen über ihre Malt-Whisky-Sorten.

»Na schön, dann gebt uns das Originalmaterial«, sagte Sir Geoffrey mit einem Anflug von Unsicherheit in der Stimme.

»Alter Junge«, sagte Carl mit einer müden, ironischen Geste. »Im Moment bittest du mich, ein Verbrechen zu begehen. Nach unserem Gesetz und in unserer Sprache heißt das Verbrechen Spionage.«

»Ach was, spiel mir jetzt nicht die alte Leier von der heuchlerischen Neutralität vor. Wir haben schließlich euren Nachrichtendienst aufgebaut, bevor ihr überhaupt wußtet, was dieses Wort bedeutet«, sagte Sir Geoffrey mit spürbarer Irritation in der Stimme.

»Ja!« bestätigte Carl. »Genau das habt ihr getan, wenn auch mit zunächst wechselndem Erfolg. Doch das ist es nicht. Vergiß nicht, daß ich ein germanischer Typ bin, äußerst bürokratisch, und so weiter.«

»Ein schottischer!« korrigierte Sir Geoffrey. »Zumindest läßt deine Kleidung im Moment darauf schließen, wenn ich das sagen darf.«

»Eins zu null für Sie, Sir Geoffrey. Zugegeben. Die Sache ist aber sehr einfach. Ich habe in der jüngsten Zeit so viel in meinem eigenen Strafraum gespielt, daß mein Premierminister wenig entzückt sein würde, wenn ich mich auf neue Solonummern einließe. Hingegen, nein, hör jetzt genau zu. Hingegen bin ich überzeugt, daß die Frage des MRO-Materials sich schnell und einfach lösen ließe, wenn du zur Downing Street 10 gehst und dort bittest, bei meinem geehrten Premierminister anzufangen. Dann würde alles zu deiner Zufriedenheit verlaufen.«

»Das ist an und für sich angenehm zu hören«, erwiderte Sir Geoffrey und legte seine Zigarre weg, die schon längst ausgebrannt war; Carl hatte es gesehen, sein Gegenüber aber nicht.

»Trotzdem ein reichlich kleinliches Manöver, mit dem die Dinge noch mehr verzögert werden«, seufzte Sir Geoffrey.

»Kleinlich?« erkundigte sich Carl.

»Ja genau, kleinlich. Nun, dann weiter zur nächsten Frage, obwohl ich fürchte, daß wir vielleicht auch die über Downing Street Nummer 10 laufen lassen müssen. Ich würde gern über eine operative Zusammenarbeit nachdenken.«

»Du gehst heute ja ziemlich ran, Geoff«, sagte Carl ironisch. »Wenn ich dir nicht mal ein bißchen Papier geben kann, das du ohnehin bekommen wirst, wenn auch über einige bürokratische Umwege, was erwartest du dann vom Vorschlag einer operativen Zusammenarbeit? Hast du dir vorgestellt, daß ich losmarschiere und im Dienst Ihrer Majestät ein paar Leute ermorde?«

»Nun ja, etwas in der Richtung«, entgegnete Sir Geoffrey mit einem übertrieben breiten Lächeln.

»Du mußt meschugge sein«, sagte Carl und blickte wieder verzweifelt zu den streitenden Schotten hin. Er hörte etwas von verschiedenen Marken. Bowmore, verdammt! Cragganmore! Laphroaig ist zu hell und zu rauchig! Knockando, ich sage es nur noch einmal, Knockando!«

»Eine operative Zusammenarbeit, wie gesagt«, wiederholte Sir Geoffrey still und rückte zerstreut seine Smokingfliege zurecht.

»Ich nehme an, daß unsere Begegnung hier kein Zufall ist«, sagte Carl, um das Thema zu wechseln.

»Nein, ganz und gar nicht. Ich hörte von Lord Hamilton, daß du herkommen würdest. Wir kennen uns nämlich, und ich wurde sofort eingeladen, als ich darum bat.«

»Verstehe«, sagte Carl ohne Begeisterung. »Und jetzt möchtest du über eine operative Zusammenarbeit sprechen, und das ganz zwanglos bei einem Essen?«

»So etwas in der Art. Na ja, ich sehe ein, daß wir ein paar formelle Dinge regeln müssen, wenn es dazu kommen soll. Es wäre aber trotzdem recht praktisch, wenn du deinen Standpunkt darlegen würdest. Letztlich dürftest du doch derjenige sein, der für die operative Planung auf schwedischer Seite zuständig ist.«

»Ja«, sagte Carl. »Da hast du nicht ganz unrecht. Erzähl mir, was du für Ideen hast, dann werde ich sie rezensieren.«

»Und alles, was gesagt wird, bleibt bis auf weiteres unter uns?«

»Sei nicht kindisch, Geoff. Raus damit. Welche Wünsche hat Ihre Majestät, das heißt du selbst?«

»Zwei Dinge. Erstens möchte ich, daß du für uns in Moskau einen hochgestellten Agenten anwirbst.«

Carl blickte Sir Geoffrey forschend an, um herauszubekommen, ob dieser Vorschlag ein Beispiel des sehr speziellen englischen Humors war oder nur der schiere Wahnsinn. Sir Geoffrey sah konzentriert und ernst aus.

»Das nenne ich ein ziemlich ehrgeiziges Vorhaben«, sagte Carl mit einem Versuch, wie Tessie das englische Englisch zu parodieren. Sir Geoffrey ließ jedoch nicht mal den Anflug eines Lächelns erkennen.

»Ich nehme an, du möchtest gern ein paar Erläuterungen des Hintergrunds hören«, erwiderte er.

»Ja, bitte, das wäre fabelhaft«, sagte Carl.

Sir Geoffrey zupfte eine nicht vorhandene Falte an seinem Hosenbein zurecht, zündete erneut seine erloschene Zigarre an und schien darüber nachzudenken, wie er seinen Vorschlag erläutern sollte. Er ließ sich viel Zeit. Doch dann erklärte er die Lage schnell, effektiv und logisch.

»Die MRO-Akte benennt die gesamte neue Führung der russischen Streitkräfte mit ihren jeweiligen Positionen. Wenn wir zum Originalmaterial Zugang bekämen, ohne daß die Amerikaner es vorher waschen, könnten wir außerdem vermutlich eine ganze Menge über die gegenwärtigen internen Streitigkeiten erfahren, nicht zuletzt beim militärischen Nachrichtendienst der Russen. Und wenn wir uns Klarheit verschaffen können, wie diese Konflikte aussehen, könnten wir verstehen, weshalb die Russen zu der altertümlichen Methode zurückgekehrt sind, sich ihrem Ziel mit Meuchelmorden zu nähern.

Das ist der erste Punkt.

Ferner ist es einfach, eine Reihe fundierter Vermutungen über die Herkunft des Materials anzustellen. Erstens ist es schwedischen Ursprungs, zweitens handelt es sich um einen Datendiebstahl, den vermutlich größten in der Geschichte der Spionage. Drittens ist es dann relativ leicht auszurechnen, *welcher* Schwede dahintersteckte, natürlich du selbst.

Viertens, und jetzt wird es langsam ernst, muß man davon ausgehen, daß es dir nicht hätte gelingen können, ein so umfangreiches Material zu stehlen, wenn du beim russischen Nachrichtendienst nicht die Hilfe einer strategisch und zentral plazierten Quelle gehabt hättest. Und ich kann mir vorstellen, daß diese Quelle eine recht kritische Einstellung zu dem Vorgehen dieser Todesschwadronen in London hat. Folglich müßte es möglich sein, diesen Mann im Interesse des Weltfriedens und für die Zukunft sowohl Rußlands als auch Großbritanniens anzuwerben.«

Sir Geoffrey lehnte sich mit einem Blick zurück, der keinen Zweifel daran ließ, daß er sehr von sich überzeugt war. Dennoch sagte er:

»War das bis dahin nicht schon ganz gut?«

»Gar nicht übel, wirklich nicht übel«, gab Carl widerwillig zu. »Natürlich ist so eine Operation nicht zwangsläufig erfolgreich. Aber es liegt eine gewisse Logik darin, zumindest einen Versuch zu wagen.«

»Nachdem wir zur Downing Street Nummer 10 gegangen sind, um jede Menge Politiker in das Vorhaben einzuweihen?«

»In etwa. Nachdem wir jede Menge Politiker in die Sache hereingezogen haben. Ich habe die Vorstellung, daß man dieses System Demokratie nennt. Und gerade dieses Systems wegen stellen die Steuerzahler Figuren wie dich und mich ein. Und welche hypothetische operative Zusammenarbeit möchtest du sonst noch mit mir besprechen?«

»Nun ja ...«, sagte Sir Geoffrey mit einem leichten Zögern. »Ich hatte mir gedacht, daß du selbst darüber nachdenken solltest, alter Junge.«

»Auf welchem Gebiet denn?« fragte Carl schnell.

»Was die kleine Unannehmlichkeit in unserer Rüstungsindustrie betrifft. Ich meine, mal abgesehen von den Politikern und allen anderen Bossen, die dieser Anwerbungsoperation im Weg stehen könnten, ist so etwas ja schon auf dem Zeichentisch schwierig. Und wenn wir einen weniger ehrgeizigen Plan wählen sollten, müßte es uns gelingen, eine Möglichkeit zu finden, diese russischen Spezialisten für nasse Jobs sozusagen auf frischer Tat zu ertappen.«

»Ich dachte, das wäre ein Job für Special Branch oder möglicherweise das MI 5«, entgegnete Carl mißbilligend.

»Soso, wir wollen doch nicht übertrieben förmlich sein. Denk doch nur daran, daß Special Branch eine Menge lästiger Gesetze zu befolgen hat, und das MI 5 hat immerhin eine Chefin namens Stella Rimington.«

»Jaa? Und?« sagte Carl mit fragender Miene. »Sie heißt also Stella Rimington. Und was hat das mit der Sache zu tun?«

»Wie der Name belegt, ist Stella Rimington eine Frau«, flüsterte Sir Geoffrey theatralisch und geheimnisvoll.

»Aber ja, natürlich, daran habe ich nicht gedacht. Das Geschlecht des Chefs der Sicherheitspolizei hat natürlich eine absolut entscheidende Bedeutung für das Wohl des Landes. Teufel auch, daß ich daran nicht gedacht habe.«

»Du beliebst ironisch zu sein, verehrter Freund?«

»Mit deiner Erlaubnis – ja!«

»Nun, dann will ich einen neuen Versuch machen, die Lage zu beschreiben. Dann werden wir ja sehen, ob du ein paar Ideen dazu hast.«

»Ausgezeichnet, Geoff. Dann beschreib sie nur!«

Sir Geoffrey sammelte sich erneut für einen konzentrierten Vortrag. Carl hoffte, daß dieser nicht so überzeugend sein möge wie der erste.

Doch er wurde es, beinahe.

»All diese inszenierten Selbstmorde scheinen ein bestimmtes Ziel zu haben. Es geht um Computeranalysen bei der Marine, besonders um solche, die mit U-Booten oder Torpedos, die für U-Boote bestimmt sind, zu tun haben. Wenn es beispielsweise gelingen könnte, sagen wir bei Marconi Naval Systems jemanden unterzubringen und ihn an simulierten Computerprogrammen arbeiten zu lassen, die etwas mit U-Booten zu tun haben, würde dieser Jemand ohne Zweifel schnell zum Anwärter auf einen eventuellen Selbstmord werden. Das Problem besteht darin ...«

»Ich sehe das Problem«, unterbrach ihn Carl. »Sind einige dieser Selbstmorde mit Gift erfolgt, einem Gift etwa, das eine Atemlähmung verursacht?«

»Nein, soviel ich weiß, ist das nicht der Fall«, sagte Sir Geoffrey zögernd, während er nachdachte. »Nein, ich glaube sogar, daß wir diese Möglichkeit ausschließen können. Mehrere Personen haben sich zwar zu Tode geatmet. Sie sind entweder ertrunken oder haben zuviel Kohlenmonoxid eingeatmet. Nein, die Variante eines

Gifts, das zu Atemlähmungen führt, können wir wohl ausschließen.«

»Gut«, sagte Carl. »Aber das alles müßten wir später noch näher untersuchen. Du stellst dir also einen EDV-Techniker vor, der nicht so wehrlos ist wie andere.«

»Ja, Himmel, genau das stelle ich mir vor.«

»Und solche Leute habt ihr nicht?«

»Nein, aber ihr. Du bist einer davon.«

»Das wäre aber nicht sehr diskret, verehrter Freund.«

»Nein, ich weiß. Aber, wie meine Frau sagt, wenn wir im Herbst Wiesenchampignons pflücken: Wenn es einen gibt, gibt es noch mehr davon!«

»Na schön«, sagte Carl, »ich gebe mich geschlagen. Wenn du John Major dazu bringst, zu Carl Bildt zu gehen, damit die schwedische Regierung ihren Nachrichtendienst beauftragt, mit dir Tango zu tanzen, wird was aus der Sache. Ihr gewinnt, und uns befiehlt man, in den Kampf zu ziehen. Und es gibt nicht das mindeste, was ich dagegen tun könnte. Falls dir das ein Trost ist.«

»Aber ja«, sagte Sir Geoffrey schnell. »Bislang machst du keinen sehr begeisterten Eindruck.«

»Wie gesagt, du dürftest gewinnen, Geoff. Ich kann mir nicht vorstellen, daß mein lieber Premierminister der Versuchung widerstehen kann, von seinem britischen Parteifreund eine Medaille umgehängt zu bekommen. Mit Sicherheit nicht! Wir werden wahrscheinlich einen Lockvogel unterbringen, einen Schweden, der als Amerikaner auftritt, den niemand in ganz England von einem richtigen Amerikaner unterscheiden kann ...«

»Wie etwa du selbst!« unterbrach Sir Geoffrey.

»Ja, wie ich, aber um mich handelt es sich dabei eben nicht«, fuhr Carl mit einer irritierten kleinen Falte auf der Stirn fort. »Diese Anforderung wird erfüllt werden. Es wird ein echter Computertechniker auftauchen, der alles kann, was die anderen können, vielleicht sogar besser, wenn es zufällig um die schwedische Spezialität U-Boote geht. Es wird aber ein Computertechniker sein, der sich nicht ohne weiteres selbstmorden läßt, sondern einer, der die Mörder tötet, wenn sie es bei ihm versuchen. Denn das ist es doch, was du dir wünschst?«

»Etwas in der Richtung, ja«, sagte Sir Geoffrey zufrieden grinsend. Er war dabei, den Fisch an Land zu ziehen. »Aber dann haben wir ja noch das Problem der bürokratischen Verzögerung ...«, fuhr er vielsagend fort.

»Du meinst die demokratischen Umwege und derlei?« fragte Carl.

»Ja, genau das habe ich gemeint.«

»Nun, ich habe schon daran gedacht, als du mir von deinen Plänen erzähltest und mir klar wurde, daß wir am Ende doch zusammenarbeiten werden. Wir könnten den Prozeß beschleunigen.«

»Hört sich verdammt gut an. Gibt es etwas, womit ich dir helfen kann?«

»Ja!« entgegnete Carl konzentriert. »Du kannst bei deinen amerikanischen Vettern eine Legende anfordern. Eine Identität mit einem Hintergrund an der University of California in San Diego, eine Person italienischer Herkunft und einem Master of Science in Computerwissenschaft als Hauptfach, Spezialität Software. Du besorgst eine solche Identität, ich liefere dafür einen Mann, der die Anforderungen erfüllt. Und den setzen wir in Gang, bevor unsere Politiker sich einig geworden sind, und zwar als eine Art schlafenden Agenten. Wir bewaffnen ihn, wenn die Politiker ihr Okay geben. Was sagst du dazu?«

»Fabelhafte Idee«, sagte Sir Geoffrey und sog ein letztes Mal genußvoll an seiner Zigarre, die er anschließend ausdrückte.

»Wie unsere amerikanischen Vettern zu sagen pflegen«, fuhr er fort, als er sich langsam erhob. »Ruf uns nicht an, wir melden uns bei euch. Ich glaube, ich gehe jetzt zu diesen Schotten da hinten. Mal sehen, ob man diesem Whisky-Gequatsche nicht ein Ende machen kann.«

Carl sah ihm nach, als der Mann sich mit heiter federndem Gang der streitenden Runde am anderen Ende des Salons näherte.

Dann betrachtete er seinen Kilt und seinen *sporran* aus echtem Seehundfell, der sich auf Kilt und Männlichkeit schlaff zur Ruhe begeben hatte.

Jetzt ist es mit der Komödie vorbei, dachte er.

4

Der Tag, an dem Carl vom Ministerpräsidenten des Landes entlassen wurde, begann mit einer Reihe von Irritationsmomenten. Carl und Tessie waren spät in der Sommernacht nach Hause gekommen und hatten zahlreiche Faxe vorgefunden. Es war ein Durcheinander aus Mitteilungen des Generalstabs und aus Rosenbad, er solle sich melden; der Ministerpräsident suchte ihn, Samuel Ulfsson suchte ihn, der Oberbefehlshaber suchte ihn. Und alle bedienten sich einer gereizten Tonlage.

Carl hatte versucht, die Rouladen im Fax mit einem Scherz als Bagatellen abzutun und zu Tessie gesagt, im Grunde gehe es nur um eines, nämlich daß der Ministerpräsident wegen dieser Sache mit Arafat stinksauer sei. Der Regierungschef wolle ihn bei lebendigem Leibe häuten, und Sam und der Oberbefehlshaber seien nur losgeschickt worden, um beim Aufspüren des Verräters zu helfen. Jedenfalls sei es nichts, worum er sich mitten in der Nacht kümmern müsse. Das habe bis morgen Zeit. Doch als sie sich schlafen legten, dachten sie nicht daran, den Telefonstecker herauszuziehen. Sie waren nach der langen Autoreise und einer unruhigen Überfahrt in einer stickigen kleinen Schiffskabine zu erschöpft.

Der erste Anruf kam um kurz vor sieben am Morgen. Es war der Oberbefehlshaber, der ohne nähere Erklärungen Carl beorderte, sich zu einer Stabskonferenz einzufinden, »sobald du oben beim Ministerpräsidenten gewesen bist«. Carl brummte, er werde natürlich kommen, vorausgesetzt, der Regierungschef lasse ihn nicht vorher köpfen, denn Hamiltons pflegten so zu enden. Der Scherz amüsierte den Oberbefehlshaber jedoch nicht im mindesten.

Möglicherweise wäre Carl wieder eingeschlafen, wenn Samuel Ulfsson nicht angerufen hätte, der Carl nach dem Treffen beim Oberbefehlshaber zu sehen wünschte. Es gehe unter anderen um bestimmte Konsequenzen der Operation Baltic Rescue. Ja, es sei gut gelaufen, doch es gebe noch einige schwierige Fragen zu klären. Carl erwiderte, er werde sich gern einfinden, vorausgesetzt natürlich, er komme bei lebendigem Leibe sowohl beim Ministerpräsidenten als auch beim Oberbefehlshaber davon. Sam lachte sogar. Er hörte sich an, als wäre er guter Laune, und sagte, es werde den Streitkräften sicher gelingen, Carl nach dem Besuch in Rosenbad wiederherzustellen. Alle Beteiligten würden wohl mit dem zufrieden sein, was dort oben beim Regierungschef vermutlich geschehen werde.

Carl machte einen letzten Versuch, wieder einzuschlafen. Dann kam ein Anruf von der Sicherheitspolizei. Ein merklich nervöser Kommissar teilte mit, sie hätten Anweisung, Carl um acht Uhr dreißig abzuholen und nach Rosenbad zu bringen. Sie hätten einen schußsicheren Wagen und zwei Schutzwachen. Carl werde gebeten, seine Dienstwaffe mitzunehmen. Es gebe nämlich Hinweise auf eine Bedrohung – nicht schon wieder, dachte Carl –, und zwar auf ein bevorstehendes arabisches Attentat gegen Carl oder aber das Außenministerium.

Inzwischen war Carl hellwach und wütend. Er stand auf, zog sich einen Trainingsanzug an und ging hinaus, um eine Runde zu laufen. Er wollte seine Aggressionen loswerden. Es war wichtig, daß er beim Ministerpräsidenten nicht wütend wurde.

Er lief fast eine Dreiviertelstunde in vorsichtigem Tempo. Das war bedeutend mehr Zeit, als er sonst für seine Zehn-Kilometer-Runde brauchte. Als er zurückkam, war Tessie schon in der Küche. Sie preßte gerade ein paar Apfelsinen aus. Das Telefon hatte unaufhörlich geläutet, und er fand drei Telefonzettel mit angeblich besonders wichtigen Anrufen vor. Bei allen ging es um ein und dieselbe Sache. Die Nummern gehörten verschiedenen kleinen Beratern des Regierungschefs, die nur darin wetteiferten, wer ihn als erster zu fassen bekam. Carl trank den Apfelsinensaft mit einem Zug aus und entschied sich für den Telefonzettel, der alphabetisch der erste war, und rief an.

»Kanzlei des Ministerpräsidenten, von Vieandt«, hieß es am anderen Ende.

Es dauerte eine Sekunde, bis Carl den Namen buchstabiert vor sich sah und erkannte, daß die Ähnlichkeit mit *fjant* (Schnösel) vielleicht stimmte, aber kein Eingeständnis war.

»Hier Carl Hamilton«, sagte er düster.

Anschließend wurde er von dem jungen Schnösel heruntergeputzt, der im Namen des Ministerpräsidenten, höchst anmaßend jedoch, seiner Entrüstung darüber Ausdruck gab, daß Carl sich nicht gemeldet und keine Mitteilung hinterlassen habe, wie man ihn erreichen könne. Das sei *beispiellos*.

Carl war überzeugt, daß er den Regierungschef in anderthalb Stunden ebenfalls *beispiellos* sagen hören würde, wenn sie sich trafen. Er kanzelte den jungen Berater mit der Bemerkung ab, es sei wohl am passendsten, das Anschnauzen dem Ministerpräsidenten zu überlassen. Dies nicht zuletzt im Hinblick auf bestimmte Rangunterschiede zwischen einem jungen Berater und einem Flottillenadmiral. Dann legte er ohne jede Aggression auf.

»Was ist mit denen los? Ich habe den Eindruck, daß du einen Trupp mit Lassos auf den Fersen hast. Wollen sie dich bei Sonnenuntergang hängen?« fragte Tessie fröhlich.

»Könnte durchaus möglich sein«, sagte Carl in einem Versuch, englisches Englisch zu sprechen. Tessie korrigierte ihn sofort und formulierte die Replik so, daß sie vom Herzog persönlich hätte stammen können.

Carl zog seine Uniform an. Zum einen erschien ihm das passend, falls man ihn vor ein Kriegsgericht stellen wollte, zum andern, weil die Uniformjacke nicht maßgeschneidert war wie seine Anzüge und er eine Waffe im Schulterholster leichter verbergen konnte. Tessie hob erstaunt die Augenbrauen, als sie sah, wie er in Hemdsärmeln dastand und sich das Schulterholster umschnürte. Dann schob er ein Magazin in seine Beretta, sicherte die Waffe und steckte sie ein.

»Du hast doch nicht etwa vor, den Ministerpräsidenten zu erschießen?« fragte sie und warf den Kopf in den Nacken.

»Nein, nein, nein, ich werde nur Palästinenser erschießen. Die Sicherheitspolizei des Königreichs Schweden hat in ihrer unerforschlichen Weisheit nämlich herausgefunden, daß die Palästinenser mich erschießen wollen, weil ich die Palästinensische Ehrenlegion bekommen habe. Ich habe Anweisung erhalten, mich zu bewaffnen, und außerdem werde ich gleich von zwei Leibwächtern abgeholt«, erklärte er und sah aus dem Fenster. »Ihr Wagen ist schon da. Ein Volvo mit schußsicherem Glas und gepanzertem Blech. Das Ding wiegt fast zwei Tonnen, glaube ich.«

»Wie es scheint, will der Ministerpräsident dich lebend haben«, erwiderte Tessie ironisch.

»Ja, sieht so aus«, sagte er, umarmte sie und küßte sie auf die Stirn. »Ich rufe an, sobald ich die erste Hinrichtung hinter mir habe. Dann muß ich zum Stab und dann wieder nach Hause.«

»Kaufst du auf dem Rückweg ein? Wir haben kaum etwas da.«

»Ja, vielleicht etwas gegrillten Fisch und dann natürlich amerikanische Zeitungen.«

Er zwängte sich schnell in sein Jackett, setzte die Uniformmütze auf, salutierte lässig, zwinkerte ihr zu und ging zu dem wartenden Wagen hinaus.

Als er seine Leibwächter entdeckte, stöhnte er leicht auf. Trotz des bedeckten Morgens trugen beide eine Sonnenbrille. Einer von ihnen kaute Kaugummi, der andere hatte sich ein Streichholz in den Mundwinkel gesteckt. Carl seufzte leise vor sich hin.

»Guten Morgen, Männer!« sagte er laut. »Ihr sollt mich also unter Einsatz eures Lebens zum Rosenbad eskortieren. Fahrt nur vorsichtig.«

Er gab ihnen schnell die Hand, setzte sich auf den Rücksitz und schlug demonstrativ eine der beiden Morgenzeitungen auf, die dort lagen.

»Was hältst du von diesen Bombardements?« fragte der Fahrer nach einer Weile. Er meinte die Nachricht, die in beiden Blättern stand: Israel hatte große Gebiete im Südlibanon bombardiert, »um die Hisbollah-Guerilleros zu isolieren«. Den westlichen Nachrichtenagenturen zufolge waren dabei siebenundsiebzig Menschen ums Leben gekommen dreihunderttausend befanden sich auf einer wilden und chaotischen Flucht.

»Ich glaube, daß diese Nachricht ziemlich schnell vergessen sein wird. In einem Jahr würdet ihr euch nicht mal daran erinnern, daß wir heute darüber gesprochen haben. Es sind ja nur Araber«, sagte Carl in einem neutralen Tonfall.

»Du glaubst, daß wir in der Firma Araber nicht mögen, was?« fuhr der Fahrer, der Mann mit dem Streichholz im Mund, vorsichtig fort.

»Nein, das glaube ich nicht. Ich weiß übrigens, daß es nicht so ist. Aber das habe ich nicht gemeint«, entgegnete Carl. »Ich habe folgendes gemeint: In überschaubarer Zukunft wird die westliche Welt sich mit Todesopfern in Jugoslawien beschäftigen. In unserem Teil der Welt konzentrieren wir uns nämlich jeweils nur auf eine Art Todesopfer zur Zeit. So und so viele Tote und so und so viele auf der Flucht in Sarajewo, und es hätte UNO-Einsätze mit Gewalt gegeben.«

Aus irgendeinem Grund nahm seine Antwort dem Mann am Lenkrad offenbar die Lust weiterzusprechen. Danach wurde nichts mehr gesagt, bis sie vor Rosenbad ankamen.

Carl wartete. Die beiden hatten wieder ihre Sonnenbrillen aufgesetzt und damit angekündigt, daß sie jetzt zu agieren gedachten. Sie verließen den Wagen und »spähten« eine Zeitlang mit wütenden Mienen. Dann gingen sie gleichzeitig auf den Bürgersteig zur hinteren Seitentür, machten sie auf und gaben Carl auf der Treppe zu der großen Tür aus Stahl und Panzerglas »Deckung«.

»Endlich gerettet«, seufzte er erleichtert, als sie durch die Tür schritten. Er begrüßte den ABAB-Posten und machte die Säpo mit einer Handbewegung auf seine beiden Begleiter aufmerksam. Mit einem kurzen Kopfnicken wurden sie durch den nächsten Durchgang eingelassen und gingen zu den Fahrstühlen.

Bevor sie einen davon betraten, klopfte Carl vorsichtig an die Seitentür des Wachhäuschens, und als die erstaunte Wachfrau aufmachte, trat Carl ein, zog das Jackett aus und löste sein Schulterholster. Er rollte es um die Waffe, die er der Frau überreichte.

»Hole ich wieder ab, wenn ich gehe. Ich mag es nicht, wenn sich oben beim Ministerpräsidenten zu viele Waffen befinden«, erklärte er, nickte und ging dann zur Fahrstuhltür, die einer der Polizeibeamten schon für ihn aufhielt.

»Warum hast du deine Waffe abgenommen?« fragte der Mann mit dem Kaugummi, der außer seiner gegrunzten Begrüßung bis jetzt nichts gesagt hatte.

»Weil Waffen gefährlich sind«, erwiderte Carl in unergründlichem Ton. »Beim Ministerpräsidenten brauche ich jedenfalls keine 9-mm-Munition, wie ich annehme.«

»Du hast keine Sig-Sauer, nicht wahr?« fragte der Kaugummimann mit plötzlich aufblitzendem Interesse in den Augen.

»Nein, eine Beretta 92. Ich glaube, die sind ungefähr ebenbürtig. Es ist eine Frage, woran man gewöhnt ist«, erwiderte Carl väterlich.

Auf dem Weg hinauf sah Carl auf die Uhr. Es waren noch sieben Minuten bis zum festgesetzten Treffen mit dem Ministerpräsidenten. Er beschloß, noch schnell in sein Büro zu gehen, und erklärte seinen Leibwächtern, sie könnten bei ihm warten, bis es Zeit sei, die Expedition des Tages fortzusetzen.

Sein Zimmer war abgeschlossen, was Carl nicht erstaunte. Hingegen störte es ihn, daß sein Schlüssel nicht paßte.

»Das Schloß scheint ein bißchen zu klemmen«, erklärte er und zog seine Einbruchsinstrumente in Form eines Schweizer Armeemessers aus der Tasche. Während er am Schloß herumfummelte, fiel ihm auf, daß sein Verhalten für die neugierigen Männer hinter seinem Rücken ein wenig eigenartig aussehen mußte. Immerhin waren sie so etwas wie Polizisten. Als er das Schloß aufbekam und eintrat, sah er, was er erwartet hatte. Die Möbel waren noch da, sogar das überlange Sofa des längst verstorbenen, sehr hochgewachsenen sozialdemokratischen Ministerpräsidenten. Dafür waren sämtliche Papiere verschwunden, alle Bücherregale geleert und sogar den PC hatte man entfernt. Auf der Fensterbank standen zwei tote, vertrocknete Topfpflanzen. Die beiden Polizisten, die ihm natürlich gefolgt waren, nickten nachdenklich.

»Jaja«, sagte Carl. »So kann es uns allen in diesem Leben ergehen. Das da ist Tage Erlanders altes Sofa. Ihr könnt darauf warten, während ich zu dem jetzigen Ministerpräsidenten hineingehe und die schockierende Nachricht verdaue, daß man mein Zimmer ausgeräumt hat.«

»Wie zum Teufel hast du das Schloß so schnell aufbekommen?« fragte der Mann mit dem Streichholz, der nicht einmal verbergen konnte, daß ihm der Einbruch gefallen hatte.

»Übliches schwedisches Standardschloß. Man findet die Dinger im ganzen Hause«, sagte Carl, zwinkerte und ging rasch hinaus. Er ging schnell den Korridor entlang und bog um die Ecke, um auf dem langen Flur zur Abteilung des Ministerpräsidenten zu gehen. Plötzlich fiel ihm etwas aus Strindbergs »Traumspiel« ein. Das Senknetz, das grüne Senknetz. Der Mann, der sich nach dem Senknetz gesehnt hatte und es schließlich bekam, sagte, es sei zwar *grün*, aber es sei eben nicht *das* Grün, das er sich gedacht habe. So war es. Carl hatte sich schon darauf gefreut, einen Tritt zu bekommen und heruntergeputzt zu werden. Jetzt war er unterwegs. Doch es würde nicht so viel Spaß machen, wie er sich gedacht hatte; Sir Geoffrey stand im Weg.

Als Carl das Zimmer des Pressesekretärs passiert hatte, entdeckte er zu seiner Erleichterung, daß die Tür geschlossen war. Jetzt war nicht der richtige Moment, sich mit einem Pressesekretär zu unterhalten. An dieser Stelle war der Korridor von einer Tür aus Stahl und Panzerglas verschlossen. Carl steckte seinen Ausweis in das Codeschloß, wählte den Code und entdeckte zu seinem Erstaunen, daß er immer noch funktionierte. Dann ging er rund zehn Meter weiter, bis er nach links ins Wartezimmer abbiegen mußte, in dem der große Gummibaum vor der offenen Tür der Sekretärin stand. Er klopfte absichtlich an die offene Tür, und nahm die Uniformmütze ab.

»Richte dem *Capo di tutti capi* aus, daß der Delinquent da ist«, sagte er finster.

»Wie bitte?« sagte die Sekretärin.

»Könntest du Kalle netterweise sagen, daß ich jetzt da bin?« erklärte er.

Sie verschwand mit einem anzüglichen Lächeln in die hinteren Regionen, und Carl sank auf das kleine Besuchersofa. Er grübelte eine Zeitlang über den zweifelsohne bevorstehenden Auftrag in London nach. Es war beinahe sicher, daß die Operation realisiert werden würde. Die Anwerbung Jurij Tschiwartschews als westlicher Agent hingegen war in höchstem Maße unsicher. Tschiwartschew war Carls einziger Kontakt auf genügend hoher Ebene in Moskau, der einzige, der überhaupt in Frage kam.

Was das Unternehmen in London anging, mußten sie sämtlicher Polizeiakten einsehen und sämtliche Obduktionsberichte. Sie mußten verstehen, wie die Mörder vorgegangen waren. Offenbar hatten sich die Täter nur minimaler Gewalt bedient, was heißen könnte, daß sie den Opfern gedroht hatten, beispielsweise mit Schußwaffen. Wenn jemand jedoch in weniger als eineinhalb Meter Entfernung eine Pistole auf Luigi richtete, würde er nicht überleben. Der Kern des bisher kaum zu Ende gedachten Plans war tatsächlich einfach. Die Täter hatten wehrlose Menschen ermordet. Luigi war das genaue Gegenteil von wehrlos. Noch bevor der Tag zu Ende war, würde Carl sich bei Sam im Generalstab befinden und die Planung der bevorstehenden Operation schon in Angriff genommen haben; vermutlich hatte man die Sachen aus seinem Dienstzimmer schon dorthin geschickt.

»Carl kann dich jetzt empfangen«, sagte die Sekretärin, die auf ihn zugegangen war, ohne daß er es bemerkt hatte.

»Dann wollen wir mal sehen«, sagte Carl munter und kampfeslustig. Er ging zu dem inneren Konferenzraum, dem Arbeitszimmer des Ministerpräsidenten, und klopfte an die Tür. Nichts geschah. Er klopfte noch mal. Immer noch keine Wirkung. Er machte auf dem Absatz kehrt und ging mit langen Schritten zur Sekretärin zurück.

»Sie hören nicht, daß ich anklopfe. Sei so nett und ruf Kalle an und sag ihm, daß ich anklopfe«, sagte er höflich.

Sie sah ihn fragend an, zögerte, hob dann aber den Hörer ab und wählte die Durchwahlnummer zum Regierungschef.

»Ja, also … Flottillenadmiral Hamilton ist jetzt da«, sagte sie zögernd. »Ja, das werde ich ihm sagen«, fügte sie nach einigen Augenblicken hinzu. »Du kannst jetzt reingehen.«

»Danke«, sagte Carl und ging zurück zu der gegen Klopfzeichen tauben Tür und hob die Hand. In dem Moment stand der Pressesekretär des Ministerpräsidenten, Sir Hiss, wie er im Regierungsgebäude genannt wurde, vor Carl. Er hatte die Tür aufgemacht und hätte um ein Haar etwas auf die Nase bekommen.

»Hallo. *Long time no see*. Komm rein«, sagte der Pressesekretär.

Außer dem Regierungschef befand sich noch der Staatssekretär im Raum, der wie ein blutarmer Nationalökonom aussah. Der Ministerpräsident saß hinter seinem Schreibtisch. Seine zwei Gehilfen hatten offenbar auf dem hellblauen Sofa inmitten der großblättrigen Topfpflanzen gesessen. Vor dem Schreibtisch des Regierungschefs stand demonstrativ ein Besucherstuhl. Carl grüßte kurz und stellte sich neben den Stuhl. Er war sich bewußt, daß er sich erst setzen durfte, wenn er dazu aufgefordert worden war.

»Guten Morgen, Herr Ministerpräsident. Morgenstunde hat Gold im Munde«, begann er fröhlich.

»Oho«, sagte der Ministerpräsident, dem es nicht gelang, den Anflug eines Lächelns zu verbergen, »jetzt wollen wir weder übertrieben förmlich noch übertrieben munter sein. Es geht ja schließlich um eine recht ernste Angelegenheit.«

»Ja, es scheint so, wenn ich an all die Faxe in unserem fröhlichen Urlaub denke«, gab Carl zurück. Er war jetzt der einzige, der stand.

»Es ist außerordentlich unangenehm«, fuhr der Ministerpräsident fort und machte dann eine kurze Pause. »Wenn Beamte beim Nachrichtendienst des Landes sich in den Kopf setzen, auf eigene Faust Außenpolitik zu betreiben.«

»Das scheint mir eine unumstößliche Schlußfolgerung zu sein«, stellte Carl fest und konzentrierte sich darauf, nicht den leisesten Anflug eines Lächelns zu zeigen.

»Vielleicht möchtest du dich erst mal setzen«, kapitulierte der Ministerpräsident.

»Danke«, sagte Carl, setzte sich und schlug die Beine übereinander. Die Uniformmütze legte er auf den Fußboden neben dem Stuhl.

»Du bist also in Tunis gewesen und hast eine Art Auszeichnung erhalten, die, wenn ich die Sache richtig verstanden habe, sogenannte Palästinensische Ehrenlegion, oder wie das Ding heißt«, bemerkte der Ministerpräsident.

»Ja. Ich glaube, es wurde sogar im Fernsehen gezeigt«, erwiderte Carl, ohne eine Miene zu verziehen.

»Eins kann ich nicht verstehen. Ich meine, ich habe ja keinerlei Grund, an deinem Verstand zu zweifeln. Aber wie konntest du nur darauf verfallen, etwas so Beispielloses zu tun«, fuhr der Ministerpräsident fort.

»Ich habe mich gefreut und fühlte mich geschmeichelt, nehme ich an«, erwiderte Carl mit eiserner Mimik.

Der Ministerpräsident kämpfte kurz mit sich. Es sah aus, als würde er gleich loslachen oder auch, was genauso unpassend wäre, wütend werden.

»Durch dein Handeln ist ohne Zweifel Information geheimer Natur enthüllt worden«, sagte der Ministerpräsident hart.

»Du meinst die palästinensische Teilnahme an der Operation Green Dragon?« fragte Carl verblüfft.

»So könnte man es zusammenfassen«, sagte der Ministerpräsident trocken, der sich wieder vollständig in der Gewalt hatte.

»Ich kann nur nicht verstehen, warum diese Information geheim sein soll ... Ich meine, geheim für wen?« sagte Carl und tat, als grübelte er. »Nicht für uns, nicht für die Amerikaner, nicht für die Palästinenser und wahrscheinlich auch nicht für die Russen. Wem also sollte die palästinensische Beteiligung unbekannt gewesen sein?«

»Stell dich nicht dumm. Fast hätte ich gesagt, stell dich nicht dümmer, als du bist, aber das wäre wohl ein bißchen viel gewesen«, erklärte der Ministerpräsident mißmutig.

»Aha!« sagte Carl plötzlich mit Begeisterung. »Das schwedische Volk hat nichts davon gewußt. Verdammt, daß ich daran nicht gedacht habe!«

Carl versuchte sich den Anschein zu geben, als hätte er so etwas wie eine göttliche Eingebung bekommen. Er nickte nachdenklich. Seine Ironie war an der Grenze zur Offenkundigkeit, doch nur an der Grenze. Der Ministerpräsident entschied sich dafür, lieber auf ein anderes Gleis zu wechseln, als Carl wegen ungehörigen Betragens abzukanzeln.

»Es dürfte dir immerhin bekannt sein, daß ein schwedischer Offizier von einem fremden Staat nicht einfach Auszeichnungen entgegennehmen darf, ohne zuvor die Genehmigung der Regierung oder, weniger formell, meine Billigung einzuholen«, sagte der Ministerpräsident angriffslustig.

»Ich hatte keine Ahnung, daß du die PLO als einen Staat ansiehst oder Jassir Arafat als einen Staatschef«, erwiderte Carl blitzschnell, da es eine seiner im voraus zurechtgelegten Repliken war.

»Könnten wir vielleicht mit diesem Theater aufhören?« fragte der Ministerpräsident fast flehentlich.

»Von mir aus gern«, erwiderte Carl. »Du hast uns zur amerikanischen Botschaft geschleppt, zu dieser komischen Medaillenverleihung. Du hast den Amerikanern bei ihrer Propaganda geholfen. Die Palästinenser wurden stinkwütend und haben den Trick wiederholt. Und die Palästinensische Ehrenlegion und nicht die *sogenannte* Palästinensische Ehrenlegion ist in meinen Augen wohlverdienter als das Navy Cross, wenn du entschuldigst.«

»Das nenne ich ein offenes Wort«, stellte der Ministerpräsident fest. Er nahm die Brille ab und putzte sie demonstrativ in Richtung des grünlichen Lichts, das von den Panzerglasscheiben in den Raum sickerte.

»Ja, das war es«, bestätigte Carl. »Ich nehme an, daß du nicht vorhast, mich vor Gericht zu stellen. Wir haben trotz allem bald ein Wahljahr. Was also sollen wir tun?«

Der Ministerpräsident beherrschte sich und dachte nach, bevor er antwortete.

»Du hast vollkommen recht«, sagte er gedehnt. »Ich habe nicht vor, dich vor Gericht zu stellen, obwohl die Juristen des Hauses eine Menge drakonischer Maßnahmen vorgeschlagen haben. Der Grund, daß ich nicht an eine solche Bestrafung denke, ist aber nicht der, den du auf deine feinfühlige Art angedeutet hast. Der Grund ist sehr einfach. Du hast uns als Offizier beim Nachrichtendienst außerordentliche Dienste erwiesen. Ich wäre der letzte, der das leugnet. Aber wenn es nun mal so ist, daß wir beide uns nicht mögen, du und ich? Oder wenn du mich nicht respektierst – eine Befürchtung, zu der ich durchaus Anlaß habe? Dann wäre es nicht sehr klug, unsere Zusammenarbeit fortzusetzen, nicht wahr?«

Die Klugheit des Ministerpräsidenten und seine Fähigkeit, Hauptsache von Nebensache zu trennen, machte Carl leicht benommen. Was sein Chef soeben gesagt hatte, war zweifellos wahr. Carl hatte Eitelkeit und Dummheit erwartet. Er ließ sich Zeit mit seiner Antwort.

»Ich habe dich bis zu diesem Augenblick nie gemocht«, sagte Carl und machte eine leicht unbeholfene jungenhafte Geste. »Es ist eine traurige Angelegenheit, aber es läßt sich nicht leugnen, daß wir in der Sache manchmal uneinig sind, und damit meine ich berufliche Beurteilungen, nicht Steuerpolitik oder so etwas. Wie du weißt, bin ich der Meinung, daß Leute wie ich zuwenig Steuern bezahlen.«

»Wenn es bei der nächsten Wahl so läuft, wie du zu hoffen scheinst, wirst du tatsächlich mehr Steuern bezahlen müssen«, stellte der Ministerpräsident fast nebenbei fest. Doch zugleich machte er eine verlegene Geste zu Carl hin, er solle fortfahren.

»Es geht um die Ansicht über die Entwicklung in Rußland, über Schocktherapie, Jelzin, so manches andere. Wir haben unterschiedliche Auffassungen, das ist wahr. Aber ich bin Offizier des Nachrichtendienstes, und deshalb dürfte es keine sehr große Rolle spielen, welche Partei gerade die Flagge hält. Mein Job ist es, die Flagge zu verteidigen.«

»Wie wahr«, bemerkte der Ministerpräsident ironisch. »Was hatte die Flagge also in Tunis zu suchen?«

»Eines schönen Tages wirst du Jassir Arafat in Schweden als

Staatsgast begrüßen, vorausgesetzt, die nächsten Wahlen laufen so, wie du es willst«, sagte Carl desperat.

»Ja, *that would be the day*, wie John Wayne sagt«, erwiderte der Ministerpräsident, der jetzt heiter und erleichtert aussah. »Aber bis auf weiteres belassen wir es bei dieser einfachen Arbeitsteilung, verstehst du? Du stellst dich dem Feind im Feld, und ich erledige die Politik. Eine umgekehrte Verteilung erscheint mir als Katastrophe größten Ausmaßes.«

»Ohne jeden Zweifel«, sagte Carl mit sittsam gesenktem Kopf. »Zumindest wäre es traurig, wenn du dich aufs Feld wagtest.«

»Jetzt hör mal zu, Hamilton«, fuhr der Ministerpräsident fort, der jetzt das Gefühl hatte, die Oberhand gewonnen zu haben. »Jetzt verfahren wir so. Du kehrst zum Generalstab zurück, wo die Pflicht dich ruft, wenn ich es richtig sehe … Übrigens, du weißt sicher schon, daß die Operation Baltic Rescue gut ausgegangen ist?«

Carl begnügte sich damit, kurz zu nicken.

»Gut. Wir können also wahrheitsgemäß sagen, daß beim Nachrichtendienst Pflichten dich rufen, und so weiter. Lars hier hat das alles schon fertig formuliert. Dann können wir uns einigermaßen freundschaftlich trennen und machen keine große Geschichte aus der Sache. *How's that?*«

»Von mir aus gern«, sagte Carl, wenn auch leicht mißmutig, weil alles bedeutend weniger dramatisch verlaufen war, als er gehofft hatte.

»Gut«, sagte der Ministerpräsident zufrieden. »Was hast du übrigens in England gemacht?«

»Schottland, nicht England«, entgegnete Carl. »Ich habe Sir Geoffrey Hunt getroffen, den neuen Leiter des MI 6. Er hat bestimmte Wünsche, was eine operative Zusammenarbeit angeht.«

Nach diesen Worten hielt er demonstrativ inne. Im Raum entstand ein langes, geladenes Schweigen.

»Und worum geht es bei dieser operativen Zusammenarbeit? Warum hat er dich gefragt?« fragte der Ministerpräsident schließlich.

»Wenn ich darauf antworte, wird das weitere Gespräch qualifiziertes geheimes Material von äußerster Wichtigkeit für die

Sicherheit des Reiches berühren, wie der Terminus wohl lautet, denke ich«, sagte Carl und nickte, möglicherweise etwas lässig nach hinten in Richtung der beiden Männer, die er nicht sah und die bislang nur als stumme Bewunderer ihres Chefs an der Unterhaltung teilgenommen hatten.

»Aha«, sagte der Ministerpräsident und hob amüsiert die Augenbrauen. »Dieses Gespräch nimmt offenbar in mehr als nur einer Hinsicht eine unerwartete Wendung. Meine Herren, oder sollte ich vielleicht lieber *Gentlemen* sagen?«

Der Ministerpräsident hatte mit der Hand eine auffordernde Bewegung gemacht, worauf die anderen Männer den Raum verließen. Carl machte sich nicht einmal die Mühe, sich zu ihnen umzudrehen und auf Wiedersehen zu sagen.

»Nun?« sagte der Ministerpräsident, als sie allein waren.

Carl berichtete ausführlich über seine Zusammenkunft mit Sir Geoffrey. Der Regierungschef lauschte aufmerksam, während die Schlange der Wartenden im Flur immer länger wurde. Carl stellte leicht revanchesüchtig fest, daß seine Entlassung sich am Ende doch als ein psychologisches Unentschieden der beiden Parteien erwiesen hatte. Er beschrieb seine Idee, mit den Vorbereitungen zu beginnen, *bevor* die Operation oder die Operationen zwischen den Regierungschefs abgemacht worden seien. Sie einigten sich schnell, jetzt in einer Stimmung, als wären alle Mißhelligkeiten wie weggeblasen. Carl solle die Einsätze am besten dadurch vorbereiten, daß er, wie schon abgemacht, zum Generalstab zurückkehrte.

Als Carl ging, war er zufrieden und unzufrieden zugleich. Es war gut und richtig, dem persönlichen Nachrichtendienst des Regierungschefs zu entkommen, da dieser seiner Natur nach religiös und fanatisch war, was seit Anfang der Zeiten vermutlich der entscheidende Fehler königlicher Spionageorganisationen war; denn nur die Antworten, die sich mit den Dogmen vereinbaren ließen, waren die richtigen. Das Dogma in diesem Fall lautete, daß *instant capitalism*, die Schocktherapie, für Rußland nützlich sei. Und das, obwohl alle qualifizierten Informationen, beispielsweise die des normalen Nachrichtendienstes, auf das genaue Gegenteil hindeuteten. Carl Bildt glaubte, daß Boris Jelzin im Verein mit einer ökonomischen Schocktherapie der Weg, die Wahrheit und das Licht sei. In der Praxis jedoch bedeuteten die von Carl Bildt bevorzugten Rezepte einen schnellen Übergang zu reiner Gangsterherrschaft.

Die gute Seite der Angelegenheit war also, daß ihre Wege sich jetzt trennten.

Die weniger gute Seite war, daß Carls Arbeit in Schweden sich zu verlängern schien. Es würde nicht ganz leicht sein, das Tessie zu erklären.

Carl ging zerstreut hinaus und holte seine beiden Sicherheitspolizisten in seinem alten Dienstzimmer ab. Dabei fiel ihm ein, daß die Beseitigung seiner Unterlagen beim Ministerpräsidenten nicht einmal diskutiert worden war. Carl vermutete, daß seine Papiere sich jetzt in Kisten bei Samuel Ulfsson im Generalstab befanden. Er schloß scheinbar ungerührt sein Dienstzimmer ab, als sie gingen, und zwar mit der gleichen Methode, mit der er es geöffnet hatte, diesmal jedoch mit zwei bedeutend neugierigeren und interessierteren Zuschauern. Er ging immer noch wie im Traum zum Fahrstuhl und hätte um ein Haar vergessen, seine Waffe abzuholen, bevor er, wie er glaubte, Rosenbad zum letzten Mal verließ.

Zwischen den Paketen und dem Abfall in den kleinen Boxen der ABAB-Waffen zog er das Jackett aus. Er schnürte sich die Waffe um und kontrollierte routinemäßig, daß sie sich in dem gleichen Zustand befand, in dem er sie abgeliefert hatte. Er zog sich sein Jackett an, knöpfte es aber nicht zu, da er eine Waffe trug. Er sagte etwas Freundliches zu der weiblichen ABAB-Wache, die herausgekommen war, um der Form halber zu kontrollieren, daß der richtige Besucher auch die richtigen Sachen mitnahm; die einzige Waffe des heutigen Tages war ohnehin die von Hamilton, da die Säpo-Leute unbeschwert mit ihren Waffen ein und aus gingen. Zeitweise kam es unter den verschiedenen Ministern fast zu einem Wettbewerb, wer das Recht auf das meiste Wachpersonal hatte. Es erinnerte Carl ein wenig an das Recht auf Eskorte mit Motorrädern und heulenden Sirenen, wie sie in der Dritten Welt üblich sind.

Seine Säpo-Wachen, die jetzt wieder ihre Sonnenbrillen aufgesetzt hatten, warteten draußen schon ungeduldig und gingen dann durch die erste Panzerglastür. Carl beschleunigte seine

Schritte und erreichte als erster die eigentliche Außentür. Die beiden anderen kamen schräg hinter ihm.

Zwischen dem Eingang von Rosenbad und der Steintreppe der Kunstakademie liegen dreiundvierzig Meter.

Vor dem Eingang zum Regierungsgebäude befindet sich ein kleiner Park, der im Sommer von übernachtenden und Hasch rauchenden ausländischen Studenten bevölkert war. Auf der Linie zwischen der Kunstakademie und dem Eingang zum Regierungsgebäude stehen einige Rhododendronbüsche. Das ist alles. Im übrigen hat jeder freies Schußfeld.

Kurz, die schwedischen Regierungsmitglieder gehören zu denen, die sich weltweit am leichtesten abschießen lassen. Angesichts der modernen Geschichte des Landes mag das eigentümlich erscheinen, denn der Mord an dem vorvorigen Ministerpräsidenten quält die Nation noch immer, erfreut allerdings die Sensationspresse.

Carl war sich der taktischen Schwäche dieser Gegebenheiten durchaus bewußt. Er hatte einmal auf der Treppe der Kunstakademie gestanden, nachdem er mit Tessie eine Ausstellung für Debütanten besucht hatte und zufällig gesehen, wie ungefähr die Hälfte der schwedischen Regierung gleichzeitig das Regierungsgebäude verließ. Er hatte mit den Fingern auf sie gezeigt und die Sekunden gezählt. In den sieben oder acht Sekunden, die er zur Verfügung gehabt hätte, hätte er die halbe Regierung auslöschen können; er verließ Rosenbad nie, ohne einen Blick auf die Kunstakademie zu werfen.

Jetzt kam er als erster aus der Tür. Die Uniform machte ihn zu einer perfekten Zielscheibe, und er wußte es. Die Burschen mit den Sonnenbrillen im Hintergrund machten das Ziel noch deutlicher.

In dem Moment, in dem Carl in das Schußfeld hinauskam, blickte er gewohnheitsmäßig zur Treppe der Kunstakademie hinüber. Er sah die beiden Männer, die wie Hippies aufgemacht waren: Stirnband, farbenfrohe Kleidung, grüner Rucksack bei dem einen, lila Sporttasche bei dem anderen.

Entscheidend war ihre gleichzeitige deutliche Bewegung. Im nachhinein war das einzige, woran er sich nicht genau erinnerte, wie und wann er seine Waffe zog. Er zielte jedoch in dem Augenblick auf sie, in dem die beiden zu schießen begannen. Und als er den linksstehenden Mann traf, glaubte er, von einem der Säpo-Männer einen Schlag erhalten zu haben, denn er mußte neu anlegen. Er sah das Mündungsfeuer einer Automatikwaffe, ignorierte aber die Gefahr, da es für alles andere zu spät war. Er ließ sich viel Zeit, drückte weich ab und schoß schnell weiter. Er sah die Treffer, sah aber noch mehr als das. Er sah, *wie* er traf. Er ließ die Pistolenmündung schnell über den Rest des offenen Schußfelds gleiten und stellte fest, daß der Feind niedergekämpft war. Da sicherte er seine Waffe.

Jetzt erst kam die Panik der Umgebung. Carl hörte Schreie und sah Menschen laufen. Er warf einen Blick hinter sich und entdeckte seine beiden Leibwächter, die ihre Pistolen mit beiden Händen umfaßten und schossen, obwohl für ihn unklar war, auf was oder wen. Er spürte die Druckwellen im Gesicht und den Geruch von Kordit. Er befahl den beiden, das Feuer einzustellen, und die gewöhnliche Polizei zu rufen. Außerdem sollten sie die beiden Attentäter sichern. Dann humpelte er ins Haus. Erst jetzt merkte er, daß er nicht laufen konnte. Er gab den ABAB-Wachen ein Zeichen, schnell das Schloß der inneren Tür zu öffnen, und verschwand zu den Fahrstühlen. Einer war gerade angekommen, und Menschen quollen heraus und sahen ihn merkwürdig an. Er schob Leute beiseite, die ihm im Weg standen, schloß die Fahrstuhltür und drückte auf den Knopf zum Stockwerk des Ministerpräsidenten. Er taumelte aus dem Fahrstuhl. Er wußte nicht, weshalb er nicht laufen konnte. Schnell überwand er das Zahlenschloß zur Abteilung des Regierungschefs. Er erinnerte sich an die Sekretärin, als er an ihr vorbeitaumelte, an ihren Gesichtsausdruck. Und erst jetzt verstand er, daß er getroffen war.

Er torkelte fast, als er durch die letzte Tür zum Ministerpräsidenten ging. Endlich entdeckte er, daß er eine Blutspur hinter sich herzog, einen roten Streifen, der auf dem Teppichboden bis zur Sekretärin verlief, die auf ihn zurannte. Außerdem hatte er die helle Holztür des Ministerpräsidenten mit Blut bespritzt. Als er es sah, blieb er zögernd in der Türöffnung stehen.

Im Arbeitszimmer machten gerade mehrere Menschen dem Regierungschef ihre Aufwartung. Carl erfuhr erst lange Zeit später, daß es die Vereinigung Prominenter Frauen gegen Pelz oder eine Organisation mit einem ähnlichen Namen war. Ehrenvorsitzende war eine rothaarige ehemalige Opernsängerin. Carl entdeckte einen freien Sessel, der ein wenig abseits stand, ging hin und sank darauf. Es war totenstill im Raum. Alle starrten ihn an. Die Sekretärin war unentschlossen in der Tür stehengeblieben.

»Verzeihung, daß ich mich so aufdränge«, flüsterte Carl. »Wir haben zwei vermutlich tote Terroristen vor dem Haupteingang. Wir brauchen drei Krankenwagen.«

Keiner sagte etwas, keiner bewegte sich – nur die Sekretärin rannte zum nächstgelegenen Telefon, dem auf dem Schreibtisch des Regierungschefs.

Carl fühlte sich wie berauscht. Er mußte sich anstrengen, um aufrecht zu sitzen. Er blickte auf sein Bein. Dort sah er einen stark pulsierenden Blutstrom unter dem zerschossenen Hosenbein.

»Ich bitte um Entschuldigung, Herr Ministerpräsident«, lallte er, während er den Gürtel löste und ihn um den Schenkel band, »aber das, was wir über ein Pressekommuniqué gesagt haben, dürfte wohl nicht mehr gelten ...«

Er verlor den Faden und hörte nicht, ob er eine Antwort erhielt. Erst jetzt begann er den Schmerz im Körper zu spüren, faßte sich ein Stück über der Taille in die Seite und entdeckte, daß er Blut und einen grünbraunen Brei in der Hand hatte. Bauchschuß, stellte er fest, ich habe zwei Treffer in mir.

Jemand rannte zu ihm und zog ihn auf den Fußboden herunter. Carl murmelte eine Anweisung, sie müßten ihm den Gürtel fester um den Schenkel ziehen; der pulsierende Blutstrom verriet, daß eine Arterie getroffen war. Als sein Kopf auf den weichen Teppich sank, mußte er würgen und hustete Blut. Das Letzte, was er dachte, war: Ich habe einen Bauchschuß und mache gleich den Teppich schmutzig.

*

In den folgenden vierundzwanzig Stunden gab es für die Medien nur ein Thema. Und wie nicht anders zu erwarten, wurden unterschiedliche und widersprüchliche Versionen des Anschlags präsentiert.

Eines schien jedoch klar zu sein. Palästinensische Terroristen hatten versucht, Carl Hamilton zu ermorden, als dieser Rosenbad verließ. Ihr Feuer war erwidert worden, und sie waren von den Leibwächtern der Sicherheitspolizei erschossen worden. Eine fünfzig Meter von den Terroristen entfernt stehende Passantin war ebenfalls getroffen, aber nur leicht verwundet worden.

Carl Hamilton wurde mehr als zehn Stunden lang im Karolinischen Krankenhaus operiert. In dieser Zeit riegelte die Polizei die Umgebung des Tatorts hermetisch ab. Erst spät am Abend konnten die Chirurgen, die Carl operiert hatten, eine Pressekonferenz abhalten, bei der sie ihre Eingriffe detailliert schilderten und Farbfotos und Röntgenbilder zeigten. Der Verlauf der ärztlichen Bemühungen ergab folgendes Bild:

Eine Kugel war am äußeren Rand des Brustkorbs eingedrungen, gleich neben dem linken Oberarm. Das Geschoß war beim Aufprall zersplittert, und ein Fragment war in die obere linke Lungenspitze eingedrungen. Der Splitter war entfernt worden. Ein weiteres Geschoß war an der linken Körperseite in die Taille eingedrungen und im Körper verblieben, nachdem es das Bauchfell durchschlagen und den äußeren Rand des Gekröses verletzt hatte. Die Kugel war unbeschädigt entfernt worden. Die Polizei hatte sie beschlagnahmt und mitgeteilt, daß es sich um sogenannte Hohlspitzmunition handle, die so konstruiert sei, daß sie nach dem Aufprall zersplittern solle, um im Körper möglichst großen Schaden anzurichten. Aufgrund der Genfer Konvention sei solche Munition grundsätzlich verboten.

Das dritte Geschoß hatte die Innenseite des linken Schenkels getroffen und relativ geringe Verletzungen ausgelöst, wenn man davon absieht, daß es den Blutkreislauf erheblich beeinträchtigt hatte; die Ärzte widmeten der Beschreibung ihrer fast klempnerähnlichen Arbeit an diesen Verletzungen geraume Zeit.

Der Zustand des Patienten, erklärten sie, sei nicht mehr lebensbedrohend, sondern stabil. Ein wichtiger Grund dafür sei natürlich die einzigartige Konstitution des Patienten. Er werde am folgenden Morgen sicher in der Lage sein, Besuch zu empfangen.

Doch schon während der Nacht wurde der immer noch bewußtlose Carl in ein kleineres Krankenhaus verlegt, das Sophiaheim am Valhallavägen. Die anscheinend riskante schnelle Verlegung wurde mit Sicherheitsüberlegungen begründet. Das Karolinische Krankenhaus ist eine riesige Anlage mit einem Gewimmel von

Ein- und Ausgängen, so daß eine wirksame Überwachung fast unmöglich ist. Das Sophiaheim ist von parkähnlichem Gelände und einem eisernen Zaun umgeben. In diesem Park glänzten und leuchteten jetzt überall Waffen, Nachtsichtgeräte und Blaulicht. Die spezielle Antiterroreinheit der Polizei hielt das Sophiaheim in festem Griff, so daß Ärzte, Krankenschwestern und das übrige Personal große Mühe hatten, hinein- oder hinauszugehen, ohne von Polizeibeamten verprügelt zu werden.

Die Antiterroreinheit übernahm im Laufe der Nacht noch andere Aufgaben. Einige arabische und kurdische Buchcafés sowie die bekannten Schlupfwinkel dieser Gruppen wurden Razzien unterzogen. Als die Nacht zu Ende ging, waren mindestens fünfzig Personen ihrer Freiheit beraubt worden, wenn auch unklar blieb, aus welchen Gründen.

Die Personen, denen die Medien anfänglich das geringste Interesse entgegenbrachten, waren die beiden Toten. Sie wurden noch in derselben Nacht obduziert. Die Todesursachen waren leicht festzustellen. Der eine Mann hatte zwei Schüsse frontal durch Kopf und Hals erhalten. Die Einschußlöcher befanden sich links von der Nasenwurzel, ein Austrittsloch im Nacken.

Der zweite Mann war mit zwei Treffern in die Körpermitte erschossen worden. Beide Geschosse waren neben der Wirbelsäule steckengeblieben, nachdem sie das Herz des Mannes durchschlagen hatten.

Insoweit war die Arbeit einfach und undramatisch. Die insgesamt drei Geschosse, die man bei den Toten gefunden hatte, wurden der Polizei übergeben, um ballistisch untersucht zu werden. Schnell wurde dabei festgestellt, daß alle drei Kugeln aus derselben Waffe, einer 9-mm-Pistole der Marke Beretta stammten.

Die weitere Obduktionsarbeit war kniffliger. Immerhin sollte nicht nur die Todesursache festgestellt werden, sondern auch die Identität. Keiner der beiden toten Männer hatte einen Ausweis bei sich. Ihrer Kleidung war zu entnehmen, daß sie aus mehreren Regionen Europas stammen konnten. Ihrem Aussehen nach, konnte es sich um Südeuropäer handeln, möglicherweise auch um Araber. Genaues ließ sich nicht sagen. Auf gerichtsmedizinischem Weg kam man bei der Feststellung der Identität also nicht weiter.

Da Carl Hamilton im Augenblick nicht zur Verfügung stand,

widmeten sich die Medien der »Witwe«, wie man Tessie scherzhaft nannte. So wurden Bilder ihres traurigen, erschreckten Gesichts gezeigt, als sie auf dem Weg zum Krankenhaus war. Sie selbst weigerte sich aggressiv, irgendwelche Aussagen zu machen. Carls geschiedene Frau und seine sechsjährige Tochter waren ebenfalls von großem Interesse, und Eva-Britt fand sich von Pressefotografen und Reportern umringt, nachdem sie nach einer Vernehmung in der Stadt zur Polizeiwache 1 zurückkehrte. Auf diesem Weg erhielt sie die Nachricht.

Sie eilte sofort zum Kindergarten in Gamla stan und versuchte Johanna Louise zu retten. Die Journalisten waren ihr jedoch zuvorgekommen und waren gerade dabei, Johanna Louise zu »interviewen«. Sie fragten sie, ob sie traurig wäre, wenn ihr Vater stürbe. In den folgenden Stunden wurden Mutter und Tochter in ihrer Wohnung oben auf Söder mehr oder weniger belagert, bis Eva-Britt in ihrer Verzweiflung ihren wachhabenden Vorgesetzten anrief und ihn bat, die Straße räumen zu lassen. Das war eine Maßnahme, die natürlich vollkommen ungesetzlich war. Die Polizei tat es trotzdem und errichtete hundert Meter oberhalb und hundert Meter unterhalb von Eva-Britts Haustür Sperren.

Tessie hatte Stenhamra in Panik verlassen, als sie vom Ministerpräsidenten persönlich die Nachricht erhalten hatte. Sie hatte ihren Sohn mitgenommen und erst das Krankenhaus besucht. Dann hatte sie Anna Stålhandske gebeten, auf Ian Carlos aufzupassen, um anschließend ins Krankenhaus zurückzukehren, wo sie bleiben wollte, bis Carl wieder bei Bewußtsein war.

Die leidenden Frauen und die Kinder waren bis auf weiteres das, was in der Journalistensprache der Aufhänger heißt. Berichte über sie waren das, was man garantiert am nächsten Tag bringen konnte, und nach Verkaufsaspekten waren diese Geschichten ohne jeden Zweifel sogenannte Auflagenmacher.

Über die Attentäter war kaum etwas bekannt. Man wußte bloß, daß sie Palästinenser waren, doch dies gab den Auslandsjournalisten nur Gelegenheit, Hintergrundberichte über Abu Nidal und andere palästinensische Terroristenführer zu schreiben, von denen vorstellbar war, daß sie Arafat und dessen Freunden eins auswischen wollten.

Daß der Held im Augenblick bewußtlos war, ließ sich bedauerlicherweise nicht ändern.

Immerhin hatte man ja als zweitbestes Thema die beiden lebenden Helden, die Sicherheitsleute, die durch ihre schnelle Reaktion und ihre eiskalten Präzisionsschüsse Carl Hamilton das Leben gerettet hatten. Sie wurden mit Namen und Foto an die Öffentlichkeit gezerrt, was es ihnen unmöglich machte, weiterhin geheimen Schutzdienst zu versehen. Sie gaben jedoch bescheiden zu, sie hätten nur ihre Arbeit getan und seien ja gerade für solche Situationen ausgebildet worden.

Als Carl wieder bei Bewußtsein war, lag er allein in einem großen weißen Zimmer voller Blumen. Es dauerte einige Zeit, bis ihm seine Situation klar wurde. Man hatte ihn operiert, und offenbar war er außer Lebensgefahr. Er entdeckte einen Tropf, der mit seinem Unterarm verbunden war, aber immerhin atmete er spontan, und sein Herz arbeitete ohne fremde Hilfe. Er schloß die Augen und versuchte, sich an die Treffer zu erinnern, er hatte sie nur als einen Schlag ohne Schmerz erlebt. Als er sein Gedächtnis bemühte, schloß er, daß der hintere der beiden Männer mit einer kompakten, kleineren Maschinenpistole alle drei Treffer mit einer einzigen Geschoßgarbe erzielt haben mußte. Eine Sekunde danach hatte Carl gefeuert. Er hatte mitten auf den Mann gezielt und sich darauf eingestellt, sicher und nicht tödlich zu treffen wie bei dem ersten Mann. Carl ließ die Bilder noch einmal vor sich ablaufen. Er sah den Mann mit dem grünen Rucksack und den Mann mit der lila Tasche, sah, wie sie sich gleichzeitig erhoben, allzu auffällig gleichzeitig, und ihre Waffen hervorzogen. Etwa in diesem Moment hatte Carl den ersten getroffen, den mit dem grünen Rucksack. Das Schußfeld war nicht frei gewesen. Die Rhododendronbüsche hatten den Körper des Mannes verdeckt, und deshalb hatte Carl ihm nur in den Kopf schießen können. Das hatte diese zusätzliche Sekunde der Konzentration gekostet, die ihm diese drei Treffer eingebracht hatte.

Er streckte sich nach einer Klingel, die über dem Bett hing, stöhnte vor Schmerz auf, der sich im ganzen Körper ausbreitete, und sank wieder zurück.

Nach nur wenigen Sekunden kam eine Krankenschwester herein. Sie sah ihn an und wünschte ihm fröhlich einen guten Morgen. Carl fragte, was für ein Tag sei, und erfuhr, daß er am Vortag operiert worden war. Er bat, ein Arzt möge kommen und ihm einen *damage report* geben; er mußte diesen militärischen Ausdruck erklären. Er bedeutet, daß man über alle Verwundungen informiert wird und erfährt, welche Möglichkeiten man in Zukunft noch hat.

Dieser Schadensbericht des Arztes war jedoch zufriedenstellend. Carl erkannte, daß er Glück gehabt hatte. Wenn der Schütze seine Garbe zehn Zentimeter näher an der Mittellinie seines Ziels plaziert hätte, hätte es den Tod bedeuten können. Jetzt konnte es alles bedeuten, von einer Woche bis zu mehreren Monaten im Krankenbett, je nachdem, wie er mit dem Infektionsrisiko umging. Die Operationswunden könnten, erklärte der Arzt, schnell verheilen, wenn keine Komplikationen, also Infektionen, hinzukämen.

Der Arzt, ein Dozent soundso, war einer der Chirurgen gewesen. Er erzählte recht amüsant von der Arbeit. Unter anderem hätten er und seine Kollegen festgestellt, daß Carl nicht zum ersten Mal angeschossen worden sei, sondern dies schon zweimal passiert sei.

Carl erzählte, es sei ein kleineres Kaliber gewesen und außerdem vollummantelte Munition. Im großen und ganzen sei er schon nach rund einer Woche wiederhergestellt gewesen. Den Durchschuß in der einen Schulter habe er eine Zeitlang nur gespürt wie etwa Trainingsschmerzen, dann sei es vorbei gewesen.

Nach einer Weile erfuhr Carl zu seinem Erstaunen, daß man ihn in der Nacht verlegt hatte. Der operierende Chirurg sei als medizinischer Pressebeamter mitgekommen, wie er es ausdrückte – inzwischen sei er in allen großen Fernsehkanälen der Welt aufgetreten. Es seien in erster Linie Sicherheitsüberlegungen gewesen, eine Forderung der Polizei, die dazu geführt hätten, daß man ihn ins Sophiaheim verlegt habe. Der Park draußen werde von der Anti-Terroreinheit der Polizei bewacht. Es sähe aus wie ein Heerlager.

»Nein!« stöhnte Carl. »Nicht auch das noch.« Er verzog das Gesicht vor Schmerz, denn als er zusammenzuckte, hatten sich sämtliche Operationswunden bemerkbar gemacht.

»Wieso?« sagte der Arzt und hob erstaunt die Augenbrauen.

»Die sind lebensgefährlich«, flüsterte Carl geheimnisvoll. »Nicht für Terroristen, aber für sich selbst und vor allem für uns, die Leute, die sie schützen sollen. Versprich mir, ganz vorsichtig an ihnen vorbeizugehen, sonst landest du noch selbst hier mit Hohlspitzmunition im Körper.«

»Es scheint ihnen jedenfalls zu gelingen, die Journalisten auf Abstand zu halten«, wandte der Arzt ein.

»Na ja«, gab Carl zu. »Dazu taugen sie vielleicht noch. Sollten sie zufällig ein paar von denen weidwund schießen, dürfte es nicht so schlimm sein. Was für Besucher habe ich?«

»Darauf wollte ich gerade zu sprechen kommen«, sagte der Arzt. »Wie fühlst du dich, und was traust du dir zu? Da draußen warten ziemlich viele Leute.«

»Kopfschmerzen habe ich natürlich, und ich fühle mich nach der Narkose auch ein bißchen benebelt. Dann noch hier und da einfache körperliche Schmerzen. Kann ich mich vielleicht rasieren, bevor wir mit den Besuchern anfangen? Was für Leute sind da?«

Dort draußen, erklärte der Arzt, befänden sich eine gegenwärtige und eine frühere Ehefrau mit je einem Kind, ein Vier-Sterne-General (der Oberbefehlshaber, korrigierte Carl), ein Flottillenadmiral sowie einige Personen, die sich nicht vorgestellt hätten, aber darauf bestünden, abseits zu warten. Außerdem habe der Ministerpräsident mitteilen lassen, daß er möglichst schnell kommen wolle, sobald es ärztlicherseits erlaubt sei.

Carl bat um Rat. Solle er erst die privaten Besucher empfangen oder die beruflichen? Er selbst würde die privaten vorziehen. Der Arzt unterstützte ihn vorbehaltlos bei dieser Reihenfolge. Die Offiziere würde die Situation verstehen, und der Ministerpräsident wolle ohnehin nicht dasitzen und nur warten. Er werde kommen, wenn man ihn rufe.

Eine Sophia-Schwester half Carl dabei, sich zu rasieren, sich zu waschen und die Zähne zu putzen. Er fragte sich, worüber Tessie und Eva-Britt sprachen, falls sie sich überhaupt unterhielten. Er fragte die Schwester, ob es ihrer Meinung nach eine besondere Reihenfolge zwischen jetziger und früherer Ehefrau gebe. Die Schwester erklärte ohne zu zögern, erst müsse die jetzige Frau kommen, dann die frühere.

Carl lieh sich einen Spiegel und kämmte sich. Er hatte vor, so wenig angeschossen und so wenig leidend wie möglich auszusehen.

Dann setzte die lange Reihe der Besucher ein.

Er sah Tessie sofort an, daß sie die ganze Nacht kein Auge zugetan hatte. Sie trug Ian Carlos auf dem Arm, der zufrieden an einem Schnuller lutschte. Sie sagte nichts, als sie ans Bett trat und das Kind vorsichtig auf die Bettkante legte, als sie sich einen Stuhl heranzog. Sie wollte sich sowohl über Carl als auch über das Kind beugen. So blieb sie eine Zeitlang sitzen. Er legte ihr den schmerzfreien Arm behutsam auf den Rücken und spürte, wie sie vor Tränen zitterte. Er vermutete, daß es so etwas wie Erleichterung war.

»Wie hast du es erfahren?« fragte er schließlich, um das Schweigen zu brechen.

»Der Ministerpräsident hat angerufen«, schluchzte sie, ohne aufzusehen.

»Oh«, sagte Carl. »Hörte er sich schadenfroh an?«

Jetzt blickte sie hoch. Er hatte sie zum Lachen gebracht. Sie wischte sich die Tränen ab und drohte ihm mit dem Finger.

»Immer mußt du mein Make-up zerstören. Nein, er war nicht im mindesten schadenfroh.«

»Ach nein«, sagte Carl trocken, »aber ich möchte trotzdem gern wissen, was er gesagt hat.«

Tessie zog ein Taschentuch hervor und wischte sich das Gesicht, während sie nachdachte.

»Er sprach kurz, knapp und korrekt«, sagte sie. »Zuerst sagte er, es sei seine traurige Pflicht, mir mitzuteilen …«

»Er hat es auf englisch gesagt?« unterbrach sie Carl.

»Ja, auf englisch. Daß es also seine traurige Pflicht sei, mir mitzuteilen, daß du bei einem Schußwechsel vor dem Regierungshauptquartier verwundet worden seist, daß du im Karolinischen gerade operiert würdest und daß die ersten Berichte aus dem Krankenhaus von ernsten, aber nicht lebensbedrohenden Verletzungen sprächen. Dann sagte er, ein Wagen sei unterwegs, um mich abzuholen.«

»Jetzt ist es vorbei, Tessie, jetzt besteht keine Gefahr mehr. Aber das hast du doch sicher schon lange gewußt?«

»Die Chirurgen haben mich vorgelassen, nachdem sie fertig waren, aber das war erst nach zehn Stunden. Du ahnst nicht, was für Stunden das waren.«

»Doch«, entgegnete Carl, »das ahne ich schon. Und was haben sie gesagt?«

»Sie waren ziemlich guter Laune. Ich weiß nicht, ob sie meinetwegen Theater spielten, aber sie machten Witze.«

»Machten Witze?«

»Ja. Sie sagten beispielsweise, nach dem zu urteilen, was sie in dir gesehen hätten, würde es nicht einfach sein, dich so ohne weiteres umzubringen. Es sei sogar schwierig, mit den Skalpellen an dir zu arbeiten, und solche Dinge.«

»Wo willst du heute nacht bleiben?«

»Bei Anna und Åke.«

»Gut, aber bitte Åke, dafür zu sorgen, daß man dich nicht verfolgt … beispielsweise keine Journalisten.«

»Die sind wie Geier überall hinter mir her.«

»Ich verstehe. Aber Åke … übrigens, ist Sam da draußen?«

»Ja, er wartet schon mehrere Stunden.«

»Gut. Ich werde ihn bitten, das zu erledigen, damit dir das alles erspart bleibt.«

»Wann kommst du nach Hause?«

»Keine Ahnung. Wenn mir Wundinfektionen erspart bleiben, dürfte es kaum mehr als eine Woche dauern. Ich habe drei Treffer. Sie sitzen …«

»Ich weiß, ich weiß«, unterbrach sie ihn. »Inzwischen weiß die ganze Welt, wo die Wunden sitzen. Man zeigt dich mit Röntgenbildern und blutigen Farbfotos in jedem Fernsehkanal.«

»Sie haben nichts gezeigt, dessen ich mich schämen müßte? Nichts, was sie nicht hätten zeigen dürfen?«

»Idiot!«

»Na ja, an einem der edleren Körperteile bin ich jedenfalls nicht getroffen worden. Sind die Leute gestorben, auf die ich geschossen habe?«

»Ja, sie sind anscheinend sofort tot gewesen. Was waren das für Leute?«

»Keine Ahnung.«

»Hattest du keine Angst?«

»Nein, es ging so schnell. Hinterher habe ich wohl einen Schock bekommen. Es dauerte eine Weile, bis mir klar wurde, daß ich getroffen war. Dann bin ich zum Ministerpräsidenten hinaufgetorkelt, obwohl ich gar nicht weiß, was ich dort zu suchen hatte. Es muß ein köstlicher Anblick gewesen sein, stell dir vor! Da saß er mit einer Bande von Frauen in weiß Gott welcher Angelegenheit. Dann taumele ich mit einer langen Blutspur hinter mir ins Zimmer und sinke auf seinen Teppichboden. Das hätte ich gern auf Film.«

»Ich glaube, die würden sich das Lachen schon verbeißen.«

»Aber ja, es war wohl nicht richtig lustig. Aber jetzt kommt es mir so vor.«

»Wann verschwinden wir?« fragte sie plötzlich. Die Andeutung von Munterkeit, die Carl hatte hervorlocken wollen, war wie weggeblasen.

»Du meinst ins sonnige Kalifornien?«

»Ja, was hast du denn gedacht, *sailor?* Göteborg?«

Er antwortete ausweichend und sagte, zunächst einmal müsse er wieder auf die Beine kommen. Dann blickte er flehentlich auf die Uhr, wiederholte, sie solle das Krankenhaus erst verlassen, wenn Sam den Rückzug organisiert habe, und erinnerte an die lange Reihe wartender Besucher.

»Ich weiß«, sagte sie, lächelte und warf den Kopf in den Nacken.

Er sah, wie die beiden Frauen sich in der Tür begegneten. Sie sagten etwas zueinander, und es hatte den Anschein, als unterhielten sie sich nicht zum ersten Mal. Tessie nickte und ging. Eva-Britt holte tief Luft und trat schnell ein. Sie hatte Johanna Louise an der Hand.

Johanna Louise rannte auf ihn zu und kletterte an ihm hoch, so daß die Operationswunden wie Feuer brannten. Sie umarmte ihn so fest, daß ihm Tränen in die Augen traten. Einmal aus Schmerz, den sie ihm ahnungslos zufügte, aber auch aus Rührung.

»Sei vorsichtig mit Papa, es tut ihm weh«, sagte Eva-Britt leise im Hintergrund.

Eva-Britt trat zu ihm und küßte ihn vorsichtig auf die Stirn. Dann zog sie zwei Stühle heran und stellte ihre Tochter auf den Fußboden. Diese klammerte sich aber an Carl fest und protestierte zappelnd. Carl erklärte, Mama habe recht, es tue wirklich ein bißchen weh, wenn sie ihn jetzt umarme.

Johanna Louise hatte nicht alle Presse- und Fernsehfotos der Operation gesehen. Eva-Britt hatte sie offenbar davor bewahrt.

Doch jetzt fragte die Kleine ganz offen, wie nur Kinder es tun können. Tut es weh, wenn jemand auf einen schießt? Träumt man, wenn man operiert wird? Mußt du noch lange im Krankenhaus bleiben?

Er beantwortete ihre Fragen amüsiert und ohne Umschweife. Als die Kleine im Zimmer herumzugehen begann, um sich die ganze Blumenpracht anzusehen, nutzte Carl die Gelegenheit, Eva-Britt ungefähr die gleichen Fragen zu stellen wie Tessie. Als er hörte, daß auch Eva-Britt von Fotografen und Reportern gejagt worden war wie ein Stück Wild, versuchte er sie zu überreden, Urlaub zu nehmen und zu verreisen. Zu den Eltern in Skåne oder vielleicht könne sie vorübergehend zu einer Freundin ziehen, aber im Augenblick solle sie lieber nicht in der Bastugatan bleiben. Sie tat seine Fürsorge mit einer Handbewegung ab und sagte, inzwischen sei sie wohl doch eine Nachricht von gestern. Die Journalisten könnten sie schließlich nicht ewig verfolgen. Und ins Krankenhaus kämen sie ja glücklicherweise nicht. Im übrigen sei sie Polizistin und können sehr gut auf sich selbst aufpassen.

Die letzte Bemerkung wurde auf fast komische Weise dadurch unterstrichen, daß sie Uniform trug und bewaffnet war. Carl wechselte resigniert das Thema.

»Wer waren die Täter?« fragte er.

»Woher soll ich das wissen«, sagte sie und zuckte die Achseln. »*Expressen* weiß natürlich, daß es Araber waren, aber das dürfte von vornherein festgestanden haben. Säk weiß es natürlich auch, aber wir richtigen Polizisten wissen es nicht. Im Obduktionsbericht ist nur von gutgebauten Männern mit normaler Muskulatur, Alter um die Dreißig die Rede. Die Kripo arbeitet daran. Die Kerle müssen ja irgendwo gewohnt haben. Im Augenblick durchsuchen wir die Hotels nach zwei vermißten Gästen. Was glaubst du?«

»Keine Ahnung«, erwiderte er und versuchte die Schultern zu zucken, aber der Schmerz erinnerte ihn daran, daß solche Bewegungen im Moment nicht angezeigt waren. »Wir hatten schließlich keine Zeit für eine Unterhaltung. Womit haben sie geschossen?«

»Mit dem Mini-Modell der UZI und israelischer Hohlspitzenmunition«, erwiderte sie kurz.

»Tja, das besagt gar nichts. So etwas kann jeder benutzen«, stellte Carl fest.

»Hat man in der Nähe noch weitere Täter gefunden?« fragte Eva-Britt plötzlich in einer Art Verhörston.

»Nein, ich glaube nicht«, sagte Carl zögernd und dachte nach. Er spulte den Film noch einmal ab. Er schoß auf den ersten Mann. Wurde von dem zweiten getroffen. Schoß erneut und sah, daß er gut getroffen hatte. Was hatte er danach gemacht?

»Ich weiß noch, daß ich die Waffe gesichert und eingesteckt habe«, fuhr er fort und grübelte weiter. »Das hätte ich schließlich nicht getan, wenn ich mich noch bedroht gefühlt hätte. Ich fuhr mit der Waffe herum und suchte nach neuen Zielen, fand aber keine ... Nein, es gab kein weiteres Ziel. Dann sagte ich deinen Kollegen, sie sollten die Täter sichern, vielleicht noch Krankenwagen rufen, und dann lief ich zum Ministerpräsidenten rauf und blamierte mich.«

»Ich weiß«, sagte sie trocken. »Der Presse ist dieses Detail nicht entgangen, obwohl es verschiedene Versionen dafür gibt was Batman sagte, bevor er fiel. Also kein weiterer Täter vor Ort?«

»Nein«, erwiderte Carl, der seiner Sache jetzt völlig sicher war. »Definitiv nicht.«

»Eine siebenundvierzigjährige Dame, die sich gerade im Park vor dem Eingang aufhielt, hat einen Schuß ins Bein erhalten. Die Polizei, die am Tatort erschien, sammelte auf der Steintreppe vor Rosenbad und gleich daneben dreizehn leere Hülsen ein«, betonte sie in sachlichem Ton.

»Ich habe vier Schuß abgegeben. Es waren Treffer. Mehr war nicht«, sagte Carl mit einem Anflug von Irritation in der Stimme. »Deine Kollegen ...«

»Sie sind nicht meine Kollegen!« unterbrach ihn Eva-Britt knapp.

»Nun, Verzeihung!« sagte Carl ironisch. »Die *Sicherheitspolizisten* haben jedenfalls noch eine Reihe von Schüssen abgegeben, nachdem die Täter schon am Boden lagen. Da hast du deinen Schuß ins Bein dieser Tante.«

»In *Expressen* treten sie jetzt als Helden auf, die dir das Leben gerettet haben. Außerdem wird angedeutet, daß du derjenige warst, der der Dame ins Bein geschossen hat«, entgegnete Eva-Britt.

»Die Opfer sind doch gerade obduziert worden«, stellte er mit schmerzverzerrter Miene fest. Er wußte nicht, woher der Schmerz kam. »Also müssen doch Kugeln in ihnen stecken. Ihr habt meine Pistole und die Pistolen der Sicherheitsbeamten, denn so dürfte es doch ablaufen?«

»Ja, so läuft es ab.«

»Na also. Dann dürfte diese Frage noch im Lauf des Tages geklärt werden, nehme ich an.«

»Ja«, erwiderte sie ruhig. »Sie ist schon geklärt. Deine Waffe ist viermal abgefeuert worden. In den Opfern stecken drei identifizierbare Geschosse, die aus dieser Waffe stammen, also einer Beretta.«

»Die Sicherheitsjungs benutzen Sig-Sauer«, stellte Carl fest. »Hat man die Kugel aus dem Bein der Frau?«

»Ja. Sig-Sauer«, sagte Eva-Britt.

»Dann verstehe ich nicht, warum du mich jetzt verhörst. Die Sache ist doch klar?«

»Die Polizei unterliegt der Schweigepflicht. Ich wollte nur, daß du das weißt«, sagte Eva-Britt. Im nächsten Augenblick wurden sie von Johanna Louise unterbrochen, die ihrem Vater zeigen wollte, daß ihr zweiter Schneidezahn schon ganz locker saß. Carl bat, einmal nachsehen und fühlen zu dürfen. Mit gespieltem Mißtrauen kam sie näher und vertraute ihm ihren Zahn an. Er saß tatsächlich sehr locker. Carl drehte ihn ab, hielt ihn triumphierend hoch und faßte die Kleine gleichzeitig weich um den Nacken. Er schüttelte sie leicht, um sie von dem Schmerz abzulenken. Sie überwand schnell ihre Überraschung und kicherte verblüfft und entzückt. Sie wollte den Zahn sehen. Er öffnete die Hand vor ihrem Gesicht, so daß der kleine Vorderzahn zum Vorschein kam, und schloß sie dann schnell wieder.

»Den behalte ich zur Erinnerung. Er soll hier auf dem Nachttisch neben mir liegen und mir Gesellschaft leisten, solange ich noch hier bin. Dann werde ich schneller wieder gesund!«

Sie lachte noch immer, als ihre Mutter sie aus dem Zimmer führte. Als sie sich umdrehte und winkte und mit ihrer großen Zahnlücke lächelte, stieß sie mit dem Ministerpräsidenten zusammen. Dieser bückte sich zu ihr hinunter, stellte sich höflich vor und bat um Entschuldigung.

Der Regierungschef war nicht allein. Fünf oder sechs Pressefotografen betraten in seiner Gesellschaft ungeniert das Zimmer. Ihre Kameras klickten und blitzten.

»Wir machen nur ein paar Fotos, dann ist Schluß«, sagte der Ministerpräsident zur Erklärung, während er mit einem geübten Politikerlächeln die Hand ausstreckte. Er hielt Carl so lange fest, daß dessen Lächeln immer angestrengter wurde. Mehr konnte er dem Volk und dem Regime nicht zeigen. Dann wurden die Fotografen aus dem Zimmer gejagt, und sie waren allein. Der Ministerpräsident ließ sich auf einem der Besucherstühle nieder.

»Bitte setz dich doch«, sagte Carl ironisch. »Im übrigen bitte ich wegen meines merkwürdigen Verhaltens gestern um Entschuldigung.«

»Nun ja, Ende gut, alles gut«, sagte der Regierungschef freundlich. »Aber warum bist du den ganzen Weg zu mir gelaufen, warum bist du nicht unten geblieben und hast von dort Krankenwagen gerufen?«

»Ja, das ist eine gute Frage«, sagte Carl lachend, verstummte aber schnell, da er wegen der Wunden kaum lachen konnte. »Ich weiß es wirklich nicht. Wahrscheinlich hatte ich einen Schock und ging einfach auf Grund eines Instinkts nach oben, oder wie wir das nennen sollen.«

»Ein politischer Instinkt kann es jedenfalls nicht gewesen sein«, bemerkte der Ministerpräsident trocken.

»Bitte, bitte«, sagte Carl und hielt abwehrend die Hände hoch. »Bring mich bloß nicht zum Lachen. Das bekommt mir im Augenblick nicht gut. Nun, was machen wir jetzt?«

»In der Sache sollten wir nichts ändern, würde ich vorschlagen. Unsere Mißhelligkeiten können wir vielleicht auch begraben. Im Augenblick hat keiner Freude daran.«

»Abgesehen vielleicht von der Opposition«, erwiderte Carl.

»Völlig korrekt. Aber auch die hätten nur einen begrenzten Nutzen davon. Die Hauptsache ist jetzt, daß du mit dem Leben davongekommen bist. Außerdem glaube ich, daß du im Generalstab bessere Arbeit leistest als bei mir. Nicht wahr?«

»Da gebe ich dir recht«, entgegnete Carl. »Du solltest übrigens etwas an diesem verdammten Eingang machen lassen. Früher oder später wäre es ohnehin passiert. Es war pures Glück, daß es mir passiert ist und nicht dir. Oder vielleicht unserem nächsten Ministerpräsidenten«, fügte er mit spöttischer Miene hinzu.

»Ja, wir sind schon dabei, uns für den Eingang ein paar neue Dinge zu überlegen. Und, wie du schon gesagt hast, war es wirklich Glück, daß man es erst bei dir probierte und nicht bei mir oder Ingvar Carlsson, der, wie du immer so feinfühlig andeutest, mein Nachfolger sein wird«, erwiderte der Ministerpräsident schnell und mit unbewegtem Gesicht.

Es war offenkundig, daß sie einander nicht mehr viel zu sagen hatten. Der Regierungschef nickte, blickte demonstrativ auf seine Armbanduhr und erhob sich.

Auf dem Weg hinaus stieß der Ministerpräsident mit einer Schwester zusammen, die einen kleinen, mit Glückwunschtelegrammen beladenen Wagen hereinrollte. Carl bat sie, ihn in Reichweite stehen zu lassen und dann den General mit den vier Sternen und den Marineoffizier hereinzubitten, der sich wahrscheinlich in Gesellschaft des Generals befände. Als er ein paar Augenblicke für sich hatte, wühlte er zerstreut in dem Papierhaufen. Die meisten Telegramme waren mit schwedischen Flaggen versehen und schienen von unbekannten Mitbürgern zu kommen. Er entdeckte jedoch auch ein mit dem ehemaligen Emblem des militärischen Nachrichtendienstes der Sowjetunion versehenes Fax.

Er zog es aus dem wirren Haufen und las mit erhobenen Augenbrauen, als der Oberbefehlshaber und Samuel Ulfsson eintraten. Beide trugen Uniform und wirkten ernst und besorgt.

»Die Ärzte sagen, es gehe dir den Umständen entsprechend gut, stimmt das?« begrüßte ihn der Oberbefehlshaber. »Wir wollen dich auf gar keinen Fall stören ...«

»Du mußt entschuldigen, daß ich nicht aufstehe und Haltung annehme. Hallo, Sam, ja, es geht mir den Umständen entsprechend gut«, erwiderte Carl leicht zerstreut.

»Sei nicht albern«, sagte der Oberbefehlshaber und rückte die beiden Besucherstühle zurecht.

»Eine schreckliche Geschichte ist das«, sagte Samuel Ulfsson. Es schien, als sähe er sich schon jetzt nach einem Aschenbecher um. »Weiß die Polizei etwas über den Hintergrund?«

»Nein«, erwiderte Carl. »Die Version der Sicherheitspolizei kennt ihr ja, aber im Augenblick arbeitet die richtige Polizei an dem Fall.«

»Die richtige Polizei?« fragte der Oberbefehlshaber erstaunt.

»Ja«, sagte Carl. »Meine frühere Frau, die ihr da draußen vielleicht getroffen habt, nimmt es mit dieser Unterscheidung sehr genau. Sie ist eine richtige Polizistin. Im Unterschied zu diesen Affen von der Säpo, Diesen Scharfschützen, ihr wißt schon.«

»Jaa? Wie steht es damit?« fragte Samuel Ulfsson, der sofort merkte, daß Carl inzwischen so manches erfahren hatte.

»Ich habe diese beiden Scheißkerle erschossen. Unsere Freunde, die nicht ganz richtigen Polizisten, feuerten zehn Schüsse auf verschiedene Ziele ab, darunter eine siebenundvierzigjährige Dame. Es ist ihnen gelungen, sie zu Boden zu strecken«, erwiderte Carl schnell und wedelte mit der russischen Fax-Mitteilung, um das Gespräch über die Schießerei nicht unnötig zu verlängern. »Hört mal zu, ich übersetze wörtlich!«

Er zwinkerte geheimnisvoll und zeigte schnell das, wie er glaubte, bekannte Emblem, das jedoch nur Samuel Ulfsson wiedererkannte. Dann las er:

»Mein junger Herr Admiral!

Mit Bestürzung haben wir heute in unserer Abteilung erfahren, daß feindlich gesinnte und überdies strohdumme Terroristen versucht haben, uns unseres Lieblingsfeinds zu berauben. Mein Stab und ich haben mit Befriedigung festgestellt, daß ... Moment, mal sehen ... diesen wenig urteilsfähigen Figuren ... so dürfte es wohl heißen ... genau das widerfahren ist, was zumindest wir hier in der Abteilung nicht anders erwartet haben. Wir verfolgen aufmerksam die eingehenden Berichte über Ihre rasche Genesung, und ich benutze diese Gelegenheit, an unsere alte Abmachung über eine Jagd in Sibirien zu erinnern. Unterzeichnet ... Jurij Tschiwartschew, Generalleutnant, stellvertretender Chef der Abteilung für Aufklärung.«

Carl legte das Papier mit einem feinen Lächeln beiseite.

»Die Abteilung für Aufklärung?« sagte der Oberbefehlshaber mit fragender Miene.

»Ja«, erwiderte Carl, »ich habe wörtlich übersetzt. Das heißt so auf russisch. Der Bursche arbeitet also beim GRU.«

»Teufel auch«, sagte der Oberbefehlshaber. »Wie lange seid ihr schon befreundet?«

»Es ist aber nicht, wie du glaubst«, schaltete sich Samuel Ulfsson ein.

»Ich weiß nicht, ob ich überhaupt etwas glauben soll. Du scheinst aber in erstaunlich guter Form zu sein, Carl?«

»Ja«, bestätigte Carl. »Der Ministerpräsident hat mich gefeuert, und ich habe überlebt. Alle vitalen Organe sind übrigens in Ordnung. Wollen wir über die Arbeit sprechen?«

Die beiden Männer warfen einander einen beschämten Seitenblick zu und nickten. Natürlich wollten sie lieber über die Arbeit sprechen, als Carl zu bemitleiden. Es fiel ihnen nicht leicht, bei einem Kollegen, der nur um ein paar Zentimeter dem Tod entgangen war, persönliche Worte zu finden. Und das in dem Dienst, in dem sie die höchste Verantwortung trugen, selbst aber nie einer Gefahr für Leib und Leben ausgesetzt waren.

»Ja, du könntest uns ja eine kurze Zusammenfassung geben«, sagte der Oberbefehlshaber mit einem Kopfnicken zu Samuel Ulfsson hin. Dieser sah sich erneut nach einem Aschenbecher um, ertappte sich dann aber selbst dabei und merkte zugleich, daß die beiden anderen ihn nicht ohne einige Heiterkeit durchschaut hatten.

Die Operation Baltic Rescue, so Samuel Ulfsson, sei in der Schlußphase problemlos abgelaufen, obwohl die Regierung sich eingemischt und einiges durcheinandergebracht habe. Sie hätten tatsächlich den Offizier des russischen Nachrichtendienstes und dessen Familie in einem Segelboot außerhalb der lettischen Territorialgewässer aufgefischt, das Segelboot dann versenkt und den Überläufer auf schwedisches Territorium gebracht. Das Problem sei jetzt herauszubekommen, ob man sie einer alten ehrlichen sowjetischen *maskirowka* ausgesetzt habe oder ob der Bursche echt sei. Und da die Deprogrammierung mit Hilfe eines Dolmetschers erfolgen müsse, gehe es nur langsam voran. Das in aller Kürze. Wann Carl wohl die Verhöre übernehmen könne?

Auf diese Frage wußte Carl keine Antwort. Er ging davon aus, daß er noch einige Tage still liegen bleiben mußte, damit wenigstens die äußeren Wunden so weit verheilten, daß er sich wieder vorsichtig bewegen konnte. Als man ihn zuletzt angeschossen hatte, war er schon am zweiten Tag aufgestanden und hatte danach vom Nahen Osten bis nach Deutschland eine Blutspur hinter sich hergezogen. Er sagte aber, er werde sich des russischen Kollegen annehmen, so schnell es möglich sei.

Jetzt übernahm der Oberbefehlshaber die Rolle des Berichterstatters. Der Ministerpräsident habe sich gemeldet und mitgeteilt, es könne möglicherweise zu einer gemeinsamen Aktion mit dem Geheimdienst Ihrer Majestät kommen. Dies unabhängig davon, ob Carl schon wieder gesund sei oder nicht. Worum es dabei eigentlich gehe?

Carl spürte, daß er müde zu werden begann. Er klingelte nach der Sophia-Schwester und bat um eine Kopfschmerztablette. Die Antwort war ein klares Nein, verbunden mit einer medizinischen Erklärung. Er seufzte und nahm sich für eine längere Darlegung zusammen.

Luigi Bertoni-Svensson müsse möglichst schnell in die USA geschickt werden, um dort eine Legende zu erhalten sowie eine Identität als brillanter junger Forscher, der sich auf Computer und Unterwassertechnologie spezialisiert habe, also auf genau das, was Luigis Spezialgebiete seien. Anschließend müsse er in London etabliert werden – nein, Luigi wisse noch nichts von seinem bevorstehenden Glück. Anschließend würden sich der britische und schwedische Regierungschef vermutlich einigen. Erst danach könne es klare Befehle geben. Um Zeit zu gewinnen, so der Hintergedanke, solle Luigi schon im Vorwege die Prozedur des Identitätswechsels in die Wege leiten und sich eine Anstellung besorgen, wobei Sir Geoffrey wohl seine bereitwillige Hilfe anbieten werde.

Von dem etwas gewagteren Vorhaben, der Anwerbung eines russischen Spions, sagte Carl vorsichtshalber nichts. Er setzte voraus, daß sein Krankenzimmer und dessen Umgebung auf Mikrophone abgesucht worden waren und daß überdies kaum damit zu rechnen war, daß jemand Zeit gehabt haben sollte, hier Wanzen zu installieren. Die Frage der Anwerbung eines russischen Spions hing aber sowieso mit seiner Genesung zusammen und konnte daher noch warten. Außerdem blieb abzuwarten, was ein gewisser John Major einem gewissen Carl Bildt zu sagen hatte.

Im Augenblick, fuhr Carl fort, sei es also am wichtigsten, Luigi möglichst schnell auf die Reise zu schicken. Sam solle die technischen Details mit Sir Geoffrey besprechen, und dieser solle es auf sich nehmen, die Kontaktpflege mit den sogenannten amerikanischen Vettern zu übernehmen.

Dann fragte Carl gleichsam nebenbei, ob sie es für passend hielten, wenn er einen Journalisten empfange.

Die beiden Vorgesetzten waren verblüfft. Carl erklärte leichthin, er sei nur darauf aus, der Polizei ein wenig Feuer unterm Hintern zu machen. Es wäre ja trotz allem recht praktisch, wenn möglichst schnell aufgeklärt würde, was geschehen sei. Die beiden Vorgesetzten nickten nachdenklich und erklärten ihre Zustimmung.

Als Åke Stålhandske und Luigi Bertoni-Svensson eintraten, waren sie zunächst bemüht kumpelhaft und forsch. Carl fiel es nicht schwer, sich vorzustellen, wie es ihnen in der Zwischenzeit ergangen war oder wie er selbst die Mitteilung entgegengenommen hätte, einer von ihnen liege mit mehreren Schußverletzungen im Krankenhaus. Er fiel in ihren Gesprächston ein, scherzte über seine Schußwunden (die drei oder vier ersten seien die schlimmsten, aber man gewöhne sich, und so weiter) und beklagte sich über seine Langsamkeit. Es sei ihm leider nicht gelungen, den zweiten Doppelschuß rechtzeitig abzufeuern (entweder werde ich allmählich alt oder langsam, oder es waren diese verfluchten Rhododendronbüsche).

Danach konnten sie zur Sache kommen. Luigi zeigte ihm bekümmert einige Zeitungsseiten. Seine Auswahl illustrierte überdeutlich die Präzision, mit der die Presse andere denkbare Ziele genannt hatte. Sogar Carls alte Mutter war abgebildet, obwohl er schon seit mehreren Jahren nicht mit ihr gesprochen hatte. Sie hielt sich offenbar bei Verwandten in einem Schloß in Skåne auf. Das Schloß war ebenfalls abgebildet und überdies mit Karten und Wegbeschreibungen versehen.

»Kurz gesagt«, faßte Luigi zusammen, »haben wir ein teuflisches Problem. Zumindest, wenn es sich so verhält, wie ich annehme.«

»Und wie verhält es sich deiner Meinung nach?« sagte Carl übertrieben forsch. Er warf einen Seitenblick auf Åke Stålhandske und sah ihm an, daß dieser schon alles gehört hatte und bereits überzeugt war.

»Es waren keine Araber, die auf dich geschossen haben«, sagte Luigi ernst.

»Sie haben nicht nur auf mich geschossen, sie haben sogar getroffen. Ist es das, worauf du deine Theorie gründest?« erwiderte Carl in einem Tonfall, den er sofort bereute.

»Nein«, sagte Luigi. »Wir haben heute morgen den Pathologen angerufen. Die Schützen waren keine Araber.«

»Das können sie ja kaum selbst erzählt haben. Ich habe nur zwei dunkelhaarige Burschen gesehen, die alles mögliche hätten sein können«, sagte Carl.

»Sie waren nicht beschnitten«, sagte Luigi kurz. »Ich würde glauben, sie waren Sizilianer.«

»O Teufel«, sagte Carl. »Und was bedeutet das?«

»Zwei Dinge« erwiderte Luigi angestrengt. »Erstens, daß sie nicht vergessen haben. Sie wollen immer noch deinen Tod. Zweitens, daß ...«

Luigi zögerte. Carl blickte fragend auf Åke Stålhandske, erhielt aber nur einen traurig zustimmenden Blick als Antwort. Åke war schon überzeugt.

»Nun?« sagte Carl. »Wir haben nicht den ganzen Tag Zeit. Was bedeutet das?«

»Wenn sie dich nicht kriegen können, machen sie sich über deine Familie her«, erwiderte Luigi verkniffen. »Diese ganze verdammte hyänenhafte Presse liefert ihnen im Augenblick alle nur denkbare Logistik. Es gibt einen *pentito*, also einen dieser Singvögel bei der Mafia, den sie nicht haben schnappen können. Dafür haben sie dreiundzwanzig seiner Angehörigen erledigt, und es ist vermutlich noch immer nicht zu Ende.«

»Dreiundzwanzig«, sagte Carl. »Das bedeutet Mutter, Vater, Frau Kinder ...«

»Vettern, Onkel, Tanten, in diesem Fall ehemalige Frauen, es bedeutet ganz einfach alle«, sagte Luigi hart.

Carl blieb eine Zeitlang stumm liegen. Er wußte, daß die beiden anderen jetzt von ihm erwarteten, daß er die Initiative ergriff und sie bat, um seinetwillen alles zu unternehmen, was in ihrer Macht stand.

»Wen müssen wir im Auge behalten?« fragte Carl. Er spürte, daß seine Kräfte nachließen. Das Denken fiel ihm plötzlich schwer.

Am liebsten hätte er sich einfach umgedreht, um einzuschlafen und alles zu vergessen.

»Tessie, Eva-Britt, deine beiden Kinder, deine Mutter«, erwiderte Åke Stålhandske und zeigte damit, daß er reichlich Zeit gehabt hatte, die Situation mit Luigi zu besprechen; sie hatten eine lange Nacht hinter sich.

»Könntest du dich mit Anna um Tessie und Ian Carlos kümmern?« fragte Carl.

»Schon geschehen. Wir haben außerdem Personal draußen in Stenhamra, und das erhöht die Sicherheit im Haus«, erwiderte Åke Stålhandske schnell.

Carl betrachtete ihn nachdenklich und schweigend. Åke Stålhandske trug Jeans, ein dunkelblaues T-Shirt und Laufschuhe. Er würde in der Stadt ohne weiteres als irgendein beliebiger Bodybuilder durchgehen. Er hatte blutunterlaufene Augen wegen des Schlafmangels und ungewöhnlich lange Haare. Luigi war das genaue Gegenteil. Er war zwanzig Kilo leichter, trug ein dünnes, glänzendes Jackett, Jeans, aber italienische Schuhe einer vermutlich sehr eleganten Marke und ein dunkelblaues Seidenhemd ohne Krawatte. Beide hatten dunkle Sonnenbrillen. Luigi hatte sie sich in die Brusttasche seiner Jacke gesteckt. Åke hielt sie in der Hand.

»Wenn sie Sizilianer sind«, begann Carl langsam. »Was glaubst du, Luigi? Hätten sie es so gemacht, wie wir es an ihrer Stelle gemacht hätten?«

»Du meinst, ob ich glaube, daß es mehr als zwei sind?« erwiderte Luigi schnell. »Ja, das erscheint mir durchaus denkbar.«

»Und das Reserveteam geht jetzt zu Plan B über oder fährt nach Hause?«

»Unmöglich zu sagen.«

»Sie müssen etwas für Stockholm planen, nicht Skåne«, überlegte Carl laut und stellte fest, daß die beiden anderen mit einem kurzen Kopfnicken zustimmten. »Also ist meine Mutter nicht das erste Ziel. Das erste Ziel sind Tessie und Ian Carlos. Beurteilt ihr es auch so?«

Seine beiden Besucher bestätigten es erneut durch ein Kopfnicken.

»Und danach Johanna Louise und vielleicht sogar Eva-Britt?« fuhr Carl fort. Die Antwort war wieder ein Kopfnicken.

»Okay«, sagte Carl. »Ich habe Tessie gegenüber schon angedeutet, wohlgemerkt *angedeutet*, daß es einigen Kummer geben kann. Ich habe gesagt, daß du, Åke, sie vor all diesen lästigen Journalisten beschützen wirst, die sie inzwischen mit Recht haßt. Wohlgemerkt *Journalisten*. Das begründet die Rettungsaktion. Nichts sonst. Aber was zum Teufel machen wir mit Eva-Britt und Johanna Louise?«

»Die Polizei?« schlug Åke Stålhandske vor.

»Nicht ganz einfach«, seufzte Carl. »Ich habe versucht, etwas in dieser Richtung anzudeuten, aber sie sagt, sie könne sehr gut auf sich selbst aufpassen. Außerdem ist sie tatsächlich Polizistin. Ich wollte sie überreden, eine Zeitlang zu verreisen, aber das tat sie nur mit einem Schnauben ab. Es ist nicht einfach. Die Polizei arbeitet ja vermutlich nach der Säpo-Theorie, es seien Araber gewesen, die mich erledigen wollten. Åke, kannst du nicht mal mit Sam sprechen? Schildre ihm die Lage und sag ihm, daß wir in der Bastugatan Leute brauchen, ob das nun legal oder illegal ist. Aber wir müssen versuchen, etwas zu unternehmen, nicht wahr?«

»Ja, wir müssen etwas tun. Darf ich mich ihr zu erkennen geben?« frage Åke Stålhandske mit gesenktem Kopf. Er warf Carl einen Seitenblick zu und sah dessen leicht verwirrtem Blick an, daß er nicht verstanden zu haben schien.

»Darf ich sie aufsuchen und ihr sagen, wer ich bin?« verdeutlichte er.

»Nein«, entgegnete Carl mit sichtbarer Kraftanstrengung. »Dein Aussehen spricht gegen dich. Außerdem bist du ein reichlich großes Ziel. Schick diesen Jönsson oder Svensson oder wie der Kerl heißt, aber sprich erst mit Sam. In Ordnung?«

»In Ordnung«, sagte Åke Stålhandske.

»Und du selbst schaffst Tessie und Ian Carlos aus der Schußlinie«, fuhr Carl mit schmerzerfülltem Gesicht fort.

Åke Stålhandske nickte stumm.

»Aber ich kann doch …«, schaltete sich Luigi Bertoni-Svensson ein. Er wurde jedoch sofort von Carl unterbrochen.

»Nein, du kannst nicht. Ganz und gar nicht, denn du mußt sofort zu Sam, und morgen verläßt du das Land. Du mußt ins Ausland.«

»Ist das im Augenblick nicht unpassend?« fragte Luigi vorsichtig.

»Möglicherweise«, erwiderte Carl. »Aber nun ist es eben so. Wir haben einen Job zu erledigen, und der ist für dich maßgeschneidert. Du erfährst alles später. Åke kümmert sich um meine Familie, und du reist ab. Das ist ein Befehl, verstanden?«

»Verstanden. Zu Befehl«, seufzte Luigi.

»Gut«, sagte Carl. »Ich falle wahrscheinlich gleich in Ohnmacht oder schlafe ein oder so was. Bitte diese Krankenschwester, reinzukommen.«

An die folgenden Stunden konnte Carl sich nicht mehr erinnern.

*

In Kalifornien, wo es neun Stunden früher war als in Stockholm, war es spät in der Nacht beziehungsweise früh am Morgen. Lieutenant Felipe Hernandez hatte bei der Polizei von Santa Barbara Nachtdienst. Nach zwanzig Jahren bei der Polizei in Los Angeles hatte er eine berufliche Einstellung gewonnen, nie etwas zu erwarten, aber auch von nichts überrascht zu werden.

Santa Barbara war ein vergleichsweise idyllischer Ort, von Rentnern und Millionären etwas überbevölkert, was die Zahl einfacherer Raubüberfälle und Einbrüche in die Höhe schießen ließ, gleichzeitig aber die Zahl schwerer Gewaltverbrechen niedrig hielt. Die Tatsache, daß es in Santa Barbara keine Bandenkriege gab, machte einem Polizisten das Leben bedeutend leichter. Felipe Hernandez scherzte immer mit seiner Frau, im Grunde habe er den Übergang vom Bullen zum Bademeister geschafft; Santa Barbara sei kaum mehr als ein langer Badestrand, einer Hauptstraße durch die Stadt mit hohen Palmen und Villengebieten oberhalb des Strands, Villengebieten mit einer deutlichen sozialen Schichtung. Die Reicheren wohnten rechts, die weniger Reichen links.

Der Einbruchsalarm war von dem entschieden reichsten Villenviertel in der Nähe des Hotels Hilton gekommen, also dem Gebiet, in dem die meisten Einbrüche stattfanden und zu dem die Polizei häufig gerufen wurde. In sieben von zehn Fällen wurden diese verdammten Alarmmeldungen nicht durch Diebe ausgelöst, sondern von entflogenen Papageien, Kindern oder neuangestellten mexikanischen Haushaltshilfen. Hernandez hatte einen Streifenwagen hingeschickt, um das zu überprüfen, und die Angelegenheit dann vergessen, da in einer der wenigen geöffneten Nachtbars der Stadt eine heftige Schlägerei ausgetragen wurde. Folglich schickte Felipe Hernandez die beiden Streifenwagen, die er noch zur Verfügung hatte, dorthin.

Drei Minuten später nahm der Streifenwagen unten am Hilton-Gebiet mit ihm Kontakt auf.

»Lieutenant! Wir haben hier ein böses Verbrechen, mehrere Tote. Ein Opfer gibt noch schwache Lebenszeichen von sich. Der Krankenwagen ist unterwegs«, meldete der junge Polizeibeamte. Es war ihm deutlich anzuhören, wie erschüttert er war und wie sehr er sich bemühte, es zu verbergen.

»In Ordnung, Lino«, erwiderte Felipe Hernandez fast demonstrativ ruhig und gedehnt. »Ihr haltet die Stellung da unten. Ihr wißt, was ihr zu tun habt?«

»Ja, Sir! Andy versucht es mit Lebensrettungsmaßnahmen, solange noch kein Krankenwagen da ist … Jetzt kommt er, er ist da. Das Gebiet ist abgesperrt. Kommen Sie her, Sir?«

»Ja«, erwiderte Felipe Hernandez. »Ich bin in fünf Minuten da. Ende!«

Er rief erst einige Kriminalbeamte an und beorderte sie zum Tatort. Anschließend ging er zu seinem zivilen Wagen hinaus, befestigte das Blaulicht auf dem Dach und fuhr mit mäßiger Geschwindigkeit zum Tatort.

Wenn er Vermutungen anstellte, was er in aller Regel zu vermeiden suchte, würde es sich um eine Familientragödie in Verbindung mit Drogen oder Alkohol handeln. Wenn es in einem Haus in einer Nacht mehrere Tote gab, ging es meist um derlei.

Die große weiße Villa in mexikanischem Stil war von einer Mauer umgeben, doch das schwarze Gittertor stand offen. Er hielt einige Meter hinter dem Tor und ging zurück. Ein Gittertor hing schief, da ein Scharnier sich gelöst hatte. Beide Tore wiesen tiefe Dellen auf. Es war kaum zu übersehen, was hier geschehen war: Das Tor war ganz einfach mit einem Wagen aufgestoßen worden; das Auto war vermutlich irgendwo in der Nähe aufgegeben worden.

Felipe Hernandez ging nachdenklich zu seinem Wagen zurück

und fuhr zum Haupteingang des Hauses. Er wußte schon, daß es sich nicht um die übliche Familientragödie handelte.

In der Halle lag eine Frau mittleren Alters. Sie schien Mexikanerin zu sein und war vermutlich die Haushälterin gewesen. Sie trug einen weißen Bademantel. Mehrere Schüsse hatten sie in der Brust getroffen. Wie Felipe Hernandez sehen konnte, war die Tatwaffe eine Art Schrotflinte gewesen. Er drehte die Frau vorsichtig um, um keine Blutflecke auf die Schuhe zu bekommen, und ging dann durch einen Servierkorridor ins Innere des Hauses. Im Korridor lag ein toter Hund.

In einem großen Wohnzimmer fand er seine beiden Polizeibeamten. Er erkundigte sich kurz nach der Lage.

»Nun, was ist passiert?« fragte er.

»Die Täter, wahrscheinlich waren es mehr als einer, sind auf unbekannte Weise eingedrungen. Dann haben sie systematisch alle erschossen, die ihnen begegneten. Es muß schnell gegangen sein. Nichts deutet auf einen Raubüberfall hin, Sir.«

Felipe Hernandez runzelte die Stirn. Es erschien ihm reichlich früh, Schlußfolgerungen zu ziehen, ob es einen Raubüberfall gegeben hatte oder nicht. Auch wenn auf den ersten Blick nichts gestohlen zu sein schien, konnte beispielsweise eine Tasche mit schwarzem Geld verschwunden sein, was auch immer.

Er nickte und zeigte mit fragendem Gesicht auf die Treppe zum Obergeschoß. Die beiden Polizisten bestätigten schweigend seine Vermutung; dort oben gab es mehr zu sehen.

Der Eigentümer des Hauses lag auf seinem großen Doppelbett. Er war nackt, und sein Schlafanzug lag einige Meter vom Bett entfernt. Er war offenbar achtlos weggeworfen worden.

Was Felipe Hernandez sah, war etwas, wovon er bisher nur gehört hatte. Der Mann auf dem Bett war erschossen worden, ebenfalls mit einer Art Schrotflinte. Man hatte diesem Mann das Geschlechtsteil abgeschnitten und dann in den Mund gepreßt. In seinem Schritt leuchtete es weiß und gelb von abgeschnittener Haut und Fett. Von Blut war fast nichts zu sehen. Folglich war er schon tot gewesen, als sie ihn verstümmelten.

Auf dem Nachttisch lag ein Revolver, weniger als eineinhalb Meter von der ausgestreckten linken Hand des Toten entfernt.

Verschiedene Dinge paßten nicht zusammen. Es war nicht möglich, den Handlungsverlauf logisch zu rekonstruieren. Erst mußte das große Einfahrtstor da draußen mit großem Lärm aufgestoßen worden sein. Anschließend mußten die Täter ins Haus gekommen und an der Tür der Frau begegnet sein. Sie hatten sie getötet und hatten dann den Hund erschossen. Und während dieses ganzen Tumults sollte der Eigentümer des Hauses in aller Seelenruhe im Bett gelegen und geschlafen haben? Das war unwahrscheinlich.

Warum lag sein Schlafanzug auf dem Fußboden? Die Täter mußten dem Mann befohlen haben, ihn auszuziehen und wegzuwerfen, da sie sich offenbar schon entschlossen hatten, ihn zu verstümmeln, sobald er tot war.

Felipe Hernandez ging grübelnd weiter durch den Korridor, bis er ins nächste Schlafzimmer kam. Es war ein Kinderzimmer, in dem ein Junge gelebt hatte. An den Wänden sah er Wimpel und Schiffsmodelle, unordentlich herumliegende Schulbücher, und mitten auf dem Fußboden entdeckte er einen kleinen Baseballhandschuh. Der Junge war ebenfalls im Bett erschossen worden, wie aus den Blutspritzern an der Wand hinter dem Bett hervorging. Offenbar hatte man das Kind im Krankenwagen abtransportiert.

Felipe Hernandez seufzte und ging wieder ins Erdgeschoß hinunter, um weitere Opfer zu suchen. Sie lagen beide in der Küche. Ihren Positionen nach zu schließen, mußten sie nebeneinander am Küchentisch gesessen haben, als man sie erschoß.

Felipe Hernandez ging zur Küchentür. Er machte sie auf, zog eine schmale kleine Taschenlampe aus der Tasche und betrachtete aufmerksam das Schloß auf der Außenseite. Er sah ein paar kleine, metallisch glänzende Riefen am Schloßzylinder, nickte still und ging wieder in die Küche, um die Schlafzimmer des Küchenpersonals zu suchen. Das Personal hatte Zimmer bewohnt, die zusammen eine abgeschlossene Wohnung in der Villa bildeten: zwei Schlafzimmer, ein gemeinsames Wohnzimmer und eine kleine Pantry.

Felipe Hernandez begann in dem größeren Schlafzimmer. Das Doppelbett war in Unordnung, die Türen eines großen Kleiderschranks waren offen, ein Stuhl vor einem Frisiertisch mit Toilettenartikeln war umgestürzt worden. Er warf einen Blick in den

Kleiderschrank. Dort hingen zwei leere Bügel, neben denen viel Platz war. Im übrigen war der Kleiderschrank mit Kleidern gefüllt, die ordentlich nebeneinander hingen.

Das Zimmer des Dienstmädchens ließ ungefähr das gleiche erkennen. Felipe Hernandez ging langsam in das große Wohnzimmer, in dem inzwischen technisches Personal von der Spurensicherung sowie Fahnder zusammengekommen waren. Sie sahen Hernandez an und schwiegen.

»Ein Profi-Job«, stellte er zunächst fest. »Die Täter sind durch den Kücheneingang ins Haus gekommen, haben das Personal zusammengetrommelt und die Leute sogar gebeten, sich anständige Sachen anzuziehen. Dann haben sie sie mit Waffen in Schach gehalten. In der nächsten Phase ist ein Täter, vielleicht auch zwei ins Obergeschoß gegangen, um den Hauseigentümer und dessen Sohn zu erschießen. Danach kam das Personal an die Reihe. Mit der Frau, die da draußen liegt, scheint es nicht ganz glatt gegangen zu sein. Vielleicht wollte sie weglaufen, vielleicht hat der Hund etwas mit der Sache zu tun. Es sieht aus wie ein bestellter Job. Ausgeführt von professionellen Killern.«

»Wer diese Arbeit bestellt hat, muß eine verdammt große Abneigung gegen Mr. Matthews gehabt haben«, stellte einer der Fahnder fest.

»Du meinst diesen Einfall, dem Toten den Schwanz in den Mund zu stecken?« fragte Felipe Hernandez. »Ja, das entspricht unleugbar nicht dem hier in Santa Barbara üblichen Umgangston. Okay, Jungs, jetzt machen wir folgendes ...«

Felipe Hernandez erwartete nicht, Fingerabdrücke oder andere Indizien zu finden. Möglicherweise hoffte er auf Funde, die auf ein besonders raffiniertes Verbrechen hindeuteten, da die Morde von Tätern mit bemerkenswerter krimineller Energie begangen worden waren. Sie hatten offensichtlich Gründe gehabt, auf Mr. Matthews wütend zu sein. Felipe Hernandez befahl den Technikern mit ihrer Arbeit im Haus anzufangen, während das uniformierte Personal das Haus absperrte und mit den ersten Vernehmungen von Nachbarn sowie Leuten begann, die sich zur Tatzeit vielleicht in der Nähe aufgehalten hatten. Die Kriminalbeamten nahm er mit zur Wache zurück, wo alle zunächst etwas Kaffee tankten und dann im Einsatzzimmer zusammenkamen. Die

Arbeitsaufgaben wurden schnell verteilt. In erster Linie galt es jetzt, alle verfügbaren Angaben über das Opfer zu besorgen. Bei oberflächlicher Betrachtung schien er eine Stütze der Gesellschaft gewesen zu sein, doch so sahen diese Leute an der Oberfläche immer aus. Wenn es wie jetzt Gründe gab, im Leben und in den Geheimnissen vermögender Staatsbürger zu wühlen, tauchte in der Regel erstaunlich viel Scheiße auf. Im Krankenhaus hatte man nicht einmal den Versuch gemacht, den kleinen Jungen zu operieren, nachdem er eingeliefert worden war. Er mußte gestorben sein, bevor er im Krankenwagen abtransportiert wurde. Der diensthabende Gerichtsmediziner beschrieb per Telefon die Todesursache als die Folge mehrfacher Schußverletzungen mit sehr grobem Schrot, sogenannten *buck shots*. Vermutlich seien alle Morde mit dem gleichen Waffentyp begangen worden.

Erst jetzt bemerkte Felipe Hernandez, daß am Tatort keine leeren Schrothülsen gefunden worden waren. Die Täter hatten sich offenbar die Zeit genommen, sie einzusammeln, bevor sie verschwanden.

Das erste positive Ergebnis der Morgenstunden war das Auffinden des Kleinbusses, dessen sich die Mörder bedient hatten. Einer der Nachbarn hatte einen schwarzen oder dunkelblauen Kleinbus der Marke Dodge mit hoher Geschwindigkeit davonfahren sehen. Die abgeblätterte Farbe an dem Eisentor deutete darauf hin, daß der Wagen dunkelblau war. Eine Streife hatte den Wagen unten in Ventura gefunden, kaum zwanzig Autominuten von Santa Barbara entfernt.

Daß der Wagen vor zwei Tagen irgendwo in Los Angeles als gestohlen gemeldet worden war, war nicht anders zu erwarten gewesen. Der Inhalt des Wagens war überraschender. Dort befanden sich fünf dunkelblaue Overalls, fünf Schrotflinten des Typs *pump action* sowie reichlich Munition. Da die Täter nicht gerade den Eindruck machten, Anfänger zu sein, deuteten diese Funde auf zwei Dinge hin. Einmal, daß sie nach dem Verlassen des Kleinbusses in einen oder mehrere Wagen gestiegen waren und eventuell noch Leute gehabt hatten, die dort warteten, wo sie ihren Minibus parkten. Zweitens mußten sie sicher gewesen sein, daß Waffen und Munition sich nicht zurückverfolgen ließen. Ferner gingen die Täter offenbar davon aus, daß die Techniker von der Spurensicherung es nicht schaffen würden, Kleiderfasern, Fingerabdrücke oder andere rechtstechnisch interessante Spuren zu finden. Die Mörder waren kaltblütig, sachkundig und überdies vermutlich hochbezahlt. Noch immer deutete nichts darauf hin, daß auch nur ein einziger Wertgegenstand in der Villa entwendet worden war. Im Panzerschrank, der relativ leicht hätte geöffnet werden können oder den die Täter schlimmstenfalls hätten mitschleppen können, hatte man sowohl Obligationen als auch eine ansehnliche Menge Bargeld gefunden. Es erstaunte Felipe Hernandez nicht im mindesten, daß er schon am frühen Morgen kurz nach Beginn der Bürozeit von der Bundespolizei FBI angerufen wurde. Ein Special Agent namens McDuff meldete sich vom Hauptbüro Kalifornien in Los Angeles. Daran war nichts Merkwürdiges. Immerhin erweckte der Fall den Eindruck, als hätte man es mit einem Verbrechen entweder im Rahmen des organisierten Verbrechens, der Mafia oder von Terroristen zu tun, und diese Vermutungen führten häufig dazu, daß das FBI die Ermittlungen übernahm.

Was Felipe Hernandez erstaunte, war die unglaubliche Geschwindigkeit, mit der das FBI gearbeitet zu haben schien. Special Agent McDuff teilte nicht nur mit, man habe »den Fall übernommen«, sondern sagte auch, zwei der Täter seien festgenommen worden. Man wisse überdies, wer sie gedungen habe und weshalb. Übrigens sei nicht Mr. Matthews das Hauptziel gewesen, sondern dessen achtjähriger Sohn, berichtete der FBI-Agent weiter, unter uns Bullen sozusagen, bevor er einen angenehmen Tag in Santa Barbara wünschte und auflegte.

Felipe Hernandez verfiel in eine kurze Grübelei. Er und seine Leute hatten immerhin nach Formular 1 A des Lehrbuchs gearbeitet, und es sah wie der Anfang einer beliebigen Mordermittlung aus, ungefähr so, wie man es nach nur wenigen Stunden erwarten kann. Dann ruft das FBI an und sagt, die ganze Sache sei aufgeklärt. Das erschien zunächst unbegreiflich und ließ sich nur damit erklären, daß das FBI bereits in den Startlöchern gestanden hatte.

Das FBI geht routinemäßig sämtlichen Mordfällen nach, besonders wenn es sich um spektakuläre Morde handelt oder wie in diesem Fall um Morde, bei denen die Täter gewissermaßen ihre Visitenkarte hinterlassen.

Die Mörder hatten nämlich keinerlei Ablenkungsmanöver inszeniert. Sie hatten keine Obszönitäten mit Blut an die Wände geschmiert, nichts gestohlen, sondern ihren Job erledigt und ihre sizilianische Botschaft hinterlassen: So stirbt ein Verräter oder Spitzel. Es waren in erster Linie die abgeschnittenen Geschlechtsteile im Mund des Opfers, welche die nächtliche Aktivität des FBI ausgelöst hatten.

Die erste Recherche in den Computern, in denen man nach einer Verbindung zwischen einem Immobilienmakler namens Matthews in Santa Barbara und irgendeiner Form der Mafia suchte, blieb jedoch erfolglos. Nichts deutete auf solche Verbindungen hin. Es fanden sich überhaupt keine Hinweise auf irgendeine kriminelle Tätigkeit von seiten Mr. Matthews.

Folglich suchte man bei den anderen Mordopfern nach Verbindungen und fand sie bei dem achtjährigen Sohn Stan Matthews. Der Junge war Gegenstand eines Sorgerechtsstreits zwischen seinem jetzt ermordeten Vater und seiner Mutter, die wieder geheiratet hatte, und zwar einen außerordentlich qualifizierten Mörder, falls man es so nennen durfte – wonach man spät in der Nacht im Analyseraum des FBI, in dem es keine außenstehenden Zeugen gab, nicht fragte.

Als man dann in den Computern Angaben über diesen Flottillenadmiral Carl Gustaf Hamilton suchte, tauchten auf dem Bildschirmen sofort Hinweise auf geheime Akten sowie auf frische sensationelle Informationen auf.

Das regionale FBI in Los Angeles mußte auf dem Weg über das nationale Hauptquartier in Washington einen Kontakt mit Rom etablieren, und von dort kamen sehr schnelle und konkrete Antworten. Die italienische Sicherheits- und Mafiapolizei nannte eine Reihe von Namen führender Personen der sizilianischen Mafia, deren Familien von besagtem Hamilton vor ein paar Jahren stark dezimiert worden seien. Überdies nannte Rom auch die verschiedenen Verwandtschafts- und Finanzverbindungen der Mafiafamilien aus Palermo in den USA.

Den Rest besorgte man sich über das in Washington vorhandene eigene Mafia-Material. Das Ergebnis war die Festnahme von zwei Verdächtigen auf einem der Flughäfen von Los Angeles. Sie wollten nach New York zurück und waren beide einer Reihe von

Gewaltverbrechen verdächtig. Sie protestierten nicht, sagten aber auch nichts. Sie erklärten nur, sie wünschten zwei Anwälte. Im Augenblick wurden sie gerade mit ihren Anwälten verhört, und es sah aus, als würde sich zumindest einer der Männer knacken lassen – bei einigen der Morde, die man ihm zur Last legte und wegen derer nach ihm gefahndet wurde, schienen die Beweise recht anständig zu sein. Man würde ihm in diesem Zusammenhang ein ziemlich faires Angebot machen: Gib uns ein paar Namen, dann bleibt dir das Todesurteil erspart. Wenn wir den Mord an Matthews und seinem Kind aufklären, kannst du als freier Mann davonspazieren und wirst zudem in das Zeugenschutzprogramm des FBI aufgenommen.

Bisher hatte der Mann mit dem sizilianisch unheilsverkündenden Namen Salvatore Pizzi geschwankt. Mal nahm er die stolze Haltung eines Mannes ein, der niemanden verpfeift, mal neigte er zu der eher realistischen Erkenntnis, daß das Leben eines Spitzels keinen Pfifferling wert ist, und mal unterstrich er den geschäftsmäßigen Aspekt, daß er ein wenig finanzielle Hilfe brauche, um ein neues Leben mit einer neuen Identität anfangen zu können.

Es sah recht vielversprechend aus. Die Zeit, in der einhundert Prozent dieser Mafia-Gangster erklärten, sie wollten lieber sterben als Verrat üben, war gewiß vorbei. Jedenfalls wußte das FBI, daß die beiden festgenommenen Männer die richtigen waren. Außerdem wußte man, wer die Morde organisiert und bezahlt hatte und weshalb. Es war ein effektiver Vormittag gewesen, so effektiv, daß man nicht einmal übersehen hatte, die gewonnenen Erkenntnisse schnell an die schwedische Sicherheitspolizei weiterzuleiten.

Die schwedische Sicherheitspolizei hatte auf die eingegangenen Faxmitteilungen jedoch nicht geantwortet, und zwar aus Gründen, die nicht ganz leicht zu begreifen waren. In Skandinavien war es im Moment vermutlich schon später als das Ende der üblichen Bürozeit, aber in Washington fragte man sich, ob Sicherheitsbeamte nur zwischen neun und siebzehn Uhr arbeiteten. So imponierend das Wissen des FBI um die organisierte Kriminalität in den USA war, so dürftig war ihr Wissen um die Kollegen in dem exotischen fernen Land Schweden. Das Fax des FBI war in einem kleinen Eingangskorb auf einem Cheftisch gelandet, dessen Inhaber am nächsten Morgen zwischen 8.30 Uhr und 10.00 Uhr auftauchen würde. Er arbeitete nämlich mit Gleitzeit.

*

Carl begriff, daß er aufgewacht war, wußte aber nicht, weshalb er dieses Gefühl des Wachseins so deutlich wahrnahm. Er brauchte einige Zeit, um zu erkennen, wo er sich befand, und sich an das zu erinnern, was geschehen war. Er hatte Alpträume gehabt, in denen seine Kinder in Gefahr waren. Die Erinnerung an diese Alpträume war jedoch so diffus, daß sie kaum mehr zurückließ als ein Unbehagen, fast wie eine Ahnung von muffigem Geruch. Carl sah aus dem Fenster. Dem Sonnenstand nach, mußte es später Nachmittag oder früher Abend sein. Er fuhr sich mit der Handfläche übers Gesicht und stellte fest, daß er relativ gut rasiert war. Folglich hatte er nur einige Stunden geschlafen und nicht mehr als vierundzwanzig Stunden. Er befand sich also immer noch am Tag eins nach seinen Schußverletzungen.

Er streckte die Hand vorsichtig nach der Klingel aus, worauf beinahe sofort seine Sophia-Schwester erschien.

»Ich bin wohl eingenickt«, begrüßte er sie verlegen. Sie erklärte, das sei kein Wunder. Ob er irgendwo Schmerzen habe?

Als er seinen Schmerz mit einer Handbewegung abtat und fragte, ob Besucher warteten, schüttelte sie nur leicht den Kopf und lächelte über sein reflexhaftes Verhalten, sofort nach Arbeit zu fragen, sobald er die Augen aufschlug. Er bat sie, Erik Ponti vom *Echo des Tages* anzurufen und diesem mitzuteilen, daß das Interview bewilligt sei und sofort stattfinden könne.

»Welches Interview? Ich dachte, wir hätten alle Besuche für heute erledigt. Gerade jetzt zu Anfang ist es wichtig, daß du möglichst viel ruhst«, wandte sie vorwurfsvoll ein.

»Aus diesem Grund werde ich nur ein einziges Interview geben, und deshalb haben wir das *Echo des Tages* ausgewählt«, entgegnete er entschieden. Dann gab er ihr die Telefonnummer und schloß demonstrativ die Augen.

Erik Ponti brauchte keine zehn Minuten, um alles stehen- und liegenzulassen und zum Sophia-Heim zu fahren. Er war sich nicht ganz sicher, ob man ihm einen Streich spielen wollte, doch er war bereit, dieses Risiko auf sich zu nehmen.

Als es vorsichtig an der Tür klopfte, schlug Carl die Augen auf. Er war wieder eingeschlafen. Er blinzelte ein paarmal heftig, bevor er »Herein« rief. Es war die Sophia-Schwester, die einen Redakteur Ponti meldete, und Carl nickte.

»Hallo, *Redakteur* Ponti. Nennst du dich wirklich so?« begrüßte ihn Carl freundlich.

»Wie bitte? Nein, so reden nur Sophia-Schwestern«, sagte Erik Ponti entschuldigend und ging zu dem Stuhl, auf den Carl gezeigt hatte. Dann begann er, an seinem Tonbandgerät zu hantieren. Carl betrachte ihn neugierig. Der Mann war gealtert und wurde allmählich grauhaarig. Er sah jedoch immer noch so aus, als trainierte er regelmäßig. Im übrigen war er durch und durch Journalist: Jeans, grüne Lederjacke und Sportschuhe. Nicht gerade ein Mann, der darauf aus ist, Chefkarriere zu machen.

»So«, sagte Erik Ponti und hielt Carl ein Mikrophon vors Gesicht. »Der nützliche Idiot vom *Echo des Tages* hat sich eingefunden und ist dienstbereit.«

»Dein Exklusivrecht scheint dich nicht sehr dankbar zu stimmen«, sagte Carl abwartend.

»Nein«, erwiderte Erik Ponti. »Ich bin zu deinem Hofberichterstatter ernannt worden, und angesichts dessen, daß ich Gefreiter der Marine bin, du aber Flottillenadmiral, ist meine Situation nicht ganz unproblematisch …«

»Teufel auch, du warst bei der Marine? Wo denn?« unterbrach ihn Carl.

»Bei etwas, was sich Basissicherung in Karlskrona nannte, aber wir sollten vielleicht …«

»Draußen auf diesem getarnten Bauernhof Rosen … Rosenholm? Wo ihr einen Kapitän hattet, der bei dieser äußert geheimen Abteilung Urlaubsuniformen mit einem Messer auf der weißen Baskenmütze einführen wollte?« fragte Carl spöttisch.

»Ja, schon. Aber …«

»Du hast also gelernt, Leuten den Hals durchzuschneiden!« sagte Carl und riß mit übertriebenem Erstaunen die Augen auf.

»Im Hinblick darauf, in welcher Gesellschaft ich mich gerade befinde, würde ich das vielleicht für übertrieben halten. Aber laß uns zur Sache kommen«, erwiderte Erik Ponti irritiert. Carl machte eine kapitulierende Handbewegung.

»Also, du möchtest interviewt werden. Normalerweise willst du das nicht. Es gibt Dinge, die du sagen willst, und anderes, was du nicht sagen möchtest«, stellte Erik Ponti in einem etwas unsicheren Versuch fest, einen geschäftsmäßigen Ton anzuschlagen.

»Hört sich wie eine vernünftige Hypothese an, Gefreiter«, erwiderte Carl in einem Tonfall, der bemüht freundlich und kameradschaftlich klang.

»Wonach darf ich nicht fragen?«

»Wie immer nach allem, was die Sicherheit des Reiches und so weiter betrifft … Nein, mein Fehler! Du darfst fragen, was immer du willst. In bestimmten Situationen, die du meist vorhersehen kannst, werde ich dir mit dieser alten Leier kommen müssen.«

»Beim schwedischen Nachrichtendienst ist es üblich, daß wir weder bestätigen noch dementieren … Diese Leier?«

»Genau diese Leier.«

»Das ist kein Problem. Das schwedische Volk möchte im Augenblick zwei Dinge wissen. Erstens, wie es dir geht, zweitens, wie das Feuergefecht ablief und wer die Täter sind«, sagte Erik Ponti eifrig.

»Das sind schon drei Dinge«, stellte Carl fest. »Was Punkt drei angeht, weiß ich nichts. Weißt du etwas?«

»Nein«, erklärte Erik Ponti zögernd. »Weißt du schon, daß sie heute nacht rund fünfzig Araber eingebuchtet haben? Die meisten sind immer noch ihrer Freiheit beraubt.«

»Mit welcher Begründung denn?« fragte Carl.

»Das ist es ja gerade, ohne besonderen Grund. Das brauchen sie nicht, wenn es sich um Araber handelt, zumindest nicht bei Arabern, die noch keine schwedischen Staatsbürger sind.«

»Merkwürdig«, sagte Carl grübelnd. »Wir haben doch keine Apartheidgesetze in Schweden?«

»Irgendwie doch. Wir haben Terroristengesetze, und gegen Araber reicht das allemal.«

»Die Hypothese der Säpo lautet, daß Araber auf mich geschossen haben. Sie buchten zahlreiche Araber ein, weil sie nach dem Gesetz das Recht dazu haben. Es hat den Anschein, als wäre ihre Hypothese richtig, da sie Araber einsperren, und wenn sie diese

Araber dann irgendwann wieder freilassen, wissen wir entweder, wer die Täter sind, und dann macht es nichts. Dann ist es ja nur gut, daß man die Araber freiläßt. Wenn wir aber andererseits nicht wissen, wer die Täter sind, müssen es wohl doch die Araber gewesen sein, weil man sie schließlich eingebuchtet hat. Der gleiche Trick wie bei Palme und den Kurden?«

Carl hatte langsam und mit einer aufkeimenden Wut gesprochen, die er nicht zu verbergen suchte.

»Ungefähr so«, bestätigte Erik Ponti mit einem Kopfnicken. »Ich glaube nicht daran, aber das gehört nicht hierher. Wenn ich dich jetzt direkt frage: Wagst du, diese Araberspur glatt abzutun?«

Carl überlegte und ließ sich viel Zeit.

»Ja«, erwiderte er schließlich. »Ich kann es natürlich nicht ohne Vorbehalte machen, aber ich nehme das Risiko auf mich und gehe recht weit. Gibt es sonst noch etwas, was du vorweg wissen willst, denn wir haben doch immer noch die Regeln, daß nur das gilt, was ich auf der Tonbandaufnahme sage?«

»Ja, die Abmachung gilt. Wer hat der Dame ins Bein geschossen?«

»Einer meiner sogenannten Leibwächter, aber ich weiß nicht, wer von ihnen. Ich war nämlich in diesem Moment damit beschäftigt, auf die Täter zu feuern.«

»Das ist ja glänzend!« rief Erik Ponti spontan aus. »Bist du sicher?«

Dann zeigte er aufs Tonbandgerät, wartete Carls Kopfnicken ab und schaltet dann das Gerät ein.

»Wo bist du getroffen worden, und wie geht es dir, Carl Hamilton?« lautete die erste Frage.

»Ich wurde von drei Schüssen getroffen, einem ins Bein, einem in den Bauch und einem in den äußeren linken Teil des Brustkorbs. In der Ärztesprache heißt es, daß es mir den Umständen entsprechend gut geht. Vermutlich bin ich schon bald wieder auf den Beinen.«

»Aber du hattest noch die Zeit, das Feuer zu erwidern, bevor du selbst getroffen wurdest?«

»Nicht ganz. Als ich vor dem Eingang von Rosenbad stand, entdeckte ich die Attentäter auf der Treppe der Kunstakademie. Sie waren gerade dabei, sich bereit zu machen, das Feuer zu eröffnen.

Ich zog meine Waffe und erschoß erst den Mann auf der linken Seite mit zwei Schüssen durch den Kopf. Unterdessen hatte es der zweite geschafft, mit seiner Automatikwaffe das Feuer zu eröffnen. Er muß mich folglich mit diesen drei Schüssen getroffen haben, bevor ich ihn erwischte. Mit zwei Schüssen in die Brust.«

»Bist du sicher, daß es sich so abgespielt hat? Eine Abendzeitung gibt an, es seien deine Schutzwachen von der Säpo gewesen, die die Täter erschossen hätten. Außerdem wird die Vermutung geäußert, du hättest möglicherweise eine Dame ins Bein getroffen.«

»Ich habe vier Schuß abgegeben, nur vier Schuß. Sie sitzen in den Tätern. Das heißt, inzwischen hat man die Kugeln entfernt, und dabei festgestellt, daß sie aus meiner Waffe stammen. Die Säpo verwendet eine Pistole der Marke Sig-Sauer, aber ich arbeite mit einer anderen Marke. Das Geschoß im Bein der Dame stammt von einer Sig-Sauer. Das weiß die Polizei aber schon. Die Säpo-Leute haben ungefähr zehn Schuß abgefeuert, nachdem der eigentliche Schußwechsel schon vorüber war. Mir ist nur unklar, auf was sie gefeuert haben. Außer auf die Dame. In der Nähe befanden sich jedenfalls keine anderen Täter.«

Erik Ponti konzentrierte sich mühsam darauf, nicht laut loszulachen.

»Was für eine Waffe verwendest du?« fragte er. Er hielt die Frage nicht für sonderlich wichtig, sondern stellte sie eher, um das Gespräch weiterzuführen.

»Darauf will ich nicht antworten. Es ist jedenfalls eine andere Waffe als die bei der Säpo übliche, und in kriminaltechnischer Hinsicht ist der Unterschied zwischen unseren Waffen und unseren Geschossen sonnenklar.«

»Der Sicherheitspolizei zufolge sind die Täter vermutlich palästinensische Terroristen. Was hältst du von dieser Hypothese?«

»Ich halte sie für außerordentlich unwahrscheinlich. Nichts im Verhalten, der Bewaffnung oder dem Aussehen der Täter deutet darauf hin, daß es sich um Palästinenser gehandelt hat.«

»Aber die Polizei hat bei ihren Razzien zumindest fünfzig Palästinenser und andere Araber festgenommen.«

»Das zeigt für mich nur, daß es der Sicherheitspolizei darum geht, uns glauben zu machen, die Täter seien Palästinenser.«

»Warum möchten sie uns das glauben machen?«

»Das weiß ich nicht. Die beste Erklärung wäre wohl, daß es ein Ablenkungsmanöver sein soll, damit die wirklichen Täter sich sicher fühlen können. Die schlechteste Erklärung ist, daß die Leute bei der Säpo tatsächlich an ihre eigene Theorie glauben. Massenfestnahmen dieser Art sind jedenfalls eher Theaterdonner als seriöse Polizeiarbeit. Die Medien müßten bei solchen Dingen mehr auf der Hut sein.«

»Meinst du, daß die Säpo mit Hilfe bestimmter Zeitungen eine Haßstimmung erzeugen will?«

»Meine Antwort ist ein klares Ja. Das will die Säpo auf jeden Fall, ebenso diese Abendzeitung, die du im Auge hast.«

»Die Massenmedien sind also ein Problem?«

»Eine bestimmte Art von Publizität ist äußerst gefährlich. Etwa all diese Karten und Pfeile, mit denen auf Wohnungen und Anfahrtswege zu anderen denkbaren Opfern hingewiesen wird. Ich verstehe nicht, weshalb die Medien so etwas tun.«

»Willst du damit sagen, daß es noch weitere denkbare Opfer gibt?«

»Ja, natürlich. Damit müssen wir rechnen. Aber ich will im Augenblick keine Überlegungen zu diesem Gebiet äußern. Ich möchte es vermeiden, sozusagen Unheil herbeizureden, falls du verstehst, was ich meine.«

Erik Ponti schaltete nachdenklich das Tonbandgerät ab. Er erweckte nicht den Eindruck, als hätte er verstanden, was Carl mit dieser letzten Bemerkung meinte; Carl verstand es selbst kaum. Er hatte die Worte einfach gesagt.

»So«, sagte Erik Ponti und blickte hastig auf seine Armbanduhr. »In dreizehn Stunden läuft dieses Interview in voller Länge, in den kommenden vierundzwanzig Stunden in mehreren Portionen. Ich habe es eilig, wenn du entschuldigst.«

»Was soll das heißen, Portionen?« fragte Carl übellaunig. »So langatmig waren wir doch gar nicht.«

»Es ist nicht so, wie du glaubst«, erklärte Erik Ponti, als er seine Dinge zusammenpackte. »Wir bringen erst das ganze Interview, um dann die Helden und Scharfschützen der Säpo zu Wort kommen zu lassen. Wir stellen ihre Sprecher gegen dich. Dann folgt ein Bericht über diese Massenfestnahme von Arabern. Bei diesem

Teil werde ich selbst besonders gut aufpassen, wie du weißt. Du bist für das Schießen verantwortlich, und ich für das Journalistische, okay?«

»Okay«, sagte Carl und lachte, weil ihm plötzlich einfiel, daß der Ministerpräsident ihn fast genauso zurechtgewiesen hatte. »Es scheint allen daran zu liegen, daß ich mich um das Schießen kümmere. *Vaya con Dios*!«

»Du auch«, sagte Erik Ponti, der schon dabei war, eilig das Zimmer zu verlassen.

Carl lehnte sich gegen die Kissen und suchte nach einer Körperhaltung, die möglichst wenig weh tat. Dann versuchte er einzuschlafen.

Es war jedoch völlig unmöglich. Etwas nagte und bohrte in ihm. es hielt sich wie ein Musikfetzen aus diesem Alptraum. Es gab etwas, was ihn erschreckte, aber er wußte nicht, was es war.

*

Das Kindertagesheim Ekorren (das Eichhörnchen) lag an einer schmalen, schlüpfrigen und gewundenen, mit Kopfsteinpflaster belegten Straße in Gamla stan. Auf der linken Seite, in Fahrtrichtung der kurzen Einbahnstraße, standen ständig zahlreiche geparkte Wagen, die fast die Hauswände berührten. Den Fußgängern blieb der Raum zwischen den Hauswänden auf der anderen Seite und der Mauer aus Autoblech. Es war unklar, ob diese Art zu parken erlaubt war oder nicht. Manchmal bekam man zweimal am selben Tag einen Strafzettel, wenn man gerade hier stand, manchmal lag aber auch eine ganze Woche zwischen den Aktionen der Politessen. Kein Mensch verstand die darin liegende Systematik, falls es überhaupt eine gab. Und im übrigen war es in dem gesamten angrenzenden Gebiet fast ebenso schwierig, einen Parkplatz zu finden.

Die Passage zwischen der Reihe der geparkten Wagen und den Hauswänden gegenüber erlaubte keinem Lastwagen die Durchfahrt und einem Minibus nur mit Mühe.

Gerade an diesem Tag hatte Eva-Britt darauf gesetzt, vor dem Eingang der Kindertagesstätte einen Parkplatz zu finden. Es funktionierte nicht. Sie mußte erst noch ein gutes Stück weiterfahren und sich dann leicht fluchend durch eine Lücke von vielleicht einem halben Meter zwängen, die gerade noch die Haustür frei ließ.

Als sie mit ihrer Tochter an der Hand herauskam, beobachtete sie aus den Augenwinkeln, daß ein Dodge-Bus sich in der Nähe in Bewegung setzte. Sie ging davon aus, daß sowohl ihre Polizeiuniform als auch das Kind, das sie an der Hand hielt, den Fahrer zu einiger Rücksicht nötigen würde. Sie beeilte sich folglich nicht sonderlich, als sie, leise mit Johanna Louise sprechend, losging.

Als sie hörte, wie der V-8-Motor plötzlich hinter ihnen aufheulte, begriff sie, was geschah. Sie fand jedoch nicht mehr die Zeit, Angst zu haben, sondern nahm Johanna Louise schnell auf den Arm und preßte sich fest mit dem Rücken an die Hauswand.

Der Fahrer lenkte das schwere Gefährt wenige Dutzend Zentimeter von den beiden entfernt gegen die Wand und zerquetschte sie buchstäblich an der Steinmauer. Die Augenzeugen, die den Dodge-Bus einige Sekunden später unten an der Straßenecke sahen, wußten zu berichten, daß die ganze Seite des Busses blutverschmiert gewesen sei, vom vorderen Kotflügel bis zu den Hintertüren.

Für das eigentliche Ereignis gab es keine Augenzeugen. Und diejenigen, die in der Nähe gewesen waren und das Geräusch von Metall auf Stein sowie das Motorgeräusch gehört hatten, das sich plötzlich zu einem Crescendo gesteigert hatte, waren die Gasse hinaufgerannt, statt zu beobachten, wohin der Wagen fuhr.

Es dauerte weniger als drei Minuten, bis der erste Streifenwagen mit Blaulicht und eingeschalteter Sirene in die Gasse zum Tatort fuhr. Innerhalb der folgenden zwei Minuten waren weitere zwei Streifenwagen angekommen. Die Erzieherin, die die Polizei angerufen hatte, und mit der Einsatzzentrale verbunden worden war, hatte nämlich angegeben, daß eine Polizeibeamtin soeben überfahren worden sei. Der Fahrer habe Fahrerflucht begangen. Mehr hatte sie nicht sagen können, bevor sämtliche Streifenwagen in der Nähe alarmiert wurden, die die für alle Polizisten der Welt wichtigste Mitteilung erhalten: Kollegin in Gefahr.

Die beiden Streifenbeamten, die als erste zum Tatort kamen, begriffen zunächst nicht, was sie da sahen. Sie konnten nicht erkennen, wie viele Menschen getötet worden waren. Daß einer der Getöteten Polizist gewesen sein mußte, erkannten sie an verstreut herumliegenden Ausstattungsdetails und Uniformresten.

Einige Minuten später fand man den verlassenen Dodge-Bus ein paar hundert Meter von der U-Bahn-Station Gamla Stan und erwischte mehrere Zeugen. Diese hatten gesehen, wie der Wagen geparkt worden war. Zwei Männer hätten ihn eilig verlassen und seien in Richtung U-Bahn gerannt, ohne auch nur die Türen hinter sich zu schließen. Mehrere dieser Personen hatten ebenfalls die Polizei gerufen, da der Wagen an der einen Längsseite völlig verbeult und voller Blut war. Eine Seitenleiste habe wie ein abgebrochener Speer in die Luft geragt. Und an diesem abgebrochenen Speer war ein menschlicher Arm festgeklemmt sowie Teile einer Polizeiuniform. Für die Kollegen, die den verlassenen Bus fanden, ging aus den blutbespritzten Rangabzeichen hervor, daß der Arm einem Polizeiinspektor gehört hatte.

Da innerhalb so kurzer Zeit kein Polizeipräsident, Reichspolizeichef oder Politiker es schaffte, in die Jagd nach den Mördern einzugreifen, wurde die Fahndung von der großen Einsatzzentrale der Polizei geleitet. Dort setzte man ohne jedes Zögern alle vorhandenen Reserven ein. Das bedeutete, daß im großen und ganzen sämtliche Polizeibeamten in der ganzen Innenstadt in die Jagd nach den Mördern einbezogen wurden, womit sie sich auch gerade beschäftigten (»alles, ob mit oder ohne Uniform«).

Mit Hilfe der Fahrdienstleitung der U-Bahn wurde schnell festgestellt, welche Züge in der Zwischenzeit von der fraglichen U-Bahnstation abgefahren sein konnten. Alle diese Züge wurden zum Stehen gebracht, was bedeutete, daß das gesamte U-Bahnnetz Stockholms plötzlich zum Stillstand kam. Anschließend wurden Polizisten zu den Bahnhöfen befohlen, in die man nach und nach die Züge schleuste, damit die Polizei jeden einzelnen Fahrgast unter die Lupe nehmen und in einigen Fällen identifizieren konnte. Eine Kollegin war ermordet worden.

Es waren jedoch zwei Zivilfahnder, die als erste die verdächtigten Täter entdeckten. Die beiden Fahnder hatten sich vor dem Sheraton Hotel aufgehalten und darauf gewartet, daß ein verdächtiger Drogendealer in eine seit Monaten sorgfältig gestellte Falle tappte.

Sie saßen in einem Wagen vor dem Hotel und empfingen daher die Alarmmeldung über Funk. Sie erkannten schnell, daß es sinnlos war, sich zur U-Bahn-Station Gamla Stan zu begeben. Dort würden sie bestenfalls als Polizisten Nummer sechzehn und siebzehn eintreffen. Hingegen konnten sie die Fußgängerbrücke unter die Lupe nehmen, die parallel zur Eisenbahnbrücke von der Altstadt zum Tegelbacken verläuft. Dort würden sie als erste ankommen.

Ohne noch einen Gedanken an ihre Falle zu verschwenden, schalteten sie das Blaulicht ein und verstießen gegen eine Vielzahl von Verkehrsvorschriften, um zu einem Punkt zu gelangen, an dem sie die Fußgängerbrücke übersehen konnten. Sie schafften es gerade noch, zwei Männer von ausländischem Aussehen zu entdecken, die eben noch schnell gerannt waren und jetzt angestrengt normal zu gehen begannen, als wollten sie kein Aufsehen mehr erregen.

Sie meldeten sich bei der Einsatzzentrale, worauf einige Wagen in diese Region umgeleitet wurden. Als die beiden Verdächtigen zum Stockholmer Hauptbahnhof geschlendert waren, warteten dort hinter den Türen uniformierte Polizeibeamte. Zivilfahnder folgten den beiden aus zwei Richtungen von der Straße her.

Die Festnahme geriet nicht ganz undramatisch, da einer der Verdächtigen noch die Zeit fand, eine Waffe zu ziehen, bevor sechs oder sieben uniformierte Beamte es schafften, dem Mann die Arme auf den Rücken zu biegen und ihm Handschellen anzulegen. Die beiden ausländischen Verdächtigten wurden entwaffnet, in Handschellen und in rasender Fahrt mit zivilen Wagen zur Kripo auf Kungsholmen gefahren und dort auf der Stelle wegen illegalen Waffenbesitzes vorläufig festgenommen. Damit befanden sie sich vorerst in sicherer Verwahrung.

Die komplizierte Operation in der U-Bahn mit großer Sorgfalt durchgeführt, ergab jedoch nichts Konkretes, wenn man davon absieht, daß einige Personen aus unterschiedlichen Gründen beim Anblick so vieler Polizisten in Panik gerieten. Sie hatten deshalb, möglicherweise in totaler Überschätzung ihrer Bedeutung, zu fliehen versucht, hatten Diebesgut und Drogen weggeworfen und waren anschließend von wild entschlossenen Polizeibeamten festgenommen worden.

Sobald der Leitung des Gewaltdezernats der Stockholmer Polizei deutlich wurde, daß die beiden festgenommenen Männer wahrscheinlich Italiener waren, folgerte man, die richtigen Leute geschnappt zu haben.

Vor einigen Stunden waren die beiden Männer, die auf Hamilton geschossen hatten, identifiziert worden. Man hatte ihr Hotelzimmer im Park Hotel auf Östermalm gefunden und einige Punkte klären können. Erstens stimmten die Fingerabdrücke der Toten mit denen überein, die man in den Hotelzimmern fand. Zweitens stellte sich heraus, daß die Fotos in den Reisepässen mehrerer Staaten, die man in ihrem Gepäck fand, sie selbst zeigten. Drittens hatte Interpol mit Hilfe der Fingerabdrücke und der Fotos schnell herausfinden können, welche der Identitäten die richtige war, nämlich die italienische.

Jetzt hatte man also zwei definitiv schuldige, aber tote Italiener, und zwei festgenommene und aus guten Gründen verdächtige Italiener.

Da uniformierte Polizeibeamte so schnell in die Umgebung des Tatorts in Gamla stan gekommen waren, hatte man inzwischen auch sieben oder acht Namen und Adressen von Zeugen, welche die Flucht der beiden Täter von dem Dodge-Bus gesehen hatten. Dieser war zwei Tage zuvor in einem Vorort als gestohlen gemeldet worden.

Von den sieben oder acht Zeugen würde es zumindest einigen gelingen, bei einer Konfrontation auf die richtigen Personen zu zeigen.

Außerdem hatte man die Männer und inzwischen auch ihre Fotos und Fingerabdrücke, die sofort an Interpol weitergeleitet wurden.

Im Augenblick war die Fahndung nach weiteren Tätern am wichtigsten. Man hatte beim Park Hotel eine Falle gestellt, weil man vermutete, daß eventuelle Mittäter dort aufkreuzten, um Pässe und andere Beweisstücke zu beseitigen.

Jetzt galt es, mit der Suche nach dem Hotel oder den Hotels zu beginnen, in denen die beiden Festgenommenen sich einquartiert hatten. Da man ihre Fotos hatte, würde man mit etwas Glück innerhalb weniger Stunden die richtigen Hotelzimmer finden und konnte dann eine Falle aufstellen, ohne ins Haus zu gehen und mit Leuten von der Spurensicherung und anderem technischem Personal Lärm zu machen und Aufsehen zu erregen.

Man hatte zwei Brüderpaare identifiziert. Die beiden von Hamilton getöteten Männer hießen Alberto und Fredo Ginastera. Interpol zufolge waren die beiden Festgenommenen und des Mordes Verdächtigen die beiden Brüder Gino und Frank Terranova. Die Namen sagten der Stockholmer Polizei nicht das geringste. Vierundzwanzig Stunden später hatte die italienische Polizei jedoch die allerschlimmsten Befürchtungen bestätigt.

Die beiden Brüderpaare wurden als Schlüsselfiguren einer der bekanntesten sizilianischen Mafiafamilien identifiziert.

Der Stockholmer Polizei war es mit einer Mischung aus Glück, Geschicklichkeit und Wut gelungen, eine wichtige und schwierige Aufgabe zu lösen. Normalerweise wäre die Stimmung in der Einsatzzentrale an diesem Abend bestens gewesen. Man wäre durch die Kneipen gezogen, und mehr als nur ein Beamter hätte einen Kommentar zu dem Thema abgegeben, daß die Polizei diesmal mit Hamilton unentschieden gespielt habe, nämlich mit zwei zu zwei.

Die Stimmung war jedoch ganz und gar nicht heiter, im Gegenteil, alle waren niedergeschlagen. Eine Kollegin und ihr Kind waren ermordet worden. Aus irgendeinem Grund, den niemand bisher verstand, war es der Polizei mißlungen, das Verbrechen zu verhindern – dabei wäre das zweifellos ihre Pflicht gewesen. Statt dessen hatte man Polizisten abgestellt, um diverse Araber einzubuchten, wie es die höchste Polizeiführung angeordnet hatte.

Bei der Stockholmer Polizei war noch nicht bekannt, daß diese, wie es später hieß, organisatorischen Fehler nicht zwei, sondern möglicherweise sieben Menschen das Leben gekostet hatte, fünf im kalifornischen Santa Barbara und zwei in Stockholm. Zwei der Opfer waren Kinder.

*

Der Auslandschef beim *Echo des Tages,* Erik Ponti, arbeitete sich mit Hilfe von Kaffee, Verzweiflung und Wut durch seine längste Nacht seit vielen Jahren hindurch.

Sein fünfzigster Geburtstag stand bevor, und er klagte sich insgeheim an, immer wieder auf leichtfertige Weise Arbeit liegen zu lassen. Manchmal machte er einen großen Bogen um Dinge, die lange Nächte mit allzuviel Schnupftabak nach sich ziehen würden. Neuerdings wollte er häufig lieber nach Hause, um gut zu essen, Wein zu trinken, vor dem Fernseher die Füße auf den Tisch zu legen und sich einen amerikanischen Polizeifilm anzusehen. Eine gewisse Müdigkeit und das Gefühl, daß die Zeit der großen Journalistenpreise ohnehin vorbei war, machte sich breit. Überdies hatte er die meisten. Mit zunehmendem Alter hatte er natürlich eine veränderte Perspektive auf den journalistischen Ehrgeiz gewonnen, von dem er immer noch der Meinung war, daß er an und für sich eine hervorragende Triebkraft war – für ihn aber längst nicht mehr so entscheidend wie früher. Heute, so meinte er, bleibt mir zumindest erspart, die journalistische Welt in Knüller und Nicht-Knüller aufzuteilen. Statt dessen kann ich mich darauf konzentrieren, zwischen Wichtigem und Unwichtigem zu unterscheiden. Diese Überlegungen waren jedoch, was er natürlich wußte, nichts anderes als ein Sammelsurium intellektuell untermauerter Ausreden für sein zunehmendes Desinteresse.

Dabei hatte dieser Abend gewiß mit einem Knüller begonnen. Er hatte als einziger Journalist der Welt ein Interview mit dem Mann, den jeder interviewen wollte, mit Carl Hamilton. Und damit war er auch der erste, der exakt berichten konnte, was in Rosenbad wirklich geschehen war.

Was ihm an dem Hamiltonschen Interview am meisten zusagte, war nicht der eigentliche Knüller-Faktor, sondern die Tatsache, daß Hamilton mit seiner Aussage ihm, Ponti, einen Schmetterball ermöglichte.

Schritt Nummer eins des – nach Erik Pontis Erwartung – kurzen, aber arbeitsintensiven Abends, dem hinterher fröhliche Berichte zu Hause und ein besonders guter Wein folgen würden, bestand darin, das Hamilton-Interview ungekürzt in den Äther gehen zu lassen.

Schritt Nummer zwei hatte für Erik Ponti einen fast sadistischen Hintergrund. Er würde nämlich bei der Polizei überprüfen, ob die Kugeln, die in den toten Tätern steckten, identifiziert worden waren. Auf diese Frage würde er die Antwort ja erhalten. Um danach ein Nein auf die Frage zu hören, ob diese Angaben an die Öffentlichkeit gehen dürften, was sie aus »fahndungstechnischen Gründen« sicher nicht dürften. Anschließend wollte er die Polizei mit Hamiltons Behauptung konfrontieren, daß seine Geschosse in den Tätern steckten, während eine Polizeikugel die siebenundvierzigjährige Dame getroffen hatte. Damit würde er sich ein »Kein Kommentar« einhandeln, darauf aber mit etwas zurückschlagen, was in diesem Zusammenhang der reine Tiefschlag war:

»Aber ihr wollt damit doch nicht sagen, daß *Hamilton* hier lügt oder sich in diesem Punkt geirrt hat?«

Als er diese Frage direkt aus dem Studio stellte, blickte er mit triumphierender Miene durch die Glasscheibe zu den Technikern und hob die Faust zu einer Siegergeste, während er den Polizisten am anderen Ende reichlich lange stottern und sich räuspern ließ und dann schadenfroh darauf verzichtete, eine Anschlußfrage zu stellen. Das war ein satanischer Trick. Derjenige, der sich verheddert hat, wird durch sein eigenes Schweigen nervös gemacht und beginnt zu reden, ohne zu wissen, was er sagt.

Was die massenhaft festgenommenen Palästinenser betraf, spürte Erik Ponti nach den Ereignissen der letzten vierundzwanzig Stunden körperliche Übelkeit. Er kannte fünf oder sechs der Festgenommenen persönlich und ging davon aus, daß man sie nur eingebuchtet hatte, um sie psychologisch zu terrorisieren. Ihr Vergehen bestand ausschließlich in ihrer ethnischen Herkunft. Er kannte die verzweifelten Frauen, die seine Vergangenheit als Palästina-Aktivist kannten und jetzt anriefen und ihn baten, »etwas zu unternehmen«, was auf den ersten Blick gar nicht so leicht schien. Dann müßte er nämlich an die Öffentlichkeit gehen und Beweise dafür liefern, daß die Festgenommenen unschuldig waren und daß es keine Palästinenser gewesen waren, die auf Hamilton geschossen hatten. Es ist fast immer unmöglich, einer umgekehrten Beweislast Genüge zu tun.

Doch jetzt hatte Hamilton selbst seine Zweifel geäußert, und das, was jemand in einem Exklusivinterview sagte, mußte an die Öffentlichkeit. Damit hatte Erik Ponti das Vergnügen, mit Polizisten darüber zu sprechen, wie schwer der Verdacht eigentlich war, ob entscheidende Festnahmen erfolgt seien und ob es Geständnisse gegeben habe.

Auf diese Aufgabe freute er sich. Außerdem paßte sie zu seinem Haß auf die Medien, in erster Linie die Abendzeitung *Expressen* und die Nachrichten des kommerziellen Fernsehens, die sich zu den mehr oder weniger gehorsamen, aber stets nützlichen Idioten der Säpo machten.

Expressen hatte die palästinensische Bedrohung mit Rückblicken auf frühere Ereignisse untermauert. Der Auslandsexperte der Zeitung hatte in einer seiner Kolumnen ausführlich erklärt, weshalb bestimmte Palästinenser Hamilton töten müßten, weil bestimmte andere Palästinenser ihm eine Medaille verliehen.

Ein von der Zeitung oft befragter gescheiterter ehemaliger Politiker, der anschließend eine kurze Karriere als Poet hinter sich gebracht hatte, um sich danach einer noch kürzeren Karriere als Verfasser eines Liebesromans zu erfreuen, an die eine internationale Karriere anschloß, die auf Weltreisen basierte, auf denen er erklärte, gegen Hitler zu sein, was offenbar als einzigartig mutig und prinzipientreu angesehen wurde, hatte in öffentlichen Überlegungen die palästinensische Schuld an dem Attentat mit Hilfe von Informationen untermauert, die er von »hochgestellten israelischen Freunden beim Nachrichtendienst« erhalten habe.

Erik Ponti war aus logischen und auch gefühlsmäßigen Gründen davon überzeugt, daß Hamilton recht hatte. Dem Kern der Aussage, nämlich daß die Razzien gegen die Araber reine Propaganda gewesen seien, wollte Erik Ponti an diesem Abend mehrere Stunden widmen.

Es wurde jedoch eine ganze Nacht daraus. In Kalifornien brach jetzt der neue Tag an. Die amerikanischen Fernsehstationen sendeten eine Flut von Bildern und Meldungen, bei denen es um einen von Sizilianern organisierten Mafiamord an dem Kind ging, das »Charl Guftaw Gilbert Hamilton« habe adoptieren wollen; es folgten Bilder von Hamilton, Berichte über das Attentat auf ihn, das sofort der sizilianischen Mafia zugeschrieben wurde, Bilder vom Tatort, von Blutflecken in einem Kinderzimmer, Bilder von Hamiltons jetziger kalifornischer Frau, die mit traurigem Blick an Pressefotografen vorbei in ein Zimmer eilte, in dem ihr Mann in einem Bett lag, das sein Totenbett hätte sein können, Bilder von der örtlichen Polizei, Bilder aus dem Hauptquartier des FBI in Los

Angeles, in dem man bestätigte, zwei Täter mit Verbindung zur Mafia festgenommen zu haben. CNN brachte diese Story alle fünfzehn Minuten.

Schon das hätte vermutlich ausgereicht, um sämtliche schwedischen Radio- und Fernsehsender dazu zu bringen, ihre Kanäle für die nächsten Stunden von Quizsendungen und rührseligen Geschichten zu säubern.

Doch als TT, die schwedische Nachrichtenagentur, die kurze Nachricht veröffentlichte, Polizeiinspektorin Eva-Britt Jönsson, die frühere Ehefrau von Flottillenadmiral Carl Hamilton, und ihr gemeinsames Kind, die sechsjährige Johanna Louise, seien vor elf Minuten vor der Kindertagesstätte Ekorren in Gamla stan ermordet worden, hätte selbst der Ausbruch des Dritten Weltkrieges bei den Medien kaum eine größere Panik auslösen können.

Panik ist jedoch das falsche Wort. Hektische Aktivität wäre korrekter. Die einzigen Systeme, die bei der Ermordung von Ministerpräsident Olof Palme in Schweden normal funktionierten, waren die Medien gewesen. Überall sonst ging alles schief. *Überall sonst.*

Das *Echo des Tages* wurde jetzt ebenso wie die Fernsehnachrichten »Aktuellt« und »Rapport«, ja sogar die Nachrichtenalternative des kommerziellen Kanals, »News Light«, so schnell und effektiv mobilisiert, daß militärische Planer vor Neid grün geworden wären. Selbst die Träger blauer Uniformen wären vor Neid grün geworden.

Für Erik Ponti bedeutete diese Meldung, die gerade einlief, als er nach Hause gehen wollte, daß er sich von einem einsamen Leiter des Auslandsressorts in einen Zugführer in Gefechtslage verwandelte. Die Elitesoldaten strömten per Taxi von nah und fern herbei und meldeten sich zur Stelle, um sofort in den Kampf zu ziehen.

Von jetzt an gab es in sämtlichen Kanälen des Rundfunks eine verlängerte Echo-Sendung von zehn Minuten. Es würde eine lange Nacht werden. Bei der ersten Konferenz ging es darum, was man bis zur nächsten Halbstundensendung in zwanzig Minuten bringen solle. Man einigte sich schnell darauf, diese Sendung auf eine allgemeine Zusammenfassung der bislang eingegangenen Meldungen zu begrenzen. Drei Mann wurden abgestellt, um die technischen Details zu erledigen.

Die verbleibenden Journalisten begannen mit einer normalen schwedischen Konferenz. Die erste Frage lautete, ob die sizilianische Mafia eine konzentrierte Aktion gegen Hamilton organisiert habe. Das erschien den Anwesenden gelinde gesagt wahrscheinlich. Folglich wurde beschlossen, Material auszugraben, aus dem hervorging, was Carl Hamilton sowie bis heute nicht identifizierte schwedische Militärs auf Sizilien vor zwei bis drei Jahren gemacht hatten. Ein *body count* sei wichtig, wie besonders betont wurde. Wie viele Mafiosi hatten die Schweden getötet? Jetzt erfolgte offenbar die Rache.

Zwei Mann wurden dafür abgestellt. Die sizilianische Mafia? Wer zum Teufel wisse etwas darüber? Ja, es gebe da einen Lappalainen, oder wie der Kerl heiße, der zu diesem Thema gerade ein Buch veröffentlicht habe. Gut, dafür wurde ein weiterer Mann abgestellt.

Fünf Personen blieben im Raum sitzen. Erik Ponti wußte, daß sie in den folgenden Stunden alles unter Kontrolle haben müßten. Vor allem müßten sie die Bravournummer planen, die unbedingt gebracht werden müsse. Bei der wichtigen morgendlichen Sendung mußten alle Konkurrenten ausgestochen werden. Zu dieser Zeit schalte nämlich die Mehrheit aller Schweden das Radio ein, um zu erfahren, was in der Nacht geschehen sei.

Die Anwesenden zwangen sich fast demonstrativ zur Ruhe und begannen, langsam und nachdenklich zu sprechen.

Hamilton war Opfer einer Verschwörung, jedoch nicht von palästinensischer, sondern von sizilianischer Seite.

Die Säpo hatte jedoch gewaltige personelle Mittel eingesetzt, um eine Massenfestnahme von Arabern zu organisieren, hingegen keinerlei Ressourcen zur Verfügung gestellt, um Hamiltons Angehörige zu schützen, als seine frühere Frau und seine Tochter ermordet wurden, gab es offensichtlich keine Sicherheitswachen in der Nähe.

Wenn man von der Erklärung ausging, die Hamilton selbst als schlimmsten denkbaren Grund der Araberjagd der Säpo erwähnt hatte, daß die Sicherheitsbeamten nämlich selbst an diese Bedrohung glaubten, hätten die Entdeckungen der amerikanischen Bundespolizei in Kalifornien ihr Bild von der Realität zumindest kräftig korrigieren müssen. Das hätte vor sieben oder acht Stunden geschehen müssen. Der Mord an Polizeiinspektorin Jönsson und deren Tochter hatte sich vor weniger als einer Stunde ereignet. Hatte das FBI seine schwedischen Kollegen tatsächlich nicht gewarnt? Das hätten die Amerikaner in jedem Fall tun müssen, und dann hätte der Doppelmord in der Altstadt verhindert werden können.

Die Arbeit wurde verteilt. Ein Mann begab sich zum Tatort in Gamla Stan. Zwei Mann sollten freigelassene Araber auftreiben, um deren Auffassung über den Hintergrund der Razzia zu hören. So konnten die Journalisten herausfinden, ob man die Palästinenser verhört oder ihnen mitgeteilt hatte, welcher Verdacht überhaupt gegen sie vorlag. Ein Mann sollte den Sprecher der Säpo ausfindig machen und in Erfahrung bringen, wie der Wissensstand der Säpo war, und sich erkundigen, ob das FBI die Schweden gewarnt hatte oder nicht.

Erik Ponti übernahm die Aufgabe, irgendeine Quelle beim FBI in Washington aufzutreiben, eine Aufgabe, die vermutlich sehr mühsam sein würde. Wenn man andererseits wider Erwarten von dort eine positive Nachricht erhielt, würde die Säpo plötzlich ohne Hosen dastehen.

Erik Ponti holte frischen Kaffee, legte reichlich Schnupftabak ein und rief die Telefonauskunft an, um ein paar Nummern des FBI in Washington zu erfahren. Das war kein Problem.

Sich dann zum diensthabenden Sprecher des FBI durchzufragen, war ebenfalls noch leicht, doch dann begann es wie erwartet im Getriebe zu knirschen.

Erik Ponti mußte wie bei allen Gesprächen mit amerikanischen Behörden ausführlich erklären, wer er sei und welchen Titel er habe. Er buchstabierte seinen Namen, verteidigte seine schwedische Staatsangehörigkeit gegen den Verdacht, Italiener zu sein, gab aber zu, zum Teil italienischer Herkunft zu sein. Er stellte sich als Leiter des Auslandsressorts der Nachrichtenabteilung des staatlichen schwedischen Rundfunks vor und hinterließ seine Durchwahlnummer sowie Angaben über die Eigentumsverhältnisse beim besagten staatlichen schwedischen Rundfunk. Danach durfte er eine Frage formulieren.

Er fragte, ob das FBI nach der Entdeckung eines mit der Mafia in Verbindung stehenden Mordes im kalifornischen Santa Barbara, der sich indirekt gegen den schwedischen Flottillenadmiral Carl Hamilton gerichtet habe, Angaben darüber oder Warnungen an die schwedische Polizei oder die schwedische Sicherheitspolizei weitergegeben habe.

Er mußte seine Frage mehrmals wiederholen und verdeutlichen, bis der Mann am anderen Ende, der sich Special Agent Adams nannte, sie sorgfältig zu Papier gebracht hatte. Danach teilte Special Agent Adams mit, es sei üblich, relevantes Material an zuständige Empfänger bei ausländischen Polizeibehörden weiterzuleiten, doch in diesem speziellen Fall könne er leider nicht auf Details eingehen.

Erik Ponti fragte, ob dieser Mangel an präziser Information an mangelndem Wissen im aktuellen Fall liege oder ob es sich um eine Frage der Informationspolitik handle.

Auf diese Frage erhielt er eine Art »Kein Kommentar« zur Antwort, was den Eindruck erweckte, als hätte Special Agent Adams ganz einfach keine Ahnung.

Daraufhin fragte Erik Ponti, ob es wohl möglich sei, auf diese präzise Fragestellung präzise Angaben zu erhalten – hatte das FBI die schwedische Polizei gewarnt oder nicht? Und damit begann das Theater von vorn.

Er setzte dem Amerikaner geduldig weiter zu. Er wußte sehr wohl, daß amerikanische Beamte es nicht ertragen, wenn Leute, die in ihren Augen niedrigeren Rangs sind, aggressiv werden. Als Erik Ponti schon das Gefühl hatte, sich wie ein Papagei anzuhören, erschien sein Mitarbeiter im Zimmer, der die gleiche Frage bei der schwedischen Säpo gestellt hatte. Erik Ponti bekam einen Zettel auf den Tisch, der seine Miene aufhellte. Er nickte fröhlich, während er gleichzeitig mit einer vielsagenden Geste verdeutlichte, er sei dabei, einen Idioten zu befragen. Die Information, die er gerade auf den Tisch bekommen hatte, würde die Situation aber vielleicht ändern.

»Jetzt ist es so, Sir«, begann er erneut, »daß wir soeben erfahren haben, daß die schwedische Sicherheitspolizei offiziell dementiert, vom FBI eine Warnung erhalten zu haben. Wenn Sie entschuldigen, Sir, das ist eine äußerst besorgniserregende Information. Vor einer halben Stunde wurde hier in Stockholm nämlich ein weiterer Mord verübt, bei dem vermutlich die Mafia ihre Hand im

Spiel hatte. Die Opfer waren nahe Angehörige von Flottillenadmiral Hamilton. Und wie Sie verstehen, Sir …«

»Sie brauchen nicht mehr zu erklären, Mr. Ponti. Mir ist jetzt vollkommen klar, wie es sich verhält«, unterbrach ihn Special Agent Adams. »Haben Sie eine Faxnummer, unter der wir Sie erreichen können?«

Erik Ponti nannte ihm laut und deutlich die Faxnummer der Redaktion und erhielt den Bescheid, im Lauf einer halben Stunde werde wohl eine schriftliche Nachricht eintreffen. Und falls nicht, möge Mr. Ponti so freundlich sein, wieder anzurufen.

Die Mitteilung des FBI kam nach weniger als zwanzig Minuten. Sie lautete kurz und klar, daß das Abteilungsbüro des FBI in Los Angeles als eine der ersten Maßnahmen dafür gesorgt hatte, eine entsprechende Faxmitteilung an die schwedische Sicherheitspolizei zu richten, nachdem klar geworden sei, worum es sich bei dem Mord in Santa Barbara gehandelt habe. Da die Akte in diesem Stadium keine Information enthielt, die Sicherheitsinteressen berührte und sich die Situation weiter verschärft hatte, wurde die Nachricht beigefügt, die an die schwedische Sicherheitspolizei gegangen war. Mit Adressat, Uhrzeit, Aktenzeichen beim FBI und allem, was dazugehörte.

Es stellte sich heraus, daß das FBI die schwedische Säpo mehr als zwei Stunden vor den Morden in Gamla Stan gewarnt hatte.

Und jetzt leugnete die Säpo, diese Nachricht überhaupt erhalten zu haben.

Schon das genügte, um die schwedische Polizei gewaltig bloßzustellen, was Erik Pontis explizit erklärte Absicht war.

Eine von Pontis jüngeren Mitarbeiterinnen, die routinemäßig verschiedene Quellen bei der Polizei angerufen hatte, betrat das Zimmer und berichtete, bei der Kripo seien zwei verdächtige Männer vorläufig festgenommen worden, die verdächtig seien, den Doppelmord in Gamla Stan begangen zu haben. Man sei im Augenblick dabei, sie mit Hilfe von Interpol zu identifizieren. Man gehe aber davon aus, daß es sich um Italiener handle. Da die beiden Männer, die Hamilton getötet habe, es ebenfalls seien …

»Wie lange weiß die Polizei schon, daß die Leute, die Hamilton erschossen hat, Italiener waren?« fragte Erik Ponti ruhig.

»Seit heute nacht. Das muß ja bedeuten, daß auch die Säpo es seit heute nacht weiß«, erwiderte die Reporterin. »Aber es kommt noch besser: Ich habe gerade ein Gespräch geführt, in dem es hieß, ich zitiere: *Ich begreife das vollkommen schwachsinnige Verhalten nicht, das die schwedische Sicherheitspolizei an den Tag gelegt hat,* Ende des Zitats«, sagte die junge weibliche Urlaubsvertretung mit vor Eifer geröteten Wangen.

»Mit wem denn?« fragte Erik Ponti leicht reserviert. »Die Aussage dürfte wahr sein, aber es stellt sich die Frage, von wem sie stammt.«

»Von einem Kommissar Thorin. Er ist Chef des Gewaltdezernats in Stockholm, das sind nämlich diejenigen, die in der Sache ermitteln …«

»Hat er etwa vor, *damit* an die Öffentlichkeit zu gehen?«

»Ja. Er bat mich, so schnell wie möglich mit einem Tonbandgerät zu kommen. Er sagte … und ich zitiere: *Jetzt müßte man diesen Burschen ein für allemal die Eier abschneiden.*«

»Was?« fragte Erik Ponti amüsiert. »Das hat er dir gesagt? Es hört sich an, als wäre er stinkwütend.«

»Ja, aber das ist nur der Anfang. Er deutete auch an, daß einige sogenannte Polizisten wegen Mittäterschaft bei Mord festgenommen werden müßten. Kann ich diesen Job kriegen, bitte!«

»Ja, du kriegst den Job. Daß sie die Mörder so schnell geschnappt haben …«

»Dieser Thorin hat auch das kommentiert. Er sagte, es sei nur deshalb so schnell gegangen, weil weder die Säpo, der Reichspolizeichef noch irgendwelche Politiker Zeit gehabt hätten, sich einzumischen«, erzählte die junge Frau triumphierend.

»Das sind keine schlechten Aussagen«, sagte Erik Ponti heiter und tat, als fächelte er sich Kühlung zu. »Am besten rennst du gleich los zu deinem eifrigen Kommissar, bevor er Zeit hat, sich abzukühlen.«

»Ist er Kommissar, ist das der richtige Titel?«

»Ja, ist es, lauf jetzt los! Du hast da ein phänomenales Polizeiinterview laufen, es wird vielleicht ein Klassiker. Hau ab!«

Die junge Kollegin nahm ihn beim Wort, winkte fröhlich und lief in den Korridor, wo sie einen schrillen kleinen Freudenschrei ausstieß.

Erik Ponti wechselte mit seinen beiden gleichaltrigen Kollegen im Raum einen amüsierten Blick. Alle drei dachten das gleiche.

»Ein herrliches Gefühl, nicht wahr?« stellte Erik Ponti fest. »Fünfundzwanzig Jahre alt und unterwegs zu ihrem ersten wirklichen Knüller! Einer muß dran glauben. Die Frage ist nur, wer?«

»Kurden-Alf«, schlug einer der Kollegen vor, ein Gerichtsreporter. Beim *Echo des Tages* war man zu fein, um sich Kriminalreporter zu nennen.

»Der Säpo-Chef persönlich«, schlug der politische Reporter vor.

»Kurden-Alf«, entschied Erik Ponti. »Er war derjenige, der vom FBI das Fax erhielt, und er war derjenige, der daraufhin keinerlei Maßnahmen ergriff. Er ist der Mann, der in erster Linie Blut an den Händen hat. Sollte er aber den Wunsch haben, den Säpo-Chef und andere in den Abgrund zu reißen, stehen wir natürlich gern zu Diensten. Oder?«

Die beiden anderen nickten zustimmend. Kurden-Alf hatte den Hals schon in der Schlinge. Sie brauchten nur noch zuzuziehen.

»Die Herren haben nichts dagegen, daß ich ihn selbst übernehme? Das ist nämlich etwas, worauf ich mich schon lange freue«, sagte Erik Ponti.

»Nun ja«, wandte der politische Reporter ein. »Das weiß jeder … ich meine, dein Engagement in diesen Fragen ist bekannt. Wäre es in taktischer Hinsicht nicht klüger …?«

»Ich halte es nur für gut, daß mein Engagement allgemein bekannt ist. Das gibt dem Ganzen noch ein wenig mehr Dramatik, und vielleicht bringt es Kurden-Alf auch dazu, noch mehr Lügen zu verbreiten, bevor er sich in der eigenen Schlinge verfängt. Ich übernehme das! *That's an order.*«

Der Mann, der allgemein Kurden-Alf genannt wurde, war offiziell Sektionschef der Sicherheitsabteilung der Reichspolizeiführung, wie die schwedische Sicherheitspolizei amtlich hieß. Informell sagten diese Leute »Säk«, niemals Säpo, wie es im gewöhnlichen Sprachgebrauch hieß.

Der für einen Sektionschef bei »Säk« ein wenig respektlose Spitzname Kurden-Alf war darauf zurückzuführen, daß er zu einem früheren Zeitpunkt seiner Laufbahn große und, wenn man einmal von der Publizität absieht, erfolglose Mühen aufgewandt hatte, um Kurden zu jagen. Diese Tätigkeit hatte im Zusammenhang mit der Jagd auf Palmes Mörder ihren Höhepunkt erreicht. Damals hatten die Sicherheitspolizei und ein leicht geistesgestörter Polizeipräsident in Stockholm nach der Theorie gearbeitet, die Kurden hätten Schwedens Ministerpräsidenten ermordet, weil das Regime in Iran ihnen ein eigenes freies Kurdistan zugesagt habe, wenn sie diese Aufgabe übernähmen. Einmal hatten Kurden-Alf und der Polizeipräsident sich in den Kopf gesetzt, Stockholms altes Olympiastadion am Valhallavägen zu mieten, um dort nach einer einzigen großen Welle von Massenfestnahmen, der sogenannten Operation Orion, alle in der Region Stockholm wohnenden Kurden zusammenzutreiben.

Das Justizministerium hatte von diesen Plänen Wind bekommen und sie durch energisches Eingreifen vereitelt. Man hatte den Kurdenjägern nachdrücklich klar gemacht, wie außerordentlich vorteilhaft eine solche »Operation« sei.

Somit war die Operation Orion zwar schon im Keim erstickt worden, aber die Geschichte kam trotzdem heraus. Im Zusammenhang damit entstand der Spitzname Kurden-Alf. Er wurde zunächst polizeiintern gebraucht, verbreitete sich später aber auch in den Medien.

Kurden-Alf selbst lebte im Augenblick noch in glücklicher Unwissenheit um das Telefongespräch, das er gleich führen würde. Er wußte auch noch nicht, daß seine weitere Polizeikarriere sehr rasch eine unerwartete Wendung nehmen würde.

Genau genommen lebte Kurden-Alf im Augenblick in glücklicher Unwissenheit um fast alles, was von einiger Bedeutung war. Er war nämlich angeln gewesen und hatte einen Kurzurlaub genommen, unter Hinweis darauf, daß er sowieso mit Gleitzeit arbeite und sofort wieder arbeiten könne, falls etwas passiere.

Aus Erfahrung klug geworden, wußte er, wie leicht diese angenehmen Angelstunden durch ein Handy oder einen Pieper zerstört werden konnten. Also hatte er auf diese kleinen Segnungen der Zivilisation verzichtet. Er war guter Laune, als er eine Viertelstunde vor der *Rapport*-Sendung um 19.30 Uhr zu seinem Haus in Bromma zurückkehrte.

Ihm war unbekannt, daß er gleich nach seinem Verschwinden zum Angeln auf Hechte ein Fax vom FBI erhalten hatte, das jetzt in seinem Dienstzimmer lag, wenn auch in dem Haufen mit dem Stichwort »wichtig«. Ihm war unbekannt, daß eine Polizeibeamtin sowie deren und Carl Hamiltons Kind ermordet worden waren, und folglich wußte er ebenfalls nicht, daß man die beiden Mörder gefaßt und vor kurzem identifiziert hatte.

Er stand in der Küche und putzte, leise vor sich hin pfeifend, den Fisch. Als das Telefon klingelte, sah er zunächst auf die Uhr. Es waren noch sieben Minuten bis zur Nachrichtensendung. Er sagte sich, daß er den Anruf noch schaffen würde, und betrachtete dann seine blutigen und mit Fischschleim verschmierten Hände. Er seufzte und wischte sie notdürftig an einem Küchentuch ab, bevor er abnahm.

»Hej, hier Erik Ponti vom *Echo des Tages.* Ich hoffe, mein Anruf kommt nicht allzu ungelegen, aber es ist recht wichtig«, teilte die wohlbekannte Stimme am anderen Ende mit.

»Nein, nein, schon gut«, seufzte Kurden-Alf, »es geht natürlich um die Araber.«

»Irgendwie schon«, erwiderte Erik Ponti honigsüß. »Haben die Festnahmen verschiedener Araber bei der Fahndung nach den vermuteten Attentätern Admiral Hamiltons irgendwie positive Hinweise erbracht?«

»Ja, definitiv ja. Diese Kontrollmaßnahmen haben einige Fahndungshinweise ergeben«, erwiderte Kurden-Alf in seinem Kommandoton, den er schnell angelegt hatte.

»Bei der Säpo haltet ihr also an der Theorie fest, die Attentäter seien Palästinenser gewesen?«

Kurden-Alf witterte die Gefahr. Es war immer etwas im Busch, wenn dieser verfluchte Ponti sich besonders freundlich anhörte. Doch er hatte inzwischen schon A gesagt, und jetzt galt es also, so clever wie möglich auch B zu sagen und vor allem bei dem eingeschlagenen Kurs zu bleiben.

»Ja, davon gehen wir immer noch aus, ja!« erwiderte er mit Nachdruck.

»Welche Informationen enthielt das Fax, das du heute vom FBI erhalten hast?« fragte Erik Ponti weiter. Es klang, als hätte er sich nach dem Wetter oder einer ähnlichen Banalität erkundigt.

»Ich habe kein Fax vom FBI erhalten«, erwiderte Kurden-Alf im Brustton der Überzeugung.

»Doch, das hast du sehr wohl«, sagte Erik Ponti mit einem Anflug von Kummer in der Stimme.

»Wenn es so ist, ist der Inhalt vielleicht derart, daß man ihn im Radio nicht veröffentlichen sollte. Was hat das übrigens mit den Arabern zu tun?« erwiderte Kurden-Alf und verlieh seinem autoritären Ton noch mehr Nachdruck.

»Ja, es ist so, daß wir vom FBI in Washington eine Kopie dieses Fax bekommen haben. Ich habe sie hier in der Hand. Es ist an dich adressiert, und aus dem Eingangsstempel geht hervor, daß es dich heute nachmittag gegen vier erreicht haben muß«, sagte Erik Ponti beinahe tonlos.

Kurden-Alf waren jetzt zwei Dinge klar. Erstens, das Fax gab es tatsächlich. Zweitens wurde diese Unterhaltung auf Band aufgenommen, und alles, was er sagte, würde im *Echo des Tages* zu hören sein. Alle allzulangen Pausen würden sich deshalb sehr rätselhaft anhören. Jetzt galt es, schnell etwas zu sagen.

»Mir ist dieses Fax jedenfalls nicht zur Kenntnis gelangt. Wir haben, wie du weißt, im Augenblick eine sehr dringende Arbeit, die uns beschäftigt hält. Wir jagen nämlich weitere Attentäter, was selbst euch beim *Echo des Tages* klar sein sollte«, entgegnete Kurden-Alf schnell und aggressiv.

»Womit hast du dich in den letzten Stunden befaßt?« fragte Erik Ponti ruhig und in seinem allernettesten Tonfall weiter.

»Ich habe mit einer großen Zahl von Polizeibeamten in einer Konferenz gesessen, und mehr kann ich natürlich nicht enthüllen«, sagte Kurden-Alf und warf einen besorgten Seitenblick auf die beiden blutigen Hechte auf dem Küchentresen sowie auf die Uhr, deren Zeiger sich der *»Rapport«*-Zeit näherte.

»War allen diesen Polizeibeamten der Mord an Polizeiinspektorin Eva-Britt Jönsson und ihrer Tochter Johanna Louise denn nicht bekannt?« fragte Erik Ponti mit einem leicht erstaunten Tonfall.

»Der Mord an wem … was denn für ein Mord?« Kurden-Alf fragte sich, ob das eine Art Provokation sein sollte.

»Polizeiinspektorin Jönsson und ihre und Carl Hamiltons Tochter Johanna Louise wurden vor ein paar Stunden bekanntlich in Gamla stan ermordet. Bei dieser großen Polizeikonferenz müßt ihr darüber doch gesprochen haben?« sagte Erik Ponti genüßlich.

»Die Tagesordnung unserer Konferenz ist geheim!« brüllte Kurden-Alf desperat.

»Ach so«, sagte Erik Ponti resigniert, »sie muß dann wohl sehr geheim gewesen sein. Geht ihr davon aus, daß es sich auch in diesem Fall um die gleichen Täter handelt, also um Palästinenser?«

»Ja, bis auf weiteres müssen wir leider wohl davon ausgehen, ja!« erwiderte Kurden-Alf. Er klang, als hätte er seine alte Sicherheit zurückgewonnen.

»Vielen Dank, dann möchte ich nicht weiter stören«, sagte Erik Ponti, der sich anhörte, als würde er gleich laut loslachen.

»Ist das etwa ein Interview gewesen?« schrie Kurden-Alf plötzlich wütend.

»Darauf kannst du Gift nehmen, Kurden-Alf«, entgegnete Erik Ponti und legte auf. Kurden-Alf blieb am Telefon stehen und starrte einige Augenblicke lang den toten Hörer an. Dann sah er auf die Uhr, eilte ins Wohnzimmer und schaltete *»Rapport«* ein.

Zur gleichen Zeit saßen die Männer in einem Studio in dem großen Funkhauskomplex an der Oxenstiernsgatan und blickten einander verblüfft an.

»Wir haben ihn. Jetzt ist er ein toter Mann«, stellte der Gerichtsreporter fest. »Ich möchte gern wissen, was er in den letzten Stunden getrieben hat. Ein besonders informatives Treffen mit vielen Polizisten scheint er jedenfalls nicht besucht zu haben.«

»Nein, aber er wird noch reichlich Gelegenheit erhalten, sowohl sich selbst, seinen Vorgesetzten, der Regierung und der Allgemeinheit alles näher zu erläutern«, stellte der politische Reporter fest.

»Mm«, sagte Erik Ponti. »Das Ganze ist eine verdammt tragische Geschichte. Ich finde, wir sollten jeden anzüglichen Unterton vermeiden, wenn wir das hier präsentieren. Der höchste Terroristenjäger des Landes befindet sich im Nirwana statt bei der Arbeit. Aus diesem Grund mußten zwei Menschen sterben. Der Scheißkerl glaubt außerdem immer noch, hinter Arabern her zu sein, weil er nicht weiß, daß die Mörder längst gefaßt sind. Teufel, das habe ich zu fragen vergessen. Elender Mist!«

»Niemand ist vollkommen«, bemerkte der Gerichtsreporter. »Außerdem haben wir ja einen ziemlich erstaunlichen Kurden-Alf zu hören bekommen.«

»Jetzt ist es jedenfalls zu spät, ihn für eine kleine ergänzende Frage anzurufen«, sagte Erik Ponti. Er blickte auf seine Armbanduhr und schaltete mit der Fernbedienung *»Rapport«* ein.

»Wir sollten Erika anrufen«, bemerkte der Gerichtsreporter.

»Erika?« fragte Erik Ponti verwundert.

»Ja, diese Urlaubsvertretung, die unten bei Thorin vom Gewaltdezernat ist. Wenn sie diese Umstände in ihrem Interview unterbringen kann, Thorin also erzählt, was Kurden-Alf für Meinungen abgegeben hat, wird er noch wütender.«

»Gute Idee! Du machst das!« sagte Erik Ponti und konzentrierte sich auf den Bildschirm.

Da *»Rapport«* offenbar nichts berichtete, was die Arbeitsnacht der Echo-Redaktion stören würde, wechselte Erik Ponti zu den *»News Light«* des kommerziellen Kanals, die soeben die blutigen Bilder von Santa Barbara und Gamla stan gezeigt zu haben schienen. Der Moderator hatte gerade begonnen, seinen Kriminalreporter zu interviewen, und fragte ihn, was die Einschätzung der Polizei seiner Meinung nach sei. Der Reporter teilte mit, seiner Ansicht nach freue sich die Polizei zumindest über eins, nämlich daß alle vier Täter erschossen beziehungsweise festgenommen worden seien.

Anschließend wurde der für Wirtschaft und Politik zuständige Reporter befragt, der häufigste Interviewpartner der *»News Light«*, weil er als Experte für alles galt. Auf die Frage, wie seiner Ansicht nach Carl Hamilton und dessen Frau ihre Situation im Moment erlebten, runzelte er die Stirn und äußerte die Vermutung, daß sie tiefe Trauer empfinden müßten, weil sie im Verlauf weniger Stunden je ein Kind verloren hätten.

Ponti schaltete irritiert den Fernseher aus. Eins stand für ihn fest: Er würde sich weder für Geld noch gute Worte in eine Nachrichtensendung des Fernsehens schleifen lassen.

Inzwischen war es 19.45 Uhr. Erik Ponti hatte die ganze Nacht Zeit, Kurden-Alfs schnellen Wechsel ins Zivilleben als Berater in der Sicherheitsbranche zu planen und zu organisieren. Diesen Weg wählten die meisten, wenn sie aus irgendeinem Grund bei der Säpo ausschieden.

Eine Selbstverständlichkeit war es, zunächst die Justizministerin von Herrn Kurden-Alfs Meriten in Kenntnis zu setzen, beispielsweise seinem Beharren darauf, die Täter seien Palästinenser gewesen, selbst nach der Festnahme der beiden italienischen Mörder von Gamla stan. Die Justizministerin war natürlich konservativ und folglich schon *qua definitionem* antiarabisch eingestellt. Sie war aber auch außerordentlich sensibel, was den jeweils vorherrschenden Wind anging. Jetzt galt es nur, ihr klar zu machen, daß es nicht nötig sei, zu den Arabern als solchen Stellung zu nehmen, sondern zu dem einfachen Umstand, daß mindestens zwei Menschen aufgrund der total besinnungslosen Unfähigkeit des operativen Chefs vom schwedischen Sicherheitsdienst ihr Leben lassen mußten. Die Schlüsselfrage an sie würde in etwa lauten: »Und welche Konsequenzen sollte Sektionschef Alf Svensson deiner Ansicht nach daraus ziehen?«

Die Justizministerin würde sich nicht zurückhalten können. Schließlich handelte es sich nicht um irgendwelche x-beliebigen Mordopfer, sondern um eine Polizeibeamtin und Hamiltons Kind. Und die Ministerin war immerhin Politikerin.

Erik Pontis Gedanken schweiften eine Zeitlang ab.

Das *Echo des Tages* bedeutete Macht. Aus diesem Grund arbeitete Erik Ponti dort, obwohl der Rundfunk manchmal unbeholfen war und man gelegentlich so etwas wie ein halboffizielles Verhältnis zu Politikern hatte. Aber Macht ist Macht. Wenn Kurden-Alf in der Zeitschrift *Palestinsk Front* auf haargenau die gleiche Weise entlarvt worden wäre, wäre überhaupt nichts geschehen. Die Sache wäre von anderen Medien nicht einmal aufgegriffen worden.

Erik Ponti wurde in seinen melancholischen Überlegungen über die Macht der Medien unterbrochen, als der Echo-Chef begeistert und ohne anzuklopfen eintrat.

»Der Sieg ist unser!« sagte er und hob einen zarten Arm mit geballter Faust zu einer Siegergeste.

»Ja. Ja, das ist er«, sagte Erik Ponti erstaunt. Die Konkurrenz der Medien war nicht ohne Bedeutung, das gab Erik Ponti zu. Aber der Triumph des *»Echos«* gründete sich im Moment auf eine schauerliche Tragödie, was den vor Eifer glühenden Wangen des Chefs nicht im mindesten anzusehen war. Er war ein junger, munterer Karrierist, der wohl schon bald beim Fernsehen landen würden. Erik Ponti hatte darüber insgeheim schon Wetten abgeschlossen.

»Die Säpo haben wir jetzt praktisch in der Tasche«, sagte der

Chef und ließ sich schnell in einem der drei Sessel des Zimmers nieder. »Und hast du das Interview von diesem Mädchen da oben bei der Kripo gehört? Es ist ein absoluter Knaller.«

»Erika, die Urlaubsvertretung? Nein, aber ich habe gehört, unter welchen Voraussetzungen sie antrat, und habe sie losgeschickt. Ist sie jetzt also wieder da?«

»Ja, und zwar mit purem Gold in der Tasche. Geh zu ihr und hör dir das an. Sie redigiert gerade.«

»Ja, das werde ich tun«, sagte Erik Ponti abwartend. Er spürte, daß etwas im Busch war. Der Chef wollte etwas, womit er nicht offen herauszurücken wagte.

»Wann sollten wir das Interview mit der Justizministerin deiner Meinung nach bringen?« fragte der Chef.

»Nachdem die Morgenzeitungen in Druck gegangen sind, natürlich«, erwiderte Erik Ponti erstaunt. *That's elementary, my dear Watson,* dachte er. Andernfalls würde die Politikerin zu der konservativen Morgenzeitung laufen und dort die Puppen tanzen lassen.

»Ja, da gebe ich dir recht«, sagte der Chef. Er machte ein Gesicht, als überlegte er und hätte plötzlich einen Einfall. »Obwohl es ja eine Sache gibt, die uns fehlt, die uns allen fehlt … Es dürfte nicht ganz einfach sein, aber es wäre ein absoluter Hit …«

»Was denn?« fragte Erik Ponti mißtrauisch.

»*The one and only.* Das Interview mit Hamilton persönlich. Könntest du dir vorstellen, einen Versuch zu unternehmen?«

Der Chef gab sich so, als hätte er etwas so Triviales geäußert wie die Bitte um eine Zigarette.

»Ich glaube nicht«, entgegnete Erik Ponti kalt.

»Warum denn nicht? Du mußt doch zugeben, daß es ein absoluter Knaller wäre?«

»Ja, aber stell es dir doch vor … Ich habe mir übrigens angesehen, wie die »*News Light*« dieses Problem gelöst haben. Die haben was gebracht.«

»Was? Die hatten Hamilton?«

»Nein. Aber dieser Idiot, der alles weiß und für alle anderen antwortet …«

»Ekan?«

»Ja, so heißt er vielleicht. Jedenfalls hat er den Zuschauern erzählt, was Hamilton seiner Meinung nach empfindet und fühlt, vielmehr, wie er seine Situation in der jetzigen Lage erlebt.«

»Du nimmst mich doch nicht auf den Arm?«

»Nein, leider nicht.«

»Aber einen Versuch kannst du doch wagen. Fragen kostet nichts.«

»Versetz dich doch mal selbst in seine Situation. Hättest du jetzt Lust, mit Rundfunkreportern zu sprechen? Ich möchte wirklich nicht mal fragen. Es kommt mir vor wie zu der Zeit, als ich bei einer Abendzeitung Urlaubsvertretung machte. Die schickten mich zu Angehörigen von Opfern eines Flugzeugabsturzes, um Bilder aus dem Familienalbum zu holen.«

»Hast du das getan?«

»Ja. Das ist etwas, was man nicht vergißt, das kann ich dir versichern. Aber ich mußte mir ja einen festen Job verschaffen. Solche Dinge werden vorzugsweise von jungen Menschen erledigt, die keine feste Stelle haben. Heute habe ich aber eine. Du kannst ja einen Urlaubsvertreter bitten.«

»Na ja …«, sagte der Chef und wand sich. »Ich habe ja nur an deine guten Verbindungen gedacht. Schließlich hat er dich heute schon mal anrufen lassen.«

»Das war vor der Tragödie. Da war er nur Held und wollte sich wohl von dem Verdacht reinwaschen, er hätte auf diese Frau geschossen. Das ist ein gewisser Unterschied.«

»Kannst du ihm nicht eine höfliche Nachricht schicken und sagen, du könntest gegebenenfalls jederzeit, wann immer er will … bei allem Respekt und so weiter? Fragen müssen wir schließlich doch, oder etwa nicht? Wir dürften ja kaum die einzigen sein, die was von ihm wollen.

»Ich weiß«, erwiderte Erik Ponti knapp. »Sie filmen ein Fenster, in dem Licht brennt, und behaupten, Hamilton befinde sich hinter diesem Fenster.«

»Schreib ihm eine Mitteilung, eine höfliche Anfrage, dann schicken wir sie ihm mit einem Boten rüber«, sagte der Chef mit einer Autorität in der Stimme, die andeuten sollte, daß die Diskussion beendet sei.

Erik Ponti nickte stumm und hob die Hand zum Zeichen, daß

er genügend Argumente gehört habe. Dann drehte er sich seinem PC zu, rückte die Tastatur zurecht und senkte den Kopf, als müßte er nachdenken. Der Chef schlich hinaus.

Erik Ponti blieb lange untätig vor den Tasten sitzen. Dann begann er zu schreiben. Er ging von dem aus, was sich in sachlicher Hinsicht bislang ergeben hatte. Er schrieb, wie wichtig es sei, die Verantwortlichen zur Rechenschaft zu ziehen, erklärte, daß die Jagd der Araber jetzt als Bluff enttarnt werden könne, daß es die Schuld der Säpo sei, daß …

Daß – was denn? dachte er. Daß dein Kind und deine frühere Frau ermordet worden sind, schrieb er nach langem Zögern. Er ging davon aus, daß Hamilton einer offenen Sprache den Vorzug gab. Dann wollte er die Anfrage mit der Bemerkung beenden, daß er jederzeit und wo auch immer zur Verfügung stehe. Doch da verlor er schon wieder den Faden.

Er versuchte sich Hamiltons Gefühle hinter dem inzwischen von allen fotografierten einsam erleuchteten Fenster im Sophia-Heim vorzustellen. Doch er konnte es einfach nicht.

*

Carl lag mit offenen Augen auf dem Rücken und starrte an die Decke. Man hatte ihn eben in aller Hast in ein anderes Zimmer verlegt, da die Medien erneut dabei waren, ihn zur Zielscheibe zu machen. Niemand hatte während des kurzen Transports etwas gesagt.

Vor ein paar Stunden hatte er um ein kleines Transistorradio gebeten, um sich zum Spaß anzuhören, was Erik Ponti aus dem kurzen Interview gemacht hatte. Doch er hatte geschlafen, so daß er zufällig in die erste verlängerte Sondersendung des Abends geriet. Sein Interview bekam er nicht mehr zu hören, es war schon nicht mehr aktuell. Statt dessen erfuhr er, daß Stan, Burt und ihre Hausangestellten in Santa Barbara und Eva-Britt und Johanna Louise in Gamla stan ermordet worden waren.

Dann hatte er plötzlich die Selbstbeherrschung verloren und seine Trauer hinausgebrüllt. Als das erschrockene Krankenhauspersonal zu ihm hereinkam, war er schon nicht mehr zu bändigen, weinte und wollte aufstehen. Krankenpfleger wurden geholt, und nach kurzer Beratung mit dem diensthabenden Arzt gab man ihm eine Spritze, die ihn betäubte. Anschließend hielt man ihn im Bett fest, sprach vermutlich tröstend und beruhigend auf ihn ein. Später erinnerte er sich an kein Wort davon. Dann hatte er unter der zunehmenden Wirkung des Mittels, das man ihm gespritzt hatte, losgelallt und erklärt, er müsse ein Telefon haben, er müsse mit seiner Frau telefonieren und es ihr erzählen, bevor sie die Nachrichten einschaltete oder das Fernsehen oder die Hyänen sie anriefen.

Doch als er Tessie erreichte, war es schon zu spät. CNN war es irgendwie gelungen, beim Generalstab die Telefonnummer zu bekommen, und als sie den Hörer abnahm, hatte sie eine gehetzte junge Frau am Apparat, die um einen Kommentar dazu bat, daß ihr Sohn und ihr früherer Mann von Profis ermordet worden seien, die der Mafia nahestünden.

Im Augenblick war sie unter militärischer Bewachung zu Carl unterwegs. Der Generalstab hatte sich geweigert, den Schutz von der Sicherheitspolizei übernehmen zu lassen. Åke Stålhandske saß hinter den geschwärzten Scheiben neben ihr und hielt ihre Hand. Sie war angespannt und sehr bleich, fast geistesabwesend, weinte aber nicht mehr.

Carl lag im Bett und blickte an die Decke. Er hatte das Gefühl zu schweben, keinen Körper mehr zu haben. Einer seiner Verbände war wieder voller Blut. Neben ihm auf dem Nachttisch lag Johanna Louises Zahn, den er ihr noch vor kurzem aus dem Mund gedreht hatte; eine Sophia-Schwester hatte sich daran erinnert und ihn einfach in das neue Zimmer gelegt, ohne etwas zu sagen.

Er sah Johanna Louise vor sich. Immer wieder zog er ihr den Zahn heraus. Immer wieder ließ ein Schluchzen seinen Brustkorb erbeben.

5

Tony Gianelli hatte es geschafft, seine Nachbarn mit seinem Charme in weniger als einer Woche für sich zu gewinnen. Er hatte etwas von dem geschniegelten Schwiegersohn, von dem Mütter träumen. Gleichzeitig strahlte er etwas typisch Amerikanisches aus, eine Lässigkeit und Unkompliziertheit. Gleich nach dem Einzug hatte er bei seinen Nachbarn an der Tür geläutet, sich vorgestellt, zu einem kleinen Willkommensdrink eingeladen und sich anschließend erboten, jederzeit zu helfen, falls es etwa bei einem PC Probleme gebe.

Die Sydney Street in South Kensington war eine stille Straße, in der ausschließlich Menschen wohnten, die es im Leben geschafft hatten. Die Wagen, die am Straßenrand parkten, waren sauber und gepflegt.

Tony Gianelli hatte das Haus als Untermieter von Amerikanern übernommen, die für ein paar Jahre in die USA zurückgekehrt waren. Der Mann war bei der amerikanischen Handelskammer in London gewesen.

Alle Häuser an der Sydney Street sahen einander ähnlich. Es waren schmale, Wand an Wand gebaute dreistöckige Häuser. Jedes Haus hatten einen kleinen Garten, einen englischen Garten von nur ein paar Dutzend Quadratmetern Größe. An der Rückseite verlief eine Gasse, Stewart's Grove, die für zwei Autos zu schmal war. Dort waren die Garagen.

Tony Gianelli hatte sein Haus enthusiastisch gerühmt, ebenso die Umgebung. So habe er sich London schon immer vorgestellt. Es sehe wahrhaftig aus wie im Kino. Sein Haus, Nummer 31, hatte eine naturbelassene Holztür. Es wirke beinahe ein bißchen skandinavisch, könnte aber ebensogut kalifornisch sein. Ja, er komme aus Kalifornien. Schließlich kämen nicht alle amerikanischen *plaster cats* aus New York!

Sein Versprechen, notfalls bei Problemen mit Computern zu helfen, wurden von den Nachbarn schnell in Anspruch genommen, da neuerdings jeder einen im Hause hat. Schließlich waren Computer *in.* Und Tony Gianelli erwies sich schnell als eine Art Zauberer und gutgelaunter, stets zu Scherzen aufgelegter

Pädagoge. Er ließ alles so einfach und überdies einigermaßen begreiflich erscheinen. Immerhin hatte er einen Master of Science in Computerwissenschaft, hatte ein hübsches Diplom der UCSD, das er schon im Hausflur an die Wand genagelt hatte. Überdies verstand er sich gut auf Sprachparodien. Engländer halten es generell für eine Parodie, wenn jemand amerikanisch spricht. Seine Imitation von Robert de Niros »Talking to me?« sowie einige Repliken Marlon Brandos aus dem »Paten« waren ein großer Erfolg.

Schon nach einer Woche war er in dieser Gemeinschaft ein Nachbar wie jeder andere.

Und genau das, in Wahrheit nur das, war Luigi Bertoni-Svenssons erster Auftrag gewesen. Paß dich deiner Umgebung an, werde der nette amerikanische junge Mann. Es kann sein, daß du die Freundschaft und das Vertrauen deiner Nachbarn noch brauchen wirst.

Doch Luigi brauchte diese Woche auch, um seiner Rolle den letzten Schliff zu geben. Er sollte die Identität eines anderen Menschen übernehmen. Tony Alfredo Gianelli, der Name, der in seinem amerikanischen Paß stand, existierte. Der Paß war insofern echt, als daß er von einer amerikanischen Behörde ausgestellt und somit nicht gefälscht war. Luigi war dem Mann sogar begegnet, aber sie hatten sich nicht unterhalten können. Tony Alfredo Gianelli lag nach einem Autounfall auf der Autobahn zwischen Pasadena und Los Angeles im Koma.

Luigi hatte sogar Tonys Eltern kennengelernt. Der Legende zufolge waren es jetzt Luigis Eltern. Sie sollten einander sogar Briefe schreiben, echte Briefe.

Die Eltern waren Einwanderer der zweiten Generation aus der Gegend um Neapel und sprachen noch ein einigermaßen begreifliches Italienisch, obwohl Luigi als Mailänder der Ansicht war, daß es sich zur Hälfte wie Arabisch, zur Hälfte wie ein amerikanisches Italienisch anhörte. Ihr Sohn Tony, so die Eltern, beherrsche im Italienischen nur die gängigsten Alltagsworte und Redensarten. Folglich war dies jetzt eines von Luigis Merkmalen: Er durfte des Italienischen kaum mächtig sein.

Die Eltern lebten an der Armutsgrenze. Sie hatten einen Gemüseladen in Del Mar, gleich nördlich von San Diego, sowie fünf

Kinder, die es im Leben unterschiedlich weit gebracht hatten. Der jüngste Sohn, der Augapfel der Eltern und ihre Hoffnung auf ein gesichertes Alter, hatte sich schon im zarten Alter von vierzehn Jahren als Computergenie erwiesen. Er hatte das Telefon der Familie so geschaltet, daß alle Rechnungen an die Niederlassung der Chase Manhattan Bank in San Diego gingen. Es war reiner Zufall gewesen, daß man die Sache entdeckte. Der junge Computerverbrecher war von einem leicht bizarren Richter des lokalen Gerichts zu einer Woche Zwangsbüffelei in der EDV-Abteilung der UCSD verurteilt worden, um, wie es in dem ungewöhnlichen Urteil hieß, »besser kennenzulernen, welche Möglichkeiten Computer bieten, und auf diese Weise einen Blick dafür zu bekommen, was Computer neben Verbrechen noch alles leisten können«.

Das ungewöhnliche Urteil hatte das Interesse der Lokalpresse erregt, und aus diesem Grund gab es eine Reihe von Zeitungsausschnitten über Luigi-Tonys Strafwoche an der UCSD. Die Woche hatte damit geendet, daß die Universität beschloß, dem jugendlichen Gauner ein Stipendium zu garantieren, falls es ihm gelinge, die High School zu absolvieren. Und mit dieser Möglichkeit vor Augen, die ihn während seiner Schul- und Studienzeit als Lockmittel anspornte, hatte es Tony mit Hilfe von Stipendien zum Master of Science gebracht. Die vielversprechende Zukunft wurde bei einem Autounfall zerschlagen. Im Augenblick war unklar, was mit Tony geschehen würde.

Seine Eltern hatten Luigi in weniger als einer halben Stunde als Sohn-Statisten akzeptiert. Man hatte ihnen eingeredet, es wäre ihre staatsbürgerliche Schuldigkeit, Spionagetheater zu spielen, und Luigi so wie die Männer, die ihn vorstellten, seien CIA-Offiziere, die in London an etwas arbeiteten, was für die USA außerordentlich wichtig sei. Da dies auch einigermaßen den Tatsachen entsprach, hatte Luigi keine Schwierigkeiten gehabt, an diesem Betrug mitzuwirken. Er hatte mit den Eltern ein paar Tage in einer Villa zugebracht, die von der CIA in San Clemente zur Verfügung gestellt worden war. Ununterbrochen hatten sie über den echten Tony gesprochen, der nur drei Jahre jünger war als Luigi. Manchmal stellte Luigi sich vor, daß sie sich hätten treffen können. Sie mußten gleichzeitig an der UCSD studiert haben. Vielleicht waren sie sich irgendwann einmal zufällig begegnet, vielleicht bei irgendeiner Strandparty.

Die Legende brauchte nicht perfektioniert zu werden. Das Risiko, daß Luigi in London einem von Tonys Freunden begegnete, und einer dieser Freunde erkannte, daß Luigi denselben Namen trug wie ihr Freund, war praktisch gleich Null. Ebenso bestand kaum die Gefahr, daß die Russen versuchen würden, den Hintergrund des potentiellen Selbstmordkandidaten aus Kalifornien unter die Lupe zu nehmen. Und selbst wenn sie es versuchten, würden alle Angaben, die sie auf dem normalen Weg erhielten, ohnehin den Tatsachen entsprechen. All dies erschien Luigi ziemlich unkompliziert. Er hatte zum Spaß ein kleines PC-Programm geschrieben, um die mathematischen Risiken zu berechnen. Dabei hatte er herausgefunden, daß sie der Computerlogik zufolge sehr nahe an Null herankamen. Anschließend hatte er das Programm sofort gelöscht. Als Offizier des Nachrichtendienstes mit einer sehr langen Ausbildung als Spion wußte er jedoch auch, daß der Zufall und der unerwartete menschliche Irrtum ein bedeutend größeres Risiko darstellten als das rein mathematische Risiko. Beispielsweise konnte es passieren, daß bei einer Party irgendeine blonde Schwedin auf ihn zukam, ihn auf die Wange küßte und wie selbstverständlich Schwedisch mit ihm sprach, da sie sich seit der Studienzeit kannten, und ihn fragte, was er denn in London mache, und so weiter. So könnte seine Legende zerstört werden.

Die körperlichen Gefahren hatte er noch nicht abzuschätzen begonnen. Die Operation war noch nicht in die Wege geleitet worden. Das hier war nur Vorbereitung.

Er konnte unter drei Schlafzimmern wählen und hatte das vermutlich frühere Gastzimmer im ersten Stock ausgewählt. Es war um unpersönlichsten eingerichtet. Man hatte ihm zwei Reisetaschen mit Requisiten mitgegeben, um sein neues Leben auszustatten – angefangen bei wohlbekannten T-Shirts der Universität, die tatsächlich auch seine gewesen war, bis hin zu manipulierten Familienfotos, auf denen man ihn zwischen seinen frischgebackenen Eltern an die Stelle des echten Tony gesteckt hatte.

Er legte sich aufs Bett, faltete die Hände im Nacken, blickte an die Decke und grübelte über seine Rolle nach. Dieser Tony war kein großer Sportler gewesen, doch wer in Luigis künftiger Umgebung würde etwas davon wissen?

Sollte er sich etwas intellektueller machen? Wenn ja, mußte er vermeiden, allzu italienisch zu erscheinen. Er mußte ein Italiener der dritten Generation aus Kalifornien sein, wo die italienische Identität bei weitem nicht so präsent war wie an der Ostküste. Wenn er Tonys Italienischkenntnisse verbesserte, was früher oder später verführerisch sein würde, würde er dann auch nur einigermaßen glaubwürdig darstellen können, er spräche ein amerikanisiertes Neapolitanisch? Wer würde entdecken können, daß er Mailänder war?

Der Auftrag hatte noch nicht begonnen und er wußte, worauf er hinauslief, bis auf eines: Er sollte den Lockvogel für einen organisierten Selbstmord spielen. In spätestens einer Woche würde er mehr wissen. Er würde mit seiner Arbeit bei Marconi Naval Systems beginnen, das teuflisch weit draußen in einem Vorort lag, bevor er wußte, ob die Operation begonnen hatte und er damit aktiviert war.

Komisch erschien ihm, daß er laut Vertrag jetzt ein viermal so hohes Gehalt hatte, wie für den gleichen Job in der EDV-Zentrale des schwedischen Nachrichtendienstes in Stockholm, in der er normalerweise arbeitete. Wenn er wollte, konnte er auf großem Fuß leben, obwohl sämtliche Ausgaben von seinem Gehalt bestritten werden mußten. Er brauchte nicht eine Quittung aufzuheben, da kein einziges Pfund steuerlich absetzbar war.

Vorerst sollte er sich aber nur daran gewöhnen, Tony Gianelli zu sein, der kaum Italienisch verstand. Er hatte in der Zwischenzeit das nächstgelegene italienische Restaurant in der Fulham Road besucht und dort sein schlechtes Italienisch vorgeführt – das aber immer noch etwas besser war als das der nicht sonderlich italienischen Einwanderer, die das Restaurant betrieben. Diese waren nämlich Portugiesen.

*

Es war eine kleine weiße steinerne Kirche auf Österlen, dem östlichen Teil von Skåne. Carl war nach Ronneby in Blekinge geflogen und dort von einem Wagen abgeholt worden, der ihm von der

Luftflottille geschickt worden war. Seine Eskorte trug Ausgehuniformen. Er selbst trug Zivilkleidung, einen dunklen Anzug und eine weiße Krawatte und hatte eine dunkle Brille aufgesetzt. Der Umweg war dazu gedacht, Pressefotografen zu entgehen und jeden Tumult zu vermeiden. Es dauerte fast eine Dreiviertelstunde, nach Österlen hinunterzufahren, und er saß stumm auf dem Rücksitz, ohne seine Sonnenbrille abzunehmen. Das militärische Personal hatte sehr schnell die Versuche aufgegeben, mit ihm Konversation zu machen.

Carl hatte alle freundlichen oder vielleicht auch aufdringlichen Versuche von Verwandten oder Skåne abgewehrt, der Beerdigung beizuwohnen. Vermutlich meinten sie es gut und wollten teilnehmen, weil eine Hamilton beigesetzt wurde.

Es hatte sich nicht vermeiden lassen, daß die Säpo für die Sicherheitsvorkehrungen sorgte, und er hatte ihre Planung eingesehen und mit einer Handbewegung gutgeheißen. Die Gefahr ging jedoch nicht etwa von möglichen Attentätern aus, wie die Führung der Säpo vermutete, sondern von den Repräsentanten der schwedischen Massenmedien. Seiner Mutter hatte Carl das offen erklärt. Er hatte zum ersten Mal seit mehreren Jahren mit ihr gesprochen und brachte volles Verständnis für ihren durchaus respektablen Wunsch auf, der Beerdigung beizuwohnen. Das war bei feinen Leuten eben so üblich. Liebe Mutter, das bedeutet aber, daß dein Bild in die Zeitungen kommt. Sie werden auch noch deine Wohnung zeigen, und dann brauchst du für den Rest deines Lebens Leibwächter.

Sie hatte sich mit diesem schlichten Argument jedoch nicht ohne weiteres von dem Plan abbringen lassen. Sie meinte, Mut und Grundsätze seien wichtiger als sogenannte Sicherheit. Carl hatte ihr zwar zugestimmt, jedoch zu Bedenken gegeben, daß es gesellschaftlich unglaublich unpraktisch sei, irgendwelche Idioten der Säpo im Schlepptau zu haben, wenn sie an einer Feier teilnahm. Dieses Argument hatte sie akzeptiert.

Andere Verwandte hatten zwar loyal ihre Bereitschaft erklärt, dabei zu sein – was Carl ohne zu zögern glaubte –, da die meisten von ihnen offenbar schon mehrmals Verwandte zu Grabe getragen hatten. Er hatte jedoch auch ihnen gesagt: Ihr werdet mit euren Fotos in die Zeitung kommen und euren Namen auf einer Todesliste wiederfinden. Das überzeugte sie.

Carls Verwandte würden Eva-Britts Eltern in ihrer Ahnungslosigkeit als einfache, ehrliche Menschen bezeichnen. Sie waren ihrer Verbindung gegenüber immer mißtrauisch gewesen – der Verbindung mit einem Mann aus der Oberschicht.

Mit seiner Herkunft hatte Carl keine Schwierigkeiten. Erstens konnte man leicht mit einem Scherz darüber hinweggehen – *man kann in der Wahl seiner Eltern nicht vorsichtig genug sein* –, und außerdem hatte er schon vor vielen Jahren so etwas wie Trost bei Mao Zedong gefunden, der den Unterschied zwischen Klassenzugehörigkeit und Klassenstandpunkt gepredigt hatte. Der Klassenstandpunkt war entscheidend, was möglicherweise daran lag, daß Mao selbst Bibliothekar gewesen war, bevor er die Welt erschütterte.

Carl graute hinter seiner versteinerten Miene mehr vor den bevorstehenden religiösen Ritualen als vor den Pressefotografen. Die Säpo hatte ihm erklärt, daß sie unter Hinweis auf Sicherheitsvorkehrungen die nähere Umgebung der Kirche von Unbefugten, also Journalisten, freihalten könnte.

Der Friedhof war von einer Steinmauer umgeben. Zu seinem Entsetzen entdeckte Carl, daß die sogenannte Antiterrorpolizei gerufen worden war. Auf der Steinmauer stand alle zehn Meter eine breitbeinige Figur mit einer Strickkapuze auf dem Kopf und einer deutschen Maschinenpistole. In einem Ulmenhain neben der Mauer hing eine Traube von Fotografen mit langen Teleobjektiven in den Bäumen. Es herrschte klares Wetter; es war ein schöner Sommertag. Carl erkannte, daß es mit diesen Teleobjektiven kein Problem war, den eigentlichen Knüller abzulichten: zwei Gräber, ein normales und eins von halber Größe. Er holte tief Luft, als der Wagen vor dem Tor hielt. Vor dem Kirchenportal standen einige Menschen und warteten. Er meinte, Eva-Britts Mutter auf der Freitreppe zu erkennen.

»Vielen Dank«, sagte er und stieg schnell aus, schritt durch das Tor und ging auf die Menschenmenge zu. Die Unterhaltung verstummte, und alle blickten ihn an. Auf halbem Weg nahm er die Sonnenbrille ab und steckte sie hinter sein weißes Taschentuch in die Brusttasche.

Er ging erst zu ihrer Mutter. Schweigend beugte er sich hinunter und küßte sie kühl und trocken auf die Wange. Dann faßte er sie sanft um die Schultern, sah sie an und umarmte sie.

Dann wandte er sich ihrem Vater zu, nahm dessen zerbrechliche Hand und drückte sie. Sie blickten einander in die Augen, sagten aber nichts.

Carl nahm den Mann in den Arm und versuchte zu sprechen. Aber er konnte nicht.

Die christlichen Rituale sind nun mal so, wie sie sind. In der kleinen weißen Kirche aus der Dänenzeit stand ein Pfarrer und sprach eine Weile, ohne sich zu blamieren. Die Wege des Herrn seien unerforschlich, und es falle uns Menschen schwer zu verstehen, weshalb es dem Herrn gefallen habe, Johanna Louise schon im Alter von sechs Jahren heimzuholen, und weshalb gefalle es dem Herrn, eine Polizistin mitten aus dem Leben zu reißen, ja, was wüßten wir Menschen schon?

Darauf hatte Carl sich vorbereiten können. Er verzog keine Miene, obwohl alle Anwesenden in der Kirche ihm unaufhörlich Blicke zuwarfen und glaubten, er sähe es nicht.

Doch dann sagte der Pfarrer, der Herr gebe, und der Herr nehme, und dann nochmals, daß die Wege des Herrn unerforschlich seien. Vielleicht hat der Herr aber doch gewollt, daß wir hier in dem kleinen St. Olof so hohen Besuch bekommen, nämlich von dem Mann, der vielleicht mehr als jeder andere Schwede der modernen Zeit für die Schwachen eingetreten sei und unsere Nation verteidigt habe.

Natürlich lauteten die Worte nicht exakt so, doch das war zweifelsohne mit ihnen gemeint, da es dem Herrn gefallen hatte, für diese kleine Abweichung fünf Minuten zu veranschlagen. Nach nur zwei Minuten wandten sich die Gesichter aller Carl zu.

Er selbst blickte starr geradeaus, auf zwei weiße Särge mit roten Blumen darauf. Einer der Särge war sehr klein. Da brach etwas in ihm, und er beugte sich zur Rückenlehne der abgewetzten Kirchenbank vor sich und brach in Tränen aus. Gleichzeitig verfluchte er den Pfarrer mit verzweifelten, lästerlichen Gedanken, die der Herr ihm kaum verziehen hätte.

Es war eine sehr traditionelle, altmodische Beisetzung. Die beiden Särge wurden von uniformierten Polizisten – einige davon waren Freunde Eva-Britts, die Carl vom Sehen her kannte – in den blitzenden Sonnenschein hinausgetragen.

Eine sehr kleine Prozession folgte den Polizisten und den Särgen zu den frisch ausgehobenen Gräbern. Erst der Pfarrer, dann Eva-Britts Eltern, dann Carl sowie vier oder fünf Verwandte, denen Carl noch nie begegnet war.

Sobald ihm das Sonnenlicht in die Augen stach, setzte er seine Sonnenbrille auf. Er wollte sich vor den Kameralinsen verbergen. Mit ihren Teleobjektiven konnten die Kameraleute und Fotografen ihn und die anderen in Großaufnahme ablichten. Der Abstand betrug etwas mehr als neunzig Meter. Eine günstige Schußentfernung – ein Aspekt, der die Sicherheitspolizei interessieren sollte. Natürlich standen überall maskierte Figuren auf der Steinmauer um den Friedhof. Ihre einzige gesicherte Funktion war allerdings, daß sie dankbar groteske Motive für die Kamera liefern würden.

Carl versuchte, ein wenig abseits von den anderen zu stehen, als sie sich um die beiden Gräber formierten. Die Polizeibeamten hantierten mit ihren Tragriemen, und der Pfarrer machte sich für das abschließende Zeremoniell bereit. Carl wollte möglichst frei stehen, damit nicht andere Menschen getroffen wurden, wenn jemand auf ihn schoß; eventuelle Schützen würden vermutlich nicht die geringste Rücksicht darauf nehmen, ob außer ihm noch andere starben. Ihm war jedoch bewußt, daß der Eindruck erweckt werden könnte, er wolle sich von der Gemeinschaft distanzieren. Doch die Aasgeier sollten glauben, was immer sie wollten. Ihm war es wichtiger, eventuelle Verluste so niedrig wie möglich zu halten.

Er wollte nicht sterben, da er Tessie und Ian Carlos nicht so verlassen wollte, wie Stan und Johanna Louise ihre Eltern verlassen hatten. Furcht empfand er allerdings auch nicht; es war eher eine arrogante Geste, daß er darauf verzichtet hatte, sich zu bewaffnen. Es hätte auf Eva-Britts Eltern erschreckend gewirkt, wenn sie es entdeckt hätten, und außerdem erschien es ihm unpassend, in einer Kirche eine Waffe zu tragen.

Während der Pfarrer dreimal Sand schaufelte, der knirschend auf die beiden weißen Sargdeckel fiel, gelang es Carl immer noch, sich zu beherrschen. Er fand es beinahe komisch, daß der Pfarrer so eine kleine Schaufel verwendete, wie sie in früheren Zeiten mit einem Feuerhaken neben dem Kamin hing.

Der schwierige Augenblick kam, als es für einen nach dem anderen an der Zeit war vorzutreten, in die Gräber zu blicken und ein Lebewohl zu murmeln.

Eva-Britts Eltern waren die ersten. Ihr Vater versuchte, seine Frau zu stützen, die schon hemmungslos weinte, bevor sie das Grab erreichte. Verzweifelt preßte sie zwei rote Rosen aus dem eigenen Garten an sich. Alle außer Carl hatten eine kleine Blume für ein letztes Lebewohl in der Hand. Er war schon lange nicht mehr auf einer Beerdigung gewesen und hatte nicht daran gedacht; Joar Lundwall hatten sie bei dessen Beisetzung schon in der Kirche verlassen.

Eva-Britts Mutter schaffte es schließlich, die beiden krampfhaft gehaltenen Blumen ins Grab zu werfen, dann beugte sie sich vor, als spürte sie einen scharfen körperlichen Schmerz in sich. Ihr Mann half ihr vorsichtig, zur Seite zu treten. Und dann war es leer da vorn.

Carl wußte, daß er jetzt an der Reihe war. Er ging langsam, ohne zu humpeln, nach vorn und blickte in die beiden Gräber. Er nahm die Sonnenbrille ab. Er wußte zwar nicht, warum, war aber der Meinung, die beiden nicht durch eine Sonnenbrille ansehen zu können. Er versuchte sich einzureden, daß das Wissen um den Tod jetzt schon zwei Wochen alt war, daß der Schock vorübergehen würde, daß die Trauer allmählich in den Alltag der Trauer überging und keinen Zusammenbruch und keine Tränen mehr forderte. Jenseits der Steinmauer wurden hundert schwarze Kameralinsen auf ihn gerichtet. Es war ein Fest für die Hyänen.

Er wußte nicht, was er ohne Blume tun sollte. In Uniform hätte er vermutlich eine Ehrenbezeigung machen müssen, was ihm ebenso widerstrebt hätte, wie jetzt ohne eine Blume dazustehen.

Sein Blick wanderte von Eva-Britt zu Johanna Louise. Kleine Schwärme kreischender Turmschwalben stießen mit einem kühnen Tiefflugmanöver auf den Friedhof hinab, bevor sie steil zum Ziegeldach der weißen Kirche hinaufflogen. Carl erinnerte sich unwillkürlich an Johanna Louises Zahn, den er in der Brusttasche hatte, und da kamen ihm die Tränen. Er konnte sie unmöglich unterdrücken, ob es den Fotografen nun Freude machte oder nicht. Er senkte das Haupt wie zum Gebet und ging langsam davon, auf Eva-Britts Eltern zu. Er achtete immer noch sorgfältig darauf, sich so zu stellen, daß er ein freistehendes Ziel bot. Vorsichtig zog er ein Taschentuch hervor und tupfte seine Augen trocken. Dann setzte er wieder die Sonnenbrille auf.

Nach der Zeremonie ging die ganze Gesellschaft zum Pfarrhof, zwischen auffällig plazierten Polizisten hindurch, die hinter Büschen standen.

In den Gartenlauben des Pfarrhofs sollte es Kaffee geben; außer Reichweite der Fotografen, die von zivilen Sicherheitsbeamten jetzt an den Rand des Pfarrhofs gedrängt wurden.

Carl ging zu einem der Polizisten und fragte, ob sie sich nicht schon mal begegnet seien.

O ja. Es war vor ein paar Jahren gewesen, als sie zum Segeln in die Schären gefahren waren. Eva-Britt hatte einen Burschen mitgenommen, der nicht Polizist war. Ein Bursche, der von sich behauptete, nicht mit Pistolen umgehen und daher nicht an dem Wettkampf teilnehmen zu können, wer abwaschen mußte. Jetzt fragte er, ob Carl sich erinnere, denn Carl habe damals abwaschen müssen.

Carl bejahte es, ohne eine Miene zu verziehen. Dann bat er den Polizisten, zu den Journalisten zu gehen und zu fragen, ob jemand von TT da sei. Falls ja, solle er den Betreffenden unauffällig herbringen. Aber nur von TT, sonst niemanden.

Der Polizist zögerte kurz, blickte Carl forschend ins Gesicht, ohne in den dunklen Brillengläsern viel mehr zu sehen als sein eigenes Spiegelbild. Dann nickte er und ging.

Nach einer Weile kam der Polizeibeamte in Gesellschaft eines sehr jungen Mannes zurück. Dieser trug eine runde Brille, langes Haar, Jeans und ein T-Shirt.

»Er sagte, er arbeitet für TT«, erklärte der Polizist kurz und schob den fast verängstigten jungen Mann zu Carl hin, als übergäbe er diesem einen Festgenommenen.

»Danke«, sagte Carl und wandte sich dann an den angeblichen Vertreter von *Tidningarnas Telegrambyrå.* »Soso, du arbeitest also für TT?« fragte er.

»Ja. Das heißt, ich mach eine Urlaubsvertretung in Kristianstad.

Eigentlich besuche ich die Journalistenhochschule, aber im Sommer können wir solche Jobs übernehmen und ...«

»Ja, ja, schon gut, ich glaube dir«, sagte Carl und hob eine Hand, um weitere Erklärungen zu verhindern.

»Und was will TT mit einer solchen Sache anfangen?« fragte Carl. »Ich kann nicht behaupten, von Journalismus sehr viel zu verstehen, aber was genau ist dein Job bei einer Beerdigung?«

»Wir müssen so etwas ja im Auge behalten, für den Fall ...« Der junge Mann schluckte und suchte nach Worten.

»Für den Fall, daß sich etwas Dramatisches ereignet?« ergänzte Carl.

»Ja ... ja, ungefähr so«, sagte der angehende Reporter und machte ein Gesicht, als sehnte er sich zu der kollektiven Geborgenheit unten am Zaun des Pfarrhofs zurück.

»Das hört sich für meine Begriffe ganz in Ordnung an«, sagte Carl, »aber wenn ich dir gegenüber hier eine kurze Erklärung abgebe, die einzige, die hier überhaupt von mir zu hören sein wird, wird sie doch an alle Zeitungen gehen, nicht wahr?«

»Aber ja, selbstverständlich«, erwiderte der junge Mann, dessen Selbstbewußtsein sich schnell erholt zu haben schien. Er begann, an einem Diktiergerät zu hantieren.

Carl wartete ab, bis die Technik zu funktionieren schien, nahm dem jungen Mann das Diktiergerät ab und sprach hinein.

»Obwohl es nicht meines Amtes ist, Ansichten darüber zu äußern, wie die Presse eine Beerdigung behandelt, möchte ich doch eine kurze Anmerkung dazu machen«, sagte er und dachte kurz nach, bevor er fortfuhr. »Ich möchte darauf hinweisen, daß die Medien unschuldige Menschen einer Lebensgefahr aussetzen, falls einzelne Teilnehmer an dieser Beerdigung identifiziert werden und man womöglich noch ihre Verwandtschaftsverhältnisse und Wohnorte veröffentlicht. Aus diesem Grund möchte ich um eine gewisse Zurückhaltung bitten. Um Respekt kann ich nicht bitten, das ist mir klar. Ich bitte aber darum, Mördern keine Hilfestellung zu geben.«

Damit schaltete er das Diktiergerät aus und reichte es seinem Gegenüber.

Der junge Mann sah ihn verblüfft an, machte eine nervöse Verbeugung und wich ein paar Schritte zurück, so daß er um ein

Haar in eine Hecke gestolpert wäre. Dann verabschiedete er sich verlegen, drehte sich um und ging zu der Journalistengruppe unten am Rand des Pfarrhofs.

*

Tessie hatte sich gerade von ihren Secret-Service-Leuten getrennt und die SAS-Maschine in Los Angeles bestiegen, die direkt nach Stockholm fliegen sollte. Sie erhielt einen Einzelplatz in der Business Class. Sie trug Schwarz, doch ihr schwarzes, im Nacken zu einem dicken Zopf geflochtenes Haar und ihre dunkle Brille vermittelten insgesamt eher den Eindruck von Raffinement als von Trauer. Die meisten Schweden, die an ihr vorbeigingen, erkannten sie nicht, obwohl ihr Gesicht in den letzten Wochen in den schwedischen Medien eins der am häufigsten gezeigten gewesen war.

Sie war erleichtert, daß es vorbei war. Es war alles vollkommen widerwärtig gewesen. Am schlimmsten waren nicht die Trauer und das entsetzliche Gefühl, sein eigenes Kind begraben zu müssen, am schlimmsten war all der Haß gewesen, der ihr von Burts Verwandten entgegengeschlagen war.

Einer von Burts Vettern war sichtlich betrunken zur Beerdigung erschienen. Er war auf sie zugegangen und hatte mit wirrer Stimme und ebenso wirrer Logik insinuiert, es sei alles ihre Schuld; wenn sie sich nicht mit so einem verdammten Spion eingelassen hätte, wäre das Ganze nie passiert. Er wurde laut, als sie nicht darauf antwortete, doch da stürzten sich zwei Secret-Service-Männer auf ihn und schleiften ihn weg.

Die Bewachung, der man sie unterstellt hatte, war durch und durch eine Belastung gewesen. Überall diese Männer in dunklen Brillen mit Kopfhörern in den Ohren und deutlich sichtbarer Bewaffnung. Man hatte sie vernommen, was sie vorhabe, und gefragt, wem eventuell diese Pläne bekannt seien, und so weiter.

Allein im Anwaltsbüro hatte sie diese Begleitung als Unterstützung empfunden. Die Secret-Service-Leute beharrten nämlich darauf, bei der Zusammenkunft in der großen Anwaltskanzlei in L. A. anwesend zu sein. Zunächst hatte sie das für albern gehalten.

Wer sollte sie oben in einem Wolkenkratzer mitten im Zentrum von L. A. ermorden? Sie hatte draußen in einem Korridor eine Zeitlang mit ihren Bewachern gestritten. Doch einer der Männer nahm plötzlich die Sonnenbrille ab und sah sie mit einem Glitzern in den Augen an, das ihr angesichts des Respekts, den man ihr doch wohl erweisen mußte, ein wenig kühn erschien.

Was der Mann zu sagen hatte, entlockte ihr das erste kleine Lächeln seit zwei Wochen.

»Bei allem Respekt, Madam. Sie werden sich gleich in eine Schlangengrube begeben, in der alle Sie hassen. Wir glauben durchaus nicht, daß die Verwandten ihres früheren Mannes vorhaben, Sie körperlich zu überfallen. Aber wenn ich und die anderen Jungs wählen dürften, würden wir auf Ihrer Seite stehen. Falls Sie verstehen, was ich meine.«

»Okay, ich sehe, was Sie meinen«, hatte sie geantwortet, langsam genickt und den Kopf leicht in den Nacken geworfen. Dabei hatte sich dieser eine Anflug eines Lächelns während der vier Tage in Kalifornien gezeigt.

Die Secret-Service-Leute bestanden zu der sichtlichen Irritation der Anwälte darauf, den Konferenzraum zu untersuchen. Dann setzte sich einer der Männer demonstrativ hinter Tessie, während sein Partner sich so stellte, daß er den Rest des Raums »abdeckte«. Die Konferenz konnte beginnen.

Der älteste der Anwälte begann murmelnd, die Rechtslage darzulegen. An seiner Seite hatte er zwei Mitarbeiter. Burts Verwandtschaft war mit vier oder fünf Personen vertreten, darunter dem Vetter, der betrunken zur Beerdigung erschienen war.

Die entstandene Rechtslage gründe sich auf ein forensisches Wissen, das als unantastbar gelten müsse, begann der Anwalt angestrengt. Es stehe inzwischen ja fest, daß Mr. Matthews als erster gestorben sei, nun ja, als erster von den Personen, die in diesem Zusammenhang von Interesse seien.

Folglich sei also der junge Stan, wenn auch nur sehr kurze Zeit, Alleinerbe von Mr. Matthews' gesamten Vermögenswerten geworden. In Mr. Matthews' Testament, das im übrigen in dieser Anwaltskanzlei erstellt worden sei, sei für die jetzt entstandene Situation nichts Besonderes vorgesehen. Der Erblasser habe natürlich, was man vielleicht verstehen könne, vorausgesetzt, daß er selbst vor seinem einzigen Sohn sterben werde, wenn auch nicht unter den gegebenen Umständen.

Mit anderen Worten, Gräfin Teresia Hamilton sei die Universalerbin ihres Sohns. Und aus diesem Grund läge eigentlich keine Verhandlungssituation vor. Die gesetzlichen Bestimmungen, die jetzt in Betracht kämen, schüfen sogenanntes zwingendes Recht.

Tessie, die selbst Rechtsanwältin war, hatte natürlich keine Schwierigkeiten, sich die Rechtslage klar zu machen.

Anders war es für Burts Verwandte, die eine Reihe allgemeiner Standpunkte eher moralischen als juristischen Charakters äußerten. Sie schienen in etwa zu meinen, Tessie habe die Kohle nicht verdient, da sie mit einem anderen Mann durchgebrannt sei.

Nachdem eine Zeitlang über diese Dinge diskutiert worden war, fragte der Vorsitzende höflich, sehr höflich, ob Gräfin Hamilton zu dem Gesagten etwas zu bemerken habe.

Das hatte sie.

»Ich habe hier nur eine Menge Unfug zu hören bekommen«, sagte sie scharf. »Die gesetzlichen Bestimmungen sind kristallklar. Wenn Sie prozessieren wollen, werden Sie vor jedem Gericht mit einer Dampfwalze niedergemacht, was meine geehrten älteren Kollegen sicher bestätigen dürften. Ich schlage vor, daß wir diese Zusammenkunft beenden.«

Einige der Anwesenden brachen in Verwünschungen und Beleidigungen aus, in denen es um Tessies Geiz, ihre Liederlichkeit und einiges mehr ging. Doch als einer der aufgeregten vermeintlichen Anwärter auf Tessies Erbe plötzlich voller Zorn aufstand, erhoben sich auch die beiden Secret-Service-Männer blitzschnell und erweckten den Eindruck, als hätte dieser Mann noch eine Sekunde zu leben, wenn er weiterhin solchen Lärm machte.

Damit war die unangenehme Konferenz im Grunde beendet.

Tessie erteilte der Anwaltskanzlei den Auftrag, von jetzt an auch ihre Interessen wahrzunehmen. Sie gab den Anwälten klare Anweisungen. Erstens sollten die Herren eine Maklerfirma suchen, die das Haus in Santa Barbara mit dem gesamten Inventar verkaufe. Sie wolle das Haus noch ein letztes Mal besuchen. Vielleicht sei noch etwas da, was für sie einen Erinnerungswert habe, aber alles andere solle verkauft werden.

Ferner solle die Anwaltsfirma in San Diego unter ihrem Namen ein Bankkonto eröffnen und sämtliche in Bargeld verwandelten Aktiva dorthin überweisen. Dieselbe Bank solle für sie auch ein Aktienkonto einrichten und ihr ein Schließfach für Akten und Unterlagen vermieten.

Für den Fall, daß Burts Verwandte wider Erwarten zu prozessieren wünschten, hoffe sie, daß die Anwaltskanzlei sich für befangen erklären und darauf verzichten werde, die Familie Matthews zu vertreten. Die Anwälte hatten keinerlei Mühe, diesen einfachen und klaren Vorschlag anzunehmen.

Tessie hatte das dringende Bedürfnis gehabt, beim Besuch des Hauses nicht allein zu sein, und telefonierte eine Stunde herum, um eine ihrer alten Freundinnen aufzuspüren, eine Anwaltskollegin aus der Zeit im Hilfsbüro für illegale mexikanische Einwanderer in San Diego. Die Freundin wurde mit einer der gepanzerten Limousinen abgeholt, über die der Secret Service verfügte. Die beiden Frauen saßen auf dem großen Rücksitz hinter getönten Scheiben und hörten ständig das Rauschen und Zischen der Sprechfunkgeräte unter der Kleidung der Sicherheitsbeamten. Es dauerte eine Weile, bis die Frauen sich einigermaßen normal miteinander unterhalten konnten, während das gepanzerte Ungeheuer mitsamt Begleitung Kurs auf Santa Barbara nahm.

Als sie ankamen, war das Haus offen. Polizei und Sicherheitsbeamte befanden sich schon dort, wie zufällig auch das regionale Fernsehen.

Tessie zögerte, bevor sie hineinging. Alles erschien ihr so vertraut, als wäre sie erst gestern hier gewesen; aus irgendeinem Grund trieb eine Luftmatratze in dem nierenförmigen Swimmingpool, als wäre soeben jemand ins Haus gegangen, um einen Drink zu holen oder zu telefonieren.

Als sie im Haus stand, wußte sie nicht, was sie hier zu suchen hatte. Schon in der Eingangshalle mußte sie über eine mit weißer Kreide markierte Menschengestalt hinwegtreten; sie konnte nicht erkennen, wer dort gelegen hatte. Ein Stück weiter weg entdeckte sie die Umrisse einer kleineren Gestalt, was sie zunächst schnell Luft holen ließ, weil sie glaubte, es hätte Stan sein können. Einer der Sicherheitsbeamten, der ihre Reaktion sah, beeilte sich, freundlich und diskret zu erklären, dort habe ein Hund gelegen.

Sie betrat langsam das große Wohnzimmer mit Aussicht auf den

Park und den Pool, sank auf einen der üppigen Sessel, nahm die dunkle Brille ab und wischte sich das Gesicht ab. Dann erzählte sie ihrer Freundin, welches Zimmer im Obergeschoß Stans gewesen war, und bat sie nachzusehen, ob die Luft rein sei, eine Frage, deren Sinn ihre Freundin nicht gleich verstand.

Sie ging jedoch nach oben und blieb eine runde Minute weg, bevor sie wiederkam, sich vorsichtig neben Tessie setzte und ihre Hand nahm.

»Liebe Tessie«, sagte sie. Sie mußte sich zusammennehmen, um nicht loszuweinen, bevor sie fortfuhr: »Offen gestanden halte ich es nicht für eine besonders gute Idee, daß du hinaufgehst. Aber ich könnte vielleicht mit Hilfe eines der Herren ein paar Dinge runterholen, die dir etwas bedeuten?«

Tessie nickte stumm. Sie wollte nicht nach dem Grund fragen, weshalb sie das Zimmer nicht sehen sollte, sie wollte es sich nicht einmal vorstellen.

Zwei der Sicherheitsbeamten halfen der Freundin höflich, ein paar Kartons mit Schreibheften aus der Schule, Fotos und Ähnliches herunterzubringen, während Tessie schon bereute, überhaupt ins Haus zurückgekehrt zu sein. Sie erlebte die Beerdigung noch einmal. Sie nahm einige Gegenstände an sich, meist Fotos, und bat ihre Freundin dann, den Rest wieder nach oben zu bringen.

Diese nickte stumm und ging leise mit einem Karton in der Hand hinauf, während die Sicherheitsbeamten ihr den Rest abnahmen. Sie warf einen letzten scheuen Blick auf das Bett des Jungen, das, soviel sie erkennen konnte, seit der Mordnacht niemand mehr angerührt hatte. Um das Bett herum sah es aus, als hätte jemand mit einem Wasserschlauch Blut auf den hellblauen Hintergrund gespritzt, Blut, das jetzt nicht mehr rot, sondern braun aussah.

*

Wenn man den offiziellen Mitteilungen Glauben schenken wollte, beehrte der Premierminister Großbritanniens das Gastgeberland Schweden zum ersten Mal seit fünfundzwanzig Jahren mit einem offiziellen Besuch, weil er sich so gern ein Feuerwerk ansehen wollte. Das staatliche schwedische Brauereiunternehmen Pripps hatte deshalb ein schönes Feuerwerk veranstaltet, über das John Major sagte, es habe ihm sehr gefallen.

An seinem zweiten Tag in Schweden aßen der britische Premierminister und seine Ehefrau Norma beim Schwiegervater des schwedischen Ministerpräsidenten draußen auf Sundskär in den Stockholmer Schären frisch geangelten Barsch. Den Mitteilungen der Presse zufolge sei der Barsch gut gewesen.

Am Abend nach dem Barschessen auf Sundskär hieß es, John Major und seine Frau seien zu einem Essen beim schwedischen Königspaar eingeladen.

Man konnte also zu der Ansicht gelangen, daß dieser Staatsbesuch recht dürftig und inhaltslos sei. Es gab nur noch ein Ereignis, dem in den Medien neben dem Feuerwerk Aufmerksamkeit zuteil wurde. Das Feuerwerk war mit einer blauen Rakete sowie einer weiteren beendet worden, die Sterne über das Blau streute, so daß man den Eindruck haben konnte, das Ganze solle an die EU-Flagge erinnern. Das zweite Ereignis war, daß der Hubschrauber, der die beiden Regierungschefs von Djurgården in die Schären verfrachten sollte, zufällig ein Zelt umriß, in dem sich ein Restaurant etabliert hatte. Das Stockholmer Wasserfestival lief gerade, und so waren in der Stockholmer Innenstadt zahlreiche Zelte aufgestellt. Der kleine Unfall des Hubschraubers verursachte Kosten in Höhe einer Viertelmillion Kronen, und die Eigentümerin des Restaurants, Anna Eliasson-Lundquist, erhielt einen Blumenstrauß, eine Entschuldigung des Ministerpräsidenten und wurde überdies in allen Medien interviewt, weil diese Mühe hatten, überhaupt etwas über John Majors Besuch zu schreiben.

Einige Hintergrundberichte über ihn und all seine Minister, die gefeuert worden waren – die Reihe der hochwohlmögenden Ehebruchsaffären hatte in Großbritannien gerade erst begonnen –, wurden mit müder Selbstverständlichkeit zu Papier gebracht. Man schrieb einiges über John Majors Problem, ständig mit seiner Vorgängerin Margaret Thatcher verglichen zu werden, und erwähnte, daß seine Popularitätszahlen anfänglich in die Höhe geschnellt seien, weil es Krieg gegeben habe; während des siegreichen Krieges der UNO-Allianz gegen den Irak stieg die Unterstützung des britischen Premierministers durch das britische Volk auf ganze sechzig Prozent. Doch danach sei es bergab gegangen. Mit seinen letzten Zahlen, neunzehn Prozent, sei er zu dem »unbeliebtesten Premierminister aller Zeiten« gekürt worden. Es werde aufrichtig bezweifelt, daß dieser Staatsbesuch in Schweden, der offenbar hauptsächlich einem Feuerwerk und einem Barschessen gegolten habe, diese Zahlen aufbessern könnte.

Die beiden Regierungschefs hatten sich schon rund eine Stunde nach der Landung der britischen Regierungsmaschine in Bromma sofort in das schwedische Regierungsgebäude Rosenbad zurückgezogen. Wie es hieß, hatten sie in einer wichtigen Frage zu beraten, und für die Mittagszeit war eine Pressekonferenz angekündigt worden.

Zahlreiche erwartungsvolle Medienvertreter erfuhren, daß die beiden Herren über Sarajewo diskutiert hätten. Sie hätten sich darauf geeinigt, daß Schweden aus humanitären Gründen sechzehn Patienten aus einem Krankenhaus in Sarajewo aufnehmen werde, Großbritannien zwanzig und Irland fünf.

Diese magere und anscheinend inhaltslose Nachricht bestimmte den Tonfall, in dem die Medien anschließend berichteten. Die beiden Regierungschefs hatten draußen in den Schären ihren Spaß gehabt, aber nichts von Bedeutung besprochen.

Carl, der seine Arbeit im Generalstab mit halber Kraft wiederaufgenommen hatte, hatte lustlos die offiziellen Gründe für John Majors Besuch von Carl Bildt zur Kenntnis genommen. Carl ging davon aus, daß er konkretere Nachrichten erhalten würde, sobald der Staatsbesuch beendet war.

Doch schon an John Majors zweitem Tag in Schweden, dem Tag des Barschessens, wurde Carl per Telefon zu Verteidigungsminister Anders Lönnh gerufen. Carl sah es als gegeben an, daß dem Verteidigungsminister die Aufgabe zuteil geworden war, den Befehl zu überbringen, möglicherweise, weil der Regierungschef nicht mit einem Unternehmen in Verbindung gebracht werden durfte, das immerhin fehlschlagen konnte. So handelten Politiker oft. Sie taten, als wüßte die eine Hand nicht, was die andere tat.

Carls vorgefaßte Meinung bewirkte, daß es peinlich lange dauerte, bis ihm endlich aufging, daß hier eine Situation vorlag, in der die eine Hand tatsächlich keine Ahnung davon hatte, in welchem Marmeladentopf die andere steckte.

Carl hatte einen Wagen bestellt und war sofort zum Verteidigungsministerium gefahren, nachdem er den Ruf erhalten hatte.

Er mußte eine Weile draußen im Korridor sitzen und in verschiedenen Zeitungen der politischen Rechten blättern, bis man ihn in das großartige Dienstzimmer rief.

Der Verteidigungsminister kam ihm in seinem typisch federnden Gang entgegen und gab ihm herzlich die Hand. Dann schubste er ihn in einen der großen Ledersessel und erkundigte sich nach Carls Gesundheitszustand.

Carl berichtete kurz und zurückhaltend, er könne im großen und ganzen normal gehen und absolviere ein Krankengymnastik-Programm, das er genau befolge. Er werde schon bald voll wiederhergestellt sein. Im Augenblick fühle er sich noch ein wenig matt, weil er Medikamente bekomme.

Er sah nichts Ungewöhnliches im Interesse des Verteidigungsministers an den Folgen des Attentats, sondern wertete es eher als ein Zeichen normaler bürgerlicher Erziehung. Als der Verteidigungsminister plötzlich und mit unverdrossenem Eifer fragte, wann Carl wohl wieder einsatzfähig sei, antwortete er mit einem Anflug von Ironie, das hänge wohl eher von der Bedeutung der Sache als von seinem Gesundheitszustand ab. Er nahm die Frage nicht ernst. Das »Einsatzgebiet«, das in erster Linie in Frage kam, war London, und London würde wohl nicht sonderlich anstrengend werden.

Der Verteidigungsminister nickte nachdenklich, erhob sich plötzlich und ging zu seinem Schreibtisch. Dort holte er eine Mappe, die er lässig auf den Couchtisch vor Carl warf.

»Abu Ghraib«, sagte der Verteidigungsminister, als wäre mit diesen Worten alles erklärt. Carl verstand gar nichts.

»Jaa?« sagte er mit fragender Miene. »Was ist mit Abu Ghraib?«

»Ich möchte dich bitten, eine Befreiungsoperation zu skizzieren«, sagte der Verteidigungsminister entschlossen.

Carl nahm die Mappe an sich, richtete einen fragenden Blick auf den Verteidigungsminister und erhielt ein Kopfnicken, bevor er sie aufschlug und las. Jetzt erst begriff er, worum es sich drehte. Als erstes sah er Bilder von drei Schweden, an die er sich aus den Medien erinnerte, den Test-Ingenieur Christer Strömgren, dreiundvierzig Jahre alt, den Behördenchef Leif Westberg, dreiundvierzig Jahre, und den stellvertretenden Behördenchef Stefan Wihlborg, dreiunddreißig Jahre. In der Mappe befanden sich ferner einige Fotos eines Gebäudes, das wie ein gewöhnliches

Gefängnis aussah, einige irakische Dokumente, ein Verzeichnis der Verwandten der schwedischen Gefangenen und einiges andere. Carl blätterte ohne Begeisterung in der Mappe. Seine Skepsis war ihm deutlich anzumerken.

»Drei schwedische Staatsbürger büßen in einem Loch in einem diktatorischen Staat eine sehr lange Gefängnisstrafe ab. Es ist unsere Schuldigkeit, alles in unserer Macht Stehende zu tun, um ihnen zu helfen«, erklärte der Verteidigungsminister in einem Tonfall, der sich jetzt eher bittend als enthusiastisch anhörte.

»Das ist genau das, was die Amerikaner vor einigen Jahren im Iran versucht haben. Du weißt sicher, wie es damals ausgegangen ist«, sagte Carl leise. Er war bemüht, seiner Stimme einen bekümmerten Tonfall zu geben.

»Schon, aber was die Voraussetzungen angeht, besteht da ein bedeutender Unterschied«, entgegnete der Verteidigungsminister.

»Welcher denn? Abgesehen davon, daß wir erheblich weniger Ressourcen einsetzen können als Präsident Carter«, sagte Carl ironisch. Der Vorschlag erschien ihm völlig widersinnig.

»Das Ziel der Amerikaner, das Gefängnis, auf das sich ihr Befreiungsversuch richtete, lag mitten in Teheran. Unser Ziel, Abu Ghraib, liegt mitten in der Wüste, fünfzig oder sechzig Kilometer von Bagdad entfernt«, sagte der Verteidigungsminister vorsichtig.

»Interessant«, bemerkte Carl. »Fünfzig oder sechzig Kilometer, sagst du. Und dann nur platte Wüste um die gesamte Anlage herum. Wie eine Art Gefangeneninsel draußen auf See?«

»Genau. Das ist ein wesentlicher Unterschied, nicht wahr?«

»Mm«, sagte Carl, »das ist ein wesentlicher Unterschied. Schade nur, daß es sich nicht um ein richtiges Meer handelt. Jetzt müßte man ja fliegen.«

»Das ist es eben, fliegen. Wir können fliegen, die Iraker aber nicht. Das ist doch auch ein wesentlicher Unterschied?«

In der Mappe auf dem Tisch entdeckte Carl eine Karte des Irak. Zwei breite Bänder waren quer über das Land gezogen worden, eine Zone nördlich der Hauptstadt Bagdad und eine weitere im Süden, die den Südteil des Landes in der Mitte durchschnitt. Das waren die von den Amerikanern eingerichteten Flugverbotszonen. Jetzt verstand Carl, worauf der Verteidigungsminister seinen

Optimismus gründete: Irakische Maschinen würden flüchtende Hubschrauber nicht verfolgen können.

»Meinst du, daß unsere amerikanischen Freunde sozusagen ein Auge zudrücken würden, wenn wir diesen Flugverbotszonen einen vorangemeldeten Besuch abstatten?« fragte Carl vorsichtig.

»Genau. Das ist die Pointe«, erwiderte der Verteidigungsminister mit neuem Eifer.

»Wenn es so ist, lohnt es sich, einige Überlegungen anzustellen«, sagte Carl langsam. »Das ist die einzige Nachricht, die ich dir aus dem Stegreif geben kann. Was dir da vorschwebt, ist nicht so unmöglich, wie ich zunächst glaubte.«

»Wie lange dauert es, solche Überlegungen anzustellen? Was brauchen wir dazu? Können wir es mit so wenig ausländischer Hilfe wie möglich bewältigen? Wie lange dauert es, eine Operation vorzubereiten, wenn wir zu dem Schluß kommen, daß sich die Sache machen läßt?« fragte der Verteidigungsminister in einem ungebremsten Wortschwall.

»Ich kann dir auf diese Fragen keine Antwort geben«, erwiderte er. »Ich kann nur eins sagen, nämlich daß es mir nicht als unmögliches Unternehmen erscheint, im Gegenteil. Das Ganze kann funktionieren, hängt aber ein wenig davon ab, was du einzusetzen bereit bist. Die Höhe des Einsatzes bestimmt auch die Zahl der Hubschrauber und anderer Materialien, die wiederum darüber entscheiden, wie hoch das Risiko ist, vorher entlarvt zu werden. All diese Dinge müssen wir gegeneinander abwägen. Wir berechnen das Ganze und liefern dir ein paar Alternativen. Sagen wir in zwei Tagen?«

Carl sah hoch und begegnete dem Blick des Verteidigungsministers, ohne zu lächeln und ohne auszuweichen.

»Zwei Tage!« sagte der Verteidigungsminister, dessen ursprüngliche Begeisterung wieder da war. »Das hört sich ja fast zu gut an, um wahr zu sein!«

»Versteh mich jetzt bitte nicht falsch«, sagte Carl. »Ich bin nicht der Meinung, daß wir ein Unternehmen in dieser Zeit vorbereiten können. Im Laufe von zwei Tagen können wir nur absehen, ob die Sache möglich ist, und wenn ja, mit welchen Methoden. Anschließend wirst du entscheiden müssen, auf welche Alternative wir setzen sollen. Danach brauchen wir noch mindestens einen Monat, würde ich schätzen. Mindestens.«

»So lange?«

»Ja. Dem liegt natürlich der Gedanke zugrunde, daß wir eine solche Sache mit möglichst großen Sicherheitsmaßnahmen durchführen. Wir haben doch nicht die Absicht, einen Mißerfolg zu planen, oder?«

»Nein, natürlich nicht«, erwiderte der Verteidigungsminister verbindlich. »Damit hast du bis auf weiteres die Verantwortung für die Planung dieser Operation.«

»Zu Befehl«, sagte Carl ungerührt. »Ich nehme aber an, daß du mir auch das Recht einräumst, einen Stellvertreter zu ernennen. Es kann nämlich sein, daß wir eine Kollision mit einigen anderen eiligen Aufträgen erleben.«

»Was denn für Aufträgen?« fragte der Verteidigungsminister mit einer Mischung aus Neugier und möglicherweise Entrüstung darüber, daß er nicht wußte, worum es ging.

»Das hat etwas mit dem Besuch des britischen Premierministers zu tun«, deutete Carl diplomatisch an. Er merkte, daß der Verteidigungsminister keine Ahnung hatte, weshalb der Premierminister Großbritanniens nach Schweden gereist war.

»Ich nehme an, daß du das mit Bildt besprechen kannst. Das solltest ihr unter euch regeln«, sagte Carl, um nicht zur Klatschtante zu werden.

»Selbstredend«, erwiderte der Verteidigungsminister mit schnell zurückgewonnener Sicherheit. »Dann solltest du gleich loslegen! Es freut mich, dich so weit wiederhergestellt zu sehen. Das kann die Nation gebrauchen.«

Carl stand auf, verbeugte sich und ging, ohne noch etwas zu sagen. Der Verteidigungsminister war mit keinem Wort auf Carls Familientragödie eingegangen. Das war irgendwie sehr schwedisch und lag eher an einer Art Schüchternheit oder Empfindsamkeit als an mangelndem Einfühlungsvermögen.

Als er wieder auf dem Rücksitz des Wagens saß, der ihn zum Generalstab zurückbrachte, blätterte Carl nachdenklich in der Mappe, die der Verteidigungsminister ihm gegeben hatte. Natürlich, dieses Unternehmen war absolut möglich. Es ging nur darum, die Ebene des Einsatzes zu wählen und die Geheimhaltung zu wahren. Wenn auch nur ein Wort von den Plänen an die Presse durchsickerte, wäre alles zerstört. Im Augenblick erschien das tatsächlich als das im Vorweg größte Problem. Es war größer als alle künftigen Probleme, etwa Kraftstoffverbrauch der Hubschrauber, Bewaffnung, Nachtsichtgeräte und Konstruktion des Gefängnisses.

Als er wieder in seinem Dienstzimmer war, füllte er als erstes ein Anforderungsformular aus. Er wollte Fotos amerikanischer Spionagesatelliten bestellen. Das Ziel mußte bis ins kleinste Detail buchstäblich unter die Lupe genommen werden. Schlimmstenfalls konnte sich das Unternehmen schon in diesem frühen Stadium als unmöglich erweisen.

Dann rief er Åke Stålhandske zu sich. Dieser schien nach dem Abschluß seines Anteils an den Operationen im Baltikum ein wenig im Abseits gelandet zu sein. Åke brauchte ohne jeden Zweifel einen neuen konkreten Job, auf den er sich stürzen konnte. Dieser würde ihm hervorragend ins Konzept passen.

»Operation Blue Bird«, sagte Carl anstelle einer Begrüßung, als Åke den Raum betrat, und warf dem verblüfften Freund die Mappe in die Arme.

»Ich bin gerade beim Verteidigungsminister gewesen. Er hat uns gebeten, die Grundzüge einer Befreiungsaktion zu entwerfen. Bei Saddam sitzen drei Schweden gefangen, und die Regierung möchte sie wohlbehalten nach Schweden zurückbringen lassen. Du sollst die Möglichkeiten erkunden. Alles verstanden?«

»Aber ja. Alles verstanden, zu Befehl«, sagte Åke Stålhandske zögernd. »Das hört sich für meine Begriffe aber reichlich ehrgeizig an. Die Amerikaner haben ja schon mal einen solchen Versuch gemacht, als …«

»Ich weiß!« schnitt ihm Carl das Wort ab und hob die Hand. »Das war auch mein erster Einwand, als ich oben bei Anders Lönnh war. Ich dachte, das ist vollkommen meschugge.«

»Aber jetzt bist du anderer Meinung?« fragte Åke skeptisch.

»Ja«, erwiderte Carl. Das Gefängnis liegt fünfzig oder sechzig Kilometer außerhalb von Bagdad in der Wüste und nicht in der Stadt. Und die Iraker dürfen in ihrem Land bekanntlich nicht herumfliegen, wie sie wollen. Die Amerikaner werden uns den Hin-

und Rückflug durch ihre Flugverbotszonen erlauben. Ich bin gerade dabei, Satellitenaufnahmen des Gefängnisses anzufordern.«

»Das verändert einiges«, sagte Åke Stålhandske und begann, neugierig in der Mappe zu blättern. »Außerdem ist es ja ausnahmsweise eine recht sympathische Operation, findest du nicht?« fügte er mit einem schüchternen Lächeln hinzu.

»Ja, der Gedanke ist mir auch schon gekommen«, bestätigte Carl. »Wenn wir Landsleute aus den Klauen dieses Diktators befreien können, sollten wir schon unser Bestes tun. Du fängst damit an, die Logistik zu planen, würde ich vorschlagen.«

»Bevor wir Verwandte und derlei hereinziehen … ich sehe, daß sie ihre Angehörigen besuchen. Wir müssen uns von ihnen alle Informationen geben lassen, die wir kriegen können«, murmelte Åke Stålhandske, der sich schon in einige Details der Mappe zu vertiefen begann. »Operation Blue Bird. Hört sich im Vergleich zu anderen Dingen verdammt sympathisch an.«

»Das ist, wie schon gesagt, der Grundgedanke«, bemerkte Carl. »Mach dich an die Arbeit. Ich habe dem Verteidigungsminister innerhalb von zwei Tagen ein paar vorläufige Möglichkeiten zugesagt. Bis dahin solltest du die technischen Details geschafft haben.«

»Verstanden. Zu Befehl«, sagte Åke Stålhandske und erhob sich. Er sah aus, als wollte er noch etwas ganz anderes sagen, schien es sich aber anders zu überlegen und verließ dann entschlossen den Raum.

Carl blieb einige Augenblicke still am Schreibtisch sitzen, bevor er aufstand, um zu Samuel Ulfsson zu gehen. Er wollte ihm von dem jüngsten Versuch der Regierung erzählen, den militärischen Nachrichtendienst dazu zu mißbrauchen, ihre Zahlen bei Meinungsumfragen aufzubessern. Denn soviel verstanden selbst die politisch nur wenig bewanderten Offiziere, die in der operativen Sektion des militärischen Nachrichtendienstes Schwedens arbeiteten: Es würde einigen Jubel geben, wenn eine entschlossene Regierung schwedische Gefangene aus einem irakischen Gefängnis befreite.

Es schmeckte Carl jedoch nicht und war eher ein Gedankengang, der ihm nebenbei gekommen war. Wichtig war nur das, worauf Åke hingewiesen hatte: daß es richtig war, dies zu tun – im

Gegensatz zu den meisten Aufträgen, die man ihnen in den letzten Jahren gegeben hatte.

Samuel Ulfsson zeigte sich bestürzt, als Carl zu ihm hineinging und fast *en passant* von dem jüngsten Befehl der Regierung an die operative Sektion berichtete. Genau wie seine zwei Untergebenen ließ er sich schnell von den Möglichkeiten überzeugen, als er von den geographischen und geopolitischen Verhältnissen erfuhr. Die Gefahr, daß sie in die gleiche Lage gerieten wie Präsident Carter, war sehr klein. Sie holten ein paar Karten hervor und spekulierten unnötig lange über einige Details, die ohnehin von Åke Stålhandske geklärt und als Tatsachen auf den Tisch gelegt werden sollten. Dann machten sie sich fast beschämt klar, daß sie andere und im Augenblick drängendere Aufgaben zu bewältigen hatten.

Erstens bestand die Möglichkeit, daß Carl schon in Kürze nach London reisen mußte, um dazu Stellung zu nehmen, ob Luigi aktiviert werden sollte, und zweitens konnte es ihm durchaus passieren, daß man ihn nach Sibirien schickte. Nämlich dann, wenn John Major und Carl Bildt sich neben dem Feuerwerk und den Barschen wichtigeren Fragen zugewandt hatten.

Carl war ein wenig in der Klemme. Er hatte nämlich noch Vernehmungen des übergelaufenen GRU-Offiziers nachzuholen, eines Korvettenkapitäns namens Oleg Stolitschnin. Sie hatten sich bisher nur ein paarmal getroffen, um sich miteinander bekannt zu machen, eine Art Vertrauensverhältnis aufzubauen und eine Gesprächsebene für weitere Unterhaltungen zu schaffen. Stolitschnin wollte offensichtlich mehr Geld für mehr Informationen haben, und solche Absichten waren immer dubios. Bei dem Mann, den man bezahlte, bestand immer die Gefahr, daß er geldgierig wurde und Dinge zu verkaufen begann, die er gar nicht in der Hand hatte. Das konnte dazu führen, daß zahlreiche wertlose Informationen ins System strömten. Komischerweise bestand im Augenblick gerade an Bargeld keinerlei Mangel, da der schwedische Nachrichtendienst aufgrund seiner eigenartigen Geschäfte im Baltikum gegenwärtig einen nachgerade peinlich hohen Gewinn abwarf.

»Ich sollte natürlich lieber gleich mit diesem Stolitschnaja loslegen«, sagte Carl und sah auf die Uhr. »Aber …«

»Stolitschnaja?« unterbrach ihn Samuel Ulfsson und machte ein fragendes Gesicht.

»Das war nur ein Scherz. Sein Name erinnert mich an diese Wodka-Marke«, erklärte Carl schnell. »Aber wenn du nichts dagegen hast, würde ich ihn ab morgen früh gern in die Mangel nehmen und dann den ganzen Tag mit ihm sprechen. Aber vorher muß ich kurz nach Hause …«

»Ja, natürlich«, sagte Samuel Ulfsson leise. »Wie geht es ihr, und wie erträgt sie es?«

»Schwer zu sagen«, sagte Carl und wandte sich ab. »Man hat ja keinen Vergleich. Was heißt es eigentlich, es gut zu ertragen? Wie erträgt man es schlecht? Man hat zwei unserer Kinder ermordet, und ich vermute, daß das für die meisten Menschen sehr schwer zu ertragen ist. Für uns auch.«

Samuel Ulfsson wollte noch etwas sagen, wußte aber nicht genau, was, und zündete sich eine Zigarette an, um sein verlegenes Schweigen zu kaschieren.

»Falls wir noch irgendwas tun können, weißt du, daß wir für dich da sind«, sagte er nach dem zweiten Zug.

»Im Moment nichts Konkretes«, erwiderte Carl. »Dieser Sicherheits- und Überwachungsapparat hat sozusagen eine doppelte Wirkung. Einerseits kann ich ihr erklären, daß man uns zumindest nicht in unseren Betten ermorden kann, doch andererseits sagt sie, nun ja, nicht direkt, aber sie deutet an, daß sie das Gefühl hat, in einem Gefängnis zu wohnen. Und so ist es sicher auch.«

»Ja, aber was gibt es für eine Alternative?« fragte Samuel Ulfsson hilflos.

»Sie glaubt, Kalifornien sei die Alternative.«

»Das ist sie doch letztlich auch nicht.«

»Nein, kaum. Der ursprüngliche Grund, dorthin zu ziehen, ist ja buchstäblich ausgelöscht. Aber sie steckt noch irgendwie in dieser Gedankenbahn, und mir ist noch keine gute Erklärung dafür eingefallen, nun, du verstehst schon, wofür.«

»Daß Stenhamra bedeutend sicherer ist als Kalifornien?« fühlte Samuel Ulfsson unsicher vor. Er drückte seine halbgerauchte Zigarette aus und zündete sofort eine neue an. Das tat er immer, wenn er unter Streß stand oder sich konzentrierte.

»Ja, genau«, bestätigte Carl. »Die Alternative wäre allenfalls, Namen und Identität zu wechseln. Doch dann würden wir nie ein normales Leben führen können. Urplötzlich würde irgend so ein verdammter Journalist die Enthüllung seines Lebens präsentieren und einen Preis dafür erhalten, daß er unsere Tarnung zerschlägt. Und dann müßten wir Hals über Kopf aufbrechen und wieder umziehen.«

»Das müßte Tessie eigentlich verstehen«, sagte Samuel Ulfsson. »Sie ist ja im Oberstübchen nicht gerade minderbemittelt.«

»Nein, aber darum geht es nicht«, sagte Carl zögernd. »Ich glaube, es ist eine Frage von Gefühlen. Rein logisch gesehen ist es leichter, sich auf den Mälar-Inseln oder in Stockholm vor Italienern zu schützen als in einem Land mit Millionen von Italienern, die sich der Umgebung anpassen, wo immer sie sich aufhalten, ob Sizilianer oder nicht. Hier in Schweden haben sie jedenfalls hundert Prozent Verluste gehabt, als sie Leute herschickten. Das müßte letztlich einen abkühlenden Effekt haben.«

»Man sollte es meinen«, knurrte Samuel Ulfsson. »Jedenfalls meint man das, wenn man ein normaler, leidenschaftsloser Nordeuropäer ist. Doch Luigi zufolge funktioniert diese Logik bei unserem sizilianischen Feind nicht.«

»Nein«, sagte Carl trocken. »Möglicherweise tut sie das nicht. Aber trotzdem haben sie hier Verluste von hundert Prozent gehabt, und dieser Chance muß ich doch den Vorzug geben. Wenn sie es wieder versuchen, ist die Wahrscheinlichkeit, daß wir sie kriegen und selbst davonkommen, hier größer als in Kalifornien. So einfach ist es nun mal.«

»Schon möglich, aber das müßtest du Tessie doch erklären können.«

»Wahrscheinlich. Im Augenblick aber nicht, wie ich glaube. Außerdem muß ich noch erklären, daß ich sie und Ian Carlos schon wieder allein lassen muß, weil ich in einer angeblich unerhört wichtigen Sache verreise. Das wird auch nicht ganz leicht werden.«

»Schieb es einfach auf die Operation Blue Bird«, sagte Samuel Ulfsson so schnell und spontan, daß sein Erröten ihn erst einholte, als Carl seine Verblüffung schon überwunden hatte.

»Ich verlasse Heim und Herd, um schwedische Menschenleben zu retten? Soll ich ihr die Sache etwa so erklären?« fragte Carl. Seine lebhafte Mimik von vorhin war jetzt wie weggeblasen. Ulfsson entschied sich, trotzdem nicht zurückzunehmen, was er gesagt hatte.

»Aber ja«, sagte er. »Ich bin wirklich der Ansicht. Tessie dürfte kaum etwas gegen die Operation einwenden, wenn sie erfährt, wie es sich verhält. Außerdem ist es ja nicht ganz unwahr. Dieses andere, London und Sibirien und was sonst noch kommen kann, ist immerhin bedeutend wichtiger als die Rettung von drei schwedischen Gefangenen. Ich meine, jedenfalls ganz objektiv gesehen. Aber gefühlsmäßig und subjektiv …«

»Du hast recht«, erwiderte Carl knapp. »Ich erkläre es ihr, als ginge es nur um Blue Bird. Das Leben muß weitergehen, es muß alles wieder normal werden, ungefähr so. Apropos Normalisierung: Könntest du mit Elsa irgendwann am Wochenende zum Essen rauskommen? Ich glaube, wir müssen allmählich wieder mit Leuten umgehen.«

»Gern, wann immer es dir recht ist«, sagte Samuel Ulfsson. »Aber was jetzt diesen Stolitschnin angeht – du willst, daß wir ihn dir morgen früh herfahren?«

»Ja, das wäre mir recht«, sagte Carl und stand auf. »Vielen Dank übrigens für deinen Rat«, sagte er, als er sich in der Tür umdrehte.

»Grüß Tessie von mir«, sagte Samuel Ulfsson und stieß einen erleichterten Seufzer aus, den er nicht verstand und dessen er sich ein wenig schämte, als Carl verschwunden war.

Carl fuhr in ruhigem Tempo und hielt sich an die Geschwindigkeitsbegrenzungen, als er nach Drottningholm fuhr. Wie immer verwandte er einen großen Teil seiner Aufmerksamkeit auf den Rückspiegel, um zu sehen, ob jemand hinter ihm im selben Tempo folgte. Ein hellblauer Ford schien es zu tun.

Er nahm sich vor, etwas dagegen zu unternehmen, widmete sich zunächst aber einigen Versuchen, gute Musik im Radio zu erwischen, was gar nicht leicht war. Wie sehr er zwischen einzelnen Sendern auch hin und her sprang, erwischte er nur Teenager-Musik oder telefonisches Geplapper mit der Allgemeinheit. Diese konnte ein T-Shirt gewinnen, wenn sie den Namen der Hauptstadt Spaniens wußte. Die Zustände wurden denen in den USA immer ähnlicher. Man mußte lange suchen, um den einzigen Sender mit guter Musik zu bekommen. Schließlich fand er ihn, atmete auf und drehte die Lautstärke auf. Dann spürte er, daß etwas nicht stimmte. Es waren Bachs Goldberg-Variationen, ohne jeden Zweifel von Glenn Gould gespielt. Was stimmte daran nicht?

Dann fiel es ihm ein. Er hatte vor Jahren Eva-Britt kennengelernt, als sie und eine Kollegin ihn wegen zu schnellen Fahrens erwischt hatten. Er war auf dem Weg von der Marinebasis Berga in die Stadt gewesen und hatte genau diese Musik gehört. Und jetzt erschien ihm mit dieser Musik ihr Gesicht überdeutlich und lebendig.

Er riß desperat die erste beste Musikkassette an sich und steckte sie in den Kassettenrecorder. Wie sich herausstellte, war es Dvořáks Symphonie »Aus der Neuen Welt«. Dann wählte er die Nummer der Polizei und bat, mit der Einheit für Personenschutz verbunden zu werden. Eine reservierte Telefonistin teilte ihm mit, eine solche Einheit gebe es nicht, doch sie könne ihn mit der Säpo verbinden. Als er seinen Namen nannte, wurde er jedoch sofort mit der gewünschten Stelle verbunden.

»Hej«, sagte er. »Hier Hamilton. Ich bin zu den Mälar-Inseln unterwegs und passiere bald Drottningholm.«

»Hallo!« sagte die Stimme am anderen Ende. »Wie ist die Lage?«

»Die Lage ist folgende«, sagte Carl tonlos. »Ich habe Gesellschaft von einem Ford, hellblau metallic, ein mir unbekanntes Modell. Kennzeichen NPU 889. Ist das einer von euren Wagen, oder habe ich ein Problem?«

»Ja, es ist einer unserer Wagen. Auftragsgemäß«, sagte die Stimme schnell.

»Gut«, sagte Carl. »Kannst du mir die Nummer der Jungs im Wagen geben?«

Er erhielt die Nummer, rief seine Bewacher an und gab ihnen seine Telefonnummer. Dann bat er sie, künftig immer per Telefon zu melden, ob sie hinter ihm lägen. Zur Vermeidung von Mißverständnissen und peinlichen Verwicklungen.

Sie entschuldigten sich und sagten, sie seien davon ausgegangen, daß ihm die neue Routine bekannt sei. Er wischt ihre Entschuldigungen mit der Erklärung beiseite, hier gehe es nur darum, praktisch zu sein. Es wäre höchst unglücklich, wenn er aufgrund mangelnder Information den hochgeehrten Sicherheitsdienst des Reiches mit der italienischen Mafia verwechsle, denn auf die sei er nicht gut zu sprechen.

Er machte dem Gespräch schnell ein Ende, damit ihm weitere Erklärungen erspart blieben. Es war nicht die Schuld der zwei, die gerade hinter ihm herfuhren und nur ihren Job zu machen versuchten. Es war die Schuld ihrer Führung, in der irgendein heller Kopf offenbar auf die Idee gekommen war, eine »unauffällige« Überwachung anzuordnen, um das Schutzobjekt nicht in Verlegenheit zu bringen. Wie sonst sollte eine Maßnahme motiviert sein, die theoretisch mit dem Tod von Polizeibeamten enden konnte.

Dennoch gewann er allmählich sein inneres Gleichgewicht zurück. Es kam ihm vor, als dächte er nicht mehr so nebelhaft wie noch vor einer Woche. Er konnte sich allmählich sogar praktischen Überlegungen widmen und sich darauf konzentrieren, ohne daß seine Gedanken ständig von den Bildern jener Menschen zerrissen wurden, die jetzt tot waren.

Der italienische Staat hatte sich unter Hinweis auf die Dienste Admiral Hamiltons erboten, zwei gepanzerte Spezialwagen der Marke Alfa Romeo zur Verfügung zu stellen. Der Vorteil dieses Angebots lag darin, daß die Wagen schnell geliefert werden konnten. In Italien gab es eine umfangreiche Produktion von Automobilen für potentielle Mordopfer; sowohl Mafia-Führer als auch Mafia-Staatsanwälte fuhren in diesen gepanzerten Alfa Romeos herum.

Der Nachteil der Alfa Romeos bestand natürlich darin, daß der Feind über die besonderen Qualitäten dieser Wagen besonders gut informiert war. Samuel Ulfsson hatte sich beim französischen Nachrichtendienst an Louis Trapet persönlich gewandt und sich nach einer entsprechenden Automobilproduktion in Frankreich erkundigt. In dem Fall käme ein Citroën XM in Frage, allerdings mit drei Wochen Lieferzeit. Carl entschied sich, lieber auf die Lieferung der französischen Wagen zu warten. Er wollte vermeiden, daß er oder Tessie zunächst mit einem Alfa Romeo beobachtet wurden, den der Feind als gepanzertes Auto identifizieren konnte. Dann würden die Mafiosi nämlich davon ausgehen, daß sie nach einer runden Woche mit den italienischen Fahrzeugen nicht zu der französischen Marke gewechselt hätten, nur weil sie des Alfa überdrüssig geworden seien, sondern weil sie auf die gepanzerten französischen Spezialfahrzeuge der gleichen Art gewartet hätten.

Der Unterschied war erheblich. Ein Auto ließ sich am leichtesten überfallen, wenn man sich an einem der schmalen Wege nach Stenhamra in einen Hinterhalt legte. Ein Mann mit einem Funkgerät konnte die Ankunft melden, so daß man später nur das Feuer auf die Windschutzscheibe des näher kommenden Autos eröffnen mußte, wenn es etwa in einer Kurve die Geschwindigkeit verringerte.

Vermutlich würden die Italiener so etwas als erstes versuchen. In Stenhamra einzudringen war unmöglich. Wenn schon aus keinem anderen Grund, sollte der Selbsterhaltungstrieb die Angreifer davon abhalten. Ein Wagen war jedoch ein großes und leichtes Ziel.

Wenn die Angreifer allerdings von vornherein wußten, daß sie es mit Panzerblech und Panzerglas zu tun hatten, würden sie entweder genügend Feuerkraft einsetzen oder etwas völlig anderes versuchen.

Carls Kalkül lief darauf hinaus, den nächsten Angriff so gezielt auf sich oder Tessie zu lenken, daß er fehlschlagen mußte; womit die Täter erneut Gefahr liefen, gefaßt oder wie ihre Vorgänger getötet zu werden, falls sie es auf Carl abgesehen hatten.

Er hatte sich alles genau überlegt. Inzwischen kannte er den Nachhauseweg auswendig, jede Kurve war ihm vertraut. Er hatte schon längst durchdacht, an welchen Stellen ein Überfall möglich oder unmöglich war, wenn man ein Auto angreifen wollte.

Wenn jemand auf seine Windschutzscheibe feuerte, würde er die Geschwindigkeit erhöhen, vorbeifahren, um dann anzuhalten, auszusteigen, die Täter zu stellen und zu erschießen. Er stellte sich nicht eine Sekunde vor, daß Polizei oder Staatsanwalt sein Verhalten irgendwie tadeln könnten, wenn er vollendete Tatsachen schuf. Bei den Gesetzen, die das Recht regelten, andere Menschen zu töten, spielte die Politik ohnehin eine Hauptrolle, und die schwedische Politik hatte ihm im Augenblick die Lizenz erteilt, sizilianische Menschenleben auszulöschen.

Carl hielt das für praktisch und überdies für pädagogisch sinnvoll. Was Luigi über sizilianische Logik auch erklären zu können meinte, so ging es letztlich doch um einen Boß, der jungen Nachwuchs-Mafiosi Waffen in die Hand drückte, um sie nach Schweden zu schicken. Und diese Nachwuchsganoven würden wissen, daß bisher noch keiner ihrer Vorgänger von einem solchen Auftrag zurückgekehrt war. Sizilien hin, Sizilien her – solche Tatsachen konnten für die Betroffenen nirgends unwichtig sein.

Als er Stenhamra erreichte, blinkte der Begleitwagen hinter ihm zum Zeichen, daß die beiden jetzt in die Stadt zurückkehrten.

Die neuen Stahltore öffneten sich nach Eingabe eines kodierten Signals, und der verborgene Nagelteppich, der ein paar Meter weiter auf dem Kiesweg installiert war, wurde heruntergelassen. Das Tor schloß sich automatisch hinter ihm, als Carl es passiert hatte und an einer Fotozelle vorbeigekommen war, die zugleich prüfte, ob es sich um das richtige Auto handelte.

Stenhamra sah aus wie eine Mischung aus Heerlager und Baustelle. Der hohe Zaun mit den elektronischen Sensoren war ein Provisorium. Diese Anlage war in einer Woche hingestellt worden, damit der Schutz erst einmal gewährleistet war. In ästhetischer Hinsicht war das Ding jedoch unmöglich. Der Zaun löste das Gefühl aus, in einem Konzentrationslager zu leben. Einen Meter hinter dem Zaun wurde, eine drei Meter hohe Mauer errichtet, auf deren Krone die Elektronik untergebracht werden sollte; es sollte noch einen Monat dauern, bis alles fertig war.

Die neue einbruchsichere Garage würde hingegen schon in zwei Wochen fertig sein. Bis dahin sollten die Wagen in jeder Minute, in der sie geparkt waren, von der Firma Securitas bewacht werden.

Autos hatten eine Schwachstelle, die Tessie nicht kannte. Bisher hatte Carl es mit Erfolg vermieden, sie ihr zu erklären. Sie neigten nämlich dazu zu explodieren, falls man sie eine Zeitlang unbewacht gelassen hatte und dann den Zündschlüssel drehte. Carl grübelte, wie Tessies Wagen vor IBM in Kista geparkt werden konnte, falls sie in diesem Job weitermachte. Sie sollten gemeinsam versuchen, ein möglichst normales Leben zu führen.

Auf dem Gebäude wimmelte es von unbekannten Menschen, die an irgend etwas bauten; das beunruhigte Carl nicht sonderlich, da die allermeisten bei den Streitkräften angestellt waren, die Elektronikexperten zu hundert Prozent.

Es wäre unmöglich gewesen, Tessie tagsüber mit dieser Horde fremder Männer allein zu lassen. Er hatte ihren für seinen Geschmack normalen amerikanischen Einfall gutgeheißen, einen *shrink* anzustellen, einen Seelenklempner und Quacksalber, vor dessen Arbeit Carl wenig Respekt hatte, was er jedoch sorgfältig zu sagen vermied. Wenn Tessie wie alle Mittelstandsamerikaner an so etwas glaubte, konnte es zumindest nicht schaden. Vorschläge an gemeinsamen therapeutischen Gesprächen teilzunehmen, hatte er erschrocken abgelehnt. Er hatte für den Sommer eine entfernte Verwandte als Au-Pair-Mädchen eingestellt, um Tessie von aller Haushaltsarbeit zu entlasten.

Er hatte erwartet, in ein geisterhaft stilles Haus zu kommen, in der man vielleicht nur das leise Gemurmel des Quacksalbers aus dem Salon hörte.

Statt dessen hörte er dröhnende mexikanische Musik, die ihn sehr an andalusische Melodien erinnerte, und das Geklapper tanzender Absätze und Händeklatschen. Er blieb verblüfft stehen und lauschte an der Tür, während er nachdenklich seinen persönlichen Identifikationscode neben der Tür eingab. Hatte Tessie Unterhaltung angefordert?

Er schlich vorsichtig durch die Halle und blieb hinter der halboffenen Tür zum großen Salon stehen. Einige Augenblicke lang glaubte er seinen Augen nicht zu trauen. Er glaubte, Tessie wäre verrückt geworden. Er beugte sich zur Seite, um durch die offene Tür zu sehen, wer sich sonst noch im Raum befand.

Da saßen der amerikanische Quacksalber, der Psychoanalytiker, wie er sich selbst nannte, sowie das Au-Pair-Mädchen und klatschten mit glühenden Wangen den Takt. Sie mußten es gelernt haben, denn es sah sehr echt aus. Die beiden wirkten nicht im mindesten verrückt, nur über alle Maßen begeistert.

Tessie tanzte, vor Schweiß glänzend. Sie hatte ihr schwarzes Haar gelöst, das ihr in nassen Wellen auf die nackten Schultern fiel. Das Kleid, das sie trug, hatte er noch nie gesehen. Vielleicht hatte sie es auch erst vor kurzem gekauft. Es hatte ein weißes Oberteil und einen schwarzen Rock, der zu den Knien hin enger wurde, um sich darunter wieder zu weiten. Auf einer Seite befand sich ein Schlitz, der bis zum Schenkel hinaufreichte, vermutlich um die Bewegungen zu erleichtern.

Ihre Schuhe hatten niedrige, kräftige Absätze. Mit ihnen schlug sie klappernd den Takt. Er hatte sie noch nie so tanzen sehen. Sie hatte nicht mal andeutungsweise gezeigt, daß sie so etwas beherrschte.

Als wüßte sie, daß er da hinter der Tür stand, wechselte sie plötzlich das Tempo und stellte sich so hin, daß sie ihn sehen konnte. Sie ging langsam mit kleinen Doppelschritten zur Tür hin, während ihre Absätze hart jeden zweiten Takt schlugen. Dann steigerte sie das Tempo jedes Takts; ihr linkes Bein bewegte sich als erstes zu ihm hin. Sie markierte den Tempowechsel jedes Mal mit einem Händeklatschen und ließ die Absätze das Thema wiederholen, als müsse der ganze Körper erst Muskel für Muskel den Takt lernen. Dann steigerte sie die Schläge der Absätze bis zu viermal pro Takt, wurde langsamer, dann wieder schneller und verdoppelte plötzlich das Tempo nochmals. Sie wirbelte in einer furiosen Kaskade aller bisher vorgeführten Tempi und streckte die Hände über den Kopf, während sie sich wieder von Carl entfernte und zur Mitte des Salons tanzte.

Ihm gingen dabei zwei Dinge durch den Kopf. Erstens, daß sie tanzte, als hätte sie nie etwas anderes getan. Zweitens, daß sie nicht verrückt geworden war, sondern daß dies eine Form der Trauer war, die er nicht kannte.

Er machte die Tür auf, trat einen Schritt in den Raum und blieb stehen.

Sie sah ihn, sah ihn aber auch nicht, und unterbrach ihren Tanz nicht. Nach einigem Zögern fiel Carl in das Händeklatschen der beiden anderen ein, während er sie mit einem Kopfnicken begrüßte. Da kam Tessie in geschwungenen Bögen auf ihn zugetanzt und zog ihn plötzlich aufs Parkett, auf dem alle Teppiche zur Seite geschoben waren.

Er wußte ungefähr, was er zu tun hatte. Sie forderte ihn dazu auf, die Rolle des Mannes bei diesem Tanz zu übernehmen. Mal sollte er still stehen, mal langsam dem Rhythmus folgen, im doppelten Tempo in die Hände klatschen und sich auf der Stelle drehen, während sie in einer Art Werbung um ihn herumwirbelte. Er tanzte, wie er es schon so oft gesehen hatte, und bemühte sich nach Kräften, während Schmerz seinen linken Schenkel durchzuckte. Er beschloß jedoch, die Schmerzen zu ignorieren.

Schließlich zog sie das Kopftuch ab, das sie sich um die Taille geschnürt hatte. Carl hatte vergessen, was es in verschiedenen Farben symbolisierte, ihres war rot. Sie schlang es ihm um den Hals, und in diesem Augenblick knallte ihr rechter Absatz in der Zehntelsekunde aufs Parkett, in der die Musik endete.

So blieben sie eine Sekunde stehen und blickten einander in der plötzlichen Stille an. Sie keuchte und war verschwitzt. Er war kühl und bleich vor Schmerz.

»*Und der wilde Stier wich schließlich der schönen Kunst*«, sagte sie auf spanisch und er sah ihr erstes kleines Lächeln, seit der Tod ihr Leben zerschlagen hatte.

»Was zu beweisen war«, sagte er auf englisch.

»Exactly! rief der amerikanische Seelenklempner begeistert aus und begann zu applaudieren. Erst fiel das Au-Pair-Mädchen und dann Carl in den Beifall ein. Zunächst zögernd, dann mit zunehmender Begeisterung, bis er Tessie schließlich in den Arm nahm und den Kopf an ihrem verschwitzten Hals vergrub.

»Mein Gott, Tessie, was du alles kannst«, flüsterte er.

»Genau, Sailor. Das hast du nicht gewußt, was?« flüsterte sie zurück.

*

Luigi gewöhnte sich allmählich daran, Tony Gianelli zu sein, ein Amerikaner, der auf allen Gebieten mit Ausnahme von Computern, amerikanischem Football und Basketball ungebildet war wie ein Kind. Nach und nach hatte er sein Auftreten leicht verändert. Die Mailänder Eleganz war weggeschliffen und durch Pizza-Kultur ersetzt worden. In den meisten kalifornischen Städten wurde definitiv mehr Pizza gegessen als in Mailand. Er hatte auch mit sanfter seelischer Gewalt sein Englisch vulgarisiert, die Zahl der Flüche gesteigert und auch die Häufigkeit grammatikalischer Fehler.

In einem großen Teil seiner Rolle brauchte er den unwissenden Amerikaner nicht einmal zu spielen. Er war es. Wahrscheinlich wußte er sehr viel mehr über die frühere Sowjetunion als über England, wie er das Land noch immer nannte, in dem er sich jetzt befand.

Er war einen ersten Tag bei Marconi Naval Systems in Addlestone gewesen, um einige Papiere zu unterschreiben und seinen Arbeitskollegen vorgestellt zu werden. Er wollte eine erste Ahnung davon bekommen, was in seinem neuen Job von ihm erwartet wurde und welchen Sicherheitsvorkehrungen er sich anpassen mußte.

Wegen der eigentlichen Arbeit machte er sich keine Sorgen. Die An- und Abfahrt bereitete ihm mehr Kopfzerbrechen. Um zu seinem Arbeitsplatz zu kommen, mußte er erst einen Spaziergang zur U-Bahn-Station South Kensington machen, um dann mit der District Line zum Embankment zu fahren und dort in die Northern Line umzusteigen und zur Waterloo Station zu gelangen, wo er auf einen Vorortzug hoffen mußte, der fast eine Stunde brauchte, um nach Addlestone zu kommen. Hin- und Rückfahrt würden jeden Tag zweieinhalb Stunden dauern.

Carl hatte ihm nur wenige, aber nachdrückliche Instruktionen gegeben. Bis auf weiteres durfte er zum Beispiel nicht Auto fahren. Auf dieses Problem würden sie später noch zurückkommen. So war er gezwungen, sich mit dem U-Bahnnetz vertraut zu machen, ja, er mußte das U-Bahnfahren nachgerade trainieren. Carl zufolge seien dies die allerersten Buchstaben in seinem ABC und erst einmal sein einziger Auftrag. Sonst habe er nur die Pflicht, sich beliebt zu machen und seine Arbeit zu tun.

Mit gut zweistündiger Bahnfahrt am Tag hätte er unter normalen Umständen die Möglichkeit, auch während der Fahrt einen Teil der Arbeit zu erledigen. Bei seiner Arbeit war das jedoch schwer möglich. Man erwartete nicht von ihm, daß er mit solchen Dokumenten im Bahnabteil herumfuchtelte oder sie auch nur bei sich hatte.

Marconi Naval Systems in Addlestone war keine sehr imposante Anlage. Es war kaum vorstellbar, daß der niedrige, zweistöckige Bau, dessen Fassade im Erdgeschoß mit roten Klinkern verkleidet war und dessen Obergeschoß grauweiß verputzt war, ein Zentrum militärischer Geheimnisse sein konnte. Mit Ausnahme einiger Überwachungskameras vor dem bescheidenen Eingang gab es keine sichtbaren Sicherheitsvorkehrungen.

Hinter der schlichten Fassade in dem verschlafenen Vorort breitete sich jedoch ein recht großer Bürokomplex aus. Das meiste davon würde Luigi außer beim Rundgang des ersten Tages nie mehr zu sehen bekommen. Man hatte ihn mit verschiedenen Mitarbeitern bekannt gemacht und ihm kurz erklärt, in welcher

Abteilung er arbeiten werde. Die Arbeit war strikt aufgeteilt. Er würde nur die rund zehn Personen treffen, mit denen er in der Abteilung für EDV-Simulations-Programme zusammenarbeitete. Im übrigen wurde von ihm erwartet, daß er nicht danach fragte, womit andere beschäftigt waren.

Nach dem Rundgang wurde er zum Geschäftsführer hereingebeten. Dieser sah aus wie erfolgreiche junge Männer überall in der westlichen Welt, wie ein Mann mit Handy und Jaguar. Luigi bekam eine Tasse Tee angeboten, lernte seinen Abteilungsleiter kennen sowie eine Frau, die in scherzhaftem Ton als Verbindungsoffizier bei General Electric vorgestellt wurde, also der Konzernleitung. Lady Carmen Harding sah eher wie ein Mannequin oder ehemaliges Fotomodell aus und nicht wie eine wissenschaftliche Nahtstelle. Sie sprach Englisch mit einem ausländischen Akzent, aus dem Luigi nicht recht schlau wurde. Es hörte sich an wie eine Mischung aus Spanisch und Italienisch. Ihre kupferrote Haarfarbe war unecht, und zwar ebenso offenkundig wie ihre Sprache. Die Männer im Raum behandelten sie mit einem Respekt, der Luigi bemerkenswert übertrieben erschien.

Sie unterbrach sogar das Gespräch, um mit ihm zu plaudern. Sie fragte ihn, ob er sich an sein neues Leben in London gewöhnt habe, ob er von früher her hier Leute kenne oder ob er schon etwas Lustiges oder Romantisches erlebt habe. Er erwiderte ein wenig schüchtern, bislang habe er wirklich keine Zeit für Romantik gehabt, worauf sie vermerkte, dagegen müsse man etwas unternehmen. Sie unterstrich es mit einem Blick, der ihn erröten ließ, jedoch nicht ihretwegen, sondern wegen der anderen Männer.

Auf dem Rückweg zu seiner Abteilung wurde Luigi von einem etwa gleichaltrigen Waliser begleitet, der offenbar sein nächsthöherer Vorgesetzter war. Dieser erklärte ihm in einem munteren und jungenhaften Ton, was er soeben gesehen hatte.

Lady Harding sei mit dem vor kurzem zurückgetretenen Verteidigungsminister verheiratet. Dieser sitze in der Konzernleitung und sei natürlich ein unerhört einflußreicher Mann und doppelt so alt wie seine Frau. Sie wurde allgemein die Spanierin genannt, obwohl unklar war, woher sie gekommen war oder ob sie überhaupt spanisch sprach. Aber eine Lady war sie, und da man sich in Großbritannien befand, war das der entscheidende Punkt. Sie hatte den richtigen Kerl geheiratet und im Konzern einen fabelhaften Job bekommen, und kein britischer Staatsbürger würde etwas dagegen einwenden können. Denn damit würde man ja Lord Harding persönlich in Frage stellen.

Als Luigi etwas konkreter mitgeteilt wurde, welche Aufgaben er erfüllen sollte, entsprach das ungefähr dem, was er erwartet hatte. Die Hälfte davon waren Dinge, die er schon beherrschte. In einigen Fällen so gut, daß er es zunächst vermutlich verbergen mußte. Die andere Hälfte seiner künftigen Pflichten waren ihm nicht vertraut, doch würde er sich schnell einarbeiten.

Insgesamt verbrachte er an diesem ersten Tag knapp zwei Stunden an seinem neuen Arbeitsplatz. Nach und nach gelang es ihm, sich in eine Stimmung von Normalität zu versetzen, als hätte er tatsächlich den Job gewechselt und würde mindestens die nächsten zwei Jahre in diesem bei oberflächlicher Betrachtung tristen Nest verbringen. Schließlich hatte er einen Vertrag auf zwei Jahre unterschrieben, der eine Reihe von Konventionalstrafen vorsah, wenn er ihn brach. Was das anging, würde es kaum größere Probleme geben, wenn Luigi in Gestalt Tony Gianellis zu existieren aufhörte und der echte Tony Gianelli nachweislich von seinem Krankenhausbett in Kalifornien aus keinen Vertrag hatte unterschreiben können. Luigi tat jedoch sein möglichstes, um nicht an die Absurditäten dieses Spiels zu denken, sondern bemühte sich statt dessen, die Illusion in sich wachzuhalten.

Und in dem Leben des Tony Gianelli gab es nichts, was ihn an diesem ersten kurzen Arbeitstag bei Marconi Naval Systems erstaunte oder ihm eigenartig vorkam.

Wenn man von einer Begebenheit auf dem Heimweg absieht. Er schlenderte langsam die einzige Geschäftsstraße Addlestones entlang.

Als er fast die Bahnstation erreicht hatte, hielt der hellblaue Jaguar neben ihm. Er hörte ein leises Pfeifen, als wollte jemand einen Hund rufen oder möglicherweise eine schöne Frau auf sich aufmerksam machen.

Als er sich umdrehte, entdeckte er zwei Dinge, die ihn gleichermaßen in Erstaunen versetzten. Es war Lady Carmen, die nach ihm gepfiffen hatte. Außerdem fuhr sie den großen Wagen selbst. Sowohl sie selbst als auch der Wagen schienen eher für einen Privatchauffeur geeignet zu sein.

»Soll ich dich in die Stadt mitnehmen, schöner Mann?« fragte sie frech und geradeheraus, als wären sie einander schon lange bekannt.

»Darf ein feines Mädchen wie du einen armen jungen Mann wie mich mitnehmen?« sagte er und lächelte so amerikanisch, wie er nur vermochte.

»Wer zum Henker hat gesagt, daß ich ein feines Mädchen bin«, entgegnete sie, beugte sich über den Sitz und öffnete die Wagentür.

Luigi lachte verlegen, stieg ein und zog die Tür zu. Er war äußerst unsicher, wie Tony Gianelli sich jetzt verhalten sollte. Wie Hauptmann Bertoni-Svensson sich verhalten sollte, war ihm noch weniger klar.

»Carpe diem«, sagte er für beide zugleich.

»Genau meine Meinung. Das hätte ich nicht besser sagen können«, sagte Lady Carmen lachend und fuhr los.

Luigi sah Lady Carmen vorsichtig von der Seite an. Sie merkte es, und es schien ihr zu gefallen. Sie hatte die Schuhe ausgezogen und fuhr in Strümpfen. Um bequemer zu sitzen oder um zu zeigen, was sie zu bieten hatte, hatte sie ihren engen Rock so weit hochgezogen, daß Luigi erkennen konnte, daß sie keine Strumpfhosen trug.

»Wollen wir zu dir oder zu mir?« fragte sie fröhlich, als wollte sie die Verlegenheit des jungen Amerikaners noch mehr steigern.

»Zu mir«, schlug Luigi zögernd vor. »Es gehört nicht zu meinen Gewohnheiten, verheiratete Frauen zu besuchen.«

»Ach nein. Gerade heute hätte es sowieso nicht gepaßt, da mein Mann zu Hause ist. Also wo wohnst du?« fuhr sie in einem Tonfall fort, der alles selbstverständlich erscheinen ließ.

»In der Sydney Road in South Kensington. Ich fürchte aber, daß ich den Weg noch nicht richtig beschreiben kann«, erwiderte Luigi zögernd.

»Ich weiß, wo das ist. Es ist so ein Viertel, in dem ältere Knacker für ihre Geliebten kleinere Wohnungen mieten«, sagte Lady Carmen, als spräche sie mit wirklicher Sachkenntnis.

Sie fuhr schnell und sehr gut, mit einem fast arroganten Maß von Selbstbewußtsein. Auf dem Weg in die Stadt kühlte ihr herausfordernder Ton ein wenig ab. Eine Zeitlang machte sie alltägliche und korrekte Konversation. Sie fragte, ob ein Amerikaner sich in London eingewöhnen könne oder nicht, und er antwortete höflich und wortkarg, da er zu diesem Thema noch keine fundierte Meinung hatte. Er hatte kaum die Zeit gefunden, einen englischen Pub zu besuchen, geschweige denn, »sich in London einzugewöhnen«.

Als sie vor seiner Haustür hielt, sah er auf die Uhr und entdeckte, daß es mit U-Bahn und Bahn mehr als doppelt so lange dauerte, von und nach Addlestone zu fahren.

»Und jetzt, mein lieber junger Mitarbeiter, kommt der Augenblick der Wahrheit«, sagte sie mit einem spöttischen Lächeln.

»In welcher Hinsicht?« fragte Luigi gespannt, da die Alarmglocke in ihm geläutet hatte. *Wahrheit* war ein gefährliches Wort.

»Wären unsere Rollen umgekehrt, würdest du mir in den Ohren liegen, noch auf eine Tasse Tee zu mir raufzukommen«, sagte sie mit einem frechen Lächeln.

»Möchtest du auf eine Tasse Tee mit rauf?« fragte Luigi schnell.

»Ja, gern!« sagte sie und stellte den Motor ab.

Da sie keine Anstalten machte, sich zu rühren, stieg Luigi aus, ging um den Wagen herum und hielt ihr die Tür auf, während er sich fragte, ob Tony Gianelli tatsächlich so gehandelt hätte.

Sie machten eine kurze Hausbesichtigung von unten nach oben, und als sie sich schließlich in dem großen Schlafzimmer im zweiten Stock befanden, ging ihnen der triviale Gesprächsstoff aus. Einrichtung, allzu laute Wasserleitungen und anderes, was englische Häuser als Gesprächsstoff hergeben, hatten sie schon abgehandelt. Als er in der plötzlichen Stille ein Räuspern hören ließ und fragte, ob er hinuntergehen und Teewasser aufsetzen solle, lachte sie los, schüttelte den Kopf und murmelte, für Tee würden sie wohl nicht viel Zeit haben. Dann ging sie schnell auf ihn zu und schubste ihn aufs Bett. So blieb er vor ihr sitzen. Dann machte sie sich an seiner Krawatte zu schaffen und zog ihren Rock hoch, so daß sie sich rittlings auf ihn setzen konnte und dabei gleichzeitig zeigte, daß sie kein Höschen anhatte.

»Wenn du als Liebhaber auch nur halb so gut bist, wie du aussiehst, wird dies richtig Spaß machen«, flüsterte sie, beugte sich hinunter und küßte ihn heftig, während sie an seinen Kleidern riß.

Luigi schwankte einige Sekunden, doch wie sehr er auch im Kopf in militärischen Vorschriften blätterte, fand er dort keine klare Anweisung dafür, jedenfalls nicht ausdrücklich, daß er nicht nachgeben durfte, um zu sehen, was dann passierte. Da gab er nach.

*

Åke Stålhandske hatte seine Analyse in zwei Teile aufgeteilt, in die Transportfragen und die Untersuchung des eigentlichen Ziels.

Das Ziel war das Gefängnis Abu Ghraib. Er hatte in seinem Zimmer eine Reihe von Satellitenfotos an die Wand gepinnt, auf denen das Gefängnis Stück für Stück zu sehen war. Die Bilder waren bei Tageslicht und vollkommen klarem Wetter aufgenommen worden und so deutlich, daß er sogar Menschen darauf hätte identifizieren können, wenn er sie gekannt hätte.

Mit Hilfe schwedischer Zeitungsartikel hatte er nach und nach herausbekommen, um welchen Teil des Gefängnisses es ging. Die ganze Anlage war rechteckig und von einer Mauer umgeben.

Innerhalb der Mauer befanden sich verschiedene Abteilungen, die wie Gefängnisse im Gefängnis wirkten. Die mittleren Teile standen eng beieinander, aber die beiden äußeren Teile, die an der Ost- beziehungsweise der Westseite lagen, besaßen großzügig bemessene Innenhöfe. Im östlichen Teil befand sich sogar ein Spielplatz. Dort war offenbar das Frauengefängnis, und einige der Insassinnen hatten vermutlich Kinder bei sich.

Am anderen Ende befanden sich ein großer Fußballplatz und ein kleiner Park mit Bänken, auf denen Gefangene saßen und sich miteinander unterhielten. Das war die Abteilung für ausländische und »bessere« Gefangene. Ihr Pavillon grenzte direkt an den Fußballplatz. Zwei Wachtürme standen sich gegenüber, von wo aus diese überwacht wurde.

Das waren höchst erfreuliche Informationen. Der Fußballplatz war groß genug, um darauf mit mehreren Hubschraubern zu landen, und wenn ein Hubschrauber dort erst einmal gelandet war, würde es möglich sein, in den Pavillon der ausländischen Häftlinge einzudringen, die drei Schweden zu holen und innerhalb von zwei Minuten zu verschwinden. Vorausgesetzt die Posten in den Türmen würden außer Gefecht gesetzt, doch das ließ sich eventuell schon beim Anflug auf das Ziel erledigen.

Dann war die Frage, wie lange Wachmannschaften aus anderen Abteilungen brauchen würden, um ihren Kollegen zu Hilfe zu kommen. Der Zeitpunkt des Angriffs mußte gegen drei oder vier Uhr nachts angesetzt werden, um die größten Erfolgschancen zu bieten. Wichtig war, ob es gelingen konnte, die Stromversorgung lahmzulegen, damit sich alles im Dunkeln abspielte.

Da die Gefangenen nachts eingeschlossen wurden, konnten sie keine Probleme machen, selbst wenn sie beim Geräusch von Schlüsseln und Hubschraubern in Panik gerieten. Die drei Schweden würden auch bei Dunkelheit sofort auf schwedische Stimmen reagieren und sich zu erkennen geben. Das Personal, das in den Gefängniskomplex eindringen sollte, würde mit Nachtsichtgeräten ausgestattet sein und konnte deswegen schnell die richtige Zelle finden. Die drei Schweden hatten eine Gemeinschaftszelle.

Eine wichtige Frage mußte geklärt werden: War es möglich, die Verwandten zu vernehmen, die das Gefängnis schon mal besucht hatten und eventuell wieder dorthin reisen wollten?

Åke Stålhandske biß in seinen Bleistift, während er die Vergrößerungen an seiner Wand betrachtete. Je exakter sie wußten, wo die Schweden sich im Ausländerpavillon befanden, um so schneller würde die Operation ablaufen.

Je schneller die Durchführung, um so größer die Sicherheit. Diese Arithmetik war einfach und entschied eine lästige Frage. Sie mußten die Verwandten einweihen, sie sogar bitten, das Gefängnis und seine Umgebung nach Möglichkeit auszuspähen und dabei auf sehr exakte Details zu achten wie etwa Stahltüren, Schloßkonstruktionen und die Richtung der Korridore.

Wenn sie Zivilisten in die Sache hereinzogen, stellte dies andererseits einen erheblichen Unsicherheitsfaktor dar. Man mußte das unbedingte Vertrauen dieser Leute gewinnen. Sie mußten begreifen, daß selbst ein leises Flüstern in einer Abendzeitung das ganze Unternehmen gefährden konnte, und ihre Verwandten dann möglicherweise eine noch längere Strafe zu verbüßen hatten.

Das war nicht ganz einfach. Doch es gab eine Möglichkeit: Carl mußte das übernehmen. Die Verwandten werden abgeholt und zum Generalstab gebracht, um Auskunft zu geben, notierte Åke Stålhandske. So schnell wie möglich. Carl soll die Überzeugungsarbeit leisten.

In Uniform, fügte er hinzu und unterstrich es zweimal. Man brauchte kein großer Psychologe zu sein, um zu erkennen, welche Bedeutung es in diesem sensiblen Zusammenhang hatte, wenn Carl in Uniform auftrat.

Åke Stålhandske schrieb die Namen der Angehörigen auf, die der Abendpresse zufolge das Gefängnis besucht hatten, Ehefrauen, Brüder, eine Schwägerin, in einem Fall die Eltern.

Es war wichtig, das Unternehmen mit einem möglichst kleinen Aufgebot an Personal durchzuführen. Für den eigentlichen Einsatz waren nur zwei oder drei Mann im Gefängnis nötig sowie zwei oder drei, die auf dem Fußballplatz die Umgebung des Hubschraubers sicherten.

Rein theoretisch ließ sich das Unternehmen von vier Staaten aus abwickeln. Von Kuwait aus waren es mehr als fünfhundert Kilometer – der größte Abstand zum Ziel. Von Saudi-Arabien, das am nächsten lag, waren es gut hundert Kilometer. Von Jordanien und Syrien aus war es nicht so weit wie von Kuwait, aber weiter als von Saudi-Arabien.

Die Länge der Flugstrecke bestimmte über die Größe des Einsatzes. Mit Ausnahme von Saudi-Arabien mußten die Hubschrauber einmal oder schlimmstenfalls mehrmals neu aufgetankt werden. Das bedeutete, daß man eventuell gezwungen war, eine auffällig große Menge Material mitzubringen. Zwei Hubschrauber für den eigentlichen Einsatz, drei für Kraftstofftransporte.

Je mehr Hubschrauber, um so mehr Menschen in der Gefahrenzone. Die Kosten waren vielleicht nur von theoretischem Interesse, wenn man sie in Geld berechnete; Schweden hatte vor kurzem für fünfundsechzig Millionen Kronen Medikamente an den Irak geliefert, um den irakischen Diktator dazu zu bewegen, die Gnadengesuche der drei Schweden wohlwollend zu behandeln.

Außerdem würden die rein ökonomischen Kosten von Politikern der schwedischen Regierung festgesetzt werden. Und deren Kalkül legte vermutlich einen ungeheuren politischen Triumph in die eine Waagschale und einen in ökonomischer Hinsicht vollkommen uninteressanten Geldbetrag in die andere.

Ihn interessierte statt dessen die Frage, wie viele schwedische Menschenleben in die andere Waagschale gelegt werden sollten. Theoretisch war es kein schwieriges Unternehmen. Doch Theorie konnte sich schnell in Konfetti verwandeln, wenn etwa ein Sandsturm die Motoren der Hubschrauber lahmlegte, woran die amerikanische Expedition gegen den Iran gescheitert war.

Wenn der Befreiungsversuch im Iran gelungen wäre, hätte Präsident Carter die Wahl gewonnen und wäre an der Macht geblieben. Dann hätte Reagan keine Möglichkeit erhalten, die Sowjetunion in die Knie zu rüsten, und dann würde die Sowjetunion noch existieren. War es also ein Glück für die ganze Menschheit, daß die Befreiung nicht gelungen war?

Nachdenklich lächelte Åke Stålhandske über die zumindest scheinbar logische Gedankenkette und prüfte schnell eine neue. Die Befreiung der drei Schweden hatte, wie es aussah, zumindest eine neunzigprozentige Chance zu gelingen. Carl Bildt und sein Verteidigungsminister würden sich eine Reihe von Siegesparaden gewiß nicht nehmen lassen. Kein Auge würde trocken bleiben. Wenn also der schwedische Nachrichtendienst bei diesem eigentlich sinnvollen Auftrag, erfolgreich war, würde das vielleicht vier weitere Jahre mit einer rechtsgerichteten Regierung bedeuten. War das gut für Schweden?

Åke Stålhandske nahm sich zusammen und machte sich wieder an die Arbeit. So wie er es sah, mußte die Möglichkeit Jordanien aus politischen Gründen ebenso ausgeschlossen werden wie aus nachrichtentaktischen. Jordanien besaß recht gute Verbindungen zum Irak, und das Risiko eines Lecks wäre zu groß.

Kuwait würden die Politiker vermutlich am leichtesten überreden können, die schwedischen ebenso wie die amerikanischen. Doch das bedeutete die geographisch ungünstigste Möglichkeit.

Alles deutete auf Saudi-Arabien hin. Die Entscheidung mußte der Regierung und dem Außenministerium überlassen werden. Anschließend würden dann die angesichts der gegebenen Wegstrecke nötigen Ressourcen errechnet werden.

Alles in allem sah es so gut aus, daß Åke Stålhandske nicht am Zustandekommen des Vorhabens zweifelte. Wenn die Besucher mit ein wenig Spionage dazu beitrugen, war das Unternehmen mehr als durchführbar, fast bombensicher. Das mußte der Ausgangspunkt sein. Der Rest war Geld, Diplomatie und Benzinverbrauch sowie die Zahl der Schweden, die Gefahr liefen, die irakischen Gefängnisse noch mehr zu füllen.

Plötzlich kam Åke Stålhandske die Erkenntnis, daß es jetzt wohl zu seinen Obliegenheiten gehörte, schnell eine Kleiderfrage zu regeln. Carl hatte seine Uniform getragen, als man ihn beschoß. Die Uniform war von Chirurgen und Krankenschwestern aufgeschnitten worden. Jetzt waren nur noch blutige Insignien übriggeblieben, Rangabzeichen und Ordensspangen, wie im Fernsehen genau zu besichtigen gewesen war. Diese Dinge mußten gereinigt und auf eine neue Uniform aufgenäht werden, damit Carl den Geheimdienst Seiner Majestät würdig vertreten konnte, wenn er den Verwandten begegnete, die vom schwedischen Nachrichtendienst angeworben werden sollten.

Kleiderpflege, schrieb er und unterstrich mit einem dicken roten Strich.

*

Oleg Stolitschnin und seine zwei schwedischen Bewacher hatten in den letzten vierundzwanzig Stunden nichts anderes getan, als zu essen, zu trinken und Karten zu spielen. Die beiden Schweden konnten kein Russisch, und Oleg Stolitschnins Englisch bestand hauptsächlich aus absurd spezialisierten militärischen oder marinetechnischen Begriffen. So hatten sie sich meist gelangweilt oder Karten gespielt. Alle drei seufzten erleichtert auf, als der schwarze Volvo vor der abseits gelegenen Villa in Bromma hielt und zwei Männer, die nichts anderes sein konnten als Säpo-Beamte, ausstiegen und sich vorsichtig umsahen, bevor einer die hintere Tür aufmachte. Sie sahen, daß ein hoher Marineoffizier jetzt im Schutz der beiden Sicherheitsleute schnell die zehn Meter zum Haus hinaufging und eintrat, ohne anzuklopfen; die Besucher mußten vorhergesehen haben, daß die Männer im Haus sie schon entdeckt hatten.

Korvettenkapitän Stolitschnin fuhr zusammen, als er Carl zum ersten Mal in Uniform sah. Es lag jedoch nicht daran, daß der Schwede einen höheren Rang hatte als er selbst. Das war ihm schon klar gewesen. Doch wie alle Militärs musterte er als erstes die Uniform, und sofort erkannte er die Ordensspange des Roten Sterns und das russische Sankt-Georgs-Kreuz.

»Herr Admiral, es ist mir eine Ehre, Sie wiederzusehen«, sagte Oleg Stolitschnin.

»Soso, jetzt wollen wir aber nicht übertreiben, Genosse Korvettenkapitän«, sagte Carl und setzte sich. Er gab dem Russen ein Zeichen, sich ebenfalls zu setzen.

»Erlauben Sie eine Frage, Herr Admiral?« fragte der Russe.

»Selbstverständlich, Herr Korvettenkapitän!« erwiderte Carl.

»Ich bitte um Verzeihung, falls ich impertinent oder aufdringlich erscheine, Herr Admiral, aber ich glaube an Ihrer Uniform abzulesen, daß Sie sowohl mit dem Roten Stern als auch unserem neuen Sankt-Georgs-Kreuz ausgezeichnet worden sind. Stimmt das?«

»Ja, das haben Sie richtig beobachtet, Herr Korvettenkapitän«, entgegnete Carl abweisend.

»Diese beiden Orden dürften Sie als einziger in der Welt tragen, Herr Admiral. Ich meine, daß Sie sowohl von dem früheren Regime als auch von dem jetzigen ausgezeichnet worden sind«, fuhr Oleg Stolitschnin fort. Er schien gegenüber Carls abweisender Haltung bei der Frage unempfindlich zu sein.

»Auch das ist korrekt beobachtet, aber es ist mir leider nicht möglich, Ihnen das näher zu erklären, Herr Korvettenkapitän. Ich hoffe, Sie respektieren das. Allerdings sollten Sie vielleicht notieren, daß ich diese Auszeichnungen offen trage. Es ist also nicht so verdächtig, wie es vielleicht erscheint. Nun, können wir jetzt zum Geschäft kommen?«

»Selbstredend, Herr Admiral!«

»Dann möchte ich zunächst darauf hinweisen, daß ich ein wenig bekümmert bin. Unsere Situation ist im Augenblick kompliziert und schwierig. Ihr Interesse, für das ich Verständnis habe und ganz und gar nicht basierend auf moralisierenden … wie heißt es?«

»Moralisierenden Maßstäben betrachte, Herr Admiral.«

»Manchmal fallen mir im Russischen nicht die richtigen Worte ein. Sie müssen entschuldigen.«

»Ihr Russisch ist verblüffend gut, Herr Admiral.«

»Danke. Gleichwohl möchte ich über Ihr Interesse an mehr Geld nicht den Stab brechen. Geld können wir alle gebrauchen, und Ihre

Situation ist nicht ganz einfach, da Sie jetzt in die USA weiterziehen wollen. Wir leiden andererseits keinen Mangel an Geld. Unser Problem ist eher immateriell. Wir möchten nur zutreffende Informationen haben. Das werden Sie doch verstehen?«

»Selbstverständlich, Herr Admiral!«

»Nun. Ich habe mir noch einmal die Analysen dessen angesehen, was Sie vergangene Woche gesagt haben. Dabei ist mir, wie ich Ihnen jetzt in aller Offenheit mitteilen muß, eine Häufung grundloser Spekulationen und nachprüfbar unrichtiger Angaben aufgefallen, die mir Kummer macht. Nein, unterbrechen Sie mich nicht! Sie sind selbst Offizier des Nachrichtendienstes, ein Kollege also. Sie wissen, welche Komplikationen das mit sich bringt, nicht wahr?«

Der Russe sank bei Carls harten Worten leicht zusammen und sah plötzlich ängstlich aus. Er hatte auf diese besondere Weise Angst, die bei Männern vorkommt, die in Berufen arbeiten, in denen man seine Furcht nicht zeigen darf. Stolitschnin entschied sich dafür, aggressiv zu werden. Er ließ eine lange Tirade hören. Er habe seine Familie und sich in schwedische Hände begeben und natürlich keinerlei Möglichkeit, sich selbst zu schützen, sondern müsse den schwedischen Kollegen vertrauen. Jedoch sei ein Ehrenwort ein Ehrenwort, und am wichtigsten sei es, seine Agenten nie im Stich zu lassen. Das habe noch nie ein Nachrichtendienst getan. Nicht der sowjetische, nicht der russische, nicht der schwedische, nicht der amerikanische, ja, nicht einmal der englische Schwulen-Nachrichtendienst tue so etwas.

Carl beobachtete seinen russischen Kollegen ohne eine Miene zu verziehen. Er wartete. Die Furcht seines Gegenübers diente überdies nur seinen Zwecken.

»Sind Sie fertig, Herr Korvettenkapitän?« fragte Carl ruhig, als dem anderen schließlich die Luft auszugehen schien. Die Worte hatten sichtlich nicht den geringsten Effekt auf ihn gehabt.

»Ja. Danke, Herr Admiral«, sagte der Russe resigniert.

»Gut. Sehr gut«, sagte Carl. »Dann hören Sie mich jetzt an. Ich habe Ihnen nämlich einen Vorschlag zu machen, einen konkreten und unmißverständlichen Vorschlag. Erstens. Wir müssen noch einmal alles durchsprechen, was Sie in der letzten Woche gesagt haben, und alles streichen, bei dem Sie sich Ihrer Sache nicht sicher sind. Zweitens. Sie müssen mir eine Information geben, die den Tatsachen entspricht und nachprüfbar und wertvoll ist. Dahinter steht natürlich unsere Absicht, unser kleines Geschäft zu Ende zu bringen. Anschließend werden wir Sie großzügig entlohnen und dafür sorgen, daß Sie und Ihre Familie sicher in die USA gelangen. Wie finden Sie das?«

Während Carl den Kollegen betrachtete, der mit ihm in dem kleinen Wohnzimmer mit den braunen, halb zugezogenen Gardinen saß, erkannte er, daß er sehr zwiespältige Gefühle hatte. Einerseits verachtete er den Mann, der sein Land für Geld verriet. Andererseits traf es zu, daß alle in dieser Branche ihre Agenten pflegen mußten. Auch hier galt es, diese Regel bis aufs I-Tüpfelchen zu befolgen. Der Mann war aber trotzdem nur ein Spitzel, der für Geld arbeitete, selbst wenn alles, was er berichtete, künftig große Bedeutung für die schwedische Jagd auf fremde U-Boote hatte, das Gebiet, das in Schweden sowohl Politiker als auch Leute des Nachrichtendienstes höher schätzten als alles andere.

Der Mann wand sich eine Weile, und Carl ließ es zu, ohne ihn zur Eile zu drängen.

»Ich habe eine Frage, Herr Admiral«, sagte der Russe schließlich sichtlich gequält.

»Bitte sehr, Herr Korvettenkapitän«, erwiderte Carl demonstrativ freundlich.

»Falls wir die Korrekturen vornehmen, die Sie freundlicherweise vorgeschlagen haben, Herr Admiral, wie sieht dann der Preis aus?«

»Hunderttausend Dollar, vorausgesetzt, wir stellen fest, daß Ihre Korrekturen gewissenhaft sind.«

»Gut«, ließ sich der Russe mit einem Seufzer der Erleichterung vernehmen. Er hatte zu schwitzen begonnen. »Und der Preis für weitere wertvolle und nachprüfbare Informationen?«

»Lassen Sie sie mich erst hören, dann reden wir über den Preis«, sagte Carl behutsam.

»Nun, dann habe ich noch folgendes zu sagen. Ich bin überzeugt, daß Sie die Information auf der Stelle beurteilen können, Herr Admiral. Das wird dann also mein letzter Beitrag?«

»Ja, Herr Korvettenkapitän, das wird Ihr letzter Beitrag, und ich werde Ihnen auch sagen, warum. Sie sind inzwischen so weit, daß Sie angefangen haben, uns aufs Geratewohl etwas zu erzählen oder gar zu lügen, um mehr Geld zu erhalten. Dann müssen wir unsere Verbindung auf korrekte Weise beenden. Wie Sie wissen, ist Desinformation eine sehr schädliche Sache.«

»Ja, ich weiß, das ist durchaus so, Herr Admiral. Aber ich hoffe, Sie verstehen meine Lage.«

»Durchaus. Ich verstehe Ihre persönliche Situation, und gerade aus diesem Grund wünsche ich, daß der schwedische Nachrichtendienst und Sie selbst das Geschäft auf die bestmögliche Art und Weise beenden. Nun, wie sieht Ihr Beitrag aus, Ihr letzter Beitrag?«

»Es geht um eine Operation, die der schwedische Nachrichtendienst in Estland durchführt«, sagte der Russe mit einiger Anstrengung.

»Gut«, erwiderte Carl. »Also Estland. Und was tun wir dort?«

»Sie führen eine sehr gute *maskirowka* vor. Wenn ich so sagen darf, Herr Admiral. Sie sind sehr erfolgreich gewesen. Doch jetzt zur Sache!«

»Richtig. Jetzt zur Sache. Sie betreiben in Tallinn ein Unternehmen mit Namen HSI AB. Diese Firma soll den Anschein erwecken, als betreibe sie undurchsichtige Geschäfte mit Metall. In Wahrheit ist sie nur eine Kulisse für eine nachrichtendienstliche Operation. Der Chef ist ein schwedischer Offizier, dessen Name auf russisch so etwa heißt wie Handschuh aus Stahl. Der Grund, daß ich gerade mit ihm Kontakt aufnahm, als er sich in Riga aufhielt, um den Geschäftsmann zu spielen, ist folgender: Ich wußte nämlich, daß er in Wahrheit ein Offizierskollege war. Ihre Operation ist uns also bekannt ... Ich meine dem GRU. Habe ich damit genug erklärt? Dieser Kollege, also dieser Handschuh aus Stahl, steht seit einiger Zeit auf der Liste taktischer Ziele.«

»Ich verstehe«, erwiderte Carl, ohne mit der Wimper zu zucken.

»Und wenn dieses nun mein letzter und wertvoller Beitrag war, wie würden Sie den Geldwert einschätzen, Herr Admiral?«

»Noch einmal hunderttausend Dollar«, sagte Carl und erhob sich, woraufhin sein rangniederer Kollege ebenfalls aufstand.

»Es ist angenehm gewesen, mit Ihnen Geschäfte zu machen, Herr Korvettenkapitän«, sagte Carl und streckte die Hand aus.

»Verzeihen Sie mir, Herr Admiral, aber ich bin nicht ganz sicher, ob ich den Inhalt dessen, was Sie gesagt haben, richtig verstanden habe«, erwiderte der Russe konsterniert.

»Ach was!« sagte Carl mit einer russischen Geste, die ungefähr bedeutete, scheiß der Hund drauf. »Das war nur eine direkte Übersetzung eines sehr amerikanischen Ausdrucks. So heißt es in den USA, wenn man ein Geschäft abschließt. Das werden Sie, wenn alles gutgeht, bald erleben.«

»Danke, Herr Admiral!«

»Nun. Bevor wir uns trennen«, sagte Carl zögernd und zog die Hand zurück, »möchte ich Ihnen noch einen letzten guten Rat geben.«

»Danke, ja gern, Herr Admiral!«

»Wenn Sie in die USA kommen, was wahrscheinlich schon nächste Woche der Fall sein wird, dürfen Sie alles tun, nur nicht lügen. Sobald Sie spekulieren, sollten Sie darauf hinweisen, daß Sie Spekulationen anstellen. Wir bei den westlichen Nachrichtendiensten sind allergisch gegen russische Überläufer, die das Blaue vom Himmel herunter lügen. Es hat im Lauf der Jahre zuviel davon gegeben.«

»Operation Doppelflinte?« fragte der Russe lächelnd.

»Aha«, sagte Carl. »So heißt das also auf russisch? Interessant. Nun, wir nennen so etwas ›auf zwei Schultern tragen‹. Wie gesagt, wenn Sie dort sind, dürfen Sie auf keinen Fall lügen. Seien Sie jetzt so gut und säubern Sie das Protokoll der letzten Woche. Ihr Geld erhalten Sie in der Form, in der Sie es vorziehen, alles nach Abmachung. Und hier trennen sich unsere Wege!«

Carl salutierte demonstrativ, da er schon seine Uniformmütze aufgesetzt hatte und den respektvollen Abschied des offiziellen Schweden von einem seiner Agenten betonen wollte. Und weil er noch einen verschwitzten und zu langen Händedruck vermeiden wollte.

Dann machte er auf dem Absatz kehrt und ging schnell hinaus. Die schwedischen Sicherheitsbeamten, die kein Wort der Unterhaltung verstanden hatten, sprangen auf, um ihm zu folgen. Die anderen beiden, die dableiben mußten, hantierten nachdenklich mit ihren Spielkarten.

»Ist es gutgegangen?« fragte der Sicherheitspolizist, der neben dem Fahrer saß und der Vorgesetzte seines Kollegen am Lenkrad war.

»Ja, es ist gutgegangen«, erwiderte Carl kühl.

»Soviel wir wissen, ist der Überläufer eine Art Marineoffizier. Es hat natürlich was mit U-Booten und so zu tun?« fragte der Beamte auf dem Beifahrersitz.

Carl zögerte absichtlich mit der Antwort. Als die beiden anderen schon das Gefühl haben mußten, daß er die Frage nicht beantworten wollte, tat er es.

»Ihr seid bei der Sicherheitspolizei, nicht wahr?« fragte er rhetorisch, wartete die Antwort nicht ab, sondern fuhr fort: »Ihr sollt in Schweden also russische Spione fangen. Es erstaunt mich übrigens, daß ihr kein Russisch sprecht. Wie auch immer, es ist euer Job. Und jetzt werde ich euch sagen, was mein Job ist. Ich bin Spion. Ich soll die Russen ausspionieren. Ihr habt gerade ein kleines Beispiel dafür gesehen, wozu das führen kann. Aber ihr sollt euch nicht in meinen Job einmischen. Ich werde es auch nicht bei euch tun.«

Sie antworteten nicht, was Carl auch nicht erwartet hatte.

»Ich werde mich nicht einmal dann in euren Job einmischen, wenn ihr mich vor Angriffen schützen sollt, was ich manchmal bedaure«, fügte er ohne hörbare Ironie oder Aggression hinzu.

Die beiden Männer sagten nichts mehr. Der Fahrer fuhr ruhig und still zum Generalstab zurück. Es waren nur das leise Rauschen und die elektronischen Signale der Funkausrüstung auf dem Vordersitz zu hören.

Das Treffen mit dem russischen Kollegen war schneller und glatter gelaufen, als Carl erwartete hatte; jetzt hatte er noch etwas Zeit, um zu Hause anzurufen und ein wenig mit Tessie zu sprechen. Anschließend ging er zu Samuel Ulfsson, um mitzuteilen, daß Major Åke Stålhandske von jetzt an für geheime Aufträge auf estnischem Staatsgebiet ausscheidet. Åke Stålhandske war verbrannt.

Carl war über diese Erkenntnis nicht enttäuscht, im Gegenteil. Und das lag nicht allein an der Gewißheit, daß sie Åke Stålhandske jetzt nicht mehr auf estnischem Territorium einsetzen konnten; bislang hätte jederzeit jemand auf die Idee kommen können, ihn dorthin zurückzuschicken, da er sich dort so gut etabliert hatte und überdies Finnisch sprach. Jetzt würden sie dieses Risiko nie mehr eingehen.

Sie hatten einen wichtigen operativen Erfolg erzielt. HSI AB mußte nun abgewickelt werden, wie gewinnbringend das Unternehmen auch war. Oder sie beschränkten die Firma auf rein zivile Geschäfte, falls Fagersta AB bereit war, das Unternehmen rein kaufmännisch zu betreiben ohne eine geheime königliche Lizenz für Unmoral. Dieser Heiskanen mußte schnell seine Kastanien aus dem Feuer holen und nach Hause kommen. Die Abwicklung der Operation zu diesem Zeitpunkt war nicht nur selbstverständlich, sie stellte einen wichtigen Erfolg in der Welt der Nachrichtendienste dar. Schweden hatte die Operation denkbar lange betrieben und konnte sie genau in dem Augenblick beenden, in dem man Gefahr lief, geschnappt zu werden. Das war in rein operativer Hinsicht ein Erfolg.

Die Niederlage bestand darin, daß sie jetzt genötigt waren, im Baltikum völlig neue Wege der Informationsgewinnung zu beschreiten. Doch das war nur eine praktische und taktische Frage. Damit mußte man immer rechnen.

Carls Erleichterung hatte jedoch eher etwas mit privaten Überlegungen zu tun. Åke und Annas Tochter, die sich auf Fotos so gut mit Carls und Tessie Sohn machte, würde bald einen Vater haben, der etwa ebenso gute Überlebenschancen hatte wie andere Väter. Åke war dabei, die operative Arbeit hinter sich zu lassen, das stand fest. Für Carl sah es aus, als hätte Åke die Ziellinie erreicht, als hätte er einen langen, lebensgefährlichen Hürdenlauf lebendig überstanden, dazu mit einer Familie, die ebenfalls am Leben war.

Wenn Åke Stålhandske die Vernunft besessen hätte, seine Ausbildung in San Diego mit dem gleichen Ernst zu Ende zu bringen wie die anderen, hätte er für den Rest seiner Dienstzeit bei den Streitkräften Analytiker am Bildschirm sein können, falls er es nicht vorgezogen hätte, zu einem drei- oder viermal so gut bezahlten Job ins Zivilleben zu wechseln. Doch jetzt verkörperte er die etwas ungewöhnliche Kombination, einmal Experte im Töten von Menschen, zum anderen ein überaus kenntnisreicher Fachmann für englische Literatur zu sein. Wie soll man für so einen, einen neuen Job finden?

Doch das war eine nachrangige Frage. Wichtig war Åke Stålhandskes Leben und seine Familie, und die befanden sich jetzt in einem sicheren Hafen.

Nachdem Carl Samuel Ulfsson die Lage geschildert hatte, ging er nicht näher auf Åke Stålhandskes Zukunft ein. Falls die Operation Blue Bird zustande kam, würden vermutlich Carl, je nach Zeitpunkt und Gesundheitszustand, und Åke Stålhandske zur Verfügung stehen. Die Auswahl der Männer, die den Job erledigen sollten, konnte voraussichtlich ohnehin nicht ohne Einmischung der Regierung stattfinden; es ließ sich leicht vorhersehen, daß die Regierung Carl zumindest bei dem anschließenden Triumphmarsch dabei haben wollte, falls es dazu kam.

Carl fiel auf, daß er sich den Kopf schon wieder mit Arbeit vollstopfte und daß dies vermutlich sehr gut war. Seit mehr als einer Stunde hatte er nicht an Eva-Britt und Johanna Louise gedacht. Und als er es merkte, traf ihn die Trauer wieder als körperlicher Schmerz, so daß sein Gesicht sich verzerrte. Samuel Ulfsson bemerkte es.

»Tut es weh?« fragte Samuel Ulfsson leise.

»Ja«, sagte Carl. »Aber es sind nicht die Schußverletzungen. Ich gehe jetzt zu Åke und bereite das Treffen vor. Wann soll ich dazukommen?«

»Ich würde vorschlagen, fünf Minuten nach Konferenzbeginn«, erwiderte Samuel Ulfsson. »Der Oberbefehlshaber begrüßt uns erst und sagte ein paar allgemeine Worte. Du kommst rein, wirst vorgestellt und hältst den Vortrag. Es wird schon gutgehen. Was meinst du?«

»Weiß nicht«, sagte Carl geistesabwesend. »Versetz dich doch in ihre Lage. Es muß für sie ja wie ein Schock sein. Ich werde jedenfalls mein Bestes tun.«

Dann nickte er und ging in den Korridor hinaus, hinunter zu Åke Stålhandskes Zimmer und machte das Klopfzeichen, das bei den SEAL-Einheiten der USA üblich war, und trat dann ein, ohne eine Reaktion abzuwarten.

Åke stand hinter seinem überladenen Schreibtisch auf und gab Carl mit ernstem Gesicht die Hand. Dann ging er unmittelbar auf seinen Vortrag ein, zeigte auf Karten und vergrößerte Satellitenfotos des Gefängnisses Abu Ghraib, die jetzt eine gesamte Längswand im Raum bedeckten. Carl nickte stumm und memorierte die Details, ohne bei den praktischen Dingen eine einzige Frage zu stellen. Anschließend wollte er wissen, welche Verwandte er beim Oberbefehlshaber treffen werde, wie sie hießen, und um welche Verwandtschaftsverhältnisse es gehe.

Sieben Personen sollten kommen. Zwei Elternteile, zwei Ehefrauen, zwei Brüder und eine Schwägerin. Von sämtlichen waren Ausweisfotos vorhanden, und Carl merkte sich mit Åkes Hilfe ihre Namen und ihren Hintergrund. Der Grund dafür, daß einige, die jetzt eigentlich hätten da sein sollen, nicht erschienen waren, war die Tatsache, daß sie sich in Kuwait oder Saudi-Arabien aufhielten. Zwei der Brüder waren mit ausländischen Frauen verheiratet wie übrigens auch zwei der schwedischen Gefangenen. Carl prägte sich die Namen ein; Åke Stålhandske überlegte, weshalb gerade die Namen so wichtig waren, stellte aber keine Fragen.

»Befinden sich die entsprechenden Fotos und Karten im Vortragszimmer beim OB? fragte Carl, als er aufstand und auf seine Armbanduhr sah.

»Ja«, erwiderte Åke Stålhandske scheu, »es dürfte alles da sein. Ich hoffe, du bist mit deiner neuen Uniform zufrieden«, fügte er mit dem Anflug eines Lächeln hinzu.

»O ja, danke. Wie hast du es nur geschafft, sie so schnell schneidern zu lassen?« fragte Carl.

»Ich habe gesagt, wer sie tragen soll«, erwiderte Åke Stålhandske.

Carl erwiderte nichts, sondern nickte nur und ging zur Tür.

»Viel Glück«, sagte Åke Stålhandske und bereute es im selben Augenblick, weil es sich in seinen Ohren albern anhörte.

»Danke«, sagte Carl, ohne sich umzudrehen. Damit war er verschwunden.

Der Oberbefehlshaber hatte für seine zivilen Gäste eine Weile den Gastgeber gespielt, jeden einzeln begrüßt, Samuel Ulfsson vorgestellt, ohne näher auf dessen Funktion bei den Streitkräften einzugehen, und Kaffee servieren lassen. Die Stimmung im Raum war trotz seiner Fürsorge gespannt. Er hatte noch immer nicht erklärt, weshalb man sie alle hatte kommen lassen, dazu mit so viel Heimlichtuerei. Allerdings war ihnen klar, daß es um ihre inhaftierten Angehörigen ging.

Die Wand mit den Karten und Fotos war pietätvoll mit einem Vorhang bedeckt.

»So«, sagte der Oberbefehlshaber und sah auf die Uhr. »Sie müssen sich natürlich fragen, worum es geht. Niemand dürfte besser geeignet sein, es zu erklären, als mein Mitarbeiter, der jetzt hereinkommt.«

Im selben Moment klopfte es an der Tür, und Stille senkte sich auf den Raum.

»Darf ich vorstellen, Flottillenadmiral Carl Hamilton«, sagte der Oberbefehlshaber, als Carl eintrat und sich vor den Anwesenden verbeugte.

Er ging durchs Zimmer, begrüßte jeden mit dem Vornamen, fragte die Eltern Olga und Bertil, ob sie schon einmal im Irak zu Besuch gewesen seien, fragte die Ehefrau Siriwan, wie es den Kindern Alicila und Chary gehe, und fragte die Brüder Peter und Anders, ob sie demnächst einen neuen Besuch planten. Und so, mit einem Wort für jeden, den Eindruck hinterlassend, daß er sie alle kannte oder zumindest schon viel über sie wußte, ging er durch die Gruppe der Angehörigen, bevor er kurz den Oberbefehlshaber und Sam begrüßte und an das kleine Rednerpult trat, das man vor dem Vorhang für ihn hingestellt hatte.

Er blickte einige Sekunden, in denen gespannte Stille herrschte, auf die Anwesenden, bevor er etwas sagte. Alle saßen reglos da und sahen ihn an.

»Am besten komme ich gleich zur Sache«, begann er und entschloß sich dann, es tatsächlich zu tun. »Wie ich annehme, wißt ihr, daß ich für die operative Tätigkeit des militärischen Nachrichtendienstes im Ausland verantwortlich bin. In dieser Eigenschaft bin ich vor einiger Zeit zur Regierung gerufen worden und erhielt die Anweisung, ein Unternehmen zur Befreiung von Christer, Leif und Stefan vorzubereiten. Die Regierung hat die Absicht, erst sämtliche Möglichkeiten auszuschöpfen, um eure Angehörigen heimzuholen. Falls das mißlingt, werden wir es mit Gewalt tun. Bevor ich fortfahre, möchte ich auf zwei Dinge hinweisen. Erstens kann das Unternehmen nur schwerlich gegen euren Willen durchgeführt werden. Zweitens sieht es so aus: Wenn über diese Pläne auch nur eine Andeutung ruchbar wird, würde es die Lage eurer einsitzenden Angehörigen sehr erschweren. Bevor ich auf eine nähere Beschreibung dessen eingehe, was wir uns vorstellen, möchte ich hier kurz innehalten und euch eine sehr einfache, aber zugleich sehr schwere Frage stellen: Wollt ihr, daß wir diese Befreiungsaktion starten, vorausgesetzt, alle anderen Versuche schlagen fehl?«

Es war mucksmäuschenstill im Raum. Carl sah nacheinander alle an und suchte dabei ständig Blickkontakt. Der Oberbefehlshaber und Samuel Ulfsson blickten zu Boden oder auf ihre Bügelfalten und versuchten den Eindruck zu erwecken, sie wären gar nicht da.

»Kannst du nicht ... kannst du nicht erst etwas darüber sagen, was ihr euch vorgestellt habt?« sagte der Vater eines der Gefangenen. Danach sah er sich unruhig unter den anderen um, erhielt aber nur ein zustimmendes Kopfnicken von allen, worauf alle wieder zu Carl blickten.

»Aber gern!« sagte er. Er trat einige Schritte zurück und zog schnell den dichten grauen Vorhang zur Seite, der die Wand mit den Karten und Fotos verdeckt hatte. Dann nahm er einen Zeigestock und beschrieb, wie das Ganze vor sich gehen sollte. Zunächst die anscheinend sichersten Schritte, nämlich die Schlußphase, die beiden entscheidenden Minuten. Sein Blick wanderte zwischen dem Illustrationsmaterial an der Wand und den Gesichtern im Raum; sie lauschten mit gespannter Aufmerksamkeit und nickten von Zeit zu Zeit. Die einzige, deren Verhalten ein wenig von dem der anderen abwich, war die Ehefrau Maija Liisa, die gespannt dasaß und sich in den Knöchel des Zeigefingers biß, als wollte sie Furcht oder Anspannung unter Kontrolle halten.

Carl hielt nach einiger Zeit mit der etwas gekünstelten Erklärung inne, er sei vielleicht dabei, ein wenig einförmig und technisch zu werden. Vielleicht sei es besser, wenn er jetzt Fragen beantworte. Die Anwesenden wirkten schüchtern, als fiele es ihnen schwer, mit dem Fragen zu beginnen. Schließlich faßte sich die weißhaarige Dame Olga ein Herz und stellte sofort eine entscheidende Frage.

»Wie groß ist die Gefahr, daß es euch mißlingt?« fragte sie mit leicht rauher Stimme.

»Wenn wir diese Aktion schon in der nächsten Woche durchführen sollten, würde ich meinen, daß wir neunzigprozentige Erfolgsaussichten haben. In ein oder zwei Monaten und mit eurer Hilfe würde ich schätzen, daß unsere Erfolgsaussichten bei mehr als fünfundneunzig Prozent liegen. Nichts ist hundertprozentig sicher, nicht einmal ein gewöhnlicher Linienflug nach Bagdad. Noch Fragen?«

Er sah sich aufmunternd um, damit sie das herausbrachten, was ihnen unter den Nägeln brennen mußte.

»Werden Christer und die anderen vorgewarnt sein?« fragte Christers Frau Maija Liisa.

»Nein, das werden sie nicht«, entgegnete Carl abrupt. »Ich sollte vielleicht lieber gleich die Fortsetzung erklären. Wenn einige von euch eure Angehörigen da unten wieder besuchen, müssen wir an euch appellieren, wie schwer es auch erscheinen mag, Christer, Leif und Stefan nichts von unseren Plänen zu sagen. Ihr könnt sie gern aufmuntern und sagen, daß die Regierung eurer Meinung nach alles für sie unternimmt oder so. Aber kein Laut über diese Pläne. Das ist sehr wichtig.«

»Verlangst du jetzt nicht ein bißchen viel?« fragte einer von Stefans jüngeren Brüdern.

»Doch, das stimmt schon«, erwiderte Carl. »Es ist ziemlich viel verlangt, aber es ist sehr wichtig.«

»Inwiefern wichtig?« fragte der Bruder mit einem Hauch von Mißtrauen in der Stimme.

»Aus mehreren Gründen«, sagte Carl. »Wenden wir uns zunächst den praktischen Fragen zu. Es ist möglich, daß eure Unterhaltungen abgehört werden. Und wie ich vorhin schon zu erklären versucht habe, steht und fällt dieser ganze Plan mit dem Überraschungsmoment. Und da gibt es noch etwas, was ihr sicher verstehen werdet. Nehmen wir einmal an, es gäbe kein Abhörrisiko, nehmen wir an, wir könnten in diesem Punkt völlig sicher sein. Nur der Argumentation halber. Versetzt euch mal in ihre Situation. Immer dann, wenn abends das Licht ausgeht und sie sich ins Bett legen, würden sie wach liegen und in die Dunkelheit lauschen, ob vielleicht Hubschrauber ankommen, und das einen Monat lang oder sogar zwei. Ich glaube, daß es für eure Angehörigen am besten ist, wenn ihnen das erspart bleibt.«

»Aber kann das nicht ein gewaltiges Durcheinander geben ...«, begann die Ehefrau Siriwan und sah sich verlegen um, bevor sie sich ein Herz faßte und fortfuhr. »Ich meine, draußen auf dem Hof bewegen sie sich ja unter so vielen anderen, und wie wollt ihr ausgerechnet unsere Männer finden ... Und was ist, wenn andere Gefangene auf die Idee kommen, sich an die Hubschrauber zu hängen?«

Carl machte ein verblüfftes Gesicht, da er zunächst nicht verstand, was die Frau meinte.

»Ach so. Habe ich das noch nicht erwähnt? Wenn es so ist, bitte ich um Entschuldigung. Ich habe es vielleicht für zu selbstverständlich gehalten«, begann er und verbeugte sich entschuldigend. »Wir kommen natürlich in der Nacht, vermutlich gegen drei oder vier Uhr morgens. Jedenfalls muß es draußen völlig dunkel sein. Dann sind die Gefangenen eingeschlossen. Wir werden natürlich nur unsere drei Landsleute rausholen. Hoffentlich fällt uns eine Methode ein, die gesamte Elektrizität lahmzulegen, damit wir alles im Dunkeln durchführen können.«

»Aber ist das nicht gefährlich? Stell dir doch nur vor, ihr verlauft euch, und was ist, wenn ...?« fragte die thailändische Frau erneut, bevor sie verstummte, weil ihr Selbstvertrauen nicht ausreichte.

»Die Dunkelheit ist auf unserer Seite«, erläuterte Carl freundlich. »Wir können im Dunkeln nämlich sehen. Wir haben Ausrüstung dafür. Die Gefängniswärter haben so etwas höchstwahrscheinlich nicht. Die Dunkelheit ist also ein wesentlicher Teil unserer Planung. Weitere Fragen?«

»Auf den beiden Türmen, die auf dem Hof stehen, auf dem ihr landen wollt, befinden sich doch bewaffnete Wachposten?« fragte der Bruder des Gefangenen Stefan, der bisher nichts gesagt hatte. Die Frage war noch unvollendet, und er fuhr mit einer Handbewegung fort, die kaum verständlich war.

»Nun ja«, sagte Carl zögernd. »Aus den Fotos geht hervor, daß hier ... und hier ... zwei bemannte Wachtürme in die Gefängnismauer eingebaut sind«, erklärte er und zeigte mit dem Zeigestock auf die Türme. »Wahrscheinlich haben sie telefonische Verbindung mit einer Art Wachzentrale in der Mitte des Komplexes. Hier! Unsere erste Maßnahme beim Anflug wird also sein, die beiden Wachtürme auszuschalten. Dann landet ein Hubschrauber innerhalb der Mauer, dort, wo ich es gezeigt habe, während ein zweiter außerhalb der Mauern abwartet. ... Er ist eine Art Ersatz, ... falls etwas schiefgeht.«

Die Augen der Anwesenden verrieten Furcht, aber auch ernstes Nachdenken. Carl erkannte sehr wohl, daß sie gerade versuchten, seine leichtfertige militärische Umschreibung des Tötens zu verdauen. Er hatte sich jedoch entschieden, die Angehörigen nicht zu belügen. Er sagte die Wahrheit und wollte ihnen das Gefühl vermitteln, daß er es tat.

»Aber sag mir eins: Wenn es nun schiefgeht ...«, begann der Vater des Gefangenen Leif. »Ja, verzeih, wenn ich noch einmal darauf zurückkomme, aber wie du sagtest, kann alles auch schiefgehen. Ich meine, wenn wir irakische Wachposten getötet haben, kann man die Jungs dann nicht als Mittäter verurteilen?«

»Ich weiß nicht«, erwiderte Carl ohne zu zögern. »Nach Recht und Gesetz, jedenfalls nach unserem europäischen Rechtssystem, würde man sie nie als etwas anderes ansehen können denn als unschuldig. Schließlich sitzen sie eingesperrt in einer Zelle, ohne zu wissen, was da draußen passiert. Aber hier haben wir es mit einem durchgedrehten Diktator zu tun, der kaum Respekt vor den Gesetzen haben dürfte. Das ist ja übrigens auch der Grund, weshalb wir uns jetzt hier treffen. Laßt es mich so sagen: Wenn wir dieses Unternehmen durchführen, wird es uns auch gelingen. So lautet der Befehl, den uns die Regierung gegeben hat. Und das sind wir euch, die ihr jetzt hier sitzt, auch schuldig, ebenso unseren Landsleuten, die in dem Gefängnis des Diktators einsitzen. Um Erfolg zu haben, müssen wir zunächst die Wachtürme ausschalten. Dann haben wir in der Dunkelheit zwei Minuten Zeit. Wenn wir es bis dahin geschafft haben, dürfte es nicht schwer sein.«

»Aber dann müßt ihr doch noch mindestens hundert Kilometer fliegen, schlimmstenfalls sogar fünfhundert, und wie wollt ihr ausschließen, daß euch Abfangjäger einholen?« fragte einer der jungen Brüder.

»Hier!« sagte Carl und zeigte voller Eifer auf die große Irak-Karte. »Dies sind die amerikanischen Flugverbotszonen. Wenn irakische Flugzeuge dort eindringen, werden sie sofort abgeschossen, besonders in der jetzigen Situation.«

»Aber könnt ihr nach Belieben durch diese Zonen fliegen? Kann man auf dem Radarschirm den Unterschied zwischen schwedischen und irakischen Hubschraubern erkennen?« fragte der Bruder erneut, jetzt mit gerunzelter Stirn.

»Nein«, erwiderte Carl. »Auf dem Radarschirm kann man Hubschrauber verschiedener Nationalitäten nicht unterscheiden. Sollten die Amerikaner auf den Gedanken kommen, uns für Iraker zu halten, würden sie uns abschießen. Aber ... ja, Verzeihung, aber es ist ja nun mal so, daß alles, was in diesem Raum gesagt wird, geheim bleiben muß, unabhängig davon, was geschieht, nicht wahr?«

Er blickte sich fragend um und erhielt von allen ein bestätigendes Kopfnicken.

»Nun, dann will ich ohne Umschweife die alles andere als neutrale Zusammenarbeit mit den USA erläutern. Bei diesem speziellen Unternehmen werden uns die Amerikaner anfeuern. Sie werden ihre Jäger in voller Bereitschaft halten. Wir halten unsere Funkkommunikation auf ihren Frequenzen und melden uns jedes Mal an, wenn wir in die verbotene Zone einfliegen. Sollten wir verfolgt werden, wird die US Air Force, wie ich meine, mit gewisser Begeisterung dafür sorgen, daß die Verfolgung aufhört. Dies ist eine der Schlüsselfragen. Ohne diese Flugverbotszone, die von einer uns freundschaftlich gesinnten Macht mit absoluter Luftherrschaft gehalten wird, wäre das, worüber wir hier jetzt sprechen, allzu riskant und ließe sich nicht durchführen. So sieht es aus!«

»Kann man sich für das Unternehmen freiwillig melden?« fragte einer der jungen Brüder in die nachdenkliche Stille hinein. Carls Enthüllung des großen und mächtigen Verbündeten bei der Befreiung hatte einen tiefen Eindruck gemacht.

»Was für eine Funktion hast du bei den Streitkräften?« lautete Carls Gegenfrage.

»Küstenjägerschule, wehrpflichtiger Gefreiter«, lautete die entschlossene Antwort.

»Das genügt durchaus«, stellte Carl fest. »Du würdest ohne weiteres zu dem Typ von Personal passen, das wir für Kampfaufgaben rekrutieren werden. Aber deine Familie hat auch so schon einen Gefangenen im Irak. Aber wir werden darüber nachdenken.«

»Wer wird das Unternehmen leiten, oder ist das geheim?« fragte der Küstenjäger.

»Das ist geheim«, erwiderte Carl zögernd. Doch dann erkannte er, daß dies eine goldene Gelegenheit war, alle auf seine Seite zu ziehen. Allein die Tatsache, daß einer in der Gruppe sich freiwillig melden wollte, mußte eventuelle Zweifler in eine psychologisch schwierige Lage bringen.

»Doch andererseits ist alles, worüber wir hier in diesem Raum sprechen, streng geheim. Vorausgesetzt, daß das Unternehmen frühestens in einem Monat aktuell wird, was mir wahrscheinlich erscheint, möchte ich gern persönlich die Verantwortung dafür übernehmen. Ich möchte den Einsatz vor Ort selbst leiten.«

»Aber sind deine Wunden ... deine Operationen ... ich meine, bist du wieder wohlauf?« fragte Maija Liisa in einem warmen, fast mütterlichen Tonfall.

»Jetzt nicht, das wäre sicher zu früh. Aber in einem Monat, ja!« erwiderte Carl ohne ein Wimpernzucken. Dann wollte er die sensible Situation ausnutzen, um zu einer Entscheidung zu kommen. Er gab sich schüchtern und nachdenklich, bevor er fortfuhr.

»Eines müßt ihr alle wissen«, begann er langsam. »Als ich mit meinem Stellvertreter diesen Plan diskutierte, sind wir zu einer Einsicht gelangt, und ich glaube, das gilt für unser gesamtes Personal: Dieses Vorhaben liegt uns wirklich am Herzen. Es dürfte kaum etwas anderes geben, wofür wir unsere Möglichkeiten und eventuellen Talente so überzeugt einsetzen würden wie gerade hier, bei dem Vorhaben, unsere Landsleute und eure Verwandten zu befreien. Wir wünschten uns öfter, wir wären nur für solche Dinge da.«

Diese einfühlsamen Worte bewirkten, daß die Fragen verstummten. Genau das hatte Carl beabsichtigt. Er schlug vor, die drei Militärs sollten sich jetzt zurückziehen und die Angehörigen für eine interne Diskussion eine Zeitlang allein lassen. Immerhin hätten sie jetzt einen abhörsicheren Raum zur Verfügung.

Ein wenig erstaunt über diesen »Befehl« erhob sich der Oberbefehlshaber und wies Samuel Ulfsson und Carl mit einer ironischen Handbewegung an, vor ihm hinauszugehen. Beide gehorchten mit einigem Zögern. Samuel Ulfsson war kaum durch die Tür gekommen, da zündete er sich eine Zigarette an. Für seinen Geschmack hatte er schon zu lange warten müssen.

Anschließend gab es keine Überraschungen mehr. Als der Oberbefehlshaber und seine beiden Untergebenen nach einer halben Stunde zurückkamen, war die Sache vom Tisch. Die Angehörigen hatten einstimmig beschlossen, den Plan zu unterstützen.

Dann verwandte Carl einige Minuten darauf, den Anwesenden Verhaltensmaßregeln zu geben. Vor allem wies er darauf hin, daß es einen einzigen wirklich gefährlichen Feind gebe, nämlich die schwedische Presse. Falls jemand im Raum glaube, sich vielleicht seinem besten Freund oder der engsten Freundin anvertrauen zu können, so sei das falsch. Dieser beste Freund oder die beste Freundin hätten wiederum andere Freunde. Dann würde es nicht mehr lange dauern, bis es bekannt würde, schlimmstenfalls in der Schlußphase des Unternehmens. Das würde bedeuten, daß die Iraker die Strafen der Schweden erheblich verlängern und die Haftbedingungen verschärfen würden. Möglicherweise wäre das Überraschungsmoment des Unternehmens verschenkt. Dann liefen alle, die sich in Hubschraubern näherten, Gefahr, getötet zu werden. Ohne Überraschung kein Erfolg.

Carl erklärte, rein technisch seien sie jetzt alle an einer nachrichtendienstlichen Operation beteiligt. Normalerweise würde man jetzt alle Anwesenden bitten, sich schriftlich zu absolutem Stillschweigen zu verpflichten, verbunden mit einem Hinweis auf die strafrechtliche Verantwortung. Doch mit Rücksicht auf das, was auf dem Spiel stehe, wäre es wohl fast eine Beleidigung, auf der normalen Prozedur zu bestehen.

Dann gab es nur noch einige technische Dinge zu klären. Diejenigen, die eine Reise in den Irak zu ihren Angehörigen planten, würden in Kürze von der nachrichtendienstlichen Abteilung des Generalstabs Besuch erhalten. Sie bekämen Anweisungen, worauf sie achten sollten: Entfernungen, Zellennummern, Türschlösser, Überwachungskameras, elektrische Leitungen und andere Dinge sollten sie notieren. In rechtlicher Hinsicht sei dies Spionage, erklärte Carl, aber andererseits sei es schwer, es zu entdecken, und beweisen lasse es sich wohl kaum. Doch darüber würden noch detaillierte Informationen folgen.

Er gab den Angehörigen die Hand, ließ ihre Verwandten zu Hause grüßen und legte ironisch den Finger an den Mund, um nochmals auf die Schweigepflicht hinzuweisen. Er hatte für jeden ein aufmunterndes Wort. Dem jungen Mann, der sich freiwillig gemeldet hatte, teilte er mit, man werde ihn bei späterer Gelegenheit zu einem Gespräch unter vier Augen bitten. Als alle gegangen waren, setzte er sich hin und verschnaufte. Seine Bemühungen, die ganze Zeit so aufzutreten, als wäre er gesund und unversehrt, hatte große Schmerzen ausgelöst.

»Das hast du wirklich verteufelt gut gemacht«, sagte der Oberbefehlshaber. Er setzte sich und nahm von Samuel Ulfsson dankbar eine Zigarette an. »Mein Kompliment. Direkt, ehrlich und sehr überzeugend.«

»Ja, dem stimme ich vorbehaltslos zu«, sagte Samuel Ulfsson, während er gleichzeitig langsam und genießerisch an seiner Zigarette zog.

»Das war nicht ich, das war die Uniform«, stellte Carl nüchtern fest. »Ich bin als meine eigene Legende hier erschienen, und schon das hat sie überzeugt. Aufrichtig gesagt weiß ich nicht, ob ich das Unternehmen leiten kann, wie ich gesagt habe. Es wäre aber dumm gewesen, in diesem Punkt einen Rückzieher zu machen.«

»Willst du wirklich dabei sein?« fragte Samuel Ulfsson erstaunt. »Wenn Saddam Hussein dich schnappt, hat das für ihn ungeheuren Propagandawert. Dann hängt er dich bestimmt auf dem großen Platz in Bagdad, wie immer er heißt.«

»Revolutionsplatz oder Freiheitsplatz«, entgegnete Carl. »Ja, das würde er wohl tun. Aber ich habe tatsächlich die Wahrheit gesagt. Dieses Unternehmen ist etwas, bei dem wir alle von Herzen gern mitmachen. Ich finde, es würde merkwürdig aussehen, wenn ich nicht dabei wäre. Außerdem habe ich nicht die Absicht, mich aufhängen zu lassen. Wenn wir diese Sache durchführen, steht eins jedenfalls fest: Man wird uns nicht gefangennehmen. Es besteht zwar das Risiko, daß die Hubschrauber abgeschossen werden, das ist in Ordnung. Aber gefangennehmen lassen wir uns nicht.«

»Wie kannst du dir dessen so sicher sein?« fragte der Oberbefehlshaber besorgt. »Wir haben bei den schwedischen Streitkräften doch keine Selbstmordpillen? Meines Wissens jedenfalls nicht.«

»Meines Wissens auch nicht«, erwiderte Carl. »Nein, ich habe etwas anderes gemeint: Ein Feuergefecht gegen schlaftrunkene und geblendete Gefängniswärter können wir kaum verlieren. Es kann aber sein, daß der eine oder andere etwas abbekommt. Wie auch immer: Dies ist eine erstaunlich leichte Operation, wenn wir erst mal zum Schluß kommen.«

»Die Diplomaten haben vermutlich einen schwierigeren Job vor sich?« überlegte Samuel Ulfsson.

»Du meinst die Auswahl des Landes, die Verhandlungen mit

Saudi-Arabien und derlei?« fragte Carl. »Ja, wir wären schon dankbar, wenn uns dieser Part erspart bliebe.«

»Weshalb heißt das Unternehmen Blue Bird?« fragte der Oberbefehlshaber mit plötzlich aufflammender Neugier.

»Sehr einfach«, sagte Carl ausdruckslos. »Bird ist nicht schwer zu erraten, das Symbol der Freiheit, der in der Nacht fliegende Hubschrauber.«

»Ja. Aber *Blue?«* beharrte der Oberbefehlshaber.

»Die Farbe hat etwas mit der bekannten Tatsache zu tun, daß wir, die wir dieses Unternehmen durchführen, blaue Uniformen tragen. Keine grüne wie du!«

Carl drehte sich um und lächelte. Es war das erste Lächeln, das Samuel Ulfsson seit der Tragödie an ihm gesehen hatte.

»Und jetzt bitte ich, mich zu entschuldigen, meine Herren«, fuhr Carl wieder ernst fort. »Ich habe in einer halben Stunde eine Besprechung beim Ministerpräsidenten. Dabei geht es vermutlich um das Ergebnis seiner Beratungen mit John Major.«

»Wirst du ihm von unseren heutigen Übungen berichten?« fragte der Oberbefehlshaber.

»Ich weiß nicht«, erwiderte Carl verlegen. »Das Unternehmen Blue Bird fällt ja in Anders Lönnhs Zuständigkeit, und ich bin aus dem Konkurrenzverhältnis zwischen den beiden nie recht schlau geworden. Immerhin sind beide unsere Chefs, und beide sind, sagen wir, sehr darauf bedacht, das zu betonen.«

»Ja, das wissen die Götter«, seufzte der Oberbefehlshaber. »Nun gut, dann Abmarsch zum Ministerpräsidenten, und GMY!«

»Danke, MYT«, erwiderte Carl, stand auf und ging nach einem kurzen Kopfnicken zu Samuel Ulfsson.

»Ich habe gar nicht gewußt, daß du dieses Signal kennst«, bemerkte Samuel Ulfsson mit aufrichtigem Erstaunen, nachdem sich die Tür hinter Carl geschlossen hatte.

»Ach ja? Ihr in diesen *blauen* Uniformen glaubt wohl immer, daß wir in den grünen Uniformen keinerlei Kenntnis von dem haben, was das Meer zu bieten hat. Wenn ich unfein sein wollte, könnte ich vielleicht darauf hinweisen, daß ich Oberbefehlshaber bin und folglich Anlaß gehabt habe, sogar über U-Boote dieses und jenes zu lernen.«

»Gott Mit You, OB!« sagte Samuel Ulfsson und stand auf. Bevor

er wieder zur nachrichtendienstlichen Abteilung ging, salutierte er zum Scherz.

»*Mit You Too*«, erwiderte der Oberbefehlshaber nachdenklich, nachdem Samuel Ulfsson schon längst verschwunden war.

Er blieb noch sitzen und versuchte sich vorzustellen, wie es damals zugegangen war; damals konnten U-Boote einander nicht bekämpfen. Überdies fuhren sie meist über Wasser. Wenn ein deutsches U-Boot folglich draußen auf See einem englischen begegnete, winkten die Besatzungen einander zu und salutierten sogar, wenn die Entfernung kurz genug war. Irgendwann wurde das deutsch-englische Signal erfunden, das mit Morse-Lampen gesendet werden konnte. Das schienen fast idyllische Zeiten gewesen zu sein, was angesichts des Zweiten Weltkriegs eine paradoxe Schlußfolgerung zu sein schien. Der Oberbefehlshaber stand auf und trat an die Wand mit den Karten und Fotos. Er musterte das Abu Ghraib-Gefängnis. Wie phantastisch die Befreiungsidee ihm auch erschienen war, als er zum ersten Mal davon gehört hatte, so war er jetzt überzeugt, daß der Plan tatsächlich durchführbar war.

Die operative Seite war nicht die Hauptschwierigkeit. Die Probleme lagen eher auf Ebenen, auf die Hamilton bewußt gar nicht eingegangen war. Vielleicht hatte er noch gar nicht darüber nachgedacht. Wenn das Unternehmen durchgeführt wurde, entstand die Frage, wie es mit der Sicherheit anderer Schweden in Bagdad bestellt war. Dieser Saddam Hussein war nicht gerade für seinen Humor bekannt. Und mit frischen schwedischen Geiseln im selben Gefängnis wäre es kaum möglich, das Unternehmen zu wiederholen. Statt eines Triumphs würde es neue persönliche Tragödien geben.

Doch das war eher das Problem der Politiker. Die hatten Befehl gegeben, eine Aufgabe zu lösen, und jetzt waren die Streitkräfte dabei, die Aufgabe anzupacken.

Die beiden Politiker, die Carl jetzt traf, waren so von Enthusiasmus erfüllt, daß sie durcheinander redeten.

Carl betrachtete sie verblüfft mit verschlossener Miene. Er hatte erwartet, den Ministerpräsidenten nur zu einer Diskussion über eventuelle Entscheidungen zu treffen, was die britische Operation betraf. Doch als er das Amtszimmer des Regierungschefs betrat, kam ihm sofort Verteidigungsminister Anders Lönnh mit seinem federnden Gang entgegen. Lönnh lächelte breit und bat Carl, sich zu setzen, als wäre er hier der Gastgeber.

Aus den ersten Sätzen der Politiker ging hervor, daß der Ministerpräsident jetzt voll darüber informiert war, daß der Generalstab den Auftrag erhalten hatte, die Möglichkeiten für eine Befreiung zu untersuchen. Dieser Frage widmeten die drei Männer eine halbe Stunde, bevor sie auf das Ergebnis der Beratungen von John Major und Carl Bildt zu sprechen kamen.

Der Grund, daß alles ein bißchen länger dauerte, waren die überraschend positiven Nachrichten Carls über eine geplante Aktion, die schon auf den Namen Blue Bird getauft war. Diese Bezeichnung fand die fast jungenhaft fröhliche Billigung der beiden Minister.

Carl berichtete kurz und strukturiert über die Planung von Blue Bird, bis er an den Punkt gelangte, an dem die politische Verantwortung zur Sprache kam. Die Frage lautete also, ob es gelingen könne, Saudi-Arabien zu gewinnen, einen an und für sich zuverlässigen Verbündeten der Amerikaner, zugleich aber ein Land, in dem Gerüchte sich in Windeseile verbreiten.

Kuwait wäre leichter zu bearbeiten, was unter anderem an der starken Präsenz der schwedischen Industrie in dem kleinen Land lag. Wenn man aber die Alternative Kuwait wählte, würde auch die Flugstrecke fünfmal so lang werden. Das würde bedeuten, daß auch fast fünfmal mehr Personal gebraucht wurde. Je kürzer die Flugstrecke, um so weniger Personal, lautete Carls einfache Faustregel.

Sie überlegten hin und her, während Carl, inzwischen durch seine Erfahrung und seine Erlebnisse mit dem Ministerpräsidenten klug geworden, sich bis zuletzt mit cleveren Vorschlägen zurückhielt, weil er befürchtete, daß sie sofort mißbilligt wurden, da der Regierungschef sie nicht selbst gemacht hatte.

»Es geht also darum, Hubschrauber und Waffen nach Saudi-Arabien zu bringen. Dann müssen sie an einen Ort möglichst weit im Norden, nahe der Grenze zu Jordanien«, überlegte Carl laut in der Hoffnung, Carl Bildt würde diese einfache Schlußfolgerung nicht sofort abtun. Zu seiner Erleichterung gaben ihm beide Politiker recht. Am besten sei es wohl, Saudi-Arabien als Ausgangspunkt zu wählen.

»Wir haben inzwischen Hubschrauberverbände, die sich recht gut darauf verstehen, bei Dunkelheit zu operieren. Das ist vielleicht ein Wissen, aus dem auch die Saudis Nutzen ziehen könnten«, ließ sich Carl entschlüpfen, als wäre ihm die Bedeutung dessen nicht klar, was er gerade gesagt hatte.

Daraufhin stürzten sich die beiden an militärischen Fragen sichtlich interessierten rechten Politiker in eine lange Diskussion über bestimmte Nachtsichtgeräte. Lange sah es so aus, als würde nur noch über die Technik gesprochen werden. Doch dann kam dem Verteidigungsminister plötzlich die Idee, daß man Saudi-Arabien Entwicklungshilfe in Form nächtlicher Hubschrauberflüge bieten könne. Schweden könne eine Reihe von Piloten hinunterschicken, um den Saudis Unterricht zu geben, und dann würden die schwedischen Piloten, die schon vor Ort seien, wieder in schwedische Dienste treten, wenn auch nur für eine Nacht.

Carl lehnte sich zufrieden zurück. Jetzt waren sie selbst darauf gekommen. Es würde sich keiner mehr daran erinnern, wer das erste Wort gesprochen hatte, da beide es als gegeben ansehen würden, es selbst getan zu haben.

Der Ministerpräsident wandte ein, es könne Schwierigkeiten mit den schwedischen Exportregeln bei Waffen geben. Dem Reichstag müsse erklärt werden, weshalb Saudi-Arabien mit Hubschraubern, Nachtsichtgeräten und einer entsprechenden Ausbildung versehen werden sollte.

Ganz und gar nicht, wandte der Verteidigungsminister fröhlich ein. Es werde nämlich dauern, bevor das bekannt werde. Und nachträglich werde ja der Zweck des Unternehmens als so unerhört edel und national wertvoll erscheinen, daß nicht einmal die notorische Grüne oder diese Kommunistin, die in roten Badeanzügen zu posieren pflege, irgendwelche Einwände erheben könnten.

Der Ministerpräsident knurrte unwillig, war aber nicht bereit, die Idee aufzugeben, da er sie in der Hauptsache für seine eigene hielt.

Dann wurde das Thema fallengelassen. Die Regierung sollte den politischen Teil der Vorbereitungen von Blue Bird übernehmen, während der Nachrichtendienst den Detailfragen den letzten Feinschliff gab und die Verwandten der Häftlinge auf Spionageaufgaben ansetzte.

Dann kam die Sprache auf das britische Unternehmen. Der Ministerpräsident räusperte sich feierlich, um den Themenwechsel zu markieren und einen förmlichen Beschluß mitzuteilen.

»Ja, also, hm«, begann er. »John und ich hatten hier eine lebhafte Diskussion zu diesem Thema. Wir sind zu dem Ergebnis gekommen, daß beide Seiten ihr möglichstes tun sollten, um dieses Vorhaben zu einem Erfolg zu machen. Das ist für Großbritannien natürlich von besonderem Interesse. Ich möchte allerdings hinzufügen, daß es mir auch für ganz Europa von großer Bedeutung zu sein scheint, kurz, das Unternehmen hat die Codebezeichnung *Striped Dragon* erhalten.«

»Gestreift?« sagte Carl und machte ein fragendes Gesicht. »Was ist denn gestreift?«

»Die neue russische Trikolore«, erwiderte der Ministerpräsident mit ernster Miene.

»Natürlich, wie dumm von mir«, erwiderte Carl demütig. »Daran hätte ich denken müssen.«

»John hat allerdings noch etwas erwähnt, was ich ein wenig verwirrend fand, aber da kannst du uns vielleicht aufklären, nämlich daß in London schon eine Form operativer Tätigkeit begonnen hat. Stimmt das, und wenn ja, welche Erklärung gibt es dafür?« fragte der Regierungschef mit deutlicher Schärfe in der Stimme.

»Ja, es stimmt«, bestätigte Carl.

»Es scheint mir sowohl vom britischen wie vom schwedischen Nachrichtendienst ein leicht exzentrisches Verhalten zu sein, den Ereignissen sozusagen vorzugreifen«, sagte der Regierungschef und machte gleichzeitig mit der rechten Hand eine rotierende Bewegung, vermutlich eine Aufforderung, Erklärungen oder eine Entschuldigung vorzubringen.

»Das ist eine rein praktische Sache, das Ergebnis einer Diskussion mit Sir Geoffrey. Die Idee kam sogar von mir«, erläuterte Carl und wartete ab, ob man ihn unterbrechen würde. Doch als dies nicht der Fall war, fuhr er fort.

»Ich habe Sir Geoffrey nämlich bei mehr als einer Gelegenheit erklärt, daß wir nicht einfach losrennen und vollendete Tatsachen schaffen dürfen, sondern abwarten müssen, was unsere jeweiligen Regierungen beschließen. Ein Standpunkt, der Sir Goeffrey übrigens als unflexibel und unnötig bürokratisch erschien.«

»Hat er gemeint, ihr könntet eine bilaterale Zusammenarbeit zusammenstricken, ohne die jeweilige Regierung zu beteiligen?« fragte der Ministerpräsident verblüfft.

»Ja, den Eindruck hatte ich tatsächlich«, erwiderte Carl. »Ich habe darauf hingewiesen, daß es bei uns nicht so zugeht.«

»Nun ja«, bemerkte der Regierungschef ironisch. »Und was habt ihr nun konkret getan?«

»Wir haben in London einen schwedischen Offizier *under cover* untergebracht und ihn beauftragt, sich bis auf weiteres nur in seine Rolle einzuleben. Der Grundgedanke war, das praktisch Notwendige schon im Vorwege zu leisten, damit eine politische Entscheidung das Unternehmen ohne große Verzögerung in Gang setzen kann.«

»Was für ein Cover ist das?« fragte der Verteidigungsminister neugierig.

»Die CIA hat uns mit einer Identität und einer Legende geholfen«, erwiderte Carl mit leicht betontem Unwillen. »Wollt ihr tatsächlich Näheres über die Details wissen?«

»Aber ja, bitte«, sagten der Ministerpräsident und der Verteidigungsminister wie aus einem Mund.

»Wenn das so ist«, erwiderte Carl, »kann ich folgendes sagen: Einer meiner Hauptleute hat sich als italienisch-amerikanischer EDV-Forscher in einem Unternehmen namens Marconi Naval Systems in London etabliert, einem Unternehmen, das bei diesen Selbstmorden eine verdächtig hohe Statistik aufweist. Ich nehme an, daß ihr davon schon gehört habt?«

»Ja, John hat mir die Hintergründe in groben Zügen erläutert«, bestätigte der Ministerpräsident.

»Unser Mann soll, wie wir hoffen, mit den Personen Kontakt bekommen, die diese eleganten Selbstmorde organisieren.«

»Das hört sich nach einem riskanten Unternehmen an«, stellte der Regierungschef fest.

»Das versteht sich von selbst«, bestätigte Carl. »Aber natürlich unterscheidet sich unser Mann von den früheren Selbstmördern dadurch, daß er sich zur Wehr setzen kann. Alle anderen, die bisher so gestorben sind, sind zivile Wissenschaftler gewesen.

Wir haben geplant, daß ich jetzt nach London reise und daß Sir Geoffrey mir zunächst das gesamte Material über die verdächtigen

Selbstmorde zur Verfügung stellt. Erst anschließend entscheide ich, ob wir das Unternehmen fortsetzen oder uns schon jetzt zurückziehen sollen.«

»Aber John und ich haben uns ja schon geeinigt«, wandte der Ministerpräsident verletzt ein.

»Nun, das ist schon möglich«, sagte Carl. »Aber wie ich vermute, seid ihr euch auch darin einig, die operative Arbeit zu delegieren? Wenn ich das Unternehmen zu riskant finde, behalte ich mir das Recht vor, es abzublasen. Es geht nämlich um ein Roulettespiel mit dem Leben eines schwedischen Offiziers.«

»Ich hatte bei John den Eindruck gewonnen, daß das alles schon erledigt ist, daß wir jetzt nur noch das Startsignal geben müssen, damit ihr loslegen könnt«, sagte der Regierungschef übellaunig.

»Du siehst an der Einstellung, die Sir Geoffrey mir gegenüber an den Tag legte, als es darum ging, *die Politiker* zu informieren, wie er sich ausdrückte, daß die Informationen des britischen Premierministers mangelhaft sind«, sagte Carl in ironischem Ton.

»Du möchtest also eine Einschätzung vornehmen, bevor der Agent aktiviert wird?« stellte der Ministerpräsident fest.

»Das wäre mir lieber«, sagte Carl. »Wenn die Morde so erfolgt sind, daß zwei Mann ihre Selbtmordkandidaten überwältigt und sie in einer Badewanne ertränkt, unter ein Auspuffrohr in einer Garage gelegt oder von einer Brücke geworfen haben, wenn es also keinen Anlaß gibt, anderes als solche einfachen Methoden zu vermuten, werden wir diesen Teil des Unternehmens in eine aktive Phase übergehen lassen. Wenn ich aber Anzeichen dafür finde, daß die Morde auf eine Weise organisiert worden sind, gegen die man sich nur mit Mühe wehren kann, muß ich überlegen, ob wir unseren Mann nicht lieber nach Hause schicken. So ist die Lage. Und ich hoffe, daß die schwedische Regierung das akzeptiert.«

»Hast du eine Ahnung, wohin die Reise gehen könnte?« fragte der Verteidigungsminister.

»Ja«, bestätigte Carl. »Es hat den Anschein, als würden wir den Agenten aktivieren. Ich fliege am Montag nach London und werden den Montag und hoffentlich dann nur den Dienstag darauf verwenden, diese Analyse an Ort und Stelle vorzunehmen.«

»Mußt du bis Montag warten?« fragte der Verteidigungsminister eifrig. Plötzlich machte er ein Gesicht, als hätte er sich am liebsten auf die Zunge gebissen.

»Ja, das würde ich gern«, erwiderte Carl. »Ich glaube nicht, daß ein Wochenende mehr oder weniger beim Unternehmen selbst einen großen Unterschied macht. Aber wie ihr versteht, möchte ich gelegentlich auch meiner Familie ein paar Stunden widmen.«

»Selbstredend! Natürlich, das solltest du wirklich tun, finde ich«, sagte der Verteidigungsminister schnell und begütigend.

»Besten Dank«, sagte Carl. »Dann kommen wir also zum zweiten Teil des Unternehmens. Welche Einstellung hat die Regierung dazu?«

»Du meinst die Anwerbung in Rußland?« fragte der Ministerpräsident. »John war Feuer und Flamme angesichts dieser Möglichkeit. Ich kann dazu nur eins sagen: Wenn wir, das heißt du, auch nur eine theoretische Möglichkeit zu einem solchen Coup hast, würde das für sowohl den britischen als auch den schwedischen Nachrichtendienst von großem und vitalem Interesse sein.«

»Ihr wollte also, daß ich nach Rußland reise und einen Versuch unternehme«, stellte Carl fest.

»Ja«, sagte der Regierungschef. »Sofern du die Risiken nicht als allzu hoch einschätzt. Was meinst du dazu?«

»Was mich betrifft, ist das Risiko gering«, sagte Carl gedehnt. »Ich laufe nur Gefahr, mir ein Nein einzuhandeln und beschimpft zu werden, kaum mehr. Es fällt mir unglaublich schwer zu glauben, daß das Regime in Rußland irgendwelche Maßnahmen gegen mich ergreifen könnte. Dazu bin ich, um es konkret auszudrücken, im Fernsehen schon zu oft von Boris Jelzin und anderen hochgestellten Bürgern geküßt worden. Nein, ich riskiere mit einem solchen Versuch gar nichts. Ich laufe höchstens Gefahr, einen Freund zu verlieren und daß man mich auslacht und nach Hause schickt.«

»Das klingt ja schon ganz ausgezeichnet«, sagte der Ministerpräsident und grinste, wurde dann aber schnell wieder ernst. »Ich meine natürlich nicht, daß es ausgezeichnet wäre, wenn man dich auslacht, aber ich meine, daß die Risiken demnach begrenzt sind. Wann kann das Ganze stattfinden?«

»In ein paar Wochen«, sagte Carl. »Zunächst müssen Sir Geoffrey und ich uns über den Londoner Teil dieses Vorhabens einig werden. Danach komme ich zurück und kümmere mich um das Unternehmen Blue Bird, und dann reise ich. Es hat ja keine Eile. Entweder es klappt, oder nicht. Es ist besser, daß ich mich sorgfältig vorbereite und das Projekt nicht durch Schlamperei gefährde.«

»Wie um Himmels willen bereitet man so etwas vor?« erkundigte sich der Verteidigungsminister.

»Man muß einiges lesen«, erwiderte Carl. »Ich muß möglichst viel über die Schwierigkeiten der Russen und ihre internen Gegensätze erfahren, bevor ich abreise. Das erfordert unter anderem einiges Wühlen in der MRO-Akte.«

»Wen gedenkst du anzuwerben?« fragte der Ministerpräsident.

»Wenn du entschuldigst, finde ich es höchst unpassend, diese Frage zu beantworten. Wenn ich Erfolg habe, wirst du es ohnehin erfahren, wenn du es verlangst«, erwiderte Carl schnell und entschieden.

»Ja, Verzeihung, du hast vermutlich recht«, erwiderte der Ministerpräsident ausweichend. »Was können wir tun, um dem schwedischen Nachrichtendienst beizustehen? Hast du irgendwelche Vorschläge?«

»Ihr solltet an dem politischen Teil des Unternehmens Blue Bird arbeiten. Was London betrifft, glaube ich, daß Sir Geoffrey und ich ohne Politiker recht weit kommen, wenn du verstehst, was ich meine«, sagte Carl, merkte aber, daß die beiden seine Worte nicht verstanden. »Das war ein Scherz«, fügte er hinzu, ohne eine Miene zu verziehen. »Sobald ich aus London zurückkehre, werde ich euch natürlich informieren, wie es gelaufen ist.«

»Ausgezeichnet«, sagte der Ministerpräsident und erhob sich. »Dann sehen wir uns am Mittwoch oder so?«

»Ja, ich melde mich, sobald ich wieder da bin«, sagte Carl, der ebenfalls schon aufgestanden war. Er gab den beiden Politikern die Hand, verbeugte sich, ging hinaus und schloß die Tür hinter sich.

»Puuuh!« seufzte der Ministerpräsident und atmete auf, während er mit Anders Lönnh einen amüsierten, aber auch erleichterten Blick wechselte. »Im Augenblick kann man nicht so ohne weiteres über Hamilton herfallen, das steht fest. Ich verstehe nicht, aus welchem Holz er geschnitzt ist. Du siehst da unten gleich neben deinem linken Fuß die Überbleibsel von einigen Flecken – weißt du, was das ist?«

»Nein«, sagte Anders Lönnh erstaunt und hob den Fuß hoch. Er musterte den Teppichboden, der tatsächlich einige Flecken aufwies.

»Das da«, sagte der Ministerpräsident und nickte langsam, »ist Hamiltons Blut.«

»Blaues Blut auf einem blauen Teppich, das nenne ich praktisch«, witzelte Anders Lönnh nervös. Er machte ein Gesicht, als täten ihm die Worte sofort leid.

»Nach einer so furchtbaren Tragödie wieder auf die Beine zu kommen«, überlegte der Regierungschef. »Stell dir doch das mal vor, daß man im Verlauf weniger Stunden vier nahe Angehörige von dir und deiner Frau ermordet. Pfui Teufel!«

»Glaubst du, daß er das Unternehmen Blue Bird selbst leiten kann?« fragte Anders Lönnh.

»Ich hoffe es, ich hoffe es wirklich«, murmelte der Ministerpräsident zerstreut. »Körperlich scheint er ja schon jetzt erholt zu sein. Es wäre natürlich das Beste, das ist gar keine Frage.«

»Möchtest du, daß ich ihn zum Konteradmiral ernenne, wenn die Sache klappt?« fragte Anders Lönnh mit einem sehr breiten Lächeln. »Oder wollen wir ihm noch so eine Tapferkeitsmedaille umhängen?«

»Das eine schließt das andere nicht aus«, erwiderte der Regierungschef und kniff leicht die Augen zusammen, um seine intelligente Miene aufzusetzen. »Wir beide wollen uns ja selbst nicht als Zyniker bezeichnen, aber es wäre einigermaßen unverantwortlich, den politischen Erfolg nicht einzustreichen, wenn Blue Bird gelingt. Das Problem mit der Tapferkeitsmedaille dürfte sein, daß wir sie rund zwanzig Mann verleihen müßten, aber mach ihn ruhig zum Konteradmiral oder befördere ihn noch höher, wenn du dazu Lust hast. Du mußt nur darauf achten, daß die Regierung letztlich die Verantwortung gehabt hat und daß niemand etwas anderes denkt.«

»Selbstverständlich!« sagte der Verteidigungsminister Anders Lönnh und lächelte so breit, daß er wie ein Krokodil aussah. »Wenn die Regierung es nicht schafft, schwedische Gefangene mit gewöhnlicher Diplomatie heimzuholen, mit Bestechungsgeld und Güte, schicken wir schließlich Hamilton!«

»Ja, so etwa dürfte es laufen«, stellte der Ministerpräsident leicht reserviert fest. »Aber vielleicht sollten wir den Bären erst schießen, bevor wir sein Fell verteilen. Es wäre schade, wenn Saddam Hussein sich auf einen unserer bevorstehenden diplomatischen Vorstöße einläßt. Doch rein völkerrechtlich müssen wir ja darauf hinweisen können, daß wir zuvor sämtliche Möglichkeiten ausgeschöpft haben. Bevor wir zu dem äußersten Mittel greifen.«

»Dann laß uns auf Saddam Husseins Unverstand hoffen«, faßte Verteidigungsminister Anders Lönnh zusammen.

Carl stand in dem Wachhäuschen neben den Fahrstühlen im Erdgeschoß und hatte sich gerade sein Schulterholster umgeschnürt. Zwei sichtlich verlegene Sicherheitspolizisten leisteten ihm Gesellschaft.

»Nun!« sagte Carl mit unbewegtem Gesicht. »Ich nehme an, die Herren haben einige geänderte Abläufe?«

»Ja, Admiral, das stimmt!« erwiderte einer der Beamten angestrengt. »Ich gehe raus und fahre den Wagen vor, ja? Und dann warten Sie hier mit meinem Partner, ja? Und kommen erst raus, wenn der Wagen vorgefahren ist. Erst dann sehen wir uns in der Umgebung um, ja?«

»Verstanden«, sagte Carl.

Carls Abzug vom Regierungsgebäude fand anschließend mit einigem Getöse statt, so daß keinem Menschen im Umkreis von hundert Metern verborgen bleiben konnte, was da geschah, vor allem da Carl Uniform trug. Eis essende Touristen blieben stehen und zeigten mit dem Finger auf ihn, als sie ihn die wenigen schnellen Schritte von den Panzerglastüren zu dem schwarzen Wagen gehen sahen. Die Personen, die das Gebäude gerade verließen oder betraten, blieben wie versteinert stehen und glotzten. Genau hier, und das wußte jeder, waren die Schüsse gefallen. Und jetzt war er schon wieder vor Ort.

Der schwere schwarze, gepanzerte Volvo fuhr mit heulendem Motor los, als wollte der Fahrer jedem in der Umgebung, der noch nichts gemerkt hatte, mitteilen, was gerade geschah. Carl lehnte sich mit einem Seufzen zurück. Er war müde, und ihm war leicht übel. Vermutlich hatte es mehr mit den Medikamenten zu tun als mit der Anspannung des Tages.

Er wies jeden Versuch seiner beiden Sicherheitsbeamten ab, eine

Unterhaltung anzufangen. Er wollte in Ruhe gelassen werden und in der nächsten halben Stunde vollkommen allein sein. Er hatte keine Lust, Theater zu spielen.

Er hatte Schmerzen und fühlte sich schwach und benebelt. Das war ein Zustand, den er noch nie erlebt hatte; die früheren Schußverletzungen waren relativ unkompliziert gewesen und hatten nicht einmal operative Eingriffe erfordert. Unter anderem, weil damals vollummantelte Munition verwendet worden war, hauptsächlich aber, weil eine Krankenschwester geschossen hatte. Er dachte eine Zeitlang an Mouna und fragte sich, was für neue Funktionen ihr beim palästinensischen Nachrichtendienst wohl zugewiesen wurden, nachdem ihre Identität jetzt in die ganze Welt hinausposaunt worden war. Wahrscheinlich würde man sie befördern und mit Analyse-Aufgaben betrauen, etwas, was man mit Åke Stålhandske nicht machen konnte. Carl nahm sich vor, für Åke einen neuen Job und ein neues Leben zu suchen. Nach Blue Bird mußte es ein neues Leben geben. Åke wollte natürlich bei Blue Bird dabei sein, das würden alle wollen, die er fragte.

Carl grübelte eine Zeitlang darüber nach, was er mit dem Bruder Stefan Wihlborgs machen sollte, des Schweden, der in Bagdad einsaß. Der Expeditionstrupp sollte mindestens zwanzig Mann umfassen, bestehend aus Hubschrauberpiloten, Sanitätern, Mechanikern und kämpfendem Personal. Einige würden größere Gefahren auf sich nehmen müssen als andere. Fünf würden beim Eindringen in das Gefängnis das meiste riskieren, aber sie brauchten einen Reservetrupp in der Nähe. Vielleicht konnte der Bruder bei der Reserve untergebracht werden, was ebenfalls eine wichtige Funktion war, selbst wenn er keinen einzigen Schuß abfeuern mußte. Carl beschloß, Åke Stålhandske zum Kommandeur des Reservetrupps zu machen und selbst den Angriff zu leiten. Er wußte, was der Ministerpräsident und der Verteidigungsminister sich wünschten, aber das war nicht der Grund. Es kam darauf an, daß er bei einer solchen Befreiungsaktion einer der allerbesten war, und im Gegensatz zu Åke und anderen ebenso denkbaren Kandidaten gab es einen weiteren entscheidenden Unterschied: Carls Zeit war abgelaufen. Früher oder später würde man ihn ermorden. Das galt nicht für Åke.

Die Furcht, die Carl empfand, hatte etwas mit Tessie zu tun. Er mußte eine Möglichkeit finden, es ihr zu erklären. Der Sand in seiner Sanduhr war dabei zu verrinnen. Auf lange Sicht würde es unmöglich sein, sich vor fanatischen Meuchelmördern zu schützen. Wenn sie aber bei ihm Erfolg hatten, war es hoffentlich zu Ende. Danach würden sie Tessie und Ian Carlos in Ruhe lassen.

Carl versuchte sich vorzustellen, etwa in einer Situation, die der des Attentats ähnelte, das er gerade überlebt hatte, daß er sich beim nächsten Mal entschließen könnte, seine Waffe zu ziehen, einen der Mörder zu erschießen und dann darauf zu verzichten, den anderen niederzuschießen, um so zu sterben. Es wäre kaum mehr zu spüren als bei dem ersten Anschlag. Er hatte das Gefühl gehabt, einen harten Schlag zu erhalten. Dann war er in Ohnmacht gefallen. Da war alles.

Er erkannte, daß es eine völlig unrealistische Überlegung war. In solchen Situationen übernimmt der Autopilot sofort das Kommando. Man selbst begreift erst hinterher, was man getan hat. Wenn jemand das nächste Mal eine Waffe zog und auf ihn richtete, würde er keinen einzigen Gedanken zu Ende bringen, bevor er schoß. Erst danach würde er wissen, was passiert war.

Diese Gedanken konnte er unmöglich mit Tessie teilen. Im Gegenteil, er mußte ihr erklären, daß Stenhamra der sicherste Ort der Welt für sie alle war. Und er mußte sie irgendwie dazu bringen zu verstehen, daß das Risiko, daß jemand in der Familie ermordet wurde, in Kalifornien zehnmal höher war als in Schweden.

Ihm kam die Idee, Åke und einige ausgewählte Mitarbeiter um ein Experiment zu bitten, nämlich den Versuch zu machen, mit Gewalt in Stenhamra einzudringen. Sie könnten Farbkugeln als Munition verwenden, damit man sehen konnte, wer am Ende wen erschoß. Dann würde sich nämlich herausstellen, daß Carl, der alle Vorteile auf seiner Seite hatte, gewinnen würde. Er schlug sich die Idee jedoch schnell aus dem Kopf.

Trotzdem mußte er versuchen, Tessie die Situation klar zu machen. Er mußte eine Möglichkeit finden, mit ihr zu sprechen, damit sie verstand.

Plötzlich beschleunigte der Wagen und fuhr mit Höchstgeschwindigkeit weiter. Einer der Polizeibeamten drehte sich um und schrie ihm zu, sie hätten eine Verfolgungssituation. Er gebrauchte genau dieses Wort. Carl warf einen Blick aus der geschwärzten Heckscheibe aus Panzerglas, während er automatisch seine Waffe zog. Ein weißer Saab war aus der Schlange hinter ihnen ausgeschert und beschleunigte sichtlich schneller als der schwere gepanzerte Wagen, in dem sie fuhren.

»Gib über Funk durch, wie die Lage ist. Laß die Scheißkerle da vorn auf der geraden Strecke aufholen!« befahl er, gleichzeitig suchte er nach dem Knopf des Fensterhebers, um seine linke Seitenscheibe halb herunterzubekommen.

Während er den weißen Saab betrachtete, der sich von hinten schnell näherte, steckte er die Hand in die Jackentasche und zog ein Pistolenmagazin hervor. Er zog das Magazin heraus, das in der Waffe steckte, entnahm dem Lauf die Patrone, schob das neue Magazin ein und entsicherte die Waffe.

»Habe zu metallbrechender Munition gewechselt«, erklärte er einem der beiden Polizisten, der sich über die Rückenlehne beugte und durch die dunkle Heckscheibe zu sehen versuchte.

»Amerikanische Munition?« fragte der Sicherheitsbeamte.

»Nein«, entgegnete Carl. »Schwedisch, Urankern mit Teflon. Laß den Wagen nur nahe genug herankommen, dann schnappe ich ihn mir.«

Kaum hatte er es gesagt, schaltete der Fahrer des Saab Blaulicht ein, schloß zu dem schwarzen Volvo auf und erteilte mit rotem Licht den Befehl anzuhalten.

»Sind das richtige Polizisten?« fragte Carl.

»Das wissen wir nicht! Ich habe noch keine Bestätigung von der Einsatzzentrale!« schrie der Fahrer im Falsett.

Carl erkannte, daß die Zentrale, mit der der Fahrer Kontakt herstellen wollte, die der Sicherheitspolizei war. Das bedeutete, daß die Leute hinter ihnen sehr wohl gewöhnliche Polizisten sein konnten, die nicht ahnten, daß der Wagen vor ihnen im Prinzip auch ein Polizeiwagen war.

»Anhalten! Befolge ihr Signal!« befahl Carl. »Gib über Funk unsere Position an!«

Er betrachtete gespannt, wie der weiße Saab hinter ihnen anhielt und sie mit Blaulicht anstrahlte.

»Was glaubt ihr? Sind das nur Verkehrsbullen?« fragte Carl ohne den weißen Saab aus den Augen zu lassen.

»Weiß nicht!« schrie der Fahrer, der an seinem Funkgerät herumhandierte.

»Es wird sich wohl herausstellen«, stellte Carl fest. »Hast du deine Waffe bereit?« fragte er, entdeckte aber, daß die Frage überflüssig war. »Wir machen folgendes. Wenn jemand hinter uns die Tür aufmacht, steigst du auf deiner Seite aus und ich auf meiner. Und zwar mit gezogener Waffe, verstanden?«

»Ja, verstanden!« erwiderte der Sicherheitsbeamte. Im selben Moment ging eine der Türen des weißen Saab auf.

Carl stürzte mit ausgestreckter Waffe hinaus, sprintete auf den anscheinend unbewaffneten Mann zu und richtete die Pistole auf dessen Kopf, während er ihm gleichzeitig befahl, sich auf die Erde zu legen.

Der Mann gehorchte sofort. Dann trat Carl schnell mit einem langen Schritt vor und richtete die Waffe durch die offene Wagentür auf einen ebenso verängstigten wie erstaunten Verkehrspolizisten, der hilflos einen Block mit Strafzetteln vor sich hielt, als könnte er sich damit schützen. Carls Unterstützung in Gestalt eines herbeieilenden Vertreters der schwedischen Sicherheitspolizei war inzwischen auf der anderen Seite des weißen Saab angekommen und richtete seine Pistole auf den Beifahrersitz.

»Ihr seid zu schnell gefahren«, sagte der Verkehrspolizist mit den Strafzetteln.

»Offenbar. Herzlichen Glückwunsch zu diesem Fang«, sagte Carl und steckte seine Waffe ins Schulterholster. Dann berührte er den Fahrer des weißen Saabs, der vor ihm lag, freundlich mit dem Fuß.

»Verzeihung«, sagte Carl. »Wir glaubten, von etwas bedeutend Schlimmerem als der schwedischen Polizei verfolgt zu werden.«

Er machte auf dem Absatz kehrt und ging mit schnellen Schritten zurück, setzte sich auf den Rücksitz, schlug die Tür zu und überließ es den Polizeibeamten, die Situation zu klären. Weniger als eine Minute später waren sie wieder unterwegs.

»Ich habe zwei Dinge anzumerken«, teilte Carl nach einer Weile mit. »Erstens wäre es praktisch, wenn wir uns künftig an die Geschwindigkeitsbegrenzungen hielten und uns überhaupt so wenig wie möglich von der Umgebung unterschieden. Zweitens sollte man eine Pistole niemals mit zwei Händen halten. Damit wird man als Ziel doppelt so groß und halb so beweglich. So etwas macht man nur in amerikanischen Polizeifilmen, verstanden?«

»Ja, verstanden«, erwiderte sein Leibwächter leise.

Dann versank Carl hinter seiner Mauer des Schweigens und tat, als sähe er die besorgten Blicke nicht, die die beiden Polizisten ihm in regelmäßigen Abständen in den Rückspiegeln zuwarfen.

Carl mußte etwas unternehmen. Das Leben mußte weitergehen und möglichst normal werden. Johanna Louise und Stan waren begraben. Trauer und Tränen würden daran nicht das mindeste ändern. Ein Schritt in die richtige Richtung wäre, so oft wie möglich Gäste nach Stenhamra einzuladen. Am besten gleich zum Wochenende. Er nahm sich vor, Åke anzurufen, sobald er zu Hause war. Tessie mußte wieder mit anderen Menschen in Berührung kommen und nicht nur dieses Au-Pair-Mädchen und den amerikanischen Seelenklempner um sich haben.

*

Luigi Bertoni-Svensson alias Tony Gianelli lag still auf seinem Bett. Er hatte die Hände im Nacken gefaltet, blickte an die Decke, ohne etwas zu sagen und hatte das Gefühl, als brenne es in ihm. Die Düfte Lady Carmens hingen noch in der Bettwäsche und an seinem Körper. Das machte es ihm schwer, klar zu denken. Er wollte begreifen, was er erlebt hatte. Mochte sein männliches Selbstwertgefühl sich auch gegen die Erkenntnis wehren, daß er verführt worden war, kam dies der Wahrheit doch sehr nahe. Sie hatte wie selbstverständlich alles bestimmt, vom ersten Moment an, als sie ihn einfach aufs Bett geworfen und ihm die Kleider vom Leib gerissen hatte.

Er war entzückt, beeindruckt und vielleicht ein wenig beschämt. Am meisten jedoch beeindruckt. Lady Carmen war vollkommen anders als alle Frauen, die er kannte. Das lag nicht nur daran, daß sie älter war als er, was er zum ersten Mal erlebt hatte, sondern vor allem an ihrer Art, sich einfach alles zu nehmen, was sie wollte, an ihrem totalen Mangel an Schüchternheit und an ihrer Gier. Sie brachte ihn dazu, sich unschuldig und unerfahren und zugleich wie ein kühner Entdeckungsreisender zu fühlen. Es kam ihm vor, als sei er in einen Pornofilm versetzt worden, aber ohne jede Peinlichkeit oder Verlegenheit. Ihre Hemmungslosigkeit erregte ihn. Sie lockte ihn ohne viel Federlesens zu Großtaten, die er sich nie zugetraut hätte. Das steigerte wiederum ihre Lust, was sie ihm sehr deutlich zu erkennen gab.

Ihr Körper war hart und geschmeidig, und er nahm an, daß sie täglich viele Stunden Gymnastik und Aerobic machte, um ihn so zu formen. Er fragte sich, woher sie überhaupt die Zeit nahm, einen Job auszufüllen. Wahrscheinlich war ihre Arbeit eher eine symbolische Tätigkeit. In der Hauptsache bestand er wohl darin, daß sie mit einem Mann verheiratet war, der ungefähr doppelt so alt war wie sie und bis vor kurzem Großbritanniens Verteidigungsminister gewesen war.

Luigi überlegte kurz mit einem spöttischen Lächeln, wie der ehemalige Verteidigungsminister sich mit diesem wilden Tier im Bett anstellte.

Überhaupt kam es Luigi rätselhaft vor, wie eine Frau in ihrem Alter, eine Frau von unklarer Herkunft, deren wichtigstes Talent ihre Erotik war, mit einem Verteidigungsminister verheiratet sein konnte. Er versuchte, sich die entsprechende Situation zu Hause in Mailand vorzustellen. Ein geachteter Mann, der im Staat eine hohe Position bekleidete, ließ Familie und Kinder im Stich, um eine junge Frau, die einem Pornofilm entsprungen zu sein schien, zu »Lady Carmen« zu machen. Er tat den Gedanken als unmöglich ab. In den USA wäre so etwas ebenfalls undenkbar, ja, selbst in Schweden konnte er es sich kaum vorstellen. Doch die Briten waren offenbar unzurechnungsfähig, wenn es um Sex ging.

Wie er sich widerwillig eingestehen mußte, schmeichelten ihm die positiven Kritiken, mit denen sie ihn und seinen Körper überschüttet hatte, sehr. Er hatte ihr in aller Sittsamkeit gesagt, es liege wohl nur daran, daß sie mit einem alten Knacker verheiratet und folglich leicht ausgehungert sei. Aus irgendeinem Grund hatte sie dann mit lautstarker Heiterkeit angedeutet, so besonders ausgehungert sei sie nun wirklich nicht. Sie habe nur das Glück gehabt, einen jungen italienischen Hengst namens Tony Gianelli zu finden.

Für den Rest des Wochenendes hatte sie ihm Urlaub gegeben.

So hatte sie sich tatsächlich ausgedrückt. Sie hatte erklärt, es werde zu Hause bei ihrem Mann einige stinklangweilige Empfänge geben.

Mit einem Ruck stand Luigi auf und zog sich an. Er beschloß, zur U-Bahn zu gehen und einen Stapel Zeitungen zu kaufen, da er endlich anfangen mußte, mehr über England zu lernen.

Mit vier oder fünf Kilogramm Zeitungen im Arm war er bei leichtem Nieselregen wieder nach Hause gejoggt, hatte sich Tee gemacht und sich dann ins Wohnzimmer im Erdgeschoß gesetzt, wo die Fenster auf die Straße zeigten. Dann hatte er sich Zeitung für Zeitung und Seite für Seite vorgenommen.

Es gab ein Thema, das den redaktionellen Teil aller Zeitungen beherrschte. Nämlich Sex-Skandale. Da gerade ein weiterer britischer Politiker bei einer Ehebruchsaffäre erwischt worden war, rekapitulierten die Blätter automatisch eine lange Reihe früherer ähnlicher Fälle in John Majors Kabinett.

Der letzte in der Reihe war ein Mann des Foreign Office namens Hartley Booth. Dieser war neben seiner Tätigkeit im Außenministerium Methodistenprediger und ein Moralapostel ersten Ranges.

Er hatte offenbar ein zweiundzwanzigjähriges Nacktmodell als heimliche Gesellschaftsdame angestellt und ihre Dienste für späte Essen und Sitzungen in Hotelzimmern angefordert, bestritt jedoch, daß sich je etwas Ungehöriges ereignet habe. Die Tatsache, daß er sich der jungen Miss Emily Barr angenommen habe, liege vor allem an seiner Güte und seinem mitfühlenden Herzen für junge Leute, die im Porno-Sumpf zu versinken drohten, wovon er bekanntlich ein entschiedener Gegner sei.

Luigi las konzentriert weiter. Es fiel ihm nicht einmal ein zu kichern. Dazu war die Geschichte viel zu unwahrscheinlich.

Der Prediger und Foreign-Office-Mann Booth war einer derjenigen gewesen, die sich für die Kampagne der John Major-Regierung *Back to Basics* stark gemacht hatten, für die Rückkehr zu dem guten, anständigen Leben. Dieser Kampagne zufolge waren Liederlichkeit und Sittenverfall dafür verantwortlich, daß Großbritannien keine führende Weltmacht mehr war. Unter anderem gebe es viel zu viele ledige Mütter. Den Karikaturen auf den Leitartikelseiten und den verschiedenen politischen Kommentaren entnahm Luigi nach und nach diesen Hintergrund. Anfänglich glaubte er seinen Augen nicht zu trauen, ließ sich jedoch irgendwann überzeugen. Diese Engländer *waren* verrückt.

Was den Methodistenprediger Booth anging, hatte dieser zunächst alles geleugnet und nur auf seine Philanthropie verwiesen. Die Skandalpresse hatte jedoch bald seine Liebesgedichte an die junge Miss Emily Barr ausgegraben oder gekauft, und auch wenn Luigi sich außerstande sah, die literarische Qualität dieser Poesie zu beurteilen, wurde zumindest dem Spion in ihm überdeutlich, daß die Beweislage eindeutig war.

Dieser Meinung war dann auch der Prediger gewesen und hatte konsequenterweise auf eine weitere Karriere im Foreign Office verzichtet.

Da mit diesem jüngsten Skandal ein Höhepunkt erreicht war, wurden ähnliche Ereignisse des Vorjahres rekapituliert. Der Kulturminister David Mellor hatte eine Verbindung mit einer angeblichen Schwedin gehabt. Diese trug den wenig schwedisch klingenden Namen Antonia de Sancha; sie hatte ihre Geschichte an eine Sonntagszeitung verkauft, in der sie die Vorliebe des Herrn Kulturministers für Hiebe auf das blanke Hinterteil darlegte, am liebsten im Trikot der Fußballmannschaft Chelsea. Auch er war zurückgetreten. Die »Schwedin« war durch den Verkauf weiterer Details ziemlich reich geworden. Überdies posierte sie in Latexkleidung.

Tim Yeao, Umweltminister, war dabei erwischt worden, daß er außerhalb seiner Ehe dazu beigetragen hatte, die Zahl lediger Mütter in England zu erhöhen. Auch er hatte zurücktreten müssen.

Luigi kam der Gedanke, daß es sich hier vielleicht um eine Strafe der Medienwelt für die Politiker handelte, die die Kampagne *Back to Basics* ausgebrütet hatten; besonders, als er den Kommentar der Feministin Germaine Greer las, man solle dafür sorgen, daß britische Minister kostenfrei Kondome als Dienstausrüstung erhielten, damit sie die Zahl lediger Mütter nicht unnötig steigerten und damit zum Verfall in Großbritannien beitrugen.

Der Transportminister Lord Caithness war zurückgetreten, nachdem seine Frau sich in den Kopf geschossen hatte. Sie hatte entdeckt, daß er fremdgegangen war.

Ein Minister, dessen Bekanntheit offenbar bei allen Lesern vorausgesetzt wurde, da man seine Funktion nicht nannte, ein gewisser Cecil Parkinson, war zum Rücktritt gezwungen worden, nachdem er seine Sekretärin Sara Keays geschwängert hatte. Von dem stellvertretenden Transportminister Steven Norris hieß es, er habe fünf Geliebte, sei aber noch nicht zurückgetreten.

Der konservative Parlamentsabgeordnete Jeffrey Archer solle, wie es in einer bei der Hure Monica »Debbie« Coghlan gekauften Story zufolge hieß, an vorzeitigem Samenerguß leiden. Die Hure, die mit dieser Bezeichnung in der Zeitung vorgestellt wurde, hatte die Story verkauft und stand für jedes Wort ein. Mr. Archers politische Karriere war damit beendet. Anschließend machte er die Schriftstellerei zu seinem Hauptberuf.

Luigi las intensiv und memorierte alles, als ginge es um Texte, die zu seinem Job gehörten, empfand aber auch zunehmend Unlust. Es kam ihm vor, als übte Lady Carmen nicht mehr den gleichen Reiz aus.

War er in einer verrückten Kultur gelandet? Waren alle so? Und außerdem: Falls außereheliche Affären in diesem Land tatsächlich so interessant waren, hatte er, Luigi, nicht gerade das unauffälligste Debüt als Under Cover-Agent erlebt, da er schon an seinem ersten Arbeitstag ein Verhältnis mit einer Person begonnen hatte, die ohne Zweifel Gefahr lief, bei der ersten besten Begegnung mit einem Fotografen am falschen Ort und im falschen Augenblick zum Stoff für Schlagzeilen zu werden.

Er war bei einer sexverrückten Nation gelandet, das stand eindeutig fest. Seine bislang einzige Aufgabe bestand darin, sich an das Leben in dieser Nation anzupassen, und mit diesem blitzschnell begonnenen Verhältnis, wenn auch mit der Ehefrau eines ehemaligen Verteidigungsministers, hatte er seine Anweisungen erstaunlich genau befolgt.

Falls das Unternehmen tatsächlich begann, würde er sich natürlich genötigt sehen, sein Verhältnis zu Lady Carmen zu offenbaren. Und wenn er ihre Ansichten zu diesem Thema ernst nahm, schien es sich bei ihr nicht gerade um eine Angelegenheit von einer Nacht zu handeln. Im graute vor dem Augenblick, in dem er darüber Rechenschaft ablegen mußte. Lügen konnte er in dieser Sache nicht, das wäre ein Verstoß gegen die Grundregeln. Wenn die Operation eingeleitet wurde, würde sein Führungsoffizier, vermutlich ein vorgesetzter britischer Kollege, einen detaillierten Bericht über seinen Lebenswandel als Tony Gianelli erwarten.

Er tröstete sich damit, daß das Unternehmen noch nicht in Gang gekommen war und er sich bislang nur an das britische Leben angepaßt hatte. Vielleicht würde es nie zu etwas anderem kommen; der wesentliche Teil des Jobs würde nur aus den neuen Erkenntnissen bestehen, die er von Marconi Naval Systems nach Schweden mitbrachte, sowie den eher persönlichen Erfahrungen, die Lady Carmen ihm bieten konnte.

Er dachte daran, wie sie englisch gesprochen hatte. Es war definitiv kein italienischer Akzent, obwohl es in ihrer Sprache affektierte Manierismen gab, welche die Gedanken in diese Richtung lenken konnten.

Nach all den Jahren in Kalifornien wußte er genau, wie sich im Englischen ein spanischer Akzent anhört, zumindest der lateinamerikanisch-spanische Akzent im amerikanischen Englisch. Eigentlich müßte es sich bei Lady Carmen ähnlich anhören, das war aber nicht der Fall. Hatte sie vielleicht eine portugiesische Vergangenheit, die sie aus irgendeinem Grund verbergen wollte?

Wahrscheinlich spielte es keine größere Rolle. Die Frau, die mit einem ehemaligen Verteidigungsminister verheiratet war, mußte von den Fußspitzen bis zur falschen roten Farbe ihres Haars unter die Lupe genommen worden sein.

Luigi gestand sich widerwillig ein, daß er sich durch ihr überschwengliches Lob für seine männlichen Leistungen geschmeichelt fühlte. Dann beruhigte er sich wieder damit, keine Anweisung erhalten zu haben, die im Widerspruch zu den Erlebnissen stand, die sie ihm geboten hatte.

Sie hatte das nächste Treffen für den Montagabend angesetzt und ihm befohlen, ein italienisches Essen zu komponieren. Für *hinterher.* Sie hatte betont, daß sie erst hinterher essen sollten. Weil man mit knurrendem Magen am besten liebe.

Er hatte schon damit begonnen, die Mahlzeit zu planen, und in der Nachbarschaft nach Weinläden gesucht.

6

Das Hotel The Connaught entsprach Carls ohnehin schon hohen Erwartungen an ein England, das wie in alten Filmen aussah.

The Connaught lag in Mayfair und sah vermutlich schon seit hundert Jahren so aus. Das Personal besaß die bemerkenswerte Gabe, diese britische Überlegenheit zur Schau zu tragen, die unter anderem auf perfekter Kleidung beruht. Alle trugen Jackett, sprachen außerordentlich gepflegt und legten eine große Freundlichkeit an den Tag. Selbst ein Amerikaner in Jeans wurde wie ein Gast behandelt.

Schon bei der ersten Fahrt mit dem Fahrstuhl war Carl die besondere Ausdrucksweise des Personals begegnet. Er fragte den Fahrstuhlführer, ob man in der Bar eine Krawatte tragen müsse.

»Ganz allgemein, Sir«, sagte der junge Fahrstuhlführer verbindlich, »könnte ich mir vorstellen, daß das Tragen einer Krawatte in der Bar des Connaught durchaus gern gesehen wird.«

»Ich verstehe«, sagte Carl.

Auch die Hotelsuite vermittelte den Eindruck, als wäre die Zeit stehengeblieben: Ölgemälde an den Wänden, meist Pferde- oder Blumenmotive, chinesische Vasen, Wandlampen aus Porzellan, große geblümte Muster auf schweren Gardinen, imposante Sessel und in dem offenen Kamin die elektrische Imitation eines brennenden Feuers. Das Badezimmer war vollständig mit weißem Marmor ausgekleidet. Das Schlafzimmer wurde von einem sehr großen Bett und einem hohen Kleiderschrank aus dunklem Edelholz beherrscht. Die Messingbeschläge waren blankpoliert.

Als Carl seine Kleider weggehängt und seinen Laptop im Wohnzimmer abgestellt hatte, klopfte es diskret an der Tür. Als er aufmachte, stand ein Mann mit Jackett vor ihm und meldete zwei Herren des Travellers' Club, die einige Pakete abliefern wollten.

Es war sein Arbeitsmaterial, ungefähr fünfzehn Kilogramm Dokumente, die in numerierten grünen Ledermappen steckten. Die Männer, die angeblich vom Travellers' Club kamen, trugen das Material trotz der Anwesenheit des Hotelangestellten herein, obwohl die Mappen deutlich sichtbare Geheim-Stempel trugen, und legten alles auf das geblümte Sofa. Dann hielt einer der Männer eine Aktentasche hoch, warf einen Seitenblick auf den Hotelangestellten und hob eine Augenbraue, was diesen veranlaßte, sich sofort zurückzuziehen.

Als er verschwunden war, stellten sich die beiden MI 6-Beamten vor und baten ihn, den Empfang der Dokumente zu quittieren. Sie erklärten, es bestehe Anweisung, die Dokumente keine Sekunde unbeaufsichtigt zu lassen, und teilten mit, daß Sir Geoffrey telefonisch Kontakt halten werde.

Falls er das Zimmer verlassen wolle, solange die Akten da seien, werde er gebeten, die beigefügte Telefonnummer anzurufen, damit man einen Mann herschicken könne. Carl fragte verblüfft, ob es nicht unpassend sei, sich in einem normalen Hotel so auffällig zu benehmen, doch sie versicherten ihm, daß auch die Diskretion im Connaught keine Wünsche offen lasse. *Der Dienst* nehme das Hotel bei ausländischen Besuchern oft in Anspruch.

Nachdem der Dienst, womit sie sich offenbar selbst gemeint hatten, gegangen war, zog Carl sich bequeme Kleidung an, und begann, seine Arbeit zu organisieren. Die größte Schwierigkeit bestand darin, einen funktionalen Arbeitsplatz zu finden. Der Schreibtisch sah aus, als wäre er nur zur Zierde da, um eine Weinkarte auszubreiten oder kleine Zettel vollzuschreiben. Carl installierte seinen Laptop auf dem kleinen Empire-Schreibtisch und verteilte die Mappen auf den Sesseln und dem Sofa. Dann hantierte er eine Weile mit einer Stehlampe, um einen Platz zum Lesen zu haben, und begann mit der Arbeit.

Zuerst ersann er ein einfaches Programm, um in den rund vierzig mehr oder weniger rätselhaften Selbstmordfällen, die er jetzt bearbeiten sollte, einen gemeinsamen Nenner zu finden. Er ließ sich Zeit, da die Systematik wichtig war. Sobald er die Angaben in das Programm eingearbeitet hatte, die er für relevant hielt, würde er mit verschiedenen Hypothesen und Zusammenhängen spielen können. Der Einstieg war einfaches Handwerk, das nur Zeit erforderte, so daß er manchmal die Konzentration verlor und etwas anderes tat. So rief er ein paarmal am Tag bei Tessie an. Sie wirkte ruhig. Er erklärte, er werde nicht lange wegbleiben. Er hatte ihr alles beschrieben, als ginge es um die Operation Blue Bird. Auf diese Weise hatte er sie davon überzeugen können, daß die Operation unbedingt durchgeführt werden mußte, ohne jede Rücksicht auf ihren Gemütszustand.

Im Laufe seiner mechanischen Arbeitsgänge wuchs sein Interesse für die möglichen Zusammenhänge. Vermutlich waren mehr als die Hälfte dieser Selbstmorde echt. Es fanden sich persönliche Umstände, Zeugenaussagen und Todesarten, die diese Hypothese untermauerten. Ein Mann, der schon öfter von Selbstmord gesprochen hatte, gerade geschieden worden und dann in einer Garderobe mit der Wäscheleine des Hauses um den Hals aufgefunden worden war, konnte als echter Selbstmord gewertet werden. Entscheidend war vielleicht noch, daß der Mann zwei Finger in die Schlinge gesteckt hatte, als hätte er in letzter Sekunde überleben wollen. Außerdem war er bei seinem Tod betrunken gewesen.

Anders sah es bei zwei Männern aus, die in der Badewanne ertrunken waren. Beide hatten eine Whiskyflasche neben sich stehen, die auf Betrunkenheit hindeutete. Die gerichtsmedizinische Untersuchung hatte jedoch ergeben, daß dies nicht der Fall sein könne. Da diese Selbstmorde überdies wie ein Blitz aus heiterem Himmel gekommen sein sollten, so hatten es die nächsten Angehörigen gesagt, gab Carl beide Fälle mit einer Klassifikation als Morde in den Laptop ein.

Es hatte den Anschein, als verliefe die Methode dieser »Selbstmorde« in Wellen. Eine Zeitlang war der Badewannen-Trick beliebt gewesen. In einem späteren Zeitraum gab es drei Fälle hintereinander, bei denen das jeweilige Opfer angeblich in eine Garage oder ein Arbeitszimmer gegangen war, um dort eine Lampe auseinanderzunehmen. Zwei stromführende Kabel waren dann an den Eckzähnen befestigt worden. Dann hatte jemand den Strom eingeschaltet. Eine traurige Art zu sterben. Sicher tat es verdammt weh und erforderte relativ viel Zeit.

Die drei Männer, die sich angeblich selbst gegrillt hatten, indem sie Stromkabel an den Zähnen befestigten, hatten außerdem noch etwas gemeinsam: Alle hatten die Tür von innen verschlossen. Carl gewann den Eindruck, daß dieses Arrangement gewählt worden war, um die Polizei dazu zu bringen, möglichst schnell ein

Verbrechen auszuschließen. Ihm fiel auf Anhieb mehr als eine Methode ein, ein Zimmer so abzuschließen, daß es aussah, als wäre es von innen verschlossen worden.

Ein gemeinsamer Nenner, zu dem Carl anhand seines geheimen Materials Zugang hatte, hatte der zivilen Kriminalpolizei bei ihrer Arbeit gefehlt: Carl konnte einsehen, woran die Toten gearbeitet hatten.

Alle hatten an Computersimulationsprogrammen gearbeitet, bei denen es um Waffeneinsätze gegen U-Boote ging. Das mochte mehr oder weniger weit hergeholt erscheinen, doch es gab eine Gleichheit der vermeintlichen Selbstmordmethoden, die statistisch überzeugend war.

Umgekehrt konnte Carl die geheimen Informationen auch dazu verwenden, solche Selbstmordfälle zu prüfen, die echt zu sein schienen. In keinem dieser Fälle fand er bei der beruflichen Arbeit Hinweise auf Unterwasser-Technologien.

Als Carl mehr als zehn Fälle aussortiert hatte, die Morde gewesen zu sein schienen, kam der schwierigste Teil, nämlich der Versuch, Schlüsse zu ziehen hinsichtlich der Methoden und der Möglichkeiten, sich zu wehren. Die Antwort auf diese Fragen würde darüber entscheiden, inwieweit Luigi sein Leben aufs Spiel setzen sollte.

Carl ging davon aus, daß die Protokolle über die gerichtschemischen Untersuchungen, die ihm vorlagen, in mindestens einer Hinsicht unzuverlässig waren. Falls man die Opfer zunächst unter Drogen gesetzt hatte, um sie wehrlos zu machen, würde sich das bei gewöhnlichen gerichtschemischen Analysen nicht zeigen. Er hatte ein Jahr zuvor oben in Murmansk von Jurij Tschinwartschew eine kleine Sammlung von Souvenirs erhalten, Ampullen mit Insulin, Curare oder Nikotin, die sich in tödlichen Dosen injizieren ließen. Das war offenbar eine alte KGB-Spezialität. Wenn man jetzt mit der Theorie arbeitete, daß die Russen Personal der britischen Streitkräfte ermordeten, lag der Gedanke immerhin nahe, gerade diesen Risikofaktor zu berücksichtigen.

Am Ende kam Carl jedoch zu dem Ergebnis, daß er Gifte mit atemlähmender Wirkung ausschließen konnte. Die Männer, die man unter Wasser gedrückt hatte, waren tatsächlich ertrunken. Das wäre nie möglich gewesen, wenn sie zuvor eine Atemlähmung gehabt hätten. Lustigerweise waren diese Ertrunkenen auch noch allesamt Nichtraucher gewesen, was Injektionen von Nikotin und ähnlichen Giften ausschloß. Nur eine Vergiftung durch körpereigene Substanzen würde bei einer gerichtsmedizinischen Untersuchung nicht entdeckt oder als verdächtig angesehen worden.

Und dann waren da diese Opfer, die erstickt waren, weil sie sich mit Damenunterwäsche bekleidet eine Plastiktüte über den Kopf gezogen hatten – offenbar eine bemerkenswerte britische Spezialität. Die gerichtsmedizinischen Untersuchungen hatten eindeutig ergeben, daß jeweils Erstickung den Tod verursacht hatte. Wenn jemand sich selbst erstickt, muß er noch eine Zeitlang am Leben sein. Eine Vergiftung hätte die Glaubwürdigkeit des Erstickungstodes erschüttert.

Während Carl über dieses Problem nachgegrübelt hatte und immer wieder auf dem Perserteppich hin und her gegangen war, hatte er aus reiner Zerstreutheit die britischen Fernsehnachrichten eingeschaltet. Was er auf dem Bildschirm zu sehen bekam, sah aus wie eine Reaktion auf seine Bemühungen.

Wieder war jemand durch eine Plastiktüte zu Tode gekommen. Mit aller Deutlichkeit wurde gezeigt, daß es sich nicht um einen beliebigen Sexverrückten handelte. Stephen Milligan habe nach Ansicht der BBC als wahrscheinlicher Kandidat für einen künftigen Premierministerposten gegolten und überdies an führender Stelle bei der Kampagne *Back to Basics* mitgearbeitet.

Dieser prominente Politiker war in seinem Haus in Hammersmith im Westen Londons tot aufgefunden worden. Er hatte einen schwarzen Hüfthalter getragen, einen schwarzen BH, Nylonstrümpfe und eine Plastiktüte auf dem Kopf. Im Mund steckte eine Apfelsine. In den Fernsehnachrichten wurde schonungslos über die näheren Umstände des Hinscheidens dieses Moralwächters berichtet.

Nichts deute auf einen Mord hin, teilte die BBC mit.

Carl war sprachlos und schaltete den Fernseher aus. Nichts deutete auf Mord hin? Wie kann man sich dessen so schnell sicher sein? War es denn üblich, daß konservative englische Politiker sich mit Apfelsinen amüsierten, mit schwarzer Damenunterwäsche und Plastiktüten? Gab es hier in England etwas, was Ausländer nicht begriffen?

Carl gab die Angaben in seinen Laptop ein und erhöhte damit die Zahl der Plastiktüten-Fälle auf fünf. Ein Verrückter mehr oder weniger machte keinen statistischen Unterschied, wie er erkannte. Die entscheidende Frage war immer noch, ob es eine den wahrscheinlichen Mordfällen gemeinsame Mordmethode gab, die sich bisher noch nicht gezeigt hatte.

Carl hatte diesen Gedanken schon bei der Erstellung seines Computerprogramms im Hinterkopf gehabt und konnte sich jetzt die Daten der vermutlichen Mordopfer nacheinander ansehen.

Am Ende wagte er es, sich der entscheidenden Schlußfolgerung zu nähern. Er selbst, vielleicht auch Luigi, hätte die Morde ebenfalls durchführen können. Keiner von beiden hätte größere Schwierigkeiten gehabt, einen Mann in einer Badewanne zu ertränken und dann hinter sich aufzuräumen. Sie hätten einen Todeskandidaten auch von einer Brücke werfen können. Es hätte sie auch keine Mühe gekostet, die Betreffenden in dieser offenbar sehr englischen Aufmachung mit Damenunterwäsche und Plastiktüte auszustaffieren; der Einfachheit halber hatten die Mörder wohl mit der Plastiktüte begonnen und die modischen Pikanterien erst dann nachgeliefert, als das Opfer nicht mehr zappelte.

Entscheidend war jedoch, daß diese als Selbstmord getarnten Morde unter relativ geringer Gewalteinwirkung hatten durchgeführt werden können.

Dies bedeutete, daß jeder, der sich ahnungslos über Luigi hermachte, nämlich in dem Glauben, er brauche ihn nur niederzuringen und ihm dann eine Plastiktüte über den Kopf zu ziehen, auf erhebliche Schwierigkeiten stoßen würde, falls er den Versuch überhaupt überlebte. Folglich sollte Luigi aktiviert werden. Das war die Nachricht, die Carl Sir Geoffrey übermitteln wollte.

Carl drehte und wendete seine Erkenntnisse und untersuchte die verschiedenen Fälle wahrscheinlicher Morde nochmals. Die Variationen bei den Mordmethoden waren so groß, daß zumindest einige Fälle, vor allem die mit den Plastiktüten und dem Ertrinken, unter Einsatz körperlicher Gewalt erfolgt zu sein schienen und nicht unter Einsatz von Chemikalien.

Die Datenauswertung des Computerprogrammes und Carls logische Überlegungen führten zu diesem Ergebnis. Das Problem war aber, daß eine fehlerhafte Schlußfolgerung bedeutete, daß er das Leben eines seiner Mitarbeiter aufs Spiel setzte.

Es wäre unehrlich, das Unternehmen unter Hinweis auf vermeintliche Risiken abzublasen, die Carl schließlich nicht entdeckt hatte – aller Voraussicht nach würde es unmöglich sein, einen Mann wie Luigi oder ihn selbst dazu zu bringen, mit den bisher gezeigten Methoden Selbstmord zu begehen. Und für den Fall dieses Ergebnisses hatten zwei Regierungen in westlichen Demokratien entschieden, daß man sich Luigi als des Spezialisten beim *Dienst* bedienen würde, der er tatsächlich war.

Ebenso unehrlich wäre es, die Risiken mit Luigi nicht offen zu besprechen; es würde nicht genügen, ein paar Scherze darüber zu machen, daß wahrscheinlich zwei Typen mit schwarzen Spitzenhöschen, einer Apfelsine und einer Plastiktüte herumwedeln würden, die man dann auf geeignete Weise unschädlich machen müsse. Ungeklärt war schließlich, ob die Mörder ihren Opfern gedroht hatten, etwa mit einer Waffe. Und damit stellte sich die Frage, ob Luigi bewaffnet werden sollte.

Die Antwort war nicht ganz einfach. Der Vorteil einer Waffe in Luigis Händen war, daß damit die Bedrohung durch eine Waffe in den Händen des Feindes neutralisiert wurde. Der Nachteil war, daß Luigis Cover als unschuldiger und harmloser Computerfreak sofort platzen würde, wenn man sie entdeckte. Vielleicht sollte Luigi selbst dazu Stellung nehmen. Tatsache war, daß jeder, der in Luigis Reichweite mit einer Pistole oder einem Messer herumfuchtelte, wahrscheinlich sehr schnell sterben würde. Und in Reichweite mußte der Täter sein, wenn ein Opfer ertränkt werden sollte oder wenn man ihm eine Plastiktüte über den Kopf ziehen oder ihm Stromkabel an den Zähnen befestigen wollte.

Carl verschloß sein Computerprogramm mit einem Code, klappte den Deckel des Laptops zu und schaltete den Strom aus. Dann ging er zum Telefon, rief die angegebene Nummer an, unter der sich eine anonyme Stimme meldete, und teilte mit, *der Dienst* solle so freundlich sein, sein Material abzuholen. Er sei jetzt fertig. Inzwischen hatte er Lust auf den ersten Spaziergang seines Lebens in London bekommen; seit achtundvierzig Stunden hatte er sein Hotelzimmer nicht verlassen.

*

An einem Punkt, etwa am 31. Breitengrad und am 40. Längengrad, grenzen drei Staaten in einer öden Wüstenlandschaft aneinander – Jordanien, Irak und Saudi-Arabien. Entlang der eintausend Kilometer langen Grenze zwischen Irak und Saudi-Arabien, von Kuwait am Persischen Golf bis hin zur jordanischen Grenze verläuft eine Pipeline, die ihre Schuldigkeit inzwischen getan hat. Doch neben der Pipeline befindet sich etwas, was an einen befahrbaren Weg erinnert. Der einzige Ortsname, der auf der Karte in der Nähe des Dreiländer-Ecks markiert ist, ist Badanan. Im übrigen ist dieses Gebiet eine mehrere hundert Quadratkilometer große Ödnis, ein Teil der großen syrischen Wüste namens An Nafud.

Åke Stålhandske hatte Badanan auf seiner amerikanischen Satellitenkarte mit einem roten Kreuz markiert.

Er arbeitete an der saudischen Alternative. Samuel Ulfsson hatte ihm die vage Anweisung gegeben, vorerst auf Saudi-Arabien zu setzen, bis er eventuell einen anderen Bescheid erhalte. Samuel Ulfsson hielt mit dem Außenministerium und der Regierung Verbindung.

Die geographischen Verhältnisse hatten offenkundige Vorteile. Die Flugstrecke ließ sich auf jeweils einhundertfünfzig Kilometer begrenzen. Das würde bedeuten, daß der Trupp die Chance hatte, den gesamten Transport mit einer einzigen Tankfüllung zu bewältigen, je nach Hubschraubermodell.

Der amerikanische Nachrichtendienst hatte sämtliche irakischen Radarstationen südlich und westlich von Bagdad in die Karte eingezeichnet und überdies die Freundlichkeit gehabt, mit einem Zirkel zu markieren, welche Gebiete von irakischem Radar erfaßt wurden.

Theoretisch wäre es möglich, zwischen den Gebieten zu kreuzen, die vom Radar erfaßt wurden, doch in der Praxis waren solche Berechnungen wegen der niedrigen Flughöhe überflüssig. Das Gelände war auf irakischem Territorium vollkommen platt und ohne natürliche Hindernisse. Folglich würden sich die Hubschrauber in einer Höhe von rund fünfundzwanzig Meter halten können und das Radar unterfliegen. Åke Stålhandske sah aber ein, daß er noch einmal bei den Hubschrauberverbänden der Marine auf Berga nachfragen mußte.

Die Feinheiten des Flugtransports würden erst besprochen werden, wenn die Hubschrauberpiloten eingeweiht wurden. Åke Stålhandske hatte berechnet, daß mindestens sechs Mann für drei Hubschrauber nötig waren. Ein Hubschrauber sollte bis zum Ziel fliegen, einer beim Angriff in Bereitschaft sein und ein dritter die Reserve bilden.

Für den Kampfauftrag mußten dreimal drei Mann angefordert werden. Der Grundgedanke war, daß drei Mann aus dem Hubschrauber, der auf dem Gefängnishof landete, ins Gebäude eindringen sollten. Am einfachsten wäre es, erst die Fallschirmjägerreservisten einzuberufen, welche die Operation Dragon Fire mitgemacht hatten; ein lustiger Gedanke, von der polaren Kälte in die Wüstenhitze. Diese Männer hatten jedenfalls ihre Kompetenz unter Beweis gestellt und überdies ein moralisches Recht, bei einer so einfachen und edlen Aufgabe als erste gefragt zu werden. Im Unterschied zu Dragon Fire konnten sie mit diesem Einsatz sogar prahlen und würden außerdem anschließend keine Alpträume bekommen.

Bis jetzt also fünfzehn Mann. Hinzu kamen Mechaniker, Sanitäter und Troß. Die gesamte Expedition würde zweiundzwanzig bis vierundzwanzig Mann umfassen. Funkpersonal würde vermutlich nicht notwendig sein, da die dazu notwendigen Kenntnisse beim Personal des Nachrichtendienstes vorhanden waren, das selbstverständlich dazugehörte. Åke Stålhandske ging davon aus, daß der Nachrichtendienst mit drei Mann vertreten sein würde, einer in jedem Hubschrauber. Vermutlich war auch er selbst dabei.

Nachdem Åke Stålhandske noch einmal seine Schlußfolgerungen und Notizen geprüft hatte, rief er Samuel Ulfsson an und fragte ihn, ob er Zeit für ein Gespräch habe. Er erhielt den Bescheid, er solle zwanzig Minuten warten. In dieser Zeit ging er nochmals alles durch.

Auf zwei zusammengestellten Schreibtischen stand ein Modell des Gefängnisses Abu Ghraib, hergestellt aus Balsaholz und Pappmaché. Das Modell würde nach und nach verfeinert werden, sobald sie die Auskünfte der Verwandten erhielten, die demnächst ihre Besuche im Gefängnis wieder aufnehmen würden. Man hatte sie mit einfachen Touristenkameras ausgerüstet, ihnen jedoch Filme gegeben, die bei normaler Entwicklung zerstört werden würden. Die entscheidende Frage war, ob sie herausfinden konnten, an welcher Stelle die Stromversorgung lahmgelegt werden konnte. Schlösser und andere Kleinigkeiten waren nicht so interessant. Stahl- und Gittertore würde der Einsatztrupp in wenigen Sekunden überwinden können.

Wenn es gelang, bei der Landung die gesamte Elektrizität zu unterbrechen, wäre damit das Vorhaben so gut wie hundertprozentig gesichert. Vermutlich würde es auch so funktionieren. Es genügte, die Phantasie zu gebrauchen: Da liegt ein irakischer Wachposten mit zehn weiteren Männern in einer mehr oder weniger stickigen Kaserne. Es ist drei Uhr morgens, und plötzlich ist die Hölle los. Man hört etwas wie Hubschrauber, automatische Waffen und vielleicht auch die Detonationen leichter Raketen. Was tut man in den nächsten zwei Minuten? Greift man zur Waffe und stürzt zu der Abteilung im Gefängnis, in der die Schweden sitzen? Wohl kaum.

Schwieriger war die Frage, wie die Wachtürme ausgeschaltet werden sollten. Von amerikanischen Satellitenfotos wußte man, daß die Türme tagsüber mit jeweils drei Mann besetzt waren. Nachts waren sie wohl ebenso besetzt, also mit insgesamt sechs Mann. Diese verfügten über leichte Maschinenpistolen und Automatik-Karabiner, was ausreichte, um einen Hubschrauber auf kurze Entfernung zu beschädigen. Folglich mußten diese Männer kampfunfähig gemacht werden, und folglich würde das Unternehmen fünf oder sechs Menschenleben kosten.

Åke Stålhandske machte sich keine Gedanken darüber, was bei diesem Vorhaben gut oder böse oder moralisch oder nicht moralisch war. Er hatte nur den Auftrag, sich um die praktischen Dinge zu kümmern. Welche Konsequenzen aber konnte es für andere Schweden haben, die sich aus den verschiedensten Gründen in Bagdad aufhielten, wenn man mehr Iraker tötete als Schweden rettete? Dieser Saddam Hussein hatte immerhin schon früher Geiseln genommen.

Eine Möglichkeit wäre vielleicht, rechtzeitig möglichst viele Schweden abzuziehen, doch das würde alarmierend oder zumindest auffällig wirken. Wie auch immer: Damit sollten sich die Politiker befassen. Åke Stålhandske hatte nur zu entscheiden, ob die Wachtürme mit automatischen Kanonen oder Hellfire-Raketen ausgeschaltet werden sollten, was davon abhing, welche Hubschrauber eingesetzt werden sollten. Åke Stålhandske würde den Hellfire-Raketen den Vorzug geben.

»Nun, wie geht's?« begrüßte ihn Samuel Ulfsson freundlich, als Åke eintrat. Einige Leute vom Beschaffungsamt verließen gerade den Raum.

»Nun ja, so einigermaßen«, brummte Åke Stålhandske mit einem Augenzwinkern, wartete jedoch mit der Fortsetzung, bis er hinter den vorigen Besuchern die Tür geschlossen hatte.

»Wenn du uns Saudi-Arabien als Basis besorgen kannst, ist die Sache schon klar«, fuhr er fort, als sie allein waren. »Kannst du das überhaupt?«

»Nun ja, im Augenblick ist das kaum meine Sache. Ich beschäftige mich meist damit, mich mit unseren amerikanischen Freunden auseinanderzusetzen«, erwiderte Samuel Ulfsson und zog erleichtert seinen Aschenbecher hervor, den er unter der Schreibtischplatte versteckt hatte. Einige Konferenzen waren offenbar sogar bei Samuel Ulfsson rauchfrei.

»Und was sagen unsere amerikanischen Freunde?« fragte Åke Stålhandske.

»Die sind geradezu bester Laune. Wenn man ihre Einstellung zusammenfassen sollte, müßte man so gut Amerikanisch sprechen wie du und Carl.«

»Go kick some ass!« schlug Åke Stålhandske fröhlich vor.

»Ja, etwas in der Richtung. Sie haben uns mit gutem Kartenmaterial versorgt?«

»Ich kann nicht klagen. Wir wissen über jeden Quadratmeter in dem fraglichen Fluggebiet Bescheid. Wann erfahren wir, ob es Saudi-Arabien werden kann?«

»Keine Ahnung«, seufzte Samuel Ulfsson. »Wie gesagt ist das nicht mein Bier, aber Anders Lönnh hat die verrückte Idee, daß wir plötzlich mit Saudi-Arabien eine Art Austauschprogramm mit wechselseitigen Studienaufenthalten beginnen sollen.«

»Warum das denn? Das hört sich verdammt kompliziert an«, sagte Åke Stålhandske mißtrauisch.

»Offenbar haben wir die gleichen Hubschrauber wie sie. Wir sollten dann also nur das Personal runterschicken, deren Ausrüstung leihen und die Hubschrauber vor dem entscheidenden Einsatz neu anmalen. Anschließend sollen die Saudis einen Gegenbesuch machen und oben in der Wildnis Norrlands das Fliegen bei Dunkelheit üben. Etwa so.«

»Die Hubschrauber neu anmalen?« fragte Åke Stålhandske erstaunt.

»Nicht weiß oder so wie bei der UNO, aber sie sollen auf blauem Grund drei gelbe Kronen haben, *if you see what I mean.*«

»Das nenne ich schick«, sagte Åke Stålhandske. »Aber warum nur?«

»Der Grund ist einfach. Ich muß sagen, daß ich Anders Lönnh recht gebe. Wenn das Ganze klappt, besteht kein Zweifel daran, daß wir diejenigen sind, die es geschafft haben. Dann gibt es Siegesparaden mit Carl Bildt mit allem Drum und Dran. Wenn es aber schiefgeht und die Hubschrauber abgeschossen daliegen, sollen die Saudis nicht dafür geradestehen, daß wir das Ganze vermasselt haben.«

»Aber dann schicken uns die Saudis hinterher eine Rechnung für die Hubschrauber?« witzelte Åke Stålhandske. Die Vorstellung, als letzte Maßnahme vor dem Start drei gelbe Kronen auf blauem Grund auf die Hubschrauber zu malen, löste Heiterkeit bei ihm aus.

»Ja, das werden sie wahrscheinlich tun«, erwiderte Samuel Ulfsson zerstreut. Dann fiel ihm ein, worum es bei dieser Besprechung eigentlich gehen sollte. »Wie viele Männer brauchen wir?« fragte er.

»Ungefähr zwei Dutzend, darunter sechs Hubschrauberpiloten und neun Mann kämpfende Truppe, von denen wiederum drei von uns sind«, erwiderte Åke Stålhandske schnell.

»Drei von uns, das bedeutet also vom SSI«, stellte Samuel Ulfsson fest. »Diese Frage können wir bis auf weiteres aussparen. Hast du dir überlegt, wer sonst noch teilnehmen soll?«

»Ja«, sagte Åke Stålhandske. »Ich finde, wir sollten die ganze Fallschirmjägertruppe von der Operation Dragon Fire herholen, ihnen das Projekt vorstellen und sie ermuntern, sich freiwillig zu melden.«

»Warum das denn?« wandte Samuel Ulfsson mißtrauisch ein. »Diejenigen, die sich melden, dann aber nicht genommen werden und hier wieder zur Tür hinausspazieren, wissen plötzlich zuviel.«

»Na wenn schon«, entgegnete Åke Stålhandske. »Wenn sie schon über die Operation Dragon Fire den Mund gehalten haben, können sie auch über alles andere den Mund halten. Doch daran denke ich nicht in erster Linie. Wir haben dieses Unternehmen nie zugegeben, obwohl alle Teilnehmer ausländische Medaillen erhalten haben. Ich finde es eine gute Idee, die ganze Bande herzuholen, damit sie vom Oberbefehlshaber mal ein bißchen Anerkennung bekommen.«

»Wie großzügig«, sagte Samuel Ulfsson zweifelnd. Er zeigte deutlich, daß er Åke Stålhandskes schnelle und rationelle Methode, den ganzen Einsatztrupp auf einmal zusammenzutrommeln, nicht besonders gelungen fand.

»Aber da ist noch etwas«, begann Åke Stålhandske zögernd. »Es geht um das, was bei der Durchführung von Dragon Fire passiert ist. Wir waren damals ja so nett, euch die Details zu ersparen.«

»Besten Dank!« sagte Samuel Ulfsson und hob abwehrend die Hand. »Mit einem Mindestmaß an militärischer Phantasie kann ich mir vorstellen, was es heißt, alle menschlichen Gewebereste zu beseitigen. Was hat das aber mit der Sache zu tun?«

»Sieh mal«, sagte Åke Stålhandske mit einem vorsichtigen Lächeln. »Es hat verdammt viel mit der Sache zu tun. Blue Bird wird im Gegensatz zu manchen anderen Operationen, an denen wir mitwirken, nicht sehr lange geheim bleiben. Vielmehr dürfte es irgendwann sogar in unseren Schulbüchern stehen. Außerdem verursacht es einem keine Alpträume. Diese Jungs sind gut, sie beherrschen das, was von ihnen erwartet wird, und haben es verdient, sich mal Luft zu machen. Sie wollen schließlich auch mal erzählen, wie tüchtig und tapfer sie sind. Es dürfte doch kaum einen Schweden geben, der bei unserem Vorhaben nicht gern mitmachen würde.«

Damit hatte Åke Stålhandske die längste Ansprache seines Lebens geliefert, dazu vor seinem Chef. Verlegen verstummte er. Samuel Ulfsson zog nachdenklich an seiner Zigarette.

»Gut, Åke«, sagte er schließlich. »Sehr gut. Wir machen es so! Und jetzt zu einer eher privaten Sache. Was für einen Eindruck hattest du an diesem Wochenende von Carl und Tessie?«

Åke Stålhandske zögerte mit der Antwort. Einmal fühlte er sich durch den plötzlichen Themenwechsel überrumpelt, zum anderen brauchte er noch einige Zeit, um zu begreifen, daß Samuel Ulfsson tatsächlich seinen Gedankengang akzeptiert hatte, bei diesem Kampfeinsatz dieselben Leute zu nehmen wie bei Dragon Fire.

Schließlich murmelte er, daß es ihm sehr schwerfalle, dazu etwas zu sagen. Doch dann holte er tief Luft und fuhr fort: »Carl kam mir irgendwie genauso kalt und rational vor wie immer, aber ich hatte trotzdem das Gefühl, mit einem Gespenst zu sprechen. Er lächelte nie, sprach viel langsamer als sonst, und ich wußte nie genau, wo er stand. Bei Tessie war es leichter. Sie schwankte zwischen Ausgelassenheit und Verzweiflung und Tränen.«

»Ich habe ungefähr den gleichen Eindruck gehabt«, bestätigte Samuel Ulfsson. »Mir fällt es verdammt schwer, mich als Chef zu sehen, der Carls Arbeitsfähigkeit beurteilen soll und all das, was von Vorgesetzten sonst noch erwartet wird. Die dunklen Züge bei Carl machen mir Sorgen, dieses beherrschte Schweigen etwa und das Fehlen von Gefühlsäußerungen.« Er verstummte kurz und fuhr dann fort: »Weißt du etwas von irgendwelchen Racheplänen? Carl weiß ja, wer die Mörder gewesen sind und kennt zumindest ihre Bosse. Ich hoffe, er hat nicht vor, in seiner Freizeit nach Sizilien zu fahren?«

Åke Stålhandske schüttelte energisch den Kopf. »Den Eindruck habe ich ganz und gar nicht. Ich muß zwar zugeben, daß mir der Gedanke auch schon gekommen ist. Ich habe mich schon vor dem Augenblick gefürchtet, in dem Carl mich fragt, ob ich mit ihm auf eine Urlaubsreise nach Sizilien fahren will. Er hat mich aber nicht gefragt und hat nicht mal den Eindruck gemacht, als würde er sich so etwas überlegen.«

»Und was hättest du ihm geantwortet, wenn er gefragt hätte?« fragte Samuel Ulfsson leichthin und blies eine Rauchwolke aus, als hätte er eine harmlose Frage gestellt. Dabei war ihm klar, daß Åke ihn sofort durchschaut hatte.

»Das Schlimmste ist«, erwiderte Åke Stålhandske angestrengt,

»daß ich nicht weiß, was ich in dieser Situation gesagt hätte. Ich hätte nicht nein sagen können. Ja aber auch nicht.«

*

»Hallo, hallo, alter Knabe. Wir scheinen heute ein bißchen bleich um die Nase zu sein, will mir scheinen? Aber das dürfte wohl an der Stubenhockerei der letzten Tage liegen, nehme ich an«, sagte Sir Geoffrey forsch, als Carl vor dem Hoteleingang in den dunkelgrünen Bentley einstieg.

»Es ist weniger die Stubenhockerei, es liegt an den Schußverletzungen«, knurrte Carl und streckte die Hand zum Gruß aus. Der große Wagen setzte sich lautlos in Bewegung.

»Aber ja, natürlich!« entschuldigte sich Sir Geoffrey. »Verdammt unangenehme Geschichte. Ich habe vor ein paar Tagen den Bericht darüber gelesen. Immerhin ist es gut ausgegangen. Wie geht es dir denn jetzt?«

»So gut ist es auch nicht ausgegangen«, entgegnete Carl. »Sieben Personen sind ermordet worden, darunter meine Tochter und meine frühere Frau. Sonst bin ich in Ordnung. Appetit habe ich allerdings nicht.«

Carls ausdrucksloses Gesicht ließ die Luft aus Sir Geoffreys aufgesetzter Heiterkeit.

»Es tut mir so schrecklich leid, Carl. Wie gesagt, verdammt unangenehm.«

»Danke«, sagte Carl. »Unser Treffen findet also jetzt hier im Wagen statt?«

»Weißt du, ich dachte mir, daß wir uns hier ohne Zuhörer aussprechen können und dann erst essen gehen. Ist es dir recht so?« erwiderte Sir Geoffrey vorsichtig. Er sah in Carls Gesicht etwas, was ihn verunsicherte, und Unsicherheit war ein Gefühl, das er nicht gewohnt war und schlecht beherrschte.

»Wer fängt an?« fragte Carl. »Wollen wir uns erst den Politikern zuwenden?«

»Eine recht intelligente Idee, muß ich sagen«, sagte Sir Geoffrey und machte eine auffordernde Handbewegung. »Die Gäste zuerst!«

Carl fuhr sich mit einer müden Geste über die Stirn. »Die

Anweisungen meines Ministerpräsidenten sind kurz und klar. Wenn es von der operativen Seite her keine Einwände gibt, stehe ich dem britischen Dienst zur Verfügung, ebenso wie weiteres schwedisches Personal, das vielleicht noch benötigt wird.«

»Das hört sich ja schon gut an, verdammt gut sogar, wenn ich mich so weit aus dem Fenster lehnen darf«, sagte Sir Geoffrey. »Bleibt möglicherweise die kleinliche Frage, ob du operative Einwände vorzubringen hast, alter Knabe?«

»Nein«, sagte Carl. »Von mir aus können wir grünes Licht geben. Wir sind jetzt also im Geschäft. Mein schwedischer Kollege kann von heute an aktiviert werden. Ich hoffe, ihr könnt ein Treffen mit ihm arrangieren, bevor ich nach Hause fliege?«

»Selbstverständlich. Ich nehme aber an, daß er erst von der Arbeit nach Hause kommen muß«, erwiderte Sir Geoffrey.

»Nun, was hast du in unseren Papierhaufen gefunden? Offenbar keinen entscheidenden Einwand gegen unser Unternehmen?« fuhr er bemüht energisch fort.

»Nein«, erwiderte Carl. »Es handelt sich in mehreren Fällen um Mord. Es sind so viele, daß man ein Muster erkennen kann, und wenn ich dieses Muster richtig verstanden habe, trifft es auf unseren Mann zu. Der gemeinsame Nenner scheint eine bestimmte Unterwassertechnologie zu sein.«

»Genau unsere Meinung!« stimmte Sir Geoffrey zu.

»Wie bitte?« sagte Carl mit einer ersten Andeutung von Teilnahme. »Das hättet ihr doch gleich sagen können, verdammt noch mal?«

»Nicht unbedingt«, wandte Sir Geoffrey ein. Die Situation gefiel ihm ganz und gar nicht. »Wenn du nämlich zu einem anderen Schluß gekommen wärst, hätten wir vielleicht umdenken müssen. Meine Operateure hielten es für besser, daß du sozusagen ohne vorgefaßte Meinung an die Sache herangehst.«

»Ich verstehe, was du meinst«, gab Carl mit einem Seufzer zu. »Meine nächste Schlußfolgerung: Die Morde sind mit einer bestimmten Technik ausgeführt worden, die unserem Mann realistische Chancen einräumt, sich zu wehren, falls er angegriffen werden sollte. Für mich war das die entscheidende Frage. Aus diesem Grund kommen wir jetzt miteinander ins Geschäft. Aber bevor ich abreise, möchte ich mit dem jungen Mann noch ein ernstes Gespräch führen.«

»Dem steht nichts im Wege. Außerdem werden wir ihm ab heute abend einen Kontaktmann zur Verfügung stellen.«

»Gut«, sagte Carl. »Beim Lesen der Dokumente sind mir übrigens einige Fragen gekommen.«

»Schieß los!« sagte Sir Geoffrey und bereute seine Worte sofort. »Wahrscheinlich sollte man einem Mann wie dir so etwas nicht sagen.«

»Nein, das sollte man lieber nicht«, erwiderte Carl. »Wie auch immer: Mir ist jedenfalls aufgefallen, daß ich Informationen von drei verschiedenen britischen Diensten in der Hand gehabt habe, nämlich von New Scotland Yard, den Bullen mit anderen Worten, vom MI 5 und von euch. Man hat doch erst dann eine realistische Möglichkeit, Informationen zu deuten, wenn man die Dokumente aller drei Dienste zusammenlegt, nicht wahr?«

»Nun, ich nehme an, daß du in diesem Punkt recht hast«, gab Sir Geoffrey zu. »Was ist denn so merkwürdig dabei?«

»Ich weiß nicht«, sagte Carl. »Aber wenn ich die Frage so stelle: Aus welchem Grund haben weder die Polizei noch das MI 5 die Chance erhalten? Ermittlungen in Mordfällen sollten doch denen überlassen bleiben und nicht Leuten wie uns?«

»Wir haben andere Befugnisse als die von dir genannten Dienste«, entgegnete Sir Geoffrey knapp.

»Welche denn?« fragte Carl schnell zurück.

»Jetzt läufst du Gefahr, dir einen längeren Vortrag über die Traditionen der britischen Staatsverwaltung und ihre moderne Geschichte anzuhören, fürchte ich.«

»Gut«, sagte Carl. »Ich bin *teuflisch* neugierig. Klär mich auf, alter Knabe!«

»Nur wir dürfen alter Knabe sagen, wir Briten.«

»Tut mir schrecklich leid. Klären Sie mich trotzdem auf, *Sir!*«

»Nun ja«, sagte Sir Geoffrey gequält. »Wenn ich mich kurz fassen soll, beschäftigt sich diese Frau …«

»Stella Rimington vom MI 5?« unterbrach ihn Carl.

»Ja, genau, diese Frau also. Sie beschäftigt sich meist mit der IRA, mit Drogenschmugglern und derlei. Die Bullen andererseits haben die Neigung, ihre Erkenntnisse in der Presse zu lancieren, eine Neigung, die unser Premierminister im allerhöchsten Maße mißbilligt. Kurz, in Übereinstimmung mit all dem, was ich dir nicht vorzutragen gedenke, hat der Premierminister die gesamte Verantwortung für diese Geschichte unserem Dienst übertragen, falls du verstehst, was ich meine.«

»Ich verstehe ausgezeichnet«, entgegnete Carl. »Ende der politischen Diskussion. Doch jetzt zu einer Detailfrage. Wie soll ich diesen neuen Fall vom plötzlichen Erstickungstod unter britischen Staatsbeamten deuten?«

»Du meinst Stephen Milligan, den armen Kerl?« seufzte Sir Geoffrey.

»Ja, so hieß er«, bestätigte Carl. »Nun?«

»Ziemlich peinlich, diese Sache. Und daß diese elenden Bluthunde von der Presse immer alles hinausposaunen müssen. Ist es bei euch in Schweden auch so?« fragte Sir Geoffrey in einem Ton, als versuchte er das Thema zu wechseln.

»Ach, weißt du«, sagte Carl. »Wenn ein schwedischer Politiker, von dem man behauptet, er sei ein Kandidat für den Posten des Ministerpräsidenten, mit einer Apfelsine im Mund und einem Korsett und was weiß ich tot aufgefunden wird, dann, so fürchte ich, würde die Sache auch unter schwedischen Journalisten erhebliche Aufmerksamkeit erregen. Aber wie war das nun?«

»Möchtest du alle pikanten kleinen Details?«

»Nein, nicht unbedingt. War es Mord?«

»Kaum. Stephen hatte ja seine lustigen kleinen Gewohnheiten. Ich habe diese Dinge übrigens nie so recht verstanden. Ich nehme an, daß diese Jungs zu lange im Internat gewesen sind und sich an andere Dinge gewöhnt haben als an Frauen.«

»Hast du nicht auch ein Internat besucht?«

»Natürlich. Eton. Aber mit verdammten Apfelsinen haben wir uns nie amüsiert. Außerdem liegt Eton ja nicht am Ende der Welt wie manche anderen Schulen. Wir konnten an den Wochenenden nach London fahren und uns die Hörner abstoßen. Apfelsinen und Plastiktüten haben wir jedenfalls nicht angemacht, wenn ich so sagen darf.«

»Wie tröstlich, das zu hören, ich meine, für euch Eton-Jungs«, sagte Carl. »Aber was haben die Apfelsinen mit der Sache zu tun? Hier fehlt mir offenbar etwas in meiner Allgemeinbildung.«

»Na ja, es ist nicht die Apfelsine allein, die einen Kick auslöst«, sagte Sir Geoffrey und lächelte verlegen. »Es geht um das, womit man die Apfelsine gefüllt hat, und der gute Stephen hatte eine Neigung zu einer Jugenddroge, die in den entsprechenden Kreisen Popper oder so ähnlich genannt wird, und die befand sich in der Apfelsine.«

»Das wißt ihr?«

»Ja, das ist inzwischen bestätigt worden. Das wird wohl auch irgendwann an die Presse durchsickern, nehme ich an.«

»Und warum eine Plastiktüte?« fragte Carl resigniert.

»Nach einem Sachverständigenurteil auf diesem Gebiet kann man durch Auslösung von Erstickungsempfindungen seine sexuelle Lust steigern.«

»Und das ist hier in England allgemein üblich?« fragte Carl. Er wandte sich bei diesen Worten zu Sir Geoffrey und blickte ihm ernst in die Augen, als wollte er sichergehen, eine aufrichtige Antwort zu erhalten.

»Na ja, sagen wir lieber Großbritannien«, sagte Sir Geoffrey peinlich berührt.

»Teufel auch«, sagte Carl und sank in die knarrenden hellgelben Lederpolster. »Unsere Mörder haben sich offenbar ein gediegenes ethnographisches Wissen über die absonderlichen Gewohnheiten der Eingeborenen verschafft, bevor sie zur Tat schritten.«

»Sollte das lustig sein?« knurrte Sir Geoffrey.

»Ganz und gar nicht. Ich stelle nur fest, daß unsere Mörder jedenfalls bedeutend mehr über die Briten wissen, als ich gewußt habe. Süßer Jesus! Plastiktüten und schwarze Damenunterwäsche. Ist diese Nation völlig meschugge?«

»In mancherlei Hinsicht werden hier absonderliche Gewohnheiten kultiviert, ja«, gab Sir Geoffrey zu.

Carl blickte nachdenklich durch die gepanzerte Scheibe hinaus.

»Wie wär's, wenn wir jetzt weitermachen«, bemerkte Sir Geoffrey, ohne die Ungeduld zu zeigen, die er bei Carls leicht geistesabwesender Attitüde empfand.

»Na schön, Geoff, womit denn weitermachen?« fragte Carl und rieb sich mit Daumen und Zeigefinger an der Nasenwurzel.

»Mit Mütterchen Rußland, ich bitte dich!«

»Ach ja, Mütterchen Rußland«, seufzte Carl. »Ihr führt unseren schwedischen Agenten, und du hältst Kontakt mit Samuel Ulfsson. Ich fliege nach Hause, widme mich ein paar Tage den Vorbereitungen, und dann statte ich Mütterchen Rußland einen Besuch ab. Ich bleibe eine runde Woche weg. Sobald ich wieder festen Boden unter den Füßen habe, erhältst du einen Bericht.«

»Das Projekt läuft also?«

»Ja. Wie ich schon sagte, die Anweisungen meines Ministerpräsidenten sind eindeutig. Sofern sich keine operativen Hindernisse dem entgegenstellen, werden wir unser Äußerstes tun, um den Dienst Ihrer Majestät zu erfreuen. Das ist alles«, sagte Carl und blickte demonstrativ aus dem Seitenfenster.

»Aber das ist ja großartig!« rief Sir Geoffrey aus. »Und das sagst du erst jetzt, sozusagen nebenbei? Du wolltest mich wohl auf die Folter spannen, bevor du mir die gute Nachricht überbringst.«

»Wie auch immer«, sagte Carl. »Jetzt legen wir jedenfalls los. Mein Ministerpräsident hat sogar einen Codenamen für die Operation gefunden. Der gestreifte Drache.«

»Wieso gestreift?« wollte Sir Geoffrey wissen. »Trägt der Drache einen Schlafanzug?«

»Nur Briten schlafen in gestreiften Schlafanzügen, nehme ich an«, entgegnete Carl mit der Andeutung eines feinen Lächelns. »Nein, gestreift ist die neue russische Trikolore. Ich habe das auch gefragt, als mein Chef die Sache erklärte. Aber so ist es jetzt, der gestreifte Drache hat losgelegt.«

Der grüne Bentley glitt langsam die Pall Mall entlang und hielt leise wie ein Flüstern vor dem Travellers' Club. Der Chauffeur sprang wie ein Pfeil aus dem Wagen, öffnete die hintere Tür und machte dabei eine Ehrenbezeigung. Er erhielt die gemurmelte Anweisung, zur gewohnten Zeit wiederzukommen; es war unmöglich, vor dem Club zu parken. Sogar für einige britische Dienste war es verboten, und deshalb glitten die Autos jetzt um die Lunchzeit unablässig vorbei und setzten die Herren des Reiches ab, die sich wie gewohnt zwei Stunden in einem Herrenclub laben wollten.

Sir Geoffrey nahm Carl beim Arm und führte ihn gutgelaunt durchs Haus, während er einen routinierten Vortrag über den Club hielt.

Das Haus sei 1830 für den bereits bestehenden Club gebaut

worden und liege Wand an Wand mit The Reform Club, nach den Worten Sir Geoffreys ein Treffpunkt für diverse Politiker von überwiegend zweifelhafter Couleur. Der Travellers' Club sei für Reisende im weitesten Sinne da; um Mitglied zu werden, müsse man im Ausland gearbeitet haben, was bedeute, daß die Mitglieder hauptsächlich Militärs, Diplomaten und Journalisten seien. Insgesamt gebe es 1250 Mitglieder, wenn man die dreihundert mitzähle, die im Ausland lebten.

Auf Carls erstaunte Frage, ob es nicht unpassend sei, beim Lunch so viele Journalisten auf der Pelle zu haben, entgegnete Sir Geoffrey, daß in dieser Hinsicht keinerlei Gefahr bestehe. Erstens habe natürlich nicht jeder Schreiberling Zutritt. Zweitens, und vielleicht noch wichtiger, sei es verboten, in den Clubräumen irgendwelchen Geschäften nachzugehen. Handys seien verboten, es dürften keine Papiere auf die Tische gelegt werden, und Rascheln sei absolut unerwünscht. Wer das unbezwingbare Bedürfnis verspüre, mit Papier zu rascheln, müsse seine Aktentasche beim Hausmeister an der Tür holen, bei dem alle Aktentaschen abzugeben seien, und sich in ein kleines Kabuff neben dem Eingang setzen. Dort dürfe jeder rascheln, soviel er wolle.

Im Erdgeschoß links gebe es einen großen Salon, zu dem auch Damen Zutritt hätten. Wer Frauen bei sich habe, was neuerdings als durchaus akzeptabel gelte, nun ja, natürlich nicht irgendwelche Frauen, dürfe sie aber nicht ins Obergeschoß mitnehmen. Falls man ihnen zu essen geben wolle, gehe es nur hier unten. Hinter dem großen gelben Salon gebe es für solche Zwecke einen kleinen Speisesaal.

Carl ging bei dem Rundgang einen Schritt hinter Sir Geoffrey. Von Zeit zu Zeit fuhr jemand hoch und grüßte, und Carl wurde mit einem Murmeln vorgestellt. Er streckte die Hand aus, sprach ein paar höfliche Floskeln, dann gingen sie weiter. Carl konnte nicht herausfinden, ob die Leute hier wußten, für welchen Dienst Sir Geoffrey arbeitete. Vielleicht wußten es alle. Ihren Mienen und ihrem Auftreten ließ sich weder das eine noch das andere entnehmen.

Der Lunch in dem großen Restaurant, das aussah wie ein Speisesaal eines Internats, wurde von 12.45 Uhr bis 14.00 Uhr serviert.

Carl vermutete, daß das Interieur bewußt so gehalten war, damit die Herren sich zu Hause fühlten. Überall standen kleine braune Tische, nur in der Mitte nicht, wo ein ovaler Tisch ausschließlich für Mitglieder reserviert war, die keine Lust hatten, die Gäste anderer zu ertragen, sowie eine Reihe kleiner Einzeltische an einer Längswand, an denen Herren essen konnten, die überhaupt nichts anderes wollten, als in Ruhe gelassen zu werden. Was sie auch mit souveräner Deutlichkeit zeigten. Fast alle hielten ein Exemplar der *Times* in Zeitungsklemmen aus Mahagoni, während sie aßen.

Es herrschte fröhliche Stimmung wie in einem Schulspeiseraum, und Sir Geoffrey lotste Carl durch den Raum zu einem Tisch, der offenbar sein Stammtisch war. Er reichte Carl eine Speisekarte und schlug vor, sie sollten das Tagesgericht nehmen, denn es sei hervorragend.

Carl blätterte interessiert in der Weinkarte, während Sir Geoffrey mit Männern an den Nebentischen einige Begrüßungsrituale absolvierte. Alle waren exakt gleich gekleidet – dunkle graue Anzüge mit Weste.

Die Weinkarte enthielt einige verblüffende Nummern, unter anderem einen Les Forts de Latour 1975 für nur 34,5 Pfund, was billiger sein mußte als in einer französischen Weinhandlung, und einen Margaux 1982 für 78 Pfund, was Carl auf die Hälfte des Marktpreises schätzte.

»Wie ich schon erwähnte, das Tagesgericht ist wirklich gut!« sagte Sir Geoffrey und wandte sich Carl zu. Er rieb sich erwartungsvoll die Hände. »Besonders für einen Kerl schottischer Herkunft wie dich!«

Carl versuchte, aus der rätselhaften Beschreibung des Tagesgerichts schlau zu werden:

Chieftain O'the Puddin' Race wi' Bashed Neeps and Champit Tatties stand da.

Sir Geoffrey bestellte dieses Gericht für beide und dann den Wein des Tages, der der Weinkarte zufolge kaum größeren Genuß versprach. Die weiße Alternative stellte sich als La Serre Sauvignon Blanc, Vin de Pays d'Oc vor, und die rote Alternative hieß Vin de Table, Rouge. Soweit Carl sehen konnte, handelte es sich in beiden Fällen um Weine, die er seit seiner Studentenzeit nicht mehr angerührt hatte. Es grämte ihn, daß er nicht wagte, einen der beiden Weltklasseweine zu bestellen, die er fast zum gleichen Preis entdeckt hatte wie diesen Rotspon, der jetzt unterwegs war.

Was das Gericht anging, gestand Carl vorbehaltlos, der Speisekarte keine einzige vernünftige Information entnehmen zu können. Er habe ganz einfach keine Ahnung, was da bevorstehe.

Sir Geoffrey berichtete amüsiert, es sei eins der beliebtesten Tagesgerichte im Club, ein schottisches, das im Grund aus einer Art Fleischklößen bestehe. Bashed Neeps seien Steckrüben und Champit Tatties bedeute Kartoffelmus.

»Na, wie findest du das Futter?« fragte Sir Geoffrey eifrig, als sie ein wenig probiert hatten.

»Das Futter …«, sagte Carl gedehnt, »entspricht, soviel ich sehe, auch hochgestellten Erwartungen an die englische Küche.«

»Mein lieber Freund! Das hört sich aber sehr zweideutig an«, prustete Sir Geoffrey.

Carl machte einen neuen Versuch, die widerwärtige Mischung aus brauner Sauce, zerkochten Steckrüben und Kartoffelmus in Angriff zu nehmen.

»Prost auf den gestreiften Schlafanzug, du weißt schon«, sagte Sir Geoffrey. Carl führte das Rotweinglas an den Mund und mußte feststellen, daß seine bösen Ahnungen sich bestätigten.

»Prost, auf den gestreiften Schlafanzug«, fauchte er mit Tränen in den Augen. »Verzeihung, ich bin Alkohol nicht gewohnt.«

»Der Wein ist jedenfalls nicht britisch«, sagte Sir Geoffrey beleidigt. »Hol mich der Teufel, er ist doch französisch.«

»Nein«, entgegnete Carl. »Er ist vermutlich algerisch, wenn auch in Frankreich abgefüllt. Für Amis genügt er jedenfalls.«

Sir Geoffrey blickte verletzt auf seinen Teller und machte sich dann entschlossen über seine Mahlzeit her. Carl beschloß, auf schlechten Appetit infolge seiner Schußverletzungen zu verweisen. Um seinen Appetit war es tatsächlich schlecht bestellt.

*

Luigi Bertoni hatte eine ganze Bahnfahrt von Addlestone zur Waterloo Station der Frage gewidmet, wie er das EDV-Programm, das ihm als erste Arbeitsaufgabe zugewiesen worden war, modifizieren konnte. Nach seinen Wünschen sollte es den militärischen Vorbildern Schwedens und der USA stärker ähneln, damit es funktionstüchtiger würde. Die Frage war, ob er damit Kenntnisse verriet, die er eigentlich nicht hätte haben können. Andererseits war er bei einem Rüstungsbetrieb angestellt, und die Kenntnisse, die er seiner Legende zufolge aus den USA mitbrachte, konnten sich ja durchaus von bestimmten britischen unterscheiden. In seiner Abteilung des schwedischen Nachrichtendienstes hatten sie ein ähnliches Programm und zum Teil sogar die gleichen Torpedos wie die Briten und selbstverständlich den gleichen potentiellen Gegner.

Als der Zug durch Vauxhall fuhr, riß ihn das große Haus aus sandfarbenem Stein, grünem Glas und Stahl aus seinen Gedanken. Er lächelte unmerklich. Das war die neue Zentrale des MI 6, ein großes und imposantes Bauwerk direkt am Ufer der Themse und zehn Kilometer im Umkreis sichtbar. Die Briten behaupteten, das sei ein Geheimnis.

Als er am Endbahnhof auf den Bahnsteig trat, kam ihm jemand im Gedränge entgegen, winkte und hielt einen kleinen Umschlag hoch. Luigi blieb zögernd stehen, während der andere, ein Mann in seinem Alter in Anzug und mit Krawatte, auf ihn zuging und ihm die Hand gab. Er steckte Luigi den Umschlag sichtbar in die Tasche und sagte dabei etwas Unbegreifliches über das Fest am Freitag. Und damit war er verschwunden.

Nachdem Luigi ein Stück weiter gegangen war, zog er den Umschlag aus der Tasche und öffnete ihn. Die Mitteilung war in Carls Handschrift geschrieben und mit Trident unterzeichnet. Luigi wurde zu einem sofortigen Treffen gerufen. Es folgten einige Anweisungen, wo und wie.

Luigi verbrachte eine halbe Stunde mit mehrmaligem Umsteigen in der U-Bahn, bevor er ausstieg und mit einem Taxi zu der angegebenen Adresse fuhr. Der Wagen hielt vor einem altertümlichen Hotel in vornehmer Abgeschiedenheit, was ihn nicht weiter erstaunte.

An den Wänden standen vier Hotelangestellte, von denen der am nächsten stehende sofort mit einer Miene auf ihn zuging, die eine Vorbereitung auf zweierlei sein konnte: vollkommene Abweisung oder vollkommene Unterwerfung.

»Was können wir für Sie tun, Sir?« fragte der korrekt gekleidete Mann.

»Ich suche einen guten Freund, den ich hier treffen soll, Mr. Hamilton«, erwiderte Luigi. Er war etwas unsicher, da er nicht wußte, ob Carl tatsächlich unter seinem richtigen Namen reiste.

»Mr. Hamilton, natürlich. Seien Sie so freundlich und nehmen Sie hier Platz, Sir, wir sagen Mr. Hamilton Bescheid«, erwiderte der Angestellte und zeigte mit einer Handbewegung auf einen kleinen Alkoven mit einigen Plüschsesseln. Luigi setzte sich mit einem Seufzer hin, doch schon nach weniger als einer Minute kam ein weiterer Angestellter und bat ihn, zum Fahrstuhl mitzukommen. Dort übernahm ein dritter Angestellter die Stafette, und Luigi folgte ihm über weiche Teppiche, unter denen das Holz anheimelnd knarrte, zu einer Tür mit einem kleinen Türklopfer aus Messing. Der Angestellte klopfte zweimal, trat einen Schritt zurück und legte die Hände auf den Rücken.

»Sie haben Besuch, Mr. Hamilton«, sagte der Hotelangestellte, als Carl aufmachte.

»Komm rein«, sagte Carl, klopfte Luigi auf den Rücken und führte ihn in das Wohnzimmer mit den exotischen Antiquitäten.

Es fiel Luigi schwer, sich sofort an die professionelle Attitüde anzupassen, die Carl vorgab. Das einzige, was Luigi in jüngster Zeit in den Zeitungen über Schweden gelesen hatte, betraf den Mordversuch an Carl, die Morde an dessen Familienangehörigen, John Majors Besuch in Stockholm und die JAS-Maschine, die bei einer Flugvorführung beim Stockholmer Wasserfestival mitten in der Stadt abgestürzt war.

Carl hatte begonnen, Schwedisch zu sprechen, so daß alle selbstverständlichen Bemerkungen über geteilte Trauer und Anteilnahme sich verboten; es würde sich völlig unpassend anhören, wenn man auf schwedisch etwa sagte: »Was deiner Familie geschehen ist, tut mir leid.«

Auf Luigis vorsichtige Frage, wie es ihm gehe, hatte Carl nur knapp geantwortet: den Umständen entsprechend. Dann hatte er seinen Computer eingeschaltet und ungefähr eine halbe Stunde Vortrag gehalten. Zusammenfassend erklärte er, er halte die Risiken für tolerabel. Damit sei die Operation in Gang. Luigi werde sofort einen Kontaktmann und Führungsoffizier vom MI 6 erhalten. Alles, buchstäblich alles, müsse auf dem Weg weiterberichtet werden, und zwar nach den Vorgaben der Leute beim MI 6.

Während dieser unpersönlichen und informellen Instruktionsstunde hatte Luigi nicht viel zu sagen. Carls Schlußfolgerungen erschienen ihm in allen wesentlichen Punkten richtig. Die einzige überraschende Neuigkeit war, daß Luigi offenbar genau in der Risikozone Unterwassertechnologie gelandet war und die Jagd auf die Organisatoren der Selbstmorde nicht länger wie die sprichwörtliche Suche nach der Nadel im Heuhaufen zu sein schien.

Schließlich schaltete Carl den Computer ab, zog die Diskette heraus und warf sie Luigi zu. Dann nannte Carl den Zugangscode, worauf das Treffen beendet zu sein schien. Doch statt dessen wirkte Carl plötzlich wie ausgewechselt. Er nahm die Weinkarte, die auf einer Barock-Kommode lag, zeigte vielsagend, wie dick sie war, und hob fragend die Augenbrauen.

»Na schön«, sagte Luigi vorsichtig, »wenn es nach deinem Willen geht, wird es wohl wie immer ein französischer Wein.«

»Nicht unbedingt«, entgegnete Carl und warf Luigi quer durchs Zimmer die Weinkarte zu.

»Ich verstehe überhaupt nichts von italienischen Weinen, es sei denn, es sind sizilianische. Nach denen ist mir im Augenblick aber nicht zumute. Such einen Italiener aus!«

Luigi blätterte eine Weile und wählte einen Brunello di Montalcino des Castello Banfi. Carl nahm den Hörer ab und bestellte ohne jeden Kommentar eine Flasche.

Als der Etagenkellner Wein und Gläser abgestellt hatte und gegangen war, prosteten sie einander wortlos zu, da es selbstverständlich war, worauf sie tranken. Carl blickte nachdenklich auf sein Glas, hielt es gegen eine Lampe, drehte es in der Hand und nahm noch einen großen Schluck.

»Nicht dumm, wirklich nicht dumm«, sagte er und stellte langsam das Glas hin. »Kannst du gut italienisch kochen?«

»Ich halte anständigen italienischen Standard, aber mein Repertoire ist ein bißchen schmal«, erwiderte Luigi.

»Gut«, sagte Carl. »Wenn dieser Job erledigt ist, kommst du mal nach Stenhamra und zeichnest für ein italienisches Abschlußfest verantwortlich. Es soll sogar *italienischen Wein* geben, wenn er so schmeckt wie der hier.«

»Danke, gern!« erwiderte Luigi leicht angestrengt und hob sein Glas mit einem Kopfnicken.

»Nun!« fuhr Carl fort. »Erzähl mal, was du bis jetzt so getan und getrieben hast.«

Luigi begann natürlich mit einer Schilderung seiner Arbeit. Er erzählte von seinem Problem, teilweise überqualifiziert und teilweise das Gegenteil davon zu sein. Er habe über eine Veränderung an der Software nachgedacht, um sie an das anzupassen, was er gewohnt sei. Er wollte auch noch einige andere Dinge ändern, die mit Marconi Naval Systems zu tun hätten.

Dann hielt er sich eine Zeitlang mit der schwierigen Anreise auf. Er beklagte die Fahrzeit von fast zweieinhalb Stunden pro Tag, die sich mit einem Wagen halbieren ließe. Als Carl daraufhin nur still den Kopf schüttelte, wußte er, daß aus dem Auto nichts werden würde. Im Grunde hatte er keine Einwände. Ein Wagen würde nur einen weiteren Risikofaktor darstellen. Mehrere der vermeintlichen Selbstmörder waren entweder in ihrem Wagen gestorben oder hatten vor ihrem Tod eigentümliche Unfälle gehabt. An Autos ließ sich leicht herumhantieren, was der Feind gelegentlich offenbar tat.

Carl lauschte ruhig, ohne Luigi zu unterbrechen, bis dieser zu zögern begann. Da stellte Carl die Frage nach persönlichen Kontakten. Er wollte wissen, ob es beim Aufbau von Tony Gianellis Identität etwas gegeben habe, was von dem Alltäglichen und Normalen abweiche.

Luigi holte Luft und schilderte kurz, aber detailliert genug seine Verbindung mit Lady Carmen, der Frau eines einflußreichen Vorstandsmitglieds.

Carl hörte ungerührt zu, als bekäme er nur selbstverständliche Dinge zu hören, doch als Luigi Lady Carmens erotische Qualitäten andeutete, folgte Carls Kommentar schnell.

»Es ist ganz ausgezeichnet, wenn Tony Gianelli sich in London amüsiert. Sofern es nicht mit Luigi Bertonis Job in Konflikt kommt.«

»Siehst du einen solchen Konflikt?« fragte Luigi peinlich berührt.

»Möglicherweise«, sagte Carl zögernd. »Möglicherweise. Wir befinden uns in einem Land voll sexverrückter Barbaren, die zum

Lunch Fuchspisse trinken und sich mit Plastiktüten und Apfelsinen verlustieren, und solche Verhaltensweisen interessieren Journalisten.«

»Ja?« sagte Luigi mit fragender Miene. »Verrückt sind sie schon, das ist auch mein Eindruck. Aber Lady Carmen ist einflußreich verheiratet. Sie könnte eine wichtige Informationsquelle werden.«

»Natürlich«, bemerkte Carl sarkastisch. »Bei allem Respekt vor deiner selbstaufopfernden Haltung, Mato Haro, aber sie kann auch die Quelle eines weiteren Skandals in der *Daily Mail* werden. Wenn zum Beispiel bekannt wird, daß sie sich einen jungen *toy boy* hält. Ich will nicht moralisieren, ganz und gar nicht. Du bist unverheiratet und im übrigen im Dienst. Selbst wenn du verheiratet wärst, würdest du im Dienst vielleicht zu diesem oder jenem gezwungen sein. Ich will aber einen praktischen Aspekt ansprechen.«

»Welchen denn?« fragte Luigi.

»Daß der Vorstand möglicherweise dafür sorgen wird, daß du gefeuert wirst, wenn diese sicher sehr erfreuliche Bekanntschaft herauskommt. Es würde mir gar nicht gefallen, dem hochnäsigen Chef des MI 6 erklären zu müssen, daß die schwedische Delegation sich aus diesem pikanten Grund von dem Auftrag zurückziehen muß.«

»Es sind die Seitensprünge der Männer, die in der Presse *hot stuff* sind. Nicht die der Frauen«, wandte Luigi säuerlich ein.

»Hm«, murmelte Carl. »Sei vorsichtig. Ich meine, diskret. Aber diese erotische Begabung Carmen dürfte inzwischen mit deinem Körper bestens bekannt sein?«

»Diese Frage muß ich wohl mit einem Ja beantworten«, sagte Luigi mit dem Anflug eines feinen Lächelns, das Carl mit einer Handbewegung schnell wegwischte.

»Du hast keine Narben, keine Schußverletzungen, keine Messerstiche«, überlegte Carl. »Wenn sie aber selbst so viel trainiert, muß sie unvermeidlich einige Beobachtungen gemacht haben. Sie weiß, daß du kein beliebiger kleiner Streber bist. Sie weiß, daß du ein durchtrainierter Leichtathlet oder Turner bist. Hat sie das schon mal kommentiert?«

»Schon mehrfach«, gab Luigi zu und errötete.

»Nun, und wie hast du es erklärt?« fragte Carl. Er tat, als hätte er nicht bemerkt, daß Luigi diese Frage peinlich war.

»Ich spiele einen Gesundheitsfreak aus Kalifornien. Es gibt in der Nähe ein kleines Fitneßzentrum mit albernen Treträdern und solchen Dingen im Keller. Der Laden liegt in der Nähe meiner Wohnung. Ich benutze die Dinger, jogge, und so weiter. Im übrigen bin ich Wissenschaftler und Pazifist, der nie Wehrdienst geleistet hat. Außerdem habe ich mich nie an Schlägereien beteiligt.«

»Stimmt das mit der Legende Tony Gianelli überein?« fragte Carl abrupt.

»Ja. Es paßt perfekt. Er war so.«

»Gut!« sagte Carl. »Tu, was dir am geeignetsten erscheint. Sie könnte früher oder später ja tatsächlich eine wichtige Quelle werden. Du mußt nur darauf achten, daß ihr nicht in der *Daily Mail* landet, denn dann wirst du gefeuert.«

»Zu Befehl«, sagte Luigi mit sichtbarer Erleichterung.

Carl sah auf die Armbanduhr, überlegte kurz und ging dann zum Telefon. Er rief den Empfang an und begann zu erklären, daß er sich die Abreise am späten Abend noch einmal überlegt habe. Er frage, ob sie herausfinden könnten, welche Morgenmaschinen nach Stockholm flögen. Er lauschte kurz der Antwort, machte ein verblüfftes Gesicht, legte auf und setzte sich wieder. Dann hob er sein Glas.

»Weißt du, welche Antwort ich bekommen habe?« fragte er rhetorisch. »Ungefähr so: *Sir, als deutlich wurde, daß sie die Verbindung heute abend wohl nicht mehr schaffen würden, habe ich mir die Freiheit genommen, Sie für die SAS-Maschine morgen früh zu buchen. Wenn Sie nichts dagegen haben, Sir, habe ich für morgen früh Ihr gewohntes Frühstück bestellt.* Bei diesen Engländern gibt es viele Dinge, die man nicht versteht.«

»Ja«, sagte Luigi zögernd. »Sexverrückte Barbaren und Plastiktütenfreaks einerseits, und dann andererseits die Dinge, die du gerade angedeutet hast. Ein bemerkenswertes Land.«

»Widerliches Essen«, ergänzte Carl.

»Bisher habe ich noch nichts Englisches gegessen«, entgegnete Luigi mit einem vorsichtigen Lächeln. Wegen Carls verschlossener, harter Miene fühlte Luigi sich immer noch befangen.

»Ich finde«, sagte Carl in einem etwas leichteren Tonfall, »wir sollten ein bißchen plaudern. Hast du Lust, mit mir zu essen?«

»Ein englisches Dinner?« fragte Luigi erstaunt.

»Ich fürchte, ja«, entgegnete Carl und ahmte Luigis Tonfall nach. »Wir schaffen es nicht, in die Stadt zu gehen, aber dieses Etablissement hat tatsächlich einen Stern im Guide Michelin, und die Weinkarte war ja recht überzeugend, wie du schon gesehen hast. Was meinst du?«

Kurz darauf rollten Etagenkellner Klapptische aus Edelholz mit Messingbeschlägen herein, die sie mit weißen Tischtüchern bedeckten. Alles war perfekt, bis hin zu den kunstvoll gefalteten Servietten. Carl und Luigi stürzten sich in eine lange, genußvolle Mahlzeit, bei der ihr Mißtrauen gegen englisches Essen schon bei der Vorspeise verschwand. Es bestand aus Variationen von Entenleber, wozu sie einen Elsässer Wein tranken. Das Hauptgericht war gebratenes Lamm in Kräutermarinade, das in jedem besseren französischen Restaurant hätte bestehen können, und dazu tranken sie einen 1982er Château Cheval Blanc – gegen diesen Vorschlag hatte Luigi keinen italienischen Gegenvorschlag machen können, was auch Carls leicht zu durchschauende Absicht gewesen war.

Vielleicht war es ebenfalls Carls Absicht gewesen, so viel zu trinken, daß sie persönlicher werden und so der lästigen Gesprächsebene zwischen Chef und Untergebenem entkommen konnten.

Carl erzählte eingehend von seinen Erfahrungen als Undercover-Agent. Er sprach von den Unterschieden des Auftretens unter einer Legende und dem Auftreten unter eigenem Namen, wenn auch mit einem Auftrag, von dem niemand etwas erfahren durfte. Er erzählte von seinem Moskau-Besuch, bei dem er diesen Standström ermordet hatte. Und von seiner Legende als schwedischer Linksextremist auf der Flucht, der sich in Deutschland von westdeutschen Terroristen hatte anwerben lassen.

Zu Luigis Erstaunen verwendete Carl unbeschwert das Wort ermorden, obwohl es in der Sprache der Militärs eine Reihe von Euphemismen für dieses Wort gibt.

Die Erfahrung, die Carl offenbar am unangenehmsten gewesen war, die er aber zugleich für wertvoll und berichtenswert hielt, war die Einfühlung in eine Legende. Eine Zeitlang hatte er sie sich so sehr zu eigen gemacht, daß sein Realitätsgefühl zu verschwimmen begann, daß er glaubte, der zu sein, für den er sich ausgab. Gegen Ende dieses Unternehmens, als die Unterwanderung der Zielgruppe schon längst eine Tatsache war, hatte er manchmal das Gefühl gehabt, tatsächlich ein Terrorist zu sein und zu dieser Bande in Hamburg zu gehören. Er hatte eine Liebesaffäre mit einem der Mädchen gehabt, einer gewissen Monika, und im nachhinein hatte er Schwierigkeiten, sich einzugestehen, daß die Legende in sie verliebt gewesen war und nicht er selbst. Manchmal hatte er an den Offizier des Nachrichtendienstes Carl Hamilton gedacht, als wäre dieser ein entfernter Bekannter, eine Art Verwandter, den er als seinen Feind und den der Bande betrachtete. Was Monika anging, hatte es damit geendet, daß er gezwungen gewesen war, auf sie zu schießen. Die GSG 9 habe die Sache dann völlig unnötig beendet und sowohl Monika als auch alle anderen ermordet.

Luigi lauschte aufmerksam und schob gelegentlich eine Frage ein. Er versuchte, Carls Erfahrungen mit dem zu vergleichen, was ihn vielleicht selbst erwartete.

»Tony Gianelli ist ja ein *nice guy*«, sagte er. »Der Unterschied zwischen mir und Tony Gianelli kann doch nie so abgrundtief werden wie zwischen dem Terroristen Hamilton und dem Offizier des Nachrichtendienstes Hamilton. Was mich von Tony unterscheidet, ist, daß Tony andere Menschen nicht mit bloßen Händen töten kann. Und es kann ja nicht sehr schwierig sein, diesen Teil geheimzuhalten. Der Rest des Theaters, daß Tony Gianelli zum Beispiel nicht so italienisch ist wie Luigi – und außerdem aus einem Teil Italiens stammt, den Mailänder als *Afrika* bezeichnen –, gehört schließlich zum Feinschliff. Und in der Barbarennation, in der wir uns gerade befinden, werden nur wenige in der Lage sein, das eine vom anderen zu unterscheiden. Für Engländer sind doch sogar Spaghetti, Pizza und Cannelloni ein und dasselbe. Sozusagen nicht ihre Tasse Tee.«

Doch da kam Carl wieder auf Lady Carmen zu sprechen.

»Die muß ja irgendeinen romanischen Ursprung haben. Selbst wenn sie keine Italienerin ist, wird sie doch zwischen Mailand, Neapel und schlimmstenfalls Palermo unterscheiden können. Wir sollten vielleicht herausfinden, wer sie wirklich ist.

Wenn sie einen Verteidigungsminister Großbritanniens hat heiraten können, muß sie schließlich allerlei Sicherheitskontrollen überstanden haben. Vielleicht brauchen wir nur Sir Geoffrey zu fragen. Andererseits müßten wir dann erklären, weshalb wir eine solche Frage stellen. Wie auch immer – du mußt ohnehin über deine Eskapaden berichten, sobald du einen Führungsoffizier des MI 6 bekommen hast. Vielleicht läuft dann alles automatisch.«

Luigi wand sich bei dem Gedanken, vor irgendeiner Gestalt mit Krawatte und Weste über solche Details seines Lebens berichten zu müssen.

»Was wissen die überhaupt? Vielleicht sitze ich dann mit so einer Figur zusammen, die im Grunde Plastiktüten und Apfelsinen bevorzugt?«

Carl tröstete Luigi damit, daß die Information über das Verhältnis so zu Lady Carmen ohnehin den Dienstweg durchlaufen müsse, nämlich über den britischen *Dienst,* dem sie jetzt auf den ausdrücklichen Befehl des schwedischen Ministerpräsidenten hin dienen sollten. »Da du wahrscheinlich nicht vorhast, die Dame zu entführen und mit ihr nach Capri auszureißen, um dort auf ewig glücklich zu leben, ist es ja nur eine Zeitfrage, wie lange dieses Vergnügen noch weitergehen kann.«

Carls leichter Plauderton war auf die Tatsache zurückzuführen, daß sie sich am Ende der außerordentlich gelungenen Mahlzeit befanden und den Wein fast leergetrunken hatten.

Luigi ergriff die Chance, von dem Gesprächsthema Lady Carmen wegzukommen, um statt dessen nach Dingen zu fragen, die zwar persönlich waren, nach denen er aber doch fragen mußte.

»Was ist eigentlich geschehen? Ich habe zu diesem Thema ja nur etwas in der britischen Presse gelesen. Ich habe mich völlig isoliert gefühlt, da ich keine Möglichkeit hatte, anzurufen oder auch nur von mir hören zu lassen. Es ist nicht ganz leicht gewesen.«

»Ich begreife durchaus«, erwiderte Carl, »daß es nicht ganz einfach für dich gewesen ist. Schließlich hätte es auch umgekehrt sein können.«

Dann berichtete er sachlich und mit kurzen Worten, was passiert war und welche Sicherheitsvorkehrungen inzwischen auf Stenhamra installiert worden waren. Allerdings bleibe noch das Schwierigste, fuhr er fort. Tessie müsse nämlich verstehen, daß der geplante Umzug nach Kalifornien buchstäblich ein zum Tode verurteiltes Vorhaben sei.

Luigi faßte sich ein Herz und fragte: »Wie werdet ihr mit der Trauer fertig?«

Carl hielt einen Moment inne. Dann sagte er: »Tessie und ich haben uns einzureden versucht, daß alle Menschen Angehörige verlieren, daß das zum Leben dazu gehört. Die Abendpresse in Schweden hat letztens über eine Frau berichtet, die innerhalb kurzer Zeit fünf Kinder durch verschiedene Unglücksfälle verloren hat. Das Unglück anderer Menschen ist allerdings kein Trost. Außerdem geht es noch um Sizilien. Ich weiß nicht, ob Tessie das versteht. Bisher habe ich das Thema nicht zu berühren gewagt. Die Sizilianer sind vermutlich noch nicht fertig. Es werden neue Mörder kommen. Wahrscheinlich sind Tessie selbst und Ian Carlos die nächsten denkbaren Ziele – von mir selbst abgesehen, natürlich.«

Luigi saß eine Zeitlang mit gesenktem Kopf da. Er zögerte, doch er mußte Carl erklären, daß die Situation wohl noch eine Spur schlimmer war.

»Leben deine Eltern noch?« fragte er leise.

»Mein Vater ist tot, und meine Mutter lebt irgendwo in Skåne. Ich habe aber keinen Kontakt zu ihr«, sagte Carl verwundert.

»Hast du Cousinen oder Vettern?« fragte Luigi.

»Ja, fünf, wenn ich mich recht erinnere«, erwiderte Carl, der mit zunehmendem Unbehagen zu begreifen begann, worauf Luigi abzielte.

»Du selbst bist Ziel Nummer eins, dein Kind Nummer zwei, deine Mutter Nummer drei, Tessie Nummer vier. Danach kommen Cousinen und Vettern, egal in welcher Reihenfolge«, sagte Luigi mit zusammengebissenen Zähnen. »So denken die. Es ist so. Wenn es ihnen zu schwierig erscheint, dich zu erledigen, nehmen sie sich die anderen Ziele vor, und zwar in der Reihenfolge, die ihnen praktisch erscheint. Verzeih, daß ich dies sage, aber …«

»Nein, es ist nur gut, daß du es sagst!« unterbrach ihn Carl. »Teufel auch, verdammt noch mal! Kann man diesen Frauen- und Kindermördern nicht erklären, daß wir sie kriegen werden? Wir verstehen uns besser aufs Morden als sie, was wir nicht mal mehr zu beweisen brauchen.«

»Schon, aber hier geht es nicht um Logik. Du hast es mit Sizilianern zu tun«, entgegnete Luigi vorsichtig. »Versuch es mit folgendem Gedanken: Wir wissen, wer dafür verantwortlich ist, denn er ist in der italienischen Presse schon interviewt worden, und ...«

»Wie bitte?« fragte Carl verblüfft.

»Ja«, bestätigte Luigi. »Er heißt Don Giulio Soundso und ist der Nachfolger unseres alten Freundes Don Tommaso. In der italienischen Presse, die hier zitiert worden ist, sagte er, er habe an und für sich gar keine Ahnung davon, was es mit diesen Morden auf sich habe. Merkwürdig nur, daß die schwedische Presse nichts davon bemerkt hat. Doch das war nur eine nichtssagende Floskel dieses Don Giulio. Dann sagte er, es müsse schwer für einen Mann sein, seine Familie nicht verteidigen zu können. Ein solcher Mann sei kein richtiger Mann. Ungefähr so.«

»Der Scheißkerl verhöhnt seine Opfer. Eins muß man ihm jedenfalls lassen: Ängstlich ist er nicht«, knurrte Carl und schloß die Hand um sein Weinglas, bis die Knöchel weiß wurden.

»Vorsicht mit dem Glas«, ermahnte ihn Luigi. »Wenn du die Drohung erwiderst, forderst du ihn nur heraus. Wenn du ihn umbringst, eskaliert die Vendetta noch mehr. Grundsätzlich nimmt so etwas kein Ende.«

»Kann man die Anstifter nicht verurteilen lassen und ins Gefängnis stecken? Wir haben schließlich zwei lebende Mörder in Schweden, die lebenslänglich in den Bau müssen.«

»Natürlich«, seufzte Luigi. »Und wenn sie ihren Auftraggeber nennen, bekommen sie lebenslänglich, das heißt sieben Jahre Gefängnis oder wie viele es in Schweden heute sind, die auch noch erheblich verkürzt werden können. Abgesehen davon, daß sie als Schweine sterben, als Verräter.«

»Solange wir eine konservative Regierung haben, bedeutet lebenslänglich erheblich länger als sieben Jahre«, sagte Carl mit einem Anflug von Ironie. »Selbst wenn die Sozis wieder an die Macht kommen, würde ich gern wissen, ob es sehr populär wäre, solche Figuren vorzeitig zu begnadigen. Wie auch immer: Du meinst, es gibt keinen Ausweg?«

»Wir könnten es ihnen so schwer machen, dich, Tessie und dein Kind zu töten, zumindest so lange Ian Carlos noch klein ist, daß sie nicht an euch herankommen. Aber dafür nimmt das Risiko zu, daß deine Mutter, deine Vettern und Cousinen umgebracht werden. Ich versuche nur zu sagen, wie es ist.«

»Danke, ich weiß das sehr zu schätzen. Dazu sind Freunde schließlich da«, sagte Carl zerstreut. Er grübelte sichtlich nach einem Ausweg. »Nehmen wir doch mal folgendes an«, fuhr er fort. »Wenn ich nach Palermo fahre und auf den Straßen herumlaufe?«

»Damit sie auf dich aufmerksam werden und vielleicht den Versuch machen, dich dort zu erwischen, wo sie den Heimvorteil haben? Meinst du das?« sagte Luigi.

»Und wenn es ihnen gelingt, ist das Ganze vorbei?«

»Ja, dann ist alles vorbei.«

»Was passiert, falls es ihnen mißlingt, wenn sie sich als solche Schwächlinge erweisen, daß sie mich nicht mal auf heimischem Boden erschießen können?«

»Dann schießen sie auf deine Mutter, deine Vettern und Cousinen und so weiter«, erwiderte Luigi mit zusammengebissenen Zähnen.

Carl schien in sich zusammenzusinken. Er griff sich an die Seite und massierte sich, ohne etwas zu sagen. Luigi fiel kein vernünftiger Weg ein, das Gespräch in andere Bahnen zu lenken.

»Es wird eine lange Nacht. Wir haben noch viel zu besprechen«, sagte Carl dann in einem resignierten Tonfall. »Was möchtest du trinken, Grappa, Whisky oder etwas anderes? Ich selbst bin gerade dabei, mich zum Schotten auszubilden, und da kommt nur Malt Whisky in Frage.«

»Malt Whisky ist auch für mich völlig in Ordnung. Ich muß sowieso trainieren, Engländer zu werden«, erwiderte Luigi.

*

Durch das Wildgehege bei Stenhamra führten Pfade, auf denen Winterfutter ausgefahren wurde und schnell und einfach Schützen plaziert werden konnten, wenn im Gehege gejagt wurde. Das Gehege war von einem hohen Zaun mit elektrischen Leitungen umgeben, das seit kurzem auch an ein Alarmsystem angeschlossen war. Tessie hatte entdeckt, daß sich das Gelände ausgezeichnet für Spaziergänge eignete. Täglich ging Tessie im Gehege mit dem

Kinderwagen spazieren, manchmal zusammen mit dem Kindermädchen, der Tochter einer von Carls Cousinen aus Skåne, die ein Jahr lang ein College in den USA besucht hatte und ein fast perfektes Amerikanisch sprach. Manchmal hatte Tessie auch ihren amerikanischen *shrink* bei sich.

Sowohl das Kindermädchen als auch der Seelenklempner taten ihr als Gesellschaft gut. Der Psychiater wurde dafür bezahlt, daß er verständnisvoll war und sie ablenkte; Emily, das Kindermädchen, war ebenfalls eine vorzügliche Gesellschafterin.

Sie hatte in den USA gewohnt, wenn auch in irgendeinem Kaff mitten in Arkansas. Außerdem wußte Emily viel über die schwedische Oberschicht zu berichten, in die Tessie eingeheiratet hatte, über die Carl aber nie etwas erzählen wollte und die er auch nicht akzeptierte. Emily berichtete, wie es sei, als Mädchen aus gutem Hause erzogen zu werden, man müsse zum Beispiel innere Haltung haben und eine völlig andere nach außen zeigen. Sie vertraute Tessie an, daß Leute aus »guter Familie« einander schon nach einer kurzen Begegnung erkennen könnten, ohne auch nur vorgestellt werden zu müssen. All das war für Tessie ebenso exotisch, als hätte Emily von Liebesritualen auf Bali erzählt.

Tessie genoß die Ablenkung. Sie brachte gelegentlich sogar ein Kichern zustande, wenn Emily drastisch und anschaulich Klatschgeschichten aus Carls Verwandtschaft zum besten gab.

Als Carl mitten am Tag nach Hause kam, rund zwölf Stunden später, als er versprochen hatte, wirkte er zunächst ein wenig müde und überdreht, fast als hätte er in London über die Stränge geschlagen. Doch das hielt Tessie aus mehreren Gründen für undenkbar. Als er für sie einen Lunch machte, gab es Schinken mit Eiern – für Carls Gewohnheiten war das sehr üppig. Er unterhielt sie mit albernen Geschichten über eigenartige britische Vorlieben mit Plastiktüten und anderem Zubehör. Davon habe er in den Zeitungen gelesen, sagte er. Was er eigentlich in Großbritannien getan hatte, verriet er natürlich mit keinem Wort, da Emily anwesend war.

Nach dem Essen wollte Carl schnell mit Tessie allein sein. Nachdem Ian Carlos etwas zu essen bekommen hatte und Emily übergeben worden war, nahm Carl seine Frau zu einer Angeltour mit. Er ruderte langsam am Ufer entlang. Sie saß achtern und hielt eine Rolle mit einer Nylonschnur, eine Schleppangel für Hechte. Es hätte eine idyllische Szene sein können, hätte auf dem Boden des Ruderboots zwischen Carls Beinen nicht das Futteral gelegen, ein weiches, längliches Lederfutteral, das vermutlich nicht zur Angelausrüstung gehörte.

Schließlich fragte sie nach. Carl versuchte erst, das Ganze mit einer Handbewegung als Bagatelle abzutun, aber Tessie blieb hartnäckig. Schließlich erklärte er, von nun an werde ihr Leben so sein müssen. Ein Ruderboot nahe am Ufer sei ein leichtes Ziel. Sie müßten wählen. Entweder dürften sie nie mehr eine stille Ruderpartie mit einer Schleppangel genießen, oder es aber dennoch tun, doch dann mußten sie ihre Überlebenschancen vergrößern. Beim Rudern blickte er ständig Richtung Ufer.

Nach einiger Zeit fragte sie, ob eine Waffe tatsächlich eine Garantie sei. Er antwortete recht unbeschwert, so etwas wie Garantien werde es nie mehr geben. Wenn aber am Ufer bewaffnete Personen auftauchten, werde es für ihn leichter sein, sie zu erschießen, als für sie, ihn zu treffen, denn es sei sein Beruf zu schießen. Im Grunde sei es nichts anderes als ein Sicherheitsgurt im Wagen: Leg immer den Sicherheitsgurt an, auch wenn noch nie etwas geschehen ist. Wenn aber etwas passiere, sei es eine sehr einfache Lebensversicherung.

Das brachte Tessie auf die Frage ihres Umzugs nach Kalifornien. Carl argumentierte langsam und ohne jede Aggressivität. Es überraschte Tessie nicht im mindesten, daß er das Problem in einer fast mathematischen Ordnung schilderte. Das war seine Denkweise.

»Als erstes«, erklärte er, »geht es darum, ein Leben zu wählen unter eigener Identität oder eines unter einer falschen. Das Leben unter falscher Identität ist eine traurige Sache, und Kalifornien kann dabei nicht in Frage kommen. Dort würden wir ständig Gefahr laufen, Personen zu begegnen, die wir kennen, zumindest in unserem Teil des Staates, unten im Süden. Zweitens müßten wir unsere gesamte persönliche Geschichte auslöschen, Freunde und frühere Erfahrungen verleugnen, alles. Sagen wir, wir lassen uns in Monterey außerhalb von San Francisco nieder. Du wirst einigen Ärger damit haben nachzuweisen, daß du kalifornische Anwältin bist. Das läßt sich zwar alles regeln, aber es bedeutet auch, daß Leute von deiner Universität in San Diego erfahren, worum es geht. Damit besteht das Risiko, daß Journalisten Wind von der Sache bekommen. Ich selbst habe in dieser Hinsicht nur ein kleineres Problem, da ich mich ganz einfach in ein ziviles EDV-Unternehmen einkaufen kann.

Es bedeutet, daß wir anfangen müssen, ein völlig neues soziales Umfeld aufzubauen. Und mit eventuellen neuen Freunden wird es uns nie gelingen, je über unseren Hintergrund oder unsere persönlichen Engagements zu sprechen.

Niemals würden wir in Kalifornien unter unserer wahren Identität leben können. Die verdammten Journalisten werden jeden Sizilianer darüber aufklären, wo wir uns aufhalten, wie wir wohnen und wie wir inzwischen aussehen. Wenn wir uns vor Sizilianern eines bestimmten Typs schützen wollen, was wir von nun an für den Rest unseres Lebens tun müssen, sind die USA in dieser Hinsicht nach Sizilien die zweitschlechteste Möglichkeit. Ich kann zwar nicht auf Anhieb sagen, wie viele Italiener in den USA leben, aber ich gehe davon aus, daß es mindestens ein paar Dutzend Millionen sind; zwei Italiener, die vor San Diego auf dem Badestrand in La Jolla herumlaufen, werden keinerlei Aufmerksamkeit erregen.

Auf den Mälar-Inseln außerhalb Stockholms sieht es aber ganz anders aus. Es ist praktisch unmöglich, in unser Haus einzudringen, ohne entdeckt zu werden.

Wenn es um die sizilianische Frage geht, ist es besser, in Schweden zu wohnen als sonst irgendwo. Und es ist besser, in einem großen Haus auf dem Land zu leben als in einer Stadtwohnung. Es mag dir zwar merkwürdig vorkommen, aber so ist es, selbst wenn du an herbstliche Dunkelheit und Winterstürme und andere schreckliche Dinge auf dem Lande denkst. In eine Wohnung in der Stadt einzudringen, ist praktisch unmöglich. Zumindest kann man mit Hilfe einfacher Maßnahmen dafür sorgen, daß es unmöglich wird. Aber es müssen alle Familienmitglieder jeden Tag durch dieselbe Haustür rein und raus, und Haustüren kann man leicht von einem Auto oder aus einer Wohnung gegenüber im Auge behalten. Eine Stadtwohnung ist weit unsicherer als unser Haus hier draußen.

In sieben Jahren wird sich die Situation verändern, da Ian Carlos dann in die Schule kommt. Aber bis dahin ist noch viel Zeit, sogar für Sizilianer. Außerdem kann es sein, daß die Mafia-Familien, um die es hier geht, bis dahin schon alle Kraft verloren haben. Wir haben reichlich Zeit, uns auf die Probleme einzustellen, die in Kalifornien aber auf jeden Fall schlimmer sein würden als in Schweden.«

Tessie hatte keine Einwände. Carls logische Form der Argumentation lud nicht gerade zu Widerspruch ein. Außerdem war da noch etwas, worüber er nicht sprach, was Tessie aber immer wieder mit den Tränen kämpfen ließ. Der Grund, daß eine Auswanderung nach Kalifornien überhaupt zur Sprache gekommen war, war Stan gewesen. Und Stan gab es nicht mehr.

Carl war inzwischen verstummt und ruderte still weiter, während er von Zeit zu Zeit ans Ufer blickte. Tessie wechselte demonstrativ das Thema und fragte, woher er so gut rudern könne. Seine Schläge waren lang, aber weich und still und wurden mit einem kleinen Ruck beendet, der das Boot vorwärtstrieb.

»Ich bin als Kind schon viel gerudert«, erwiderte er, »außerdem habe ich meinen Wehrdienst bei der Marine abgeleistet. Im Grund ist es wie mit Radfahren. Wenn man einmal gelernt hat, wie man es machen muß, sitzt es für immer.«

Damit war das Thema erschöpft. Tessie wollte wissen, wie es in London gewesen war. Er erzählte, er habe Informationen über bestimmte Verhältnisse im Irak eingeholt, die sie später bei der Durchführung der Operation Blue Bird brauchen würden. Er fuhr mit einigen Details fort, die er am Vormittag erfahren hatte. Ja, auf dem Nachhauseweg sei er noch im Generalstab gewesen. Åke sei ja für die eigentliche Planung des Unternehmens verantwortlich. Carl nahm Tessie nochmals das Versprechen ab, niemandem, nicht einmal Åke, zu verraten, daß sie sich so offen über etwas unterhielten, was bis zu letzt geheim bleiben müsse.

Tessie merkte, daß Carl sich unwohl fühlte. Mit leicht angestrengter Stimme sagte er: »Was das Unternehmen Blue Bird angeht, werde ich bald schon wieder eine Reise machen müssen.

Sie wird etwas länger dauern, vielleicht eine Woche oder so. Ich muß nach Saudi-Arabien, in die Wüste, in ein Gebiet, in dem es keine Telefone gibt und kein Netz für Handys.

Die Operation wird von Saudi-Arabien aus starten, wie es im Augenblick scheint.«

Danach erklärte er wortreich, wie positiv alles aussehe.

Sie lauschte seinen optimistischen Worten eine Zeitlang, doch als ihre Konzentration allmählich nachließ, fragte sie ihn plötzlich direkt, ob er selbst daran teilnehmen werde.

»Ich glaube schon«, erwiderte er, »aber das hängt auch von meinem Gesundheitszustand ab. Immerhin kann ich schon wieder rudern, ohne daß es irgendwo übermäßig weh tut. Morgen werde ich auch ganz vorsichtig wieder mit dem Joggen anfangen.«

Sie bat ihn, dem Thema nicht auszuweichen. »Du wirst also in einem dieser Hubschrauber dabeisein?«

»Ja«, erwiderte er. »Wenn das Unternehmen stattfindet, wird es aber nicht besonders gefährlich sein, jedenfalls nicht gefährlicher als das, was wir gerade tun.«

Er bereute den Vergleich auf der Stelle.

»Jedenfalls ist es wichtig«, fuhr er fort, »daß wir die besten Kräfte einsetzen. Åke wird übrigens auch mitfahren. Das steht jetzt schon fest, aber das darfst du auf keinen Fall Anna sagen.«

Er überlegte kurz und fügte hinzu, es sei Åkes Sache, es Anna zu erzählen. Das dürfe kein anderer tun.

Tessie saß eine Weile schweigend da. Als sie sich gerade wieder ein Herz faßte und eine Art Protest dagegen äußern wollte, daß er sich so ohne weiteres wieder ins Todesroulette stürzen wollte, biß ein Fisch an. Carl hielt die Riemen still und wies sie an, den Fisch gleichmäßig einzuholen. Sie kämpfte, plötzlich munter geworden, eine Zeitlang mit dem Hecht, den Carl schließlich mit einem Kescher aus dem Wasser hob. Es war ein Zwei-Kilo-Hecht. Carl zog ein Messer hervor, das er unter einem Hosenbein versteckt hatte, ein schwarzes, seltsames Messer mit einer pfeilförmigen Klinge, und tötete den Hecht schnell mit einem Stich durch den Kopf. Dann spülte er das Messer im Wasser ab und steckte es wieder ein, während er sich eilig umsah. Danach war er wieder der Alte und gab ihr fröhlich Anweisungen, wie sie die Schnur entwirren und wieder auf die Rolle bekommen konnte.

Tessie bekam schließlich Ordnung in die Nylonschnur, während sie gleichzeitig versuchte, das Bild des schwarzen Messers aus dem Kopf zu bekommen. Sie wollte nicht mehr daran denken, wie blitzschnell Carl getötet hatte, ohne auch nur eine Sekunde zu zögern.

Er wendete das Boot in einem weiten Bogen, so daß der Abstand zum Ufer größer wurde, unmerklich, wie er glaubte, während er das Essen des Abends zu beschreiben begann, einen schwedischen Klassiker, Hecht in Meerrettichsauce. Dieses Gericht habe nur einen Nachteil, erklärte er. Wie bei so vielen anderen klassischen schwedischen Gerichten könne man nichts dazu trinken. Hingegen könne man mit etwas Süßem als Nachtisch schließen, beispielsweise mit einem Zitronensoufflé. Und in dem Fall könnten sie … Er überlegte eine Zeitlang und schlug dann einen Riesling Beerenauslese vor, *Alsheimer Frühmesse.*

Er ließ den Blick am Ufer entlanggleiten, wo das grüne Schilf sich leicht in der Brise wiegte, während Tessie dem perlenden Wasser lauschte. Er hatte inzwischen das Tempo gesteigert und ruderte ohne sichtbare Anstrengung, so daß am Vordersteven eine kleine Bugwelle entstand.

Tessie hatte sich nicht dazu geäußert, daß sie für den Rest ihres Lebens in Schweden wohnen würden, weder ja noch nein. Er wußte aber sehr wohl, daß dieses Thema noch nicht erschöpft war, und sie wußte, daß er es wußte.

7

Als Carl auf dem Flughafen Scheremetjewo II landete, hatte er an Sibirien noch keinen einzigen Gedanken verschwendet. Ein Flug nach Moskau mit der SAS erschien ihm, als wäre er zu einem der üblichen Jobs unterwegs; vor ein paar Monaten war er zuletzt zu einem von vielen, aber sinnlosen sogenannten U-Boot-Gesprächen hier gewesen, welche die Regierungen Rußlands und Schwedens vereinbart hatten.

Die meisten Passagiere an Bord und das Kabinenpersonal waren Schweden. Carl hatte sich hinter dunklen Sonnenbrillengläsern versteckt, da alle ihn wiedererkannten und er befürchtete, daß ihm der eine oder andere vielleicht die Meinung sagen wollte. Er war jedoch nicht in der Stimmung für solche Gespräche. Dazu war er viel zu sehr mit dem quälenden Gefühl beschäftigt, Tessie wieder allein gelassen zu haben. Hinter Zäunen, Alarmanlagen und Wachpersonal hatte er sie zurückgelassen. Seine Entschuldigungen hatten die Sache nicht besser gemacht. Er hatte behauptet, daß er nur reise, um einige Dinge zu klären, die mit dem Unternehmen Blue Bird zu tun hätten. Das war eine faustdicke Lüge gewesen. Sie hatte jedoch große Sympathie gerade für dieses Unternehmen geäußert, das darauf abzielte, Landsleute aus der Gefangenschaft in einer Diktatur zu befreien. Er hatte ihr die Planung eingehend geschildert, um sie davon zu überzeugen, daß das Vorhaben nicht so riskant sei, wie man vielleicht annehmen könne. Außerdem sollte sie glauben, daß es jedesmal um dieses für sie so sympathische Unternehmen gehe, wenn er sie allein lasse.

Er entschuldigte sich damit, daß die Wahrheit alles nur schlimmer gemacht hätte.

Wie er vorhergesehen hatte, bekam er beim Zoll scheinbar unüberwindliche Schwierigkeiten, nachdem er die Paßkontrolle für Diplomaten passiert hatte. Die Ausrüstung, die er auf den abgenutzten Blechbänken vor den Zollbeamten auftischte, ging natürlich weit über alles hinaus, was diese gewohnt waren. Er hatte ein militärisches Scharfschützengewehr mit zwei verschiedenen Zielvorrichtungen mitgebracht, einem optischen Zielfernrohr und einem Laser-Zielgerät. Daneben hatte er mehrere Feldstecher mit. Einer davon besaß einen eingebauten Entfernungsmesser in Form eines Laser. Außerdem führte er Munition verschiedener Typen mit, ein paar Messer, die offensichtlich Militärausrüstung waren, und überdies eine Tasche, die mit dem Besten gefüllt war, was westliche Streitkräfte in Form von tarn- und wärmeisolierender Kleidung leisten konnten. Die Ausrüstung sah zweifellos aus, als wäre sie genau für das gedacht, wozu sie tatsächlich gedacht war, für Meuchelmorde.

Der Umstand, daß er fließend Russisch sprach, machte die Situation kaum besser. Schon gar nicht, als er die Tatsache zu erklären versuchte, daß er keine Einfuhrlizenz für die Ausrüstung besitze. Allerdings sei dies ein Teil seiner Dienstausrüstung als schwedischer Soldat, und Militärs brauchten keine Lizenz für ihre Ausrüstung. Der erste Zollbeamte hatte seinen nächsthöheren Vorgesetzten geholt, der wiederum einen weiteren Vorgesetzten gerufen hatte, einen Hauptmann, der wieder einen Oberst holte.

Carls einziger Beleg zur Bestätigung seiner Behauptung, er sei zu einem privaten Besuch in Rußland, um in Sibirien auf die Jagd zu gehen, bestand aus einem in russischer Sprache gehaltenen Fax von Generalleutnant Jurij Tschiwartschew. Als die Zollbeamten versuchten, ihn anzurufen, erhielten sie die Auskunft, der General sei unerreichbar, da er sich in Sibirien aufhalte. Mit seinen Flugtickets bewies Carl, daß er selbst nach Sibirien unterwegs war.

Damit wäre er natürlich nie durchgekommen. Doch als die Diskussion endgültig festgefahren zu sein schien, tauchten zwei Armeeoffiziere auf, ein Oberstleutnant und ein Major. An ihren Uniformsymbolen konnte der Eingeweihte erkennen, daß beide im Afghanistan-Krieg hoch dekoriert worden waren. daß sie in Moskau in einem besonderen Stab Dienst taten, ohne daß eine bestimmte Division oder ähnliches genannt wurde. Mit anderen Worten: Sie waren Offiziere des Nachrichtendienstes.

Schnell zwängten sie sich zwischen aufgeregten Zollbeamten hindurch und knallten einige Dokumente auf den Blechtisch. Anschließend begrüßten sie Carl zackig und hießen ihn in Rußland willkommen. Sie erklärten, sie seien seine Eskorte beim Weitertransport. Dann halfen die beiden Kollegen Carl, seine Ausrüstung zusammenzupacken, wobei sie anerkennende Kommentare abgaben.

Zusammen mit den beiden Uniformierten gelangte Carl problemlos durch das Gedränge zum Parkplatz, auf dem ein schwarzer Wagen mit verhängten Scheiben wartete. Carl verzog den Mund zu einem feinen Lächeln. Bestimmte Dinge schienen sich in Rußland trotz Schocktherapie nicht zu ändern.

Seine Begleiter waren älter als er, doch ihr Auftreten verriet, daß ihnen sehr wohl bewußt war, daß Carl rangmäßig über ihnen stand. Sie fingen von sich aus keine Unterhaltung an, sondern antworteten auf seine Fragen korrekt, schnell und freundlich. Konversation würde es also nur geben, wenn Carl Fragen stellte.

Nein, ohne ihre Hilfe wäre er wohl kaum hereingekommen. Ja, General Tschiwartschew habe sie geschickt. Ja, jemand werde sie in Barnaul von der Maschine abholen, obwohl nicht feststehe, ob Tschiwartschew persönlich oder ein anderer. Korrekt, ja, es seien vier Stunden Zeitunterschied bis Barnaul. Ja, selbstverständlich würden sie dafür sorgen, daß sein Gepäck in der richtigen Maschine verstaut werde, ohne gestohlen zu werden, wenn sie erst mal auf dem Inlandsflughafen Domodedewo angekommen seien.

Nach ein paar Stunden hatten sie es geschafft, die gewaltigen Schlangen auf Domodedewo zu überwinden. Carls Gepäck hatten sie in einer Karre mit Gitter und Schlössern zur richtigen Maschine gefahren und persönlich darauf geachtet, daß die Taschen an Bord genommen wurden. Dann hatten die beiden Carl zu einer Art VIP-Lounge begleitet, in der vorwiegend Geschäftsleute aus dem Westen saßen. Dort konnte man europäisches Dosenbier gegen Dollar kaufen. Carl lud seine beiden Begleiter zu ein paar Bieren ein, die sie stehend direkt aus der Dose tranken. Anschließend begleiteten sie ihn zu dem Zubringerbus, der die Passagiere zur Maschine fahren sollte. Zum Abschied salutierten sie zum Erstaunen und unter dem mißbilligenden Schnauben der anderen Reisenden.

Der überfüllte Zubringerbus hielt vor einer unbeschreiblich

schmutzigen Tupolew 164. Die Türen gingen ächzend auf, und das Gedränge zur Maschine begann. Merkwürdigerweise stürmten alle auf dieselbe Treppe zu, die hinterste. Carl warf einen Blick auf sein Ticket und entdeckte, daß er sogar einen gebuchten Sitzplatz hatte. Der niedrigen Nummer nach zu schließen mußte es weit vorn in der Maschine sein. Es war ihm fast unangenehm, auf die vordere Treppe zuzuschlendern und allein hinaufzugehen. Er wurde von einer säuerlich dreinblickenden Stewardeß in Empfang genommen, die sein Ticket mißtrauisch kontrollierte, bis sie ihn einließ und ihm seinen Platz zeigte. Der vordere Teil der Kabine war offenbar eine Art inoffizieller Erster Klasse, als wäre Rußland jetzt mit der Einführung von Kapitalismus und Freiheit dazu übergegangen, auch Fluggäste in Klassen einzuteilen. In Carls Teil der Kabine saßen fast nur Männer in Anzügen, und die wenigen Frauen rochen stark nach Parfum und trugen glänzenden Schmuck. O ja, man hatte also eine Erste Klasse eingeführt. Vielleicht sollte es besser »biznizzklass« heißen. Die russische Sprache wurde ohnehin zur Zeit durch ein neues Vokabular bereichert: *partnjor, dschoint ventjor, vautscher* und sogar *mafia*. Im Zusammenhang mit Präsident Jelzin gab es sogar das Wort *impitschment*.

Carl erhob sich und ging einige Schritte nach hinten, um einen Blick in den hinteren Teil der Kabine werfen zu können. Ich hätte lieber dort hinten gesessen, stellte Carl fest. Mit russischen *biznizzmeny* habe ich wohl nicht das geringste gemein.

Carl ging zu seinem Platz zurück und stellte sich darauf ein, die vier Stunden bis Sibirien zu schlafen. Jedenfalls wollte er es versuchen. Etwas zu lesen gab es nicht, und es hatte auch nicht den Anschein, als säße in seiner Nähe ein vernünftiger Mensch, mit dem er sich unterhalten konnte.

Als er die Beine auszustrecken versuchte, knirschte es unter seinen Füßen. Er blickte hinunter und sah einige zerbröselte Eierschalen. Das erstaunte ihn nicht. Er machte sich auch keine Gedanken darüber, daß die Maschine außen so ungewaschen war und so unaufgeräumt im Innenraum. Die mohrrübenfarbenen Sitze waren schon sehr lange nicht mehr gereinigt worden.

Als Soldat hatte er felsenfestes Vertrauen zu russischen Piloten.

Hier wie anderswo, wo es eine eigene Luftwaffe gab, kamen natürlich auch sie von den Luftstreitkräften. Wenn sie eine MIG 25 FOXBAT mit Mach 3,3 fliegen konnten, konnten sie wohl auch den Steuerknüppel einer TU 164 bedienen. Überdies hatten sie wohl wie alle Piloten der Welt kaum ein Interesse daran abzustürzen.

Carl schlief schon, als die Maschine startete, und wachte erst zwei Stunden später auf, als die Stewardeß ihn brüsk weckte. Sie servierte Tee und eine verschwitzte, in Plastik eingepackte Wurstscheibe, ein Stück Brot und eine ebenfalls in Kunststoff gewickelte, feuchte Käsescheibe. Er blickte amüsiert und schläfrig auf sein Essen, dankte freundlich und trank vorsichtig etwas von dem Tee.

Anschließend gelang es ihm zu seiner Irritation nicht, wieder einzuschlafen. Er versuchte, an seinen Auftrag zu denken, erkannte aber die Sinnlosigkeit einer Planung. Es würde doch alles davon abhängen, wie die Gespräche liefen, wieviel Jurij über die Operationen im Westen wußte, was er über sie dachte, was er von der Entwicklung in seinem Land hielt – lauter Dinge, die sich unmöglich vorhersehen ließen.

Die bevorstehende Jagd verdrängte Carl. In seiner Kindheit hatte man ihn gezwungen, an so vielen Jagden teilzunehmen, daß seine jagdfeindliche Haltung zu einem Teil seiner späteren Auflehnung gegen die Eltern geworden war. Jetzt mußte er trotzdem jagen und auf Tiere schießen, als wäre es ein Sport, was in seinen Augen eine ebenso unmoralische wie absurde menschliche Tätigkeit war. Dennoch war es nur ein kleineres Problem, ein technisches Detail. Er hatte in seinem Job schon viel schlimmere Dinge getan. Jetzt sah er dankbar ein, daß er im Moment nichts in dieser Richtung riskierte. So brauchte er beispielsweise kein Verhältnis mit einer anderen Frau anzufangen. Dabei fiel ihm natürlich Luigi in London ein. Carl lächelte über dessen Affäre mit einer Lady Carmen. Das war ohne Zweifel eine lustige Komplikation in Luigis Auftrag.

Luigi durfte sich natürlich die Zeit so vertreiben, wie er wollte, während er sein Cover als netter junger Amerikaner in London kultivierte. Da Luigi allerdings wie ein Filmstar aussah und natürlich eine hervorragende körperliche Konstitution besaß, würden wohl noch mehr Damen als Lady Carmen den Wunsch verspüren, davon zu kosten. Ein Unternehmen konnte auf mancherlei Weise fehlschlagen, aber Luigi lief Gefahr, sich bei der falschen Gelegenheit im falschen Bett zu befinden. Für einen Offizier des schwedischen Nachrichtendienstes wäre dies eine ungewöhnliche Art, ein Unternehmen zu vermasseln. Andererseits würde Luigi wahrlich nicht den Schweden spielen, eher im Gegenteil.

Sie flogen der aufgehenden Sonne entgegen, und Carl mußte den Vorhang vor seinem Fenster zur Hälfte herunterziehen. Draußen herrschte klares Wetter. Er blickte hinaus und sah eine unendliche wilde Landschaft mit Wäldern und niedrigen Bergen.

Als die Maschine zum Landeanflug ansetzte und auf die Stadt Barnaul zuhielt, die Carl bislang nicht einmal dem Namen nach kannte, wurde die Landschaft grün und üppig, da sie von einem sich dahinschlängelnden Fluß mit vielen Zuflüssen durchströmt wurde. Wahrscheinlich gab es hier ein großes landwirtschaftliches Potential. Als sie sich der Stadt näherten und große Industriegebiete passierten, stellte Carl fest, daß es sich um metallurgische Industrie handelte. Überall Aktivität, keine Beschäftigungsprobleme, kein Produktionsstillstand. Barnaul mit seinen rund 400 000 Einwohnern war in Sibirien wohl nicht der schlechteste Ort zum Leben.

Der Pilot setzte die Maschine mit einer perfekten Landung auf. Die Vibrationen der Maschine deuteten darauf hin, daß die offenbar aus Beton oder Zement bestehende Landebahn dringend einer Reparatur bedurfte. Sie rollten auf das graue Hauptgebäude zu, auf dem ein schmales blaues Neonschild mitteilte, man sei in Barnaul willkommen.

Unrasiert, zerknittert und verschwitzt drängten sich die Passagiere in die naßkalte Morgendämmerung hinaus, um die kurze Strecke zum Hauptgebäude über den unebenen Boden zurückzulegen, auf dem in jedem Schlagloch Löwenzahn wuchs.

Es war unklar, wer ihn abholen sollte, aber es überraschte Carl dennoch, daß es ein junger Mann mit Krawatte war, der ihn in einem Englisch ansprach, das sich eindeutig amerikanisch anhören sollte. Carl hatte nicht das Herz, auf russisch zu antworten, sondern akzeptierte schnell das Amerikanische, um den Yuppie nicht zu enttäuschen.

Dieser stellte sich mit englischer Aussprache als »Eugene« vor, womit natürlich *Jewgenij* gemeint war.

Eugene hatte Grüße von Mr. Tschiwartschew zu überbringen. Eugene habe den Auftrag, dafür zu sorgen, daß Carl in der Stadt für ein paar Stunden gut unterkomme. Die Maschine werde erst am Nachmittag weiterfliegen. So früh am Morgen sei Mr. Tschiwartschew noch unerreichbar. Carl akzeptierte das, ohne Fragen zu stellen, und ließ sich zu einer VIP-Lounge führen, die bedeutend eleganter war, als er erwartet hatte. Immerhin handelte es sich um eine relativ kleine Stadt in Sibirien, und daß der neue Kapitalismus schon hergefunden haben konnte, erschien Carl undenkbar. Er fragte nach dem Grund, und die Antwort war äußerst simpel: Dies sei die Lounge der hohen Tiere der Partei gewesen, erklärte Eugene. Jetzt sei es *biznizzklass*, obwohl die meisten Parteibonzen immer noch hohe Tiere seien, wenn auch neuerdings mit anderen Titeln.

Der Yuppie bewegte sich sicher zwischen der nur zögernd funktionierenden Espressomaschine, dem Souvenirladen und der Bar, ließ mal hier, mal dort ein paar Worte fallen, sogar sein Russisch schien einen amerikanischen Akzent zu haben.

Nach einiger Zeit erschienen zwei Gepäckträger mit Carls Koffern, die, soviel er sehen konnte, völlig intakt waren. Eugene-Jewgenij fertigte die Männer lässig mit je einem Dollarschein ab, bevor er Carl zu prüfen bat, ob alles noch da sei.

Sie waren nicht allein in der Lounge. Einer kleinen Gruppe von Leuten, die auf westliche Weise gekleidet waren, wurde Tee und Espresso serviert. Vielleicht trugen sie tatsächlich westliche Kleidung, die allerdings an Menschen saß, die nicht gewohnt waren, sie zu tragen. Carl war es unangenehm, sein Gepäck öffnen zu müssen. Er schleppte die Koffer und Taschen in eine Ecke, legte sie auf ein grün-blau-braunes und stark nach Tabak riechendes Plüschsofa und öffnete die Schlösser. Eugene-Jewgenij war schnell zur Stelle und sah ihm über die Schulter. Er ließ einen Pfiff hören und sagte etwas Deplaziertes wie »starke Sachen«, obwohl unklar blieb, ob er wußte, wovon er sprach. Carl stellte rasch fest, daß alles in Ordnung zu sein schien, und fragte, was nun geschehen solle.

Es sollte Frühstück geben. Kurz darauf wurde ein sehr russisch schmeckendes englisches Frühstück mit Rührei und fettem Speck serviert. Carl aß pflichtschuldig und lehnte den Vorschlag ab, zum Essen einen Whisky zu trinken; er nahm an, daß es eigentlich einen kleinen Frühstücks-Wodka hätte geben sollen, daß die veränderten Verhältnisse jetzt aber Whisky oder schlimmstenfalls Cognac in den Situationen zuließen, in denen früher Wodka getrunken worden war.

Eugene-Jewgenij hatte einen eigenen Wagen, ein westliches Fabrikat. Carl war sich der Marke nicht sicher, bis er auf dem Lenkrad ein Fiat-Schild entdeckte. Im Wagen befand sich, wie nicht anders zu erwarten, eine Stereoanlage. Eugene-Jewgenij wollte sofort mit Hilfe amerikanischer Rockmusik die Leistungsfähigkeit der Lautsprecher demonstrieren. Nach einigen Minuten scheußlichen Lärms schrie Eugene-Jewgenij, wie Carl die Musik finde.

»Um diese Tageszeit ziehe ich Rimskij-Korsakow vor«, erwiderte Carl auf russisch.

»Himmel, was für ein gutes Russisch Sie sprechen, Admiral«, sagte Jewgenij verblüfft und stellte sofort die Musik ab.

»Korrekt«, erwiderte Carl. »Ob Sie mich jetzt unverzüglich zu General Tschiwartschew fahren könnten?«

»Zu Befehl, Admiral.«

»Gut«, sagte Carl und lehnte sich demonstrativ nach hinten, um zu betonen, daß die Unterhaltung beendet war.

Bis in die Stadt waren es fünfzehn Kilometer. Sie fuhren durch eine recht offene Landschaft mit kleineren Mischwäldern und großen Feldern mit Getreide. In der Nähe der Stadt tauchten die Industriegebiete auf, und an der holperigen Straße entdeckte Carl sogar neue Werbeschilder. Die meisten priesen die Vortrefflichkeit der Stadt und verschiedene Metallprodukte, die für den Export hergestellt würden, wie es neuerdings wohl heißen sollte, nämlich in andere Teile Rußlands. Viele Produkte schienen auf Silber und Silbernitrat zu basieren.

»Ich weiß nicht viel über Barnaul, junger Mann«, begann Carl auf russisch. »Kommen Sie selbst von hier, und was können Sie mir erzählen?«

Er erhielt einen kurzen Bericht darüber, daß die Stadt erst während des Großen Vaterländischen Krieges entstanden sei.

Nach dem Angriff der Deutschen seien Millionen Menschen nach Osten umgesiedelt worden, um sie vor den Auswirkungen des Krieges zu schützen und die russische Kriegsindustrie in Gang zu halten. Barnaul sei nur einer von vielen Orten mit einer solchen Geschichte.

Als sie sich der Stadtmitte näherten, begann Jewgenij eifrig auf verschiedene Gebäude zu zeigen, etwa das frisch renovierte Opernhaus. Carl staunte über den guten Zustand der Stadt. Die Fassaden und Straßen waren sauber. Es gab keine Schmierereien an den Hauswänden. Zu Carls Erstaunen fuhren sie an zwei völlig unangetasteten Lenin-Statuen vorbei; die Hauptstraße hieß Leninskij Prospekt, und ihr Name war an keiner Stelle übermalt.

»Junger Mann, wie ich vermute, befinden wir uns auf der Hauptstraße der Stadt. Ich muß Ihnen sagen, daß mich die Ordnung beeindruckt«, sagte Carl. »Die Schocktherapie und die Mafia haben Sibirien offenbar noch nicht erreicht?«

»Jedenfalls nicht in der Weise, die Sie vielleicht meinen, Herr Admiral«, erwiderte Jewgenij gedämpft. Carls Russisch hatte seinen Ehrgeiz erstickt, den Westler zu spielen.

»Dann sagen Sie etwas über diese Weise!« forderte Carl ihn auf. »Die beiden Häuser da – das Parteihauptquartier und das KGB, wie ich vermute?«

»Sie haben einen sehr guten Blick, Herr Admiral«, erwiderte Jewgenij verblüfft. »Das da drüben war das KGB. Neuerdings heißt es Innenministerium, aber kein Mensch hat eine Ahnung, womit die sich jetzt beschäftigen. Es sollen aber die gleichen Personen wie vorher sein. Das Parteihauptquartier hingegen ist ja verboten, wie Ihnen vielleicht bekannt ist, und...«

»Ja, ich weiß!« unterbrach Carl ihn barsch. »Das ist Boris Jelzins Idee von Demokratie, nämlich die Parteien zu verbieten, gegen die man etwas einzuwenden hat. Und was befindet sich heute darin?«

»Der Unternehmerverband, Herr Admiral.«

Carl verlor nach diesen Worten sofort seine gespielte strenge Maske. Jewgenij wartete höflich ab, bis er sie wieder angelegt hatte, und erklärte dann, es gebe jetzt tatsächlich einen Unternehmerverband in Barnaul. Er selbst habe jetzt um die Mitgliedschaft nachgesucht, da er zusammen mit einer britischen Firma, die wiederum einen dänischen Partner habe, ein *dschoint ventjor* betreibe. Auf Carls erstaunte Frage, was das für ein *biznizz* sei, erwiderte Jewgenij, er veranstalte Jagden. Die Jagd sei früher staatlich gewesen, doch jetzt hätten die beiden Republiken Altaj und ihr späteres Reiseziel Gorno Altaj die Kontrolle übernommen.

Carl fragte, worin der Unterschied zwischen staatlicher Tätigkeit unter sowjetischem Regime und staatlicher Tätigkeit in den Altaj-Republiken bestehe. Er erfuhr, daß jetzt der Grundgedanke herrsche, daß das Geld lieber in Altaj oder Gorno Altaj bleiben solle, statt nach Moskau überwiesen zu werden. Carl nickte nachdenklich bei dieser Antwort. Soweit er gelesen hatte, bestand allein Sibirien aus rund dreißig mehr oder weniger autonomen Gebieten, darunter sechs oder sieben Republiken mit eigenen Parlamenten. Alle wünschten die sofortige Selbständigkeit. Somit wurde nicht nur die Sowjetunion auseinandergesprengt, sondern selbst Rußland drohte jetzt diese Entwicklung.

Jewgenij parkte elegant vor einem Portal eines Gebäudes ein, das im hinteren Teil Barnauls lag. Das Haus war pistaziengrün mit weißen Stuckornamenten und erinnerte Carl an den kleinen Treffpunkt, der hinter dem gewaltigen weißen Generalstabsgebäude in Moskau lag und den militärischen Besuchern aus dem Ausland zugewiesen wurde. Das Haus sah jedenfalls sehr russisch aus.

Jewgenij bot an, sich um das Gepäck zu kümmern und gegen drei Uhr nachmittags zurückzukommen. Dann sei es Zeit, zum Flughafen zu fahren. Carl lehnte seinen Vorschlag entschieden ab, bat aber im Befehlston, daß Jewgenij beim Hinauftragen des Gepäcks helfe. Der Russe gehorchte sofort.

Jurij Tschiwartschew machte selbst die Tür auf, als sie anklopften. Zu Carls Erstaunen trug er Uniform. Er selbst trug eine beigefarbene Wildlederjacke und dunkelbraune Cordhosen und hatte natürlich keine Krawatte umgebunden. Diese Kleidung hatte er gewählt, um möglichst bequem ein Viertel des Erdumfangs zu bewältigen.

Sie umarmten einander auf der Stelle herzlich, während eine alte Frau mit Salz und Brot hinzukam, um Carl schon auf der Schwelle willkommen zu heißen. Jewgenij trug Carls Gepäck unauffällig hinein.

»Mein lieber schwedischer Freund. Wie es mich freut, dich nach dem Anschlag, den man auf dich verübt hat, so wohlbehalten wiederzusehen!« sagte Jurij Tschiwartschew und schüttelte Carl freundschaftlich an den Schultern, während sie das symbolische Stück Brot teilten.

»Du möchtest natürlich gern wissen, lieber Kollege, warum ich so förmlich gekleidet bin«, fuhr er geheimnisvoll fort.

»Aber selbstverständlich, lieber Bruder. Ich habe das Gefühl, einen Londoner Herrenclub in Shorts betreten zu haben. Was zum Teufel ist los?«

»Du besuchst Herrenclubs in London?«

»Darüber können wir später sprechen. Worum geht es?«

»Es ist mein Vater. Du wirst gleich verstehen«, flüsterte Jurij Tschiwartschew, wedelte Jewgenij mit ein paar Handbewegungen zur Seite, die wohl bedeuteten, wir sehen uns später wie besprochen. Dann legte er Carl den Arm um die Schultern und führte ihn sanft, aber bestimmt in die Wohnung hinein.

»Danke, guter Gott, für dein glänzendes Russisch. Halt dich jetzt fest«, flüsterte Jurij Tschiwartschew und öffnete zwei Schiebetüren.

Carl holte tief Luft, fing sich einigermaßen schnell und nahm dann Haltung an.

»Genosse Oberst! Es ist eine außerordentliche Ehre, Sie kennenzulernen!« brachte er schnell hervor.

Vor ihm stand ein weißhaariger Mann in der Paradeuniform der alten Sowjetarmee. Den Rangabzeichen nach war er Oberst und der gewaltigen Menge von Medaillen nach zu schließen unter anderem Held der Sowjetunion.

»Lieber Vater! Erlaube mir, dir den schwedischen Admiral Carl Chamilton vorzustellen, Träger unter anderem des Roten Sterns und des Großkreuzes des Sankt-Georgs-Ordens!« sagte Jurij Tschiwartschew theatralisch.

»Sankt-Georgs-Orden, das ist natürlich so ein Scheiß, den dieser Jelzin erfunden hat«, stellte der weißhaarige alte Mann mißtrauisch fest.

»Ja, lieber Vater! Er ersetzt seit kurzem die Auszeichnung Held der Sowjetunion«, erwiderte Jurij Tschiwartschew blitzschnell und militärisch.

Es war dem Alten anzusehen, daß er überlegte. Doch dann hellte sich sein Gesicht auf, und er ging Carl mit ausgestreckten Armen entgegen.

»Dann sind wir ja irgendwie Kollegen, mein lieber Admiral«, sagte der Alte. Er schloß Carl in die Arme und küßte ihn behutsam. Hinter dem Rücken seines Vaters machte Jurij Tschiwartschew eine schnell rotierende Bewegung mit dem Zeigefinger an der Schläfe und nickte Carl dann freundlich, aber bestimmt zu, das Spiel fortzusetzen.

Sie aßen ein Frühstück aus geräuchertem Stör, Kaviar mit Eiern, Brot und Wodka und tranken anschließend Tee. Der Alte hielt einen militärpolitischen Vortrag, gegen den Carl nichts einzuwenden hatte, und Jurij Tschiwartschew noch weniger. Und somit ließen sich zwei der bestinformierten Nachrichtendienst-Offiziere der Welt ohne Wimpernzucken über den Großen Vaterländischen Krieg unterrichten. Der Alte bramarbasierte über die Bedeutung dieses Krieges für das weitere Schicksal der Welt.

Urplötzlich nickte der Alte ein. Sie trugen ihn in sein Schlafzimmer und lockerten seine Kleidung, bevor sie ihn vorsichtig ins Bett legten.

»Mein lieber Vater verträgt den Wodka nicht mehr so, wie es ihm lieb wäre«, erklärte Jurij Tschiwartschew, als sie die Tür zum Schlafzimmer vorsichtig hinter sich schlossen.

»Du entschuldigst mich? Ich möchte mir etwas Bequemeres anziehen«, fügte er ironisch hinzu und verschwand.

Im Salon sank Carl auf einen mit Gold bemalten Stuhl mit roter Samtpolsterung und starrte mißtrauisch auf Stalins Gesicht. Der ganze Raum wurde von einem riesigen Stalin-Porträt beherrscht. Es war in einer Ecke mit einer handgeschriebenen Widmung versehen. Das Porträt war natürlich ein Geschenk des großen Diktators an einen Oberst, der zum Helden der Sowjetunion ernannt worden war, aber dennoch lustigerweise nicht mehr geworden war als Oberst. Daß der alte Mann dennoch auf relativ großem Fuß leben konnte, ermöglichte die Auszeichnung.

»Ich hoffe, du entschuldigst dieses Theater mit meinem lieben Vater«, sagte Jurij Tschiwartschew verlegen, als er wieder ins Zimmer trat. Er trug jetzt zivile Freizeitkleidung, die in etwa zu Carls Sachen paßte.

»Es wäre viel schlimmer geworden, wenn du meinen Vater kennengelernt hättest«, entgegnete Carl. Er stand auf und umarmte seinen Freund erneut. »Wie habe ich mich gehalten, Genosse General?«

»Hervorragend!« rief Jurij Tschiwartschew aus. »Vor allem hat mir gefallen, daß du nicht vergessen hast, daß es Genosse Oberst heißt! Davon wird der alte Mann noch lange zehren.«

»Wer Träume hat, lebt lange, aber die Träume leben ewig«, erwiderte Carl.

»Wie das alte russische Sprichwort sagt«, bemerkte Jurij Tschiwartschew nachdenklich. »Himmel, Carl, wo hast du das denn aufgeschnappt!«

»Tolstoj«, erwiderte Carl.

»Hätte ich mir denken können. Nun, dann laß uns wie zwei moderne Menschen ausgehen und uns die Stadt ansehen«, sagte Jurij Tschiwartschew.

Sie schlenderten die Allee in der Mitte des Leninskij Prospekt im Schatten hoher Laubbäume entlang, deren russische Namen Carl zu seinem Ärger vergessen hatte. Es war immer noch Vormittag, doch es begann warm zu werden. Sie setzten sich eine Zeitlang in ein offenbar beliebtes Café, das von jungen Männern in schwarzen Lederjacken und jungen Frauen in westlich aussehenden Kleidern bevölkert war. Sie bestellten Bier aus der örtlichen Brauerei. Zu Carls Erstaunen war das Bier gut, weit besser als das eigenartige Gebräu, das in Moskau unter der Bezeichnung russisches Bier angeboten wurde.

Carl betrachtete die jungen Leute. Wäre er in Moskau gewesen, hätte er ohne weiteres gemeint, es wären Kriminelle. Aber mitten in Sibirien? Hatten sich die westlichen Ideale schon bis hierher ausgebreitet?

Jurij Tschiwartschew war unsicher, wie es sich verhielt, wies aber darauf hin, daß die jungen Frauen möglicherweise wie Prostituierte aussähen, ohne es zu wissen. Sie ahmten schließlich nur übertriebene Modebilder aus westlichen Zeitschriften nach, die ihnen mehr oder weniger zufällig in die Hände gerieten. Sie hätten keine Ahnung davon, wie die Menschen eigentlich in jener Welt aussähen, die in diesen Reklamebildern wiedergegeben werde. Vermutlich seien sie Studenten an der Hochschule oder dem polytechnischen Institut, das ein Stück weiter an dieser Straße liege. Carl nickte.

Die beiden Männer setzten den Spaziergang zum Fluß hinunter fort, während Jurij Tschiwartschew die Geschichte seiner Familie erzählte.

Seine Mutter und sein Vater seien schon lange vor der großen Umsiedlung bei Kriegsausbruch nach Barnaul gekommen. Er holte tief Luft und fuhr fort: »Vater war Ingenieur und Reservist bei den Ingenieurtruppen wie die meisten mit seiner Ausbildung. Der Große Vaterländische Krieg hat Barnaul zwar nie erreicht, aber Vater wurde schließlich doch vom Krieg mitgerissen, am Ende bis nach Berlin. Während ich und meine Brüder hier eine vergleichsweise idyllische Kindheit mit heißen Sommern und kalten Wintern verbrachten, war er meist nicht da. Wenn man älter wird, neigt man dazu, diese Dinge in der Erinnerung schöner zu sehen, als sie waren. Meine Brüder leben noch immer in Barnaul. Der eine ist Industriearbeiter, der andere Zahnarzt. Mutter ist hier gestorben und hier begraben. Auch mein Vater wird eines Tages hier in Barnaul begraben werden, wahrscheinlich auch ich selbst eines Tages.

Damals waren alle Häuser aus Holz, und die Stadt wäre kaum mehr als ein Dorf gewesen, wäre da nicht die Silberindustrie gewesen, das älteste der metallurgischen Projekte. Es gab vielleicht zehntausend oder zwanzigtausend Einwohner, bevor die großen Völkerwanderungen des Krieges angerollt kamen. Gegen Ende des Krieges wurde das Leben schwieriger, obwohl Kindern so etwas vielleicht nicht so viel ausmacht. Ich denke an das rationierte Essen, Lebensmittelmarken und so weiter. Doch als Vater 1945 als Held der Sowjetunion und Oberst zurückkam, hatten alle Versorgungsprobleme ein Ende. Die Familie bekam bald die große Wohnung an der Hauptstraße. Dort wohnen wir immer noch. Nun ja, mein Bruder, der Zahnarzt, und seine Familie natürlich nicht.«

Inzwischen waren sie bei dem großen Markt angekommen, an dem der Leninskij Prospekt aufhörte. Carl zog den etwas unwilligen Jurij Tschiwartschew mit, denn er wollte sehen, was es in Barnaul zu kaufen gab und was es kostete. Die ehemalige Kooperative war inzwischen privatisiert worden. Folglich waren die Preise manchmal übermäßig hoch, ein paar Stände weiter kostete etwas aber nur noch die Hälfte. Es mangelte an nichts. Carl stellte schnell fest, daß die Preise wesentlich niedriger waren als in Moskau. Es gab auffallend viel Fisch, Karpfen und Stör, die frisch, gepökelt und geräuchert verkauft wurden. Es gab auch schottischen Whisky, japanisches Spielzeug und große Mengen schwarzer Lederjacken. Jurij Tschiwartschew erklärte leicht mißbilligend, all dieses Leder sei Schmuggelgut aus China; die Preise seien dort viel niedriger als in Rußland, und diese verfluchten Chinesen hätten schnell gelernt, aus Ziegenleder Lederjacken zusammenzunähen, die westlich aussähen.

Vor der Markthalle standen Obststände in mehreren Reihen. Ein Stück weiter hockten kleinwüchsige alte Frauen mit Kopftüchern und boten selbstgezogene Produkte an, Mohrrüben, Rote Bete, Weißkohl und Äpfel. Auf einem Kiosk prangte in großen Buchstaben das Wort GIRLS. Auf Carls erstaunte Frage, ob man in Sibirien im Einklang mit den schocktherapeutischen Idealen auch Pornographie eingeführt habe, grunzte Jurij Tschiwartschew nur übellaunig.

Sie gingen an Pyramiden aus Äpfeln vorbei. Ein Kilo Äpfel kostete etwa einen halben Tageslohn, ob es nun rote, grüne oder geflammte rotgrüne Äpfel waren. Ein kleiner Haufen leicht angefaulter gelber Äpfel kostete jedoch vier ganze Tageslöhne. Carl blieb verblüfft vor dem Preisschild stehen, beugte sich zu der alten Dame hinunter und fragte so höflich, wie er vermochte.

»Madame, verzeihen Sie mir eine Frage«, begann er vorsichtig. »Ich bin Ausländer und habe es vielleicht nicht richtig verstanden, aber weshalb kosten diese Äpfel so sehr viel mehr als die Äpfel nebenan?«

»Weil diese Äpfel kein x-beliebiges Obst sind. Sie kommen aus *Frankreich*, Dummkopf«, erwiderte die alte Dame säuerlich.

Carl bedankte sich höflich und erstaunt für die Auskunft und ging dann mit Jurij Tschiwartschew langsam in der heißen sibirischen Sommersonne weiter, während er über die Lebensgeschichte der französischen Äpfel nachgrübelte, unter anderem über ihre siebentausend Kilometer lange Reise.

»Weißt du was, Jurij«, sagte er, nachdem er eine Zeitlang nachgedacht hatte. »Wenn hier in Barnaul tatsächlich eine Nachfrage nach *französischen* Äpfeln herrscht, dürfte es noch Hoffnung für Sibirien geben, denke ich.«

Jurij Tschiwartschew mußte lächeln.

*

Luigi war zufällig eine U-Bahn früher angekommen als berechnet und schlenderte jetzt in der Waterloo Station herum, bis sein Zug am Bahnsteig einlief.

Er ging zu der Gruppe von Demonstranten, die er schon mehrere Tage hintereinander gesehen hatte, ohne Zeit für ihre Botschaft zu haben. Jetzt entdeckte er, daß sie gegen Pelzmäntel demonstrierten. Ihr heftiger und unbeugsamer Widerstand gegen Pelzmäntel wurde damit begründet, daß die rechtmäßigen Eigentümer der Pelze schrecklich litten, wenn sie in Fallen gefangen oder in zu engen Käfigen aufgezogen würden. Luigi hatte in dieser Frage keine durchdachte Meinung. Den Flugblättern zufolge seien siebzig Prozent der Einwohner Großbritanniens Gegner von Pelzmänteln, und der Pelzhandel sei im Aussterben begriffen. Doch jetzt gehe es darum, das noch verbleibende Drittel zu erledigen.

Luigi war leicht unbehaglich zumute. Dabei respektierte er durchaus die Argumente der Demonstranten. Die meisten schienen in seinem Alter zu sein und stritten glühend und lautstark für ihre Sache. Diese Zusammenkunft erschien ihm irgendwie krank und auf eine eigentümliche Weise sehr britisch. Es war dieses Britische, mit dem er sich vertraut machen mußte. Luigi stellte sich vor, daß es in diesem Land leichter sein mußte, die Öffentlichkeit für ein halbertränktes Kätzchen zu mobilisieren als für ausgepeitschte, gefolterte und ermordete nichtweiße Menschen.

Das Sexleben in der Öffentlichkeit bekannter Menschen und das Leiden unbekannter russischer Wölfe waren in diesem Land Themen, die alles andere überschatteten. Das mußte er lernen und akzeptieren.

Als er sich endlich im Zug nach Addlestone befand, erkannte Luigi, daß seine Unlustgefühle nicht das geringste mit diesen fanatischen Pelzgegnern zu tun hatten. Das britische System hatte noch weit kompliziertere moralische Muster, die sein Leben in Großbritannien betrafen. Lady Carmen – es amüsierte ihn, sie noch immer so zu nennen – würde an diesem Vormittag vor mehreren Abteilungen der EDV-Sektion einen Vortrag halten. Sie hatten sich inzwischen schon so oft geliebt, daß man das Ganze wohl ein Verhältnis nennen mußte, und hatten sich beide soviel Mühe gegeben, alle Treffen zu planen und zeitlich zu koordinieren, daß Luigi sich eingestehen mußte, daß es an eine Passion zu erinnern begann. Er dachte ständig an sie.

Er hatte jedoch sorgfältig vermieden, mit ihr über seine Arbeit zu sprechen, obwohl sie zumindest halboffiziell als Kollegin und Vorgesetzte angesehen werden konnte. Wenn das verrückte britische System dafür sorgte, daß sie Koordinator – Koordinatorin, korrigierte er sich – zwischen verschiedenen Abteilungen sein konnte, die sich mit Unterwasserprogrammen beschäftigten, einer Technik, von der sie vermutlich nicht den leisesten Schimmer hatte, war das die Sache der durchgedrehten Briten. Sie war mit einem hohen Tier verheiratet, und das entschied in diesem Land offenbar über alles.

Sie war eine sehr dramatische, emanzipierte und berükkende Frau, und als solche wollte er sie sehen, bei ihr sein, mit ihr essen und sie lieben. Der Gedanke, in einer Konferenz zu sitzen und so zu tun, als sei sie ihm nicht bekannt und als respektierte er ihre Cheffunktion, brachte ihn in große Verlegenheit. Es würde schwierig sein, anschließend hinauszugehen und mit seinen Kollegen zu kichern, weil niemand etwas ahnen durfte. Das wäre für beide erniedrigend, und dieser Gedanke war ihm zuwider.

Um so größer war der Schock, als die Konferenz begann und Lady Carmen mit zwei Simulator-Programmen vorn am Pult stand, die sie Sequenz für Sequenz miteinander verglich. Sie zeigte mit einem kleinen roten Laserstrahl auf Details und Unterschiede, einem Strahl, den sie mit der Präzision eines Scharfschützen genau dorthin richtete, wohin sie ihn haben wollte. Das gesamte Auditorium hörte aufmerksam zu.

Lady Carmen wußte absolut, wovon sie sprach. Luigi errötete, als sie einige Modifikationen des Programms erwähnte, die von ihm selbst stammten; sie sagte immer nur »Mr. Angelli, korrigieren Sie mich, wenn ich mich irre«. Ihm fiel nicht einmal ein, seinen Namen zu berichtigen, bis es nach einer Weile zu spät war.

Er mußte ihren Vortrag durch eine kurze Erklärung ergänzen, woraufhin sie die Zuhörer bat, sich alles zu merken, was gesagt worden sei, danach zu handeln und sich nach Möglichkeit an die jetzt dargelegte Innovation anzupassen. Sie war kalt, effektiv und präzise.

Luigi war zutiefst unangenehm berührt. Er hatte langsam und vorsichtig ein Programm modifiziert, mit dem Torpedo-Bewegungen im Wasser in Zusammenhang mit Temperatur und Salzgehalt simuliert wurden. Das waren Dinge, die man als schwedischer Ostsee-Experte unbedingt beherrschen mußte, doch er hatte geglaubt, daß seine Veränderungen einfach ins System eingehen würden, ohne daß jemand darauf aufmerksam wurde. Irgendwie hatte sie jedoch, ob nun allein oder mit Hilfe anderer, sofort entdeckt, was er getan hatte. Um das zu schaffen, mußte sie von der Sache tausendmal mehr verstehen, als er sich vorgestellt hatte.

Es war ihm peinlich, sie unterschätzt zu haben. Er war überzeugt gewesen, daß sie mehr über gesäßmuskelfördernde Gymnastikbewegungen wußte als über Computersimulationen und ihr mußte klar gewesen sein, daß er sie so sah.

Luigi versuchte sich daran zu erinnern, wie er einmal alle Versuche abgewehrt hatte, über die Arbeit zu sprechen. Er hatte erklärt, daß sie ihren süßen kleinen Kopf nicht mit solchen Dingen belasten solle.

Doch wenn er es jetzt recht bedachte, wurde ihm klar, daß er diese Art von Gesprächen nur hatte vermeiden wollen, ohne sich sonderlich aufzuspielen. Was weniger mit seinem Respekt vor ihr zu tun hatte als vielmehr mit seinem Wunsch, nicht über Dinge zu sprechen, die sie weniger interessierten als ihn. Nein, er würde es wohl schaffen, dem Thema aus dem Weg zu gehen, unter anderem dadurch, daß er schon beim Treffen am heutigen Abend die gleiche Haltung an den Tag legte wie sonst.

Auf jeden Fall mußte er sich seine Erklärungen, warum er diese Veränderungen vorgenommen hatte, sorgfältig überlegen. Wie sollte er vertuschen, daß er eine vom schwedischen Nachrichtendienst angewandte Technik eingeführt hatte? Vielleicht sollte er behaupten, etwas in San Diego gesehen zu haben, als er Experten draußen auf Coronado bei einem Programm geholfen habe – der wirkliche Tony Gianelli hatte etwas Ähnliches gemacht. Oder daß es ihm einfach eingefallen sei. Er habe eine Möglichkeit gesehen und sie ausprobiert, ein zufälliger Geistesblitz. Vielleicht würde er die Grenzen zwischen den beiden Erklärungen verwischen können. Irgend etwas mußte er jedoch sagen, bevor sie zur Sache kamen.

Ich kann die Frage ja mit Gott besprechen und eine Beichte ablegen, redete er sich ein, als er früh am Abend nach Hause kam. Sie würde erst gegen Mitternacht bei ihm sein. Er machte seinen Abendspaziergang zum Brompton Oratory, Londons zweitgrößter katholischer Kirche, die etwa eine Viertelstunde zu Fuß von seiner Wohnung entfernt lag.

Tony Gianelli war natürlich Katholik und wie die meisten Mittelklasse-Amerikaner in geordneten Verhältnissen ein mehr oder weniger heuchlerischer, aber fleißiger Gottesdienstbesucher. Luigi hatte diese Gewohnheit übernehmen müssen, nicht nur, weil sie mit der Legende Tony Gianelli übereinstimmte, sondern auch, weil eine große Kirche mit wenigen Besuchern ein ausgezeichneter Treffpunkt war. Sein Kontaktmann beim MI 6 bevorzugte diese Kirche als Treffpunkt, weil man dort, zumindest zu vernünftigen Tageszeiten, immer wieder unauffällige Treffen vereinbaren konnte.

Luigi war Katholik. Er wußte, wie er sich verhalten mußte, als er die Kirche betrat. Er tauchte zwei Finger ins Weihwasser, bekreuzigte sich und deutete eine leichte Verbeugung an. Seine Schritte hallten in dem großen Gewölbe, als er den Mittelgang entlangging, bis er etwa den halben Weg zu der hohen Kuppel erreicht hatte. Dort bog er nach rechts in die Kapelle, die Maria Magdalena geweiht war.

Luigi erschien wie immer pünktlich auf die Sekunde, doch der Mann, der sich Charles Kincaid nannte, saß schon da, anscheinend in tiefe Grübeleien versunken. Niemand sonst war in der Nähe, und in der Kapelle waren sie vor neugierigen Blicken geschützt.

»Guten Abend, Mr. Gianelli. Sie haben sicher viel zu tun, wie ich hoffe«, begrüßte ihn sein Kontaktmann forsch und für Luigis Geschmack mit zu lauter Stimme.

»Findest du nicht, daß wir mit Rücksicht auf die Kollegialität unseres Verhältnisses damit aufhören könnten, einander Mister zu nennen?« seufzte Luigi, nachdem er sich gesetzt hatte.

»Mir ist das durchaus recht«, erwiderte sein Kontaktmann.

Es fiel Luigi schwer, Sympathie für seinen Kollegen zu empfinden. Dieser wirkte wie eine Parodie: perfekter Anzug, Regenschirm und die Schuhe in den richtigen Farben zum richtigen Zeitpunkt, jederzeit die korrekten britischen Füllwörter, alles, was dazugehörte. Sie schienen ungefähr in demselben Alter zu sein, was es Luigi überdies schwer machte, den anderen als Vorgesetzten zu empfinden, obwohl dessen Attitüde sehr deutlich darauf angelegt war, so zu erscheinen.

»Nun ja, seit dem letzten Mal ist nicht viel passiert«, begann Luigi angestrengt. »Ich habe mit meinen Kollegen draußen in Addlestone noch keinen privaten Umgang entwickeln können, aber andererseits bin ich ja auch noch nicht lange hier. So etwas wie eine Annäherung hat es bisher nicht gegeben. Ich kann allerdings behaupten, daß es einen neuen Aspekt gibt, was Lady Carmen betrifft.«

»Ach so, wir beschäftigen uns immer noch mit Lady Carmen, wie es scheint?« murmelte der MI-6-Mann mißgelaunt. »Wollten wir nicht versuchen, diesen leidenschaftlichen Teil des Umgangs ein wenig einzuschränken und uns lieber auf etwas Nützlicheres konzentrieren, findest du nicht auch?«

»Nun«, entgegnete Luigi mürrisch, »was Lady Carmens Nützlichkeit angeht, fällt es mir grundsätzlich wirklich schwer, mir einen Umgang vorzustellen, der mit der gleichen Geschwindigkeit so viele indirekte Kontakte ergeben könnte. Es ist nun mal passiert. Ich bin ihr Liebhaber, das hat sich einfach so ergeben.«

»Mein lieber Kollege, in unserer Branche pflegt man eher selten zu behaupten, daß sich einfach etwas ergibt. Was uns betrifft, würden wir es lieber sehen, du würdest den Versuch machen, deine Reize ein wenig mehr zu verteilen.«

»Wer ist wir?« fauchte Luigi.

»Wir beim Dienst, natürlich«, erwiderte der andere leichthin und blickte nachdenklich an die Decke.

»Soso. Es gibt eine Sache, die ich gern mit Hilfe des *Dienstes* untersucht oder erklärt haben möchte, was besagte Dame betrifft«, fuhr Luigi fort. Der andere antwortete nicht, sondern gab ihm nur mit der Hand ein Zeichen fortzufahren.

»Es ist nämlich so«, fuhr Luigi fort und holte tief Luft, »daß sie in diesem Job Kenntnisse besitzt, die alles übertreffen, was ich erwartet habe, um es mal vorsichtig auszudrücken. Ich dachte, sie hätte aufgrund ihrer hohen und respektablen Heirat eine Sinekure bekommen.«

»Ja, das ist unleugbar ein naheliegender Gedanke«, erwiderte der MI-6-Mann beherrscht. »Es dürfte jedoch schwer sein, sich vorzustellen, daß die sicher sehr ehrbare Ehefrau des früheren Verteidigungsministers uns in das Mysterium der organisierten Selbstmorde einführen könnte. Wenn ich dich recht verstanden habe, alter Knabe, scheint sie genau entgegengesetzte Interessen zu haben.«

»Sehr lustig«, konterte Luigi. »Sie sieht aus wie ein Mannequin, besitzt aber Kenntnisse in militärischer EDV-Technik, die hohen wissenschaftlichen Anforderungen entsprechen. Das ist gelinde gesagt unerwartet, findest du nicht auch?«

»Mag so sein, alter Knabe, mag so sein. Aber bist du fähig, das zu beurteilen?«

»Verdammt, genau dafür sitzen wir doch hier!« knurrte Luigi irritiert. »Was glaubst du wohl, was ich draußen in Addlestone den ganzen Tag an meinem Bildschirm tue? Glaubst du, ich spiele Batman und wetze meine Messer?«

»Well, well, was immer du sagst, lieber Kollege«, erwiderte der MI-6-Mann, ohne auch nur im mindesten zu verraten, ob er sich durch Luigis sehr amerikanische und direkte Art verletzt fühlte. »Aber selbst wenn sich herausstellt, daß Lady Carmen nun bedeutend mehr besitzt als nur eine erotische Begabung, was sollen wir deiner Meinung nach dagegen unternehmen?«

»Ich hätte gern eine Erklärung. Ich würde gern wissen, welche Ausbildung sie hat und woher sie kommt, zum Beispiel«, erwiderte Luigi diszipliniert und geduldig. Die Sache schien ihm logisch zu sein.

Seinem britischen Kollegen schien sie überhaupt nicht logisch zu sein, da er die Stirn runzelte und lange nachdachte, bevor er einige, wie es schien, sehr sorgfältig gewählte Worte äußerte.

»Obwohl die Erkenntnisse, die wir durch dich zufällig über den nächtlichen Lebenswandel Lady Carmens gewonnen haben, als Zusatzinformation zu betrachten ist, die mit Delikatesse und Zurückhaltung behandelt werden sollte, vermag ich nicht zu erkennen, daß es geeignet wäre, wenn wir Dienstinformationen so außerordentlich privaten Charakters sozusagen in die andere Richtung verbreiten«, sagte er gedehnt und machte dann ein Gesicht, als hätte er soeben staatsmännische Worte abgeliefert. Er lehnte sich leicht zurück und stützte sich auf seinen Regenschirm.

»Du meinst also, daß mir Lady Carmens Hintergrund scheißegal sein soll?« fragte Luigi beherrscht.

»In klarem Englisch könnte man es möglicherweise so ausdrücken, ja, ich denke schon«, entgegnete sein Kollege kühl.

Luigi seufzte und nickte zum Zeichen, daß er verstanden und den Bescheid akzeptiert hatte. Es erschien ihm zwecklos, weiter in der Sache zu argumentieren, da er dann seine Entscheidung, die Affäre nicht sofort zu beenden, um sich statt dessen ausschließlich seinem Job zu widmen, verteidigen mußte.

Der Mann des britischen Nachrichtendienstes erhob sich langsam, rückte einige für Luigi nicht wahrnehmbare Details an seiner Kleidung zurecht, klopfte Luigi mit seinem Regenschirm freundlich auf die Schulter, bemerkte, das sei für heute wohl alles, und ging.

Luigi sank auf seinen Sitz und legte die Stirn auf die Bank vor sich wie zum Gebet. Er redete sich ein, daß Lady Carmen seiner ohnehin schon recht bald überdrüssig sein würde. Das wäre das natürliche Ende ihrer Geschichte, vielleicht machte sie ihn sogar einer Freundin zum Geschenk. Im Hinblick auf seinen Auftrag konnte er dem aufgeblasenen Kollegen vom MI 6 immerhin darin recht geben, daß man sich nur schwer vorstellen konnte, daß »die sicher sehr ehrbare Ehefrau des früheren Verteidigungsministers uns in das Mysterium der organisierten Selbstmorde einführen könnte«.

In einem Versuch, sich selbst gegenüber aufrichtig zu sein, stellte Luigi fest, daß er tatsächlich eine Menge Zeit an private Vergnügungen verschwendete, die seinem Auftrag nicht so recht entsprachen. Im nächsten Atemzug sah er auf die Armbanduhr, in wenigen Stunden würde er nackt bei ihr sein. Er akzeptierte sofort seine nur scheinbar rationale Hypothese, daß es merkwürdig aussehen würde, wenn er jetzt einfach Schluß machte, und er deswegen ihr diese Initiative überlassen sollte.

Dann stand er auf und ging.

*

Als die kleine dreimotorige YAK-40-Maschine auf der kurzen und unebenen Landebahn von Ust-Koksa aufsetzte, hatte Carl das Gefühl, am Ende aller Fluglinien dieser Welt angelangt zu sein.

Hier sah es aus wie in einem Tal im schweizerischen Tiefland nahe der Alpen. Die Maschine rollte auf das einzige Haus zu, ein großes, ziemlich baufälliges Gebäude aus Holz ohne Farbanstrich und mit einem krakeligen, von Hand gemalten blauen Text über dem Eingang. Dort stand *Ust-Koksa AEROFLOT*.

Im Grunde hatten sie tatsächlich den äußersten Punkt der Fluglinien dieser Welt erreicht. Der Karte in Carls Kopf zufolge befanden sie sich ungefähr dort, wo die Mongolei, China, Kasachstan und das sibirische Rußland zusammenstoßen. Wenn man sich vor eine Karte Asiens stellt und es schafft, mit einem Pfeil genau die Mitte zu treffen, würde man hier landen. Südlich dieser Stelle gibt es auf Tausenden von Kilometern keinerlei Flugverbindung.

Es hatte ein paar Stunden gedauert, um von Barnaul aus Gorno Altaj zu erreichen. Sie hatten zwanzig Minuten Aufenthalt in der kleinen Hauptstadt der Republik namens Gorno-Altajsk. Dort sah es aus wie auf dem Flugplatz des schwedischen Skellefteå, wenn auch grauer; überall waren mit Löwenzahn bewachsene Spalten im Beton.

Während der Fahrt hatte Jurij Tschiwartschew voller Feingefühl die neuen Regeln erklärt, die für die Jagd in der autonomen Republik galten. Es war nicht mehr möglich, einfach zu erscheinen, sich als Generalleutnant vorzustellen und dieses oder jenes zu fordern. Inzwischen sei die Jagd nämlich *biznizz* geworden und auf eine eigenartige Weise ebenfalls privatisiert. Sie hätten also wie x-beliebige Fremde eine Jagdreise gekauft. Die Bezahlung solle am liebsten in Dollar erfolgen.

Als Jurij Tschiwartschew mit seiner umständlichen Erklärung so weit gekommen war, ging Carl endlich ein Licht auf. Er versicherte eilig, was die Ausgaben angehe, wolle er mehr als gern für sie geradestehen. Die Hauptsache sei, daß sie endlich verwirklichen könnten, was sich früher immer wie ein Scherz angehört habe. »Wenn alles vorbei ist, Genosse, mußt du nach Sibirien kommen und mit mir auf die Jagd gehen.« Jetzt seien sie endlich hier. Die Jagd stehe tatsächlich bevor, und ein paar elende Dollar hin und her spielten nicht die geringste Rolle.

In der Maschine waren ungefähr zwanzig Passagiere gewesen. Die Hälfte waren Mongolen, die Hälfte Russen, was hier oben an der Grenze zur Mongolei ungefähr der Zusammensetzung der Bevölkerung entsprach. Jurij Tschiwartschew und Carl hatten ganz vorn in der Maschine gesessen. Carl hatte seine Taschen vor sich abgestellt und die Füße darauf gelegt. Erst nach einiger Zeit war ihm aufgefallen, daß er beim Einchecken unten in Barnaul einen Metalldetektor passiert hatte. Er hatte Schlüsselbunde und anderes wie gewohnt vorzeigen müssen, anschließend aber Munition und Waffen in die Flugkabine mitnehmen dürfen.

Nachdem sie nach der Landung ihr Gepäck umständlich aus der Maschine geholt hatten, wurden sie von zwei russischen Jägern abgeholt. Jurij Tschiwartschew begrüßte sie herzlich und vertraut, ohne ganz die Distanz zu verlieren. Es wirkte wie ein sozialer Drahtseilakt.

Als die beiden Russen mit dem Gepäck zu einem grünen Jeep gingen, der neben dem Eingang der ungestrichenen Bretterbude stand, flüsterte Jurij Tschiwartschew zur Erklärung, die beiden seien neuerdings ganztägig als Jäger tätig, aber vor fünfundzwanzig Jahren hätten sie seinem Befehl unterstanden, nämlich 1968 in Prag. Sie seien aus der Gegend. Beide seien früher hervorragende Soldaten gewesen.

Carl fragte leicht mißgelaunt, ob sie jetzt ständig mit Kindermädchen jagen sollten (was es ihm erschweren würde, seinen Auftrag in Angriff zu nehmen). Jurij Tschiwartschew meinte leichthin, man werde sehen. Wenn sie erst einmal da seien, könne alles mögliche passieren. Sie hätten nämlich noch einen weiten Weg vor sich.

Carl mißverstand die Bemerkung über den weiten Weg und glaubte, sie müßten noch lange in dem engen, dahinrumpelnden Jeep sitzen. Er versuchte sich so hinzusetzen, daß die Bewegungen des Wagens an den Operationsnarben möglichst wenig Schmerzen verursachten, und versuchte, sich mit Hilfe der Aussicht abzulenken.

Sie fuhren durch eine Ortschaft, die wie ein gewöhnlicher Wintersportort aussah. Überall standen helle kleine Holzhäuser, die nicht gestrichen waren, aber bemalte Fensterrahmen hatten.

Zu Carls Erstaunen war die Fahrt mit dem Jeep bald zu Ende. Sie erreichten eine Art Lager, in dem man ein paar Häuser nach dem Vorbild von Zelten errichtet hatte. Sie bestanden aus hellem Holz und hatten spitze Dächer.

Die beiden Russen zerrten an Carls Gepäck und trugen es nach und nach in eins der zeltähnlichen Häuschen. Es mußte sich um eine Art Jagdzentrum der Region handeln. Die Häuser wurden für den Tourismus erbaut. Die zu erwartenden Ausländer, die das Geld bringen sollten, würden zwar unglaublich unbequem, aber romantisch wohnen.

Natürlich war in einem der Häuser eine üppige Mahlzeit aufgetischt. Die Gäste sollten sich sofort mit ihren Jägern dort einfinden, um den Chefjäger der Region und dessen Assistenten kennenzulernen. Beide waren Mongolen. Der Assistent war so betrunken, daß er Jurij Tschiwartschew und Carl in einer mongolischen Sprache ansprach, von der sie kein Wort verstanden.

Draußen auf dem Hof stand ein Hubschrauber, an dem drei Mann Wartungsarbeiten vornahmen. In einem weiten Umkreis um die verrußten und verschwitzten Männer lagen Maschinenteile herum.

Die Speisen, die ihnen serviert wurden, erinnerten Carl an den Nahen Osten. Es waren Grillspieße mit Joghurt und Salat, nichts, was auch ein Europäer nicht bewältigen konnte. Alle stürzten sich stumm, aber eifrig auf das Essen, während Mongolinnen nach und nach mehr auftrugen.

Beim Essen betrachtete Carl interessiert die beiden Russen, die sie offenbar begleiten sollten. In Gedanken nannte er sie der Wolf und der Bär. Der Wolf hieß Alexander, also Sascha. Er war ein kleiner, sehniger, dunkler und sehr ernster Mann. Der zweite, Valerij also Valerja, schien dessen genaues Gegenteil zu sein. Sein gewaltiger Körper strahlte Kraft aus, er hatte wehmütige blaue Augen und ein dröhnendes Lachen.

Nachdem sie eine Weile gegessen hatten, erkundigte sich Carl vorsichtig, worauf die Pläne eigentlich hinausliefen. Sollten sie nicht hier jagen?

Nein, hier natürlich nicht. Sie müßten höher hinauf in das Land des Steinbocks. Es liege etwa drei Tagesritte entfernt.

Carl erbleichte. Sechs Tage zu Pferde allein für Hin- und Rückweg waren nicht das, worauf er sich eingestellt hatte. Vor allem störte es ihn, weil es unproduktive Zeit war, aber außerdem fühlte er sich nicht stark genug für diese Strapaze.

Er aß eine Zeitlang nachdenklich weiter, sichtlich so unzufrieden mit dem, was er erfahren hatte, daß das Gespräch am Tisch fast erstarb. Dann hatte er plötzlich eine Idee und fragte, ob man den Hubschrauber da draußen nicht verwenden könne.

Zu seiner Freude schien es nicht unmöglich zu sein, denn die vorsichtigen Einwände, die er zu hören bekam, besagten nur, daß der Hubschrauber von Aeroflot für die Bedürfnisse der frisch etablierten Jagdorganisation *geliest* sei. Auf jeden Fall müsse man zusätzlich bezahlen, und die Bezahlung müsse in Dollar erfolgen. Dann bleibe noch die Frage, was die Hubschrauberbesatzung dazu meine.

Carl zerrte optimistisch an seinem Grillspieß und fragte, wie lange der Flug dauern werde. Nach einer kurzen Beratung, bei der der betrunkene Mongole plötzlich unter den Tisch fiel, ohne daß jemand davon Notiz nahm, kam man zu dem Ergebnis, daß ein einfacher Flug etwa dreißig oder vierzig Minuten dauern werde. Pferde gebe es oben in den Bergen genug. Aber man dürfe dann nur so viel Gepäck mitnehmen, daß man notfalls wieder ins Tal reiten könne, falls der Hubschrauber aus irgendwelchen Gründen ausfalle.

»Entschuldigen Sie mich, meine Herren«, sagte Carl mit einem dünnen Lächeln und erhob sich. »Ich glaube, ich muß kurz mal raus.«

Er schlenderte zur Hubschrauberbesatzung und stellte sich als schwedischer Jäger vor. Er heimste wie selbstverständlich das erstaunte Lob ein, er spreche wie ein Russe, und erklärte, er sei Militär. Er äußerte die Vermutung, daß auch die Herren Militärs seien, was sie selbstverständlich waren. Er fragte, wie es so laufe, und erhielt zur Antwort, sie wollten bald ein paar Proberunden drehen, um zu sehen, ob sie das Problem gelöst hätten. Dann kam Carl direkt auf sein Anliegen zu sprechen. Falls der Hubschrauber zur Zufriedenheit funktioniere – seien dreihundert Dollar genug für einen Flug zu dem hochgelegenen Jagdlager, bevor die Herren in die Sauna gingen und sich anderen Vergnügungen zuwandten?

Die Verhandlung geriet kurz, aber eifrig.

Eine Stunde später saßen sie alle im Hubschrauber, verstaut unter Brettern und Baumaterial, die ohnehin zu dem Lager hinauf mußten.

Die beiden russischen Jäger Alexander und Valerij sahen nur mäßig amüsiert aus, als sie dahockten und ihre Pferdesättel umarmt hielten, doch Carl und Jurij Tschiwartschew riefen ihnen durch das Dröhnen der schwirrenden Rotorblätter hindurch ironische Bemerkungen zu. Sie versicherten, kein russischer Flieger wolle nur deshalb abstürzen, weil er lausige Leute der Armee geladen habe. Dann werde er für das Vergnügen selbst mit dem Leben bezahlen. Und ein russischer Flieger würde nicht mal für das Vergnügen sterben, einen Mariner an Bord zu haben, fügte Carl hinzu.

»Soldaten! Mir nach! Betrachtet es als eine gewöhnliche Luftlandeoperation!« brüllte Jurij Tschiwartschew mit einem dröhnenden Lachen. Dann hob der Hubschrauber ab. Zunächst ein wenig torkelnd, als wollte sich der Pilot einen Scherz mit ihnen erlauben, bevor er gleichmäßig an Geschwindigkeit gewann und steil zur nächstgelegenen Bergspitze aufstieg.

Carl versuchte, durch das beschlagene und halb verrußte runde Fenster zu sehen, um einen besseren Eindruck von der Landschaft zu gewinnen. Dort unten in den Tälern glänzten Flüsse in Grün-Blau-Grau. Die Farben deuteten an, daß sie von Gletschern gespeist wurden. Die Wälder bestanden überwiegend aus hohen Nadelbäumen, Tannen, soviel Carl sehen konnte, aber es konnten sich auch einige Lärchen darunter befinden. Nirgendwo sah er

Bebauung. Schon nach wenigen Minuten Flug befanden sie sich ohne Zweifel über reiner Wildnis.

Schon bald landeten sie in dem Lager, das ihre Jagdführer das höchste Lager nannten. Es bestand aus einem großen Armeezelt und einigen kleineren Zelten, die mit Öfen geheizt wurden. Zehn oder zwölf Mann waren damit beschäftigt, ein kleines Häuschen zu bauen, das bei der Ankunft der hohen ausländischen Gäste in ein paar Tagen hätte fertig sein sollen. Die Hälfte der Männer waren Mongolen. Jurij Tschiwartschew und Carl begrüßten die Männer, während der Hubschrauber lärmend abhob und Kurs auf Ust-Koksa unten im Tal nahm. Für sie erwiesen sich die hohen ausländischen Dollar-Jäger zunächst sichtlich als Enttäuschung. Sie hatten sich offenbar auf dicke Engländer mit Schnurrbart und lustigen kurzen Hosen oder derlei gefreut. Man hatte sogar einen mageren jungen Studienreferendar aus Barnaul eingestellt, der Englisch sprach.

Carl grüßte höflich auf englisch, als er dem jungen Mann die Hand gab, und wechselte dann sofort wieder ins Russische.

Man trank der guten Form halber gemeinsam einen Tee, doch dann wandten sich die Mongolen wieder ihren Bauarbeiten zu und die Russen anderen Beschäftigungen, die jedoch unklarer waren.

Es war später Nachmittag. An diesem Tag kam ein Jagdausflug nicht mehr in Frage, da alle Pläne von dem stinkenden orangefarbenen Hubschrauber zunichte gemacht worden waren, der vielleicht cinmal der Aeroflot gehört hatte oder ihr immer noch gehörte. Sie waren in der totalen Wildnis. Mit ihren unendlichen weichen Steigungen ähnelte die Landschaft manchen Alpengegenden. Sie befanden sich hier oberhalb der natürlichen Baumgrenze. Die Vegetation beschränkte sich auf Grashänge, Heidekraut oder Felder mit Zwergbirken. Unterhalb des Lagers befand sich ein Hain hoher Lärchen.

Sie hatten gerade gegessen und die Zeit bis zum Schlafengehen war noch lang. Es blieb kaum etwas anderes zu tun, als ein paar gute Schlucke zu nehmen und Jagdgeschichten zu erzählen. Als Carl diesen Vorschlag machte, wurde ihm nicht widersprochen, doch gejubelt wurde auch nicht. In einem letzten Anlauf schleppte Carl den jungen Studienreferendar mit in das große Küchenzelt, in dem ein selbstgebastelter Tisch und genügend Stühle standen. In der Hand hielt er eine seiner seit kurzem sehr speziellen Whisky-Sorten, die er eher aus nostalgischen als praktischen Gründen bei der Ausreise auf dem Flughafen Arlanda erstanden hatte.

Die Russen tranken den Whisky natürlich, als wäre er Wodka. Sie starrten mißtrauisch, fast feindselig auf das hellbraune Getränk, das dennoch *kein* Wodka war. Carls einundzwanzig Jahre alter Feinschmecker-Whisky verschwand so nach nur wenigen Grimassen-Übungen. Denn mochte der schottische Malt-Whisky dem Geschmack dieser Gesellschaft keineswegs entsprechen oder auch nur ihren Hoffnungen, so bleibt Schnaps doch Schnaps. Bald kam jemand auf die brillante Idee, man sollte diesen Cognac, oder was es war, mit etwas Wodka herunterspülen.

Mit dem Schnaps verschwand natürlich auch die Schüchternheit der Jäger und des inzwischen gar nicht mehr so notwendigen Studienreferendars aus Barnaul. Jurij Tschiwartschew erzählte fröhlich und ungeniert, wer Carl sei, nämlich ein ehemaliger Feind Rußlands, ein Spion und ein äußerst schwer zu fangender Spion dazu. Dann erzählte er eine Geschichte, die nicht einmal Carl zuvor gehört hatte. Er habe einmal versucht, Carl zu töten, doch das Ganze sei geplatzt, weil man ein Foto von Carl viel zu spät bekommen habe. Um ein Haar hätte man in der Eile den falschen Mann getötet.

Der laute, fröhliche Bär Valerja lachte Tränen, während der Wolf Sascha säuerlich und mißtrauisch fragte, weshalb man ein so merkwürdiges Verhältnis zu Schweden gehabt habe. Soviel er wisse, sei Schweden ein Land mit sehr guten Eishockeyspielern, und die Schweden halte er für ein friedliches Volk, etwa wie die Norweger. Was solle dieser Unsinn, sie seien Feinde gewesen?

Jurij Tschiwartschew hob amüsiert eine Augenbraue und sagte, das sei eigentlich eine sehr gute Bemerkung, aber am besten sei es vielleicht, den jetzigen Freund und früheren Feind den Zusammenhang erklären zu lassen. Damit zeigte er ironisch auf Carl, dem es plötzlich schwerfiel, ernst zu bleiben. Doch alle blickten ihn fragend an, und ihm wurde klar, daß er mit dem ehemaligen Feind mitten in Asien saß, wie absurd die Situation auch erscheinen mochte. Morgen würden sie zusammen auf die Jagd gehen. Er sollte also besser irgendeine vernünftige Antwort finden.

Er begann vorsichtig und sprach zunächst von dem Kalten Krieg. Er erwähnte die Aufteilung der Welt in West gegen Ost, nannte die Sowjetunion die eine Supermacht und die USA die andere. Diese Worte lösten bei den Anwesenden nicht einmal ein erstauntes Heben der Augenbrauen aus, obwohl sie bei etlichen Schweden, damals wie heute, eine Ohnmacht hervorgerufen hätten. Wie auch immer: Kleine Länder, die sich zwischen den beiden Supermächten befanden, mußten sich für eine Seite entscheiden. Schweden sei ein westliches Land und somit für die USA und gegen die Sowjetunion. Das sei im Grunde gar nicht kompliziert.

»Sofern man nicht neutral spielt«, flocht Jurij Tschiwartschew amüsiert ein. Er wandte sich dann an die anderen, während er auf Carl zeigte, und erklärte, diese kleinen Scheißer täten neutral, obwohl sie insgeheim mit den USA verbündet seien.

Carl entgegnete schnell und mit sichtlich gespieltem Zorn, daß die kleinen Scheißer dieser Welt vielleicht nicht immer viel zu wählen hätten. Das System funktioniere trotzdem einigermaßen, weil es nie zu einem Krieg gekommen sei. Der Kalte Krieg sei nie ein heißer geworden.

»Wissen Sie was, meine Herren?« rief Jurij Tschiwartschew aus. »Wissen Sie, was der für mich sehr gute Freund getan hat?«

Natürlich wußte es niemand. Während Carl sich vor Scham zusammenkauerte, gab Jurij Tschiwartschew jene Geschichte zum besten, die Carl in Sibirien am allerwenigsten erzählt wissen wollte.

«Dieser dreiste Schurke!« rief Jurij Tschiwartschew aus und zeigte mit der Hand auf Carl. »Er hat sich folgendes geleistet: Er ist als Diplomat verkleidet nach Moskau gereist. Dann hat er so gesoffen, daß wir ihn schon für einen Idioten hielten. Ich selbst, in diesem Zusammenhang ein noch größerer Idiot, habe sogar versucht, ihn zu kaufen und auf unsere Seite zu bringen. Wissen Sie, was dieser Schurke und mein heutiger guter Freund danach getan hat?«

Die Anwesenden schwiegen verblüfft.

»Also!« fuhr Jurij Tschiwartschew nach einer Kunstpause fort, die aus weiteren fünfzig Gramm Wodka bestand. »Er machte sich auf, einen schwedischen Verräter zu liquidieren, der von uns geschützt werden sollte. Mitten vor unserer Nase! Soviel zu diesem Saufbold!«

»Na ja«, sagte Carl verlegen und streckte übertrieben schwankend sein Glas vor, um sich nachfüllen zu lassen. »Saufbold hin, Saufbold her. Dieser Mann hatte schließlich sein Land für Geld verraten...«

Plötzlich wurde ihm innerlich eiskalt; hatte Jurij Tschiwartschew ihn durchschaut, war all dieses anscheinend alberne Gerede über das Saufen in Wahrheit etwas ganz anderes?

»Eins muß man aber doch sagen, Genossen. Verzeihen Sie mir, falls sich jemand gekränkt fühlt, wenn ich Sie Genossen nenne, Genossen. Aber Jurij und seine Kumpane, die sowjetischen Spione, hatten tatsächlich einen Verräter gekauft, der kein einziges Prinzip kannte außer Geld. Das war alles, was er im Kopf hatte. Jurij ist an dieser Geschichte auch nicht gerade unschuldig, Genossen.«

»Was!« sagte der Bär Valerij und riß die blauen Augen auf. »Ist unser General auch ein Spion?«

»Bei unseren eigenen Leuten heißt es nicht so, mein lieber Feldwebel«, sagte Jurij Tschiwartschew gedämpft. »In allen Sprachen, auch in unserer, kennt man dafür zwei Begriffe. Unsere eigenen Leute nennen wir *Aufklärer*, die anderen haben Spione. Ich selbst bin Aufklärer, während der da ein gottverdammter Spion ist. Wie auch immer – einen Krieg hat es nicht gegeben, und das ist auch gut so.«

*

Das erste, was Luigi in die Augen fiel, als er den gewaltigen Saal betrat, war das Skelett eines Diplodocus, des möglicherweise größten Landtiers, das je auf der Erde existiert hat.

Das Museum of Natural History war der zweite Treffpunkt auf seiner Liste und lag ebenso wie das Brompton Oratory in bequemem Spazierabstand von Luigis Wohnung, nur ein paar Straßenblocks von der U-Bahn-Station South Kensington entfernt. Das Gebäude war gewaltig und erstreckte sich über mehr als einen normalen Straßenblock. Der Übersichtskarte entnahm Luigi schnell, daß es mehrere Tage erfordern würde, sämtliche Sammlungen zu besichtigen. Es war ein guter Treffpunkt mit vielen unübersichtlichen Ecken und Gängen und für einen erst vor kurzem zugezogenen Amerikaner mit wissenschaftlichen Interessen ein durchaus schlüssiger Aufenthaltsort. Es würde nicht auffallen, wenn er so oft wiederkam, daß der eine oder andere ihn wiedererkannte.

Der eigentliche Treffpunkt lag neben Mick the Miller. Luigi wußte nicht, was ein Müller in diesem Museum zu suchen hatte, da man ihn kaum als Skelett vorzeigen würde, schon gar nicht in ausgestopftem Zustand.

Die Stelle war jedenfalls leicht zu finden. Er mußte nur direkt an dem Dinosaurier sowie an einem Mammutschädel vorbei, den gewaltigen, kirchenähnlichen Saal durchqueren und dann die Treppe zur rechten Seitengalerie hinaufgehen.

Es stellte sich heraus, daß Mick kein Müller war, sondern ein Hund, ein ausgestopfter Hund in einer Glasvitrine. Er hatte so etwas wie einen Ehrenplatz in einer Ecke, neben sich eine zweieinhalb Meter lange Holzbank für den Betrachter, der andächtig oder voller Bewunderung niedersinken wollte.

Mick the Miller war ein Greyhound gewesen, geboren 1926. Die meisten seiner Hunderennenrekorde blieben bis 1974 ungeschlagen, bis ihn die Hündin Westpark Mustard in der Tabelle endlich überflügelte. 1938 war er in ausgestopftem Zustand dem Museum geschenkt worden, und jetzt befand er sich hier verewigt in seiner Vitrine.

Luigi mußte sich jedenfalls eingestehen, daß der Treffpunkt gut gewählt war. Von der Bank hier oben konnte man die ganze Seitengalerie und die Treppe vom Haupteingang überblicken. Niemand würde dort unten an dem Dinosaurier vorbeikommen können, ohne von hier oben gleich gesehen zu werden. Niemand würde sich auch der Seitengalerie nähern können, ohne aufzufallen.

Luigi betrachtete Charles Kincaid, falls der Mann tatsächlich so hieß, als dieser langsam und anscheinend höchst interessiert an dem Dinosaurier-Skelett vorbeischlenderte, den Regenschirm nachdenklich über eine Schulter gelegt. Er ließ sich Zeit, obwohl er schon zwei Minuten verspätet war. Und das in einer Branche, in der man, soviel Luigi wußte, gelernt hatte, daß man sich *niemals* verspäten darf. Luigi würde nur fünf Minuten warten und dann gehen, um in vierundzwanzig Stunden zur gleichen Zeit wiederzukommen.

»Wir haben uns inzwischen mit dem alten Mick bekannt gemacht, nicht wahr?« begrüßte ihn der MI-6-Mann amüsiert. Er führte den Regenschirm an die Schläfe, als salutierte er.

»Ihr Briten scheint von Hunden entzückt zu sein«, entgegnete Luigi und rückte auf der Holzbank ein wenig zur Seite, damit der andere sich setzen konnte.

»Ich werde gleich zur Sache kommen. Man erwartet, daß diese Treffen nicht allzu lang geraten«, sagte der Kollege und legte Hut und Regenschirm neben sich auf die Bank. »Wir haben uns gedacht, wir sollten ein wenig Dampf machen und den Feind auf deine Anwesenheit aufmerksam machen. Wir werden einen Dummkopf von Journalisten auf dich hetzen, einen kleinen, ziemlich korpulenten und nach Schweiß riechenden Journalisten, wie ich vielleicht hinzufügen sollte, damit ich deine Libido nicht unnötig in Fahrt bringe«, erklärte der MI-6-Mann hochnäsig.

»Ist er homosexuell?« fragte Luigi.

»Soviel wir wissen, nicht. Er hat zwei kleine Kinder und ist verheiratet. Er interessiert sich sehr für Selbstmorde in der Rüstungsbranche und hat ein recht wirres Buch zum Thema geschrieben, für dessen Lektüre du keine Zeit zu verschwenden brauchst.«

»Da du mir den Inhalt sowieso mit ein paar Worten schildern kannst«, schlug Luigi übertrieben freundlich vor.

»Nun ja, es ist ein ziemliches Durcheinander, das übliche bei diesen Wirrköpfen, die überall eine Verschwörung wittern, nehme ich an«, erwiderte der MI-6-Mann mit einem Seufzen.

»Und was ist bei diesen britischen Konspirationstheoretikern üblich? Hat es mit Tieren oder mit Sex zu tun?« fragte Luigi und beugte sich vor, als machte er sich bereit, eine unglaublich spannende Erklärung zu hören.

»Ich bin wirklich nicht der Meinung, daß dieses Thema zu solchen Scherzen einlädt«, entgegnete der MI-6-Mann mit einer feinen, kaum wahrnehmbaren Andeutung von Irritation im Tonfall. »Aber, na schön, ich werde es dir in groben Zügen vortragen. Mr. Collins, so heißt er, ist davon überzeugt, daß wir es sind, also unsere verschiedenen Dienste, die unsere eigenen Leute ermorden, damit sie keine Spione werden.«

»Eine sehr unkonventionelle Sicherheitsmaßnahme und arbeitsaufwendig dazu«, stellte Luigi amüsiert fest.

»Genau. Nichtsdestoweniger hat Mr. Collins durch die Lancierung dieses Gedankens einige Lorbeeren eingeheimst. Er hat nämlich ein Buch herausgegeben und für diese große Tat einen Journalistenpreis erhalten. Man hört nie auf, über diese Journalisten zu staunen, nicht wahr?«

»Genau meine Meinung«, bestätigte Luigi. »Wie erklärt dieses journalistische Genie die Methoden? Wie genau geht ihr beim Dienst vor, wenn ihr Angestellte in der Rüstungsindustrie ›selbstmordet‹?«

»Wir treiben sie zum Wahnsinn. Das kannst du glauben oder es sein lassen.«

»Hört sich witzig an. Aber wie denn? Zwingt ihr sie, britischem Punkrock zu lauschen?«

»Gar nicht übel geraten, wirklich nicht übel. Doch, er meint fast so etwas in der Richtung. Er erwähnt etwas von Ultraschall, der auf normale Weise nicht zu hören ist, den man aber durch Wände und Mauern schicken kann, so daß er wie eine Art Gehirnwäsche funktioniert.«

»Ein gewöhnlicher Strahlungs-Idiot also?« fragte Luigi verblüfft. »Warum wollt ihr mir so einen auf den Hals schicken?«

»Weil wir davon ausgehen, daß der Feind ihn ohne jeden Zweifel liest.«

»Heißt das nicht, die intellektuellen Fähigkeiten des Feindes auf fast unverantwortliche Weise zu unterschätzen? Ich meine, vorausgesetzt natürlich, daß deine Beschreibung Mr. Collins' Erkenntnissen einigermaßen gerecht wird«, fügte Luigi säuerlich hinzu.

»Er ist der Mann, der zu diesem Thema am meisten schreibt, nämlich jede Woche. Er führt sozusagen den Journalistenlauf in dieser Disziplin an und hat mit seiner Aktivität einiges an Aufmerksamkeit erregt. Also hieße es den Feind unterschätzen, wenn man nicht davon ausgeht, daß er Mr. Collins genau liest, wenn auch unter einiger Heiterkeit.«

»Ich nehme alles zurück. Du hast recht«, bestätigte Luigi. »Ja, man muß wohl davon ausgehen. Doch dann zur nächsten Frage: Was soll ich eurer Ansicht nach mit diesem blauäugigen Naivling anfangen? Über meinen Job kann ich mich doch nicht gerade präzise äußern.«

»Nein, natürlich nicht. Er wird einen Tip bekommen, daß du a) ein begabter Innovator der Technik bist, an der du arbeitest. Was ja zu stimmen scheint – ich bitte für meinen früheren Scherz zu diesem Thema um Entschuldigung. Und b) liegt gerade deine Spezialität in der Gefahrenzone für diese Selbstmorde.«

»Aber das wissen vorerst doch nur wir«, brummte Luigi. »Ist es sehr klug, ein Wissen zu verbreiten, über das nicht mal die Polizei verfügt?«

»Nur wir wissen, daß es Tatsachen sind. Die Bullen wissen es nicht. Die Bullen werden glauben, daß der Kerl nur Vermutungen anstellt, etwa so wie bei diesen Bestrahlungsmaschinen.«

»Ja, aber der Feind wird wissen, daß er recht hat.«

»Eben! Das ist ja gerade beabsichtigt.«

»Und was wird der Feind dann nach Ansicht des Dienstes unternehmen? Wird er den durchgeknallten Journalisten selbstmorden lassen, sich ein halbes Jahr auf Eis legen oder das Tempo der Selbstmorde beschleunigen?« fragte Luigi ironisch. Der ganze Gedanke erschien ihm als eine vollständig verrückte Schreibtischkonstruktion, als übermäßig theoretisch und gefährlich.

»Ja, etwas in der Richtung haben wir uns gedacht«, gab der MI-6-Mann zu. »Wenn dieser Journalist plötzlich Selbstmord begeht, wäre das interessant, wenn auch leider nicht besonders wahrscheinlich. Und wenn sie eine Weile toter Hund spielen, halten wir sie wenigstens eine Zeitlang von Verbrechen ab. Und sollten sie sich über dich hermachen, würde die Entwicklung ja eine interessante Wendung nehmen.«

Luigi folgte dem Mosaikmuster des Steinfußbodens mit einer Schuhspitze, ohne zu antworten. Wenn der gewiß nicht übermäßig begabte Journalist ermordet werden sollte, war es doch immerhin Mord, und zwar vom Dienst provoziert. Für Luigis britische Kollegen jedoch war eine solche Wendung nichts weiter als ein kleiner Scherz.

»Wenn sie über mich herfallen«, fragte Luigi schließlich, »gibt es dann irgendwelche Beschränkungen meiner Handlungsfreiheit?«

»Nein, du unterliegst absolut keiner Beschränkung«, entgegnete der andere schnell und bestimmt. »Wenn ich das Ganze recht verstanden habe, liegt dem wohl der Gedanke zugrunde, daß unsere Freunde, die Selbstmord-Organisatoren, dann endgültig beim falschen Mann gelandet sind.«

»Ja, das habe ich auch schon kapiert, als wir zu Hause darüber gesprochen haben«, sagte Luigi. »Was du mir aber sagst, ist also die offizielle Linie des Dienstes?«

»Ohne Zweifel.«

»Wie gut, das zu wissen. Dann wollen wir nur hoffen, daß sie sich über mich hermachen und nicht über den Journalisten. Nun, sag mir jetzt, was ich mit ihm machen soll?«

Der andere sah auf die Armbanduhr. Luigi gewann den Eindruck, daß diesen Treffen zeitliche Grenzen gesetzt worden waren, was übertrieben bürokratisch wirkte. Es befanden sich nur wenige Besucher des Museums in Sichtweite, und überdies hatten beide routinemäßig die Umgebung abgesucht, während sie sich unterhielten.

Luigi erhielt eine letzte schnelle Anweisung. Der Journalist würde anrufen und vermutlich den Eindruck erwecken, als glaubte er nicht an die Möglichkeit, ein Interview zu erhalten. Luigi sollte sich als naiver netter Amerikaner geben und sich einverstanden erklären, sich aber gleichzeitig dafür entschuldigen, daß er in der Sache nicht ausführlich auf seine Arbeit eingehen könne. Er dürfe nur die Selbstverständlichkeit bestätigen, daß er bei Marconi Naval Systems arbeitete. Damit ergab sich von selbst, daß seine Arbeit mit Militärtechnologie zu tun hatte und ebenso selbstverständlich mit Computern. Was die Arbeit selbst anging, sollte Luigi auf den Werksleiter draußen in Addlestone verweisen. Der würde sich zum Erstaunen des Journalisten ungewöhnlich konkret äußern, sobald die Rede auf Luigi kam.

Luigi selbst, so der MI-6-Mann, solle den Unwissenden spielen, was das Selbstmordrisiko angehe, die Angelegenheit bagatellisieren und sie am besten damit abtun, daß er noch viel zu viele Frauen vor sich habe, um in diesen Bahnen zu denken. Oder etwas anderes sagen, was einem jungen Italo-Amerikaner in einer solchen Situation einfallen könne.

Luigi erhob sich überraschend und ging. Er hatte sich Mühe gegeben, seinen Widerwillen gegen den britischen Kollegen zu unterdrücken, entdeckte aber, daß es ihm zunehmend schwerer fiel. Er hatte den starken Verdacht, daß der Zynismus seines Kollegen kein rein sprachliches Phänomen war, ein Firnis des Jargons, sondern echt. Vermutlich würde man es beim *Dienst* recht lustig finden, wenn der Feind sich über einen wehrlosen Journalisten hermachte, statt in die ihm gestellte Falle zu tappen. Die positiven Vorurteile, die Luigi gehegt hatte, daß Briten nämlich *Gentlemen* seien, hatten schon jetzt einen ernsthaften Knacks bekommen.

*

Ein Reiter besteigt ein Pferd immer von links und setzt als erstes den linken Fuß in den linken Steigbügel. Carls linkes Bein war jedoch noch immer steif und recht unbeweglich, weil in seinem linken Schenkel fünfzig Gramm Muskulatur weggeschossen worden waren. Die mongolischen Tischler hatten plötzlich mit ihrer Arbeit aufgehört und Carl beobachtet, als dieser aufsitzen wollte. Was sie sahen, fanden sie derart komisch, daß sie sich kurz darauf in Lachkrämpfen am Boden wanden.

Als sie drei Stunden später zum ersten Mal absaßen, hatte Carl solche Schmerzen, daß ihm Tränen in die Augen schossen. Er vermutete, daß es vor allem daran lag, daß seine Beine verschieden kräftig waren. Wahrscheinlich verlagerte er in den Steigbügeln das Körpergewicht falsch. Doch da er schon so weit gekommen war, fiel es ihm nicht im Traum ein, einfach aufzugeben. Zu seinem Erstaunen konnte er trotz der körperlichen Schmerzen, die sich vor allem in Beinen und Knien bemerkbar machten, die berückende Schönheit der wilden Landschaft, durch die sie ritten, genießen.

Gorno-Altaj war eine Mischung aus den mitteleuropäischen Alpen und dem nördlichen Skandinavien. Die hohen, spitzen Berggipfel waren schneebedeckt, doch ein großer Teil der Landschaft bestand aus älteren Bergen mit flacheren, runderen Formen, auf denen sie Kilometer um Kilometer unbehindert reiten konnten. Die Topographie machte es schwierig, mit dem bloßen Auge Entfernungen zu beurteilen, da das Alpen- und Gebirgsklima Bäume manchmal wie Riesenbäume aussehen ließ, als wären sie hundert Meter hoch und einen Kilometer entfernt. Dann stellte sich schnell heraus, daß es nur Zwergbäume in zweihundert Meter Entfernung waren.

Carl hatte für sich den Feldstecher mit dem eingebauten Laser einbehalten, der alle Entfernungen selbsttätig messen konnte.

Den großen Feldstecher hatte er dem Wolf Sascha überlassen, der offenbar Leiter der Expedition war. Carl hatte erklärt, daß der Feldstecher demjenigen am nützlichsten sei, der Tiere und Landschaft am besten kenne. Natürlich hatte Carl sich bemüht, keinen hochmütigen Eindruck zu erwecken, nur weil er überlegene Technik bei sich hatte. Sascha hatte den Feldstecher dennoch mürrisch und mißtrauisch in der Hand gewogen und erklärt, er sei zu unhandlich. Er war fast doppelt so groß wie ein gewöhnliches Fernglas. Carl hatte ihm höflich zugestimmt, aber vorsichtig darauf hingewiesen, daß die Unhandlichkeit zu einem großen Teil dadurch aufgewogen werde, daß man auf tausend Meter Entfernung einen Menschen erkennen könne, wenn man ein 20 x 60-Gerät habe statt eines mit, nun ja 7 x 42, oder was die Herren sonst hätten.

Sascha war zur Seite gegangen und hatte den Feldstecher eine Zeitlang ausprobiert. Dann kam er mit vollkommen ausdruckslosem Gesicht zurück und erklärte kurz, er erbiete sich, für seinen Gast den schweren Feldstecher zu tragen. Weder mehr noch weniger.

Es war sommerlich warm. Sie ritten in Hemdsärmeln, hatten jedoch Winterkleidung in den Satteltaschen, da das Wetter in einer Hochgebirgslandschaft jederzeit umschlagen konnte.

Am Nachmittag des ersten Tages, lange nachdem Carls Beine eingeschlafen waren und die Schmerzempfindungen eigentümlicherweise geringer wurden, entdeckte Sascha eine große Herde von Steinböcken. Er saß mit dem großen Feldstecher vor den Augen eine Zeitlang still auf seinem Pferd und berichtete dann, es handle sich um sechsunddreißig oder siebenunddreißig Tiere. Darunter befänden sich vier wirklich prachtvolle Exemplare.

Der Bär Valerja protestierte sofort mürrisch. Es sei unmöglich, etwas anderes zu sehen, als daß sich da vorn Steinböcke befänden.

Saschas Gesicht verdüsterte sich. Er riß sein Pferd herum und ritt zu dem hochgewachsenen Valerja hin, der angesichts der blitzenden schwarzen Augen fast zurückzuscheuen schien. Wortlos überreichte Sascha Valerja den Feldstecher, und als dieser ihn erstaunt an die Augen hielt, ließ er ein spontanes Geheul der Überraschung hören und einen Wortschwall des Lobes. Er gab seinem Pferd die Sporen und war mit wenigen Sätzen bei Carl. Den Feldstecher in der Hand haltend sprach er von einem Wunder.

Die Männer saßen ab, blickten zu den Wolken hoch und prüften sorgfältig die Windrichtung. Carl mußte sich anstrengen, nicht hinzufallen, da seine abgestorbenen Beine fast willenlos zu sein schienen.

Zwei Mann würden sich der Herde nähern können. Sie mußten den Berg besteigen, sich in einem weiten Halbkreis der Herde nähern, um in geeignetem Abstand und in der richtigen Windrichtung ihr Glück zu versuchen.

Carl erkannte resigniert, daß er als Ehrengast kaum dem Angebot entgehen konnte, die erste Chance zu erhalten. So nickte er fröhlich, als vorgeschlagen wurde, er und Sascha sollten einen Versuch wagen.

Er nahm sein Waffenfutteral vom Pferderücken, zog sein Gewehr heraus und nahm dann ein paar Patronen aus einer der Satteltaschen.

Sascha marschierte den Berghang schnell hinauf. Carl hatte Mühe mitzuhalten, einerseits wegen seiner Schmerzen, aber auch wegen Sauerstoffmangels; sie befanden sich jetzt in zweitausendfünfhundert Meter Höhe, und er hatte nur knapp vierundzwanzig Stunden Zeit gehabt, sich zu akklimatisieren.

Er hinkte ständig hinterher. Sascha wandte sich von Zeit zu Zeit um, sah ihn streng an und winkte ihm mit der Hand, er müsse sich beeilen.

Carl ignorierte Saschas Ermahnungen und ging entschlossen in seinem eigenen, bedeutend langsameren Tempo weiter. Im Grunde lag ihm nicht viel daran, einen Steinbock zu erlegen. Der bevorstehende Augenblick erschreckte ihn sogar. Falls sie bei der

Ankunft nicht mehr in Schußweite waren, wäre kein Schaden geschehen. Er war nicht in Sibirien, um unschuldige Tiere zu töten, sondern um eine gute Gelegenheit zu erhalten, mit Jurij Tschiwartschew unter vier Augen zu sprechen. Aber im Augenblick hatte es den Anschein, als würden beide Anliegen mißlingen.

Sie bewegten sich über ein weitläufiges Feld mit Geröll und Felsbrocken, auf denen sie sich nur von Absatz zu Absatz springend weiterbewegen konnten. Dadurch hinkte Carl noch mehr hinterher, und Sascha zeigte immer deutlicher seine Irritation. Schließlich winkte Carl seinem Vordermann zu, er solle stehenbleiben, weil er ihm etwas sagen wolle. Als er keuchend und verschwitzt den ungeduldigen russischen Jäger einholte, knöpfte er sein Hemd auf und zog es zur Seite.

»Ich habe neulich drei Schüsse abbekommen«, sagte er langsam. »Wie du siehst, mein Freund, sind die Narben frisch. Der dritte Schuß sitzt im linken Oberschenkel.«

Carl knöpfte das Hemd wieder zu, Saschas ernste Wolfsaugen verrieten keinerlei Reaktion.

»Na schön, dann gehen wir langsamer. Aber dann besteht die Gefahr, daß sie verschwunden sind, wenn wir ankommen«, sagte er. Dann drehte er sich auf der Stelle um und ging nur unbedeutend langsamer als zuvor weiter.

Schließlich blieb Sascha an einigen großen Felsbrocken stehen und wartete; als Carl ihn einholte, sagte Sascha, hier kämen sie nicht weiter. Hinter diesem Felsen gebe es keinen Sichtschutz, und die Herde dort unten werde sie entdecken. Steinböcke hätten Augen wie Greifvögel. Hingegen könnten sie zwischen den Felsblöcken hinaufklettern und von dort die Tiere beobachten. Näher würden sie nicht an sie herankommen.

Nach wenigen Minuten fanden sie zwischen den mächtigen, moosbewachsenen grauen Urzeitfelsen eine kleine Höhle, vor der sie sich platt auf den Bauch legen und die Steinböcke betrachten konnten. Die Tiere witterten keine Gefahr. Einige lagen wiederkäuend auf der Erde, andere standen vollkommen still, als posierten sie für eine Touristenbroschüre, und wieder andere weideten zwischen Felsspalten, was immer sie dort zu fressen fanden.

Carl genoß den Anblick. Es war wie ein Naturfilm in der Realität. Er bat Sascha zu erklären, welchen Rang die verschiedenen Tiere hätten. Schließlich zeigte Sascha auf den Bock, den sie hätten schießen sollen, wenn sie näher hätten herankommen können. Das Tier sah aus wie ein älterer Mann mit Bart und kleinen braunen Augen.

Sascha erklärte, es sei das älteste und schönste Tier mit den längsten und kräftigsten Hörnern und sei vermutlich das Leittier der Herde.

Carl betrachtete den alten Bock durch seinen Feldstecher. Er bat Sascha, ihm das große Fernglas zu geben, und bekam das Tier damit so stark vergrößert vor die Augen, daß er sich fragte, was sich wohl hinter den großen braunen Augen abspielte. Er hätte zu gern gewußt, was dieser Bock, dem der Tod so gefährlich nahe gekommen war, im Augenblick dachte.

»Soll ich ihn erlegen?« fragte Carl zögernd.

»Nein, o nein, er ist viel zu weit weg, mindestens vierhundert Meter«, schnaubte Sascha irritiert.

»Nein, es sind dreihunderteinundzwanzig Meter. Technisch gesehen ist das keine Schwierigkeit«, wandte Carl ein und bereute seine Worte sofort. Er hätte sehr wohl zu den anderen zurückkehren können, ohne einen Steinbock ermordet zu haben, da Sascha mit seiner Autorität hätte erklären können, daß es unmöglich gewesen sei.

»Woher willst du wissen, daß es dreihunderteinundzwanzig Meter sind und nicht dreihundertzwanzig?« fragte Sascha mißtrauisch.

Carl zeigte nur auf sein Fernglas, erklärte, wie es funktionierte, und reichte es Sascha.

Sascha maß die Entfernung zu dem liegenden Steinbock, stellte fest, daß der Entfernungsmesser dreihunderteinundzwanzig Meter angab, und fragte, ob es tatsächlich wahr sei. Dabei zeigte er mit keiner Miene Erstaunen oder Bewunderung.

»Ja, es stimmt«, bestätigte Carl.

»Dreihunderteinundzwanzig Meter sind aber doch eine ziemliche Entfernung zum Schießen. Außerdem wendet uns der Bock den Rücken zu. Das ist eine schwierige Position«, wandte Sascha ein.

Carl rang mit sich. Er sah ein, daß es keine Umkehr gab. Er

befand sich in Sibirien und hatte vorgegeben, in Sibirien auf die Jagd gehen zu wollen. Früher oder später mußte er ohnehin eines dieser Tiere dort unten töten. Dann war es besser, wenn er das Unangenehme gleich hinter sich brachte.

»Ich schieße gut. Ich kann es gleich tun«, sagte er kalt.

»Na schön. Dann tu es. Es ist ein sehr schöner Bock«, sagte Sascha und rückte ein Stück zur Seite, um Carl mehr Spielraum zu geben.

Carl betrachtete den Steinbock durch das große Fernglas und hoffte, bei dem Tier irgendwelche Anzeichen von Unruhe zu entdecken.

Der Bock blieb jedoch ruhig liegen und wollte scheinbar nichts anderes, als die Sonne und die Ruhe genießen.

Carl zog seine Jacke zu sich heran, die er sich um die Taille geschlungen hatte, breitete sie als Stütze auf dem Boden aus und legte dann sein Gewehr darauf. Er plazierte es sicher, und drehte das Zielfernrohr auf zwölffache Vergrößerung.

Er bewegte das Fadenkreuz ein paar Mal vorsichtig über das Ziel, änderte dann die Körperhaltung und korrigierte die Lage der Waffe. Sascha beobachtete ihn interessiert und gespannt, jedoch wortlos und ohne eine Miene zu verziehen.

Carl legte das Fadenkreuz zur Probe auf den Hals des Bocks und hob die Waffe gut zehn Zentimeter, um die einhunderteinundzwanzig Meter auszugleichen, welche die Eichung des Zielfernrohrs überschritten. Doch da drehte der Bock den Kopf und blickte direkt nach vorn. Carl verschob den Richtpunkt automatisch auf den Rücken des Tieres, so daß die Kugel das Rückgrat durchschlagen und dann schräg in den Thorax eindringen würde.

Er schob die Sicherung hinauf und schloß behutsam den Zeigefinger um den Auslöser. Wenn er jetzt schoß, würde er treffen. Rückgrat und Herz. Der Tod würde auf der Stelle eintreten.

Er wollte es jedoch nicht. Er hatte keinen Grund dazu. Der Bock würde nur wegen etwas sterben, womit er nicht das geringste zu tun hatte. Es wäre Mord.

Carl senkte den Kopf und atmete ein paarmal heftig aus und ein, um mehr Sauerstoff in den Körper zu bekommen und um möglicherweise klarer denken zu können. Dann legte er das Fadenkreuz erneut auf den Punkt, der den Tod bedeutete. Er begann zu überlegen, wie er es erklären sollte; ob mit dem Schwierigkeitsgrad des Schußwinkels, den Sascha selbst beobachtet hatte, oder mit der offensichtlich großen Entfernung, die dennoch nicht zu groß war, um einen Menschen erschießen zu können.

Der Bock wandte erneut den Kopf, und Carl sah dessen Gesicht, den Bart und die kluge Miene. Die Ähnlichkeit mit einem Menschen funktionierte.

Dann drückte er weich ab und schaffte es noch, durch das Zielfernrohr den Aufschlag zu sehen, bevor der kräftige Rückstoß ihn nach hinten schleuderte.

Der Bock lag noch an derselben Stelle und trat wild mit den Hinterläufen, genau wie ein Mensch, der im zentralen Nervensystem getroffen worden ist, wie Carl feststellte. Das Rückgrat ist durchschlagen, und damit ist der Tod schon jetzt eine Tatsache. Der gleiche Schuß wie bei Olof Palme.

Die ganze Herde war alarmiert worden. Die Tiere, die gelegen hatten, waren jetzt aufgesprungen, gingen ein paar Schritte und sahen sich um. Doch da ihr Leittier keine Initiative ergriff, blieben sie verwirrt stehen, ohne zu wissen, in welche Richtung sie flüchten sollten.

»Du kannst noch einen schießen. Nimm den dritten von links!« flüsterte Sascha eifrig.

»War der nicht der Schönste?« fragte Carl traurig.

»O ja, aber der zweitschönste steht jetzt genau im Profil da. Ein perfektes Profil, der dritte von links«, fuhr Sascha fort.

»Nein danke«, entgegnete Carl. Er ließ die leere Hülse herausspringen, die klirrend zwischen die Felsbrocken fiel, und drückte die darunterliegende Patrone mit dem Daumen herunter und verschloß das Schlußstück. Dann erhob er sich und begann, zu seinem Opfer hinunterzugehen. Sascha folgte ihm zögernd.

Als die Tiere Carl hervortreten sahen, flüchteten sie endlich. Sie liefen zunächst unorganisiert los, bis plötzlich ein neues Leittier da war und alle in einem geordneten Manöver den Berghang hinaufkletterten. Nach nur wenigen Minuten hatten sie auf diese anscheinend mühelose Weise eine ebenso große Entfernung zurückgelegt, wie Carl keuchend, ächzend und vor Schmerz grimassierend in einer halben Stunde geschafft hatte. Es ist nicht gerecht, war der Gedanke, der ihn durchzuckte. Es ist nicht gerecht, daß ich ihr Leittier so getötet habe.

Die anderen Männer des Trupps hatten den Schuß gehört, dessen Echo zwischen den Berghängen widerhallte. Valerja erkannte den Treffer am Klang; eine Kugel, die mit einer Geschwindigkeit von etwa tausend Metern pro Sekunde auf einen Körper trifft, gibt beim Aufprall meist ein kräftiges Geräusch von sich, egal, ob der Treffer in einem Menschen sitzt oder einem Tier.

Sie nahmen die beiden unbeladenen Pferde in einem weiten Bogen mit, um möglichst nahe an den Schußplatz heranzukommen.

Der Steinbock lag vollkommen still, als Carl ihn erreichte. Mitten auf dem Rücken war in dem hellgrauen Pelz ein kleiner roter Fleck zu sehen, aber unter dem Körper floß ein dicker dunkler Strom von Blut dahin. Mageninhalt und Lungenreste waren als weiße kleine Fragmente zu erkennen.

Carl ging instinktiv zum Kopf des Bocks, hob diesen hoch und versuchte, in die noch immer vollkommen klaren Augen zu blicken. Er hielt den Kopf vorsichtig mit beiden Händen und versuchte etwas zu sagen. Doch da holte Sascha ihn ein und ließ sofort einen entzückten Ausruf hören, die einzige Gefühlsregung, die er bisher gezeigt hatte. Da verlor Carl den Faden. Er wußte nicht, was er dem Bock hatte sagen wollen.

Sascha kommentierte das Ergebnis. Er maß die Länge der Hörner, indem er berechnete, wie viele Handbreit sie lang waren, und kam zu dem Ergebnis, daß es vielleicht hundertzehn Zentimeter sein mochten. Dann streckte er mit einem Lächeln die Hand aus, um zu gratulieren. Carl nahm die Hand und versuchte nach Kräften zu lächeln, doch in diesem Moment kehrten seine Schmerzen zurück. Seit dem Augenblick, in dem er sich hingelegt und das Gewehr ergriffen hatte, hatte er nicht mehr an sie gedacht.

Die anderen konnten bis auf weniger als hundert Meter heranreiten und näherten sich von unten. Als sie den Mordplatz erreichten und die Länge der Hörner, das Alter des Bocks, aber vor allem den Aufschlagwinkel der Kugel und den Punkt des Treffers begutachten konnten, brachen sie unisono in eine Tirade begeisterter Glückwünsche aus, die für Carl kaum erträglich war, obwohl er sich immer noch bemühte, sein starres Lächeln aufrechtzuerhalten.

Jurij Tschiwartschew glühte vor Enthusiasmus. Vor allem kam er immer wieder auf den phänomenalen Schuß zu sprechen. Niemand, den er kenne, hätte so schießen können. Die meisten hätten geduldig gewartet, bis der Bock sich erhob und seine Breitseite darbot, um die Kugel durch die Lungen zu bekommen. Es sei sehr kaltblütig gewesen, aufs Rückgrat zu zielen, sehr kaltblütig.

Carl wandte ein, im Grunde gehe es nur um Anatomie. Wenn man das Rückgrat durchschlägt, so daß die Kugel, Splitter und Knochenfragmente durch Herz und Lungen gepreßt werden, gibt es keine Rettung mehr.

Den folgenden Worten entnahm Carl, was geschehen wäre, wenn er das Rückgrat verfehlt hätte. Dann hätte sich dieser Steinbock ganz und gar nicht wie ein Mensch verhalten. Er wäre nicht gehorsam an Ort und Stelle gestorben, sondern wäre zwei Kilometer über einen Bergrücken gelaufen und verschwunden, um anschließend zu Wolfsfutter zu werden. Die anderen behaupteten, daß das Ganze nur an einigen Zentimetern hänge.

Sascha und Valerja zogen ihre großen Messer mit den breiten Klingen und enthäuteten, zerstückelten und enthaupteten den Bock mit geübten Bewegungen. Sie stopften soviel Fleisch in die schwarzen Satteltaschen aus dünnem Leder, daß fast alle Luft herausgepreßt wurde, als sie die Lederriemen zuzogen. Dann trugen sie die Taschen und die eigentliche Trophäe, den Kopf mit dem immer noch klugen, nachdenklichen Blick, zu den Pferden hinunter. Sie ermahnten ihre Begleiter, gleich aufzusitzen, da sie noch einen weiten Weg zum Lager hätten. Das Wetter mache den Eindruck, als werde es bald umschlagen.

Sie ritten zwanzig Minuten einen Hang mit niedrigem Grasbewuchs und halbvertrockneten Blumen hinauf. In der Ferne sahen sie einen Bären, der mit seinen kräftigen Tatzen Wurzeln ausgrub.

Sie hatten noch zwei Täler vor sich und würden erst nach Einbruch der Dunkelheit im Lager eintreffen. Da Vollmond sei, werde es jedoch keine Probleme geben, meinten sie.

Doch in der Ferne hinter der schneebedeckten Formation von

Berggipfeln erhob sich ein Schneesturm wie ein Riese, den man aus dem Schlaf geweckt hatte. Er tobte, stieg in den Himmel und stürzte sich dann hinunter. Er war noch mehrere Kilometer entfernt, aber sie sahen, wie Sturm und Schnee ihnen auf dem Abhang vor ihnen entgegenrollten.

Sascha zog bei seinem Pferd die Zügel an und zwang es, ein paar Schritt zurückzugehen, bis er zu Carl aufschloß. Er blieb eine Zeitlang stumm sitzen und betrachtete den näher kommenden Schneesturm, ohne etwas zu sagen. Alle anderen hatten ihre Pferde ebenfalls zum Stehen gebracht und sahen mit unterschiedlichem Erschrecken, wie der Tod sich ihnen entgegenwälzte.

Schließlich wandte sich Sascha an Carl.

»Es wird eine harte Nacht geben. Eine sehr harte Nacht«, sagte er. Dann riß er sein Pferd herum und gab den anderen ein Zeichen, ihm zu folgen.

Sie befanden sich in offenem Gelände, genau dort, wo sie sich nicht befinden durften. Sie trieben ihre Pferde nach Kräften an, soweit sie es in dem Dämmerlicht wagen konnten. Auf keinen Fall durften sie hier steckenbleiben.

Dann fanden sie eine tiefe Schlucht mit einem Fluß auf dem Grund. Sie saßen ab und führten die Pferde schnell hinunter, fast bis zum Fluß.

Die Pferde banden sie an großen Baumstämmen fest, wobei sie darauf achteten, daß deren Mäuler möglichst dicht an den Stämmen blieben. Dann rissen sie die Äxte aus den Satteltaschen.

Überall im Gelände lagen umgestürzte Bäume. Sie schleiften schnell drei Baumstämme herbei und erhoben sie zu einer Art Dreifuß, bedeckten diesen mit Tannenreisig und Lärchenzweigen, so daß das Ganze einem schütteren Zelt zu ähneln begann. Danach hackten sie Holz und machten Feuer. Einen großen, trockenen Stock befestigten sie an ein paar Astgabeln über dem Feuer. Sie holten die Pferdedecken, die sie unter den Sätteln hervorzogen und legten sich dann schnell mit den Füßen zum Feuer und mit den Köpfen zur Felswand hin. Die Decken zogen sie über Gesicht und Oberkörper.

Im nächsten Augenblick brauste der Schneesturm über sie hinweg. Alles wurde dunkel. Sie bekamen Schnee in den Mund, und in den Tannenzweigen pfiff und heulte der Wind.

Carl spürte keine Furcht. Sascha und Valerja hatten noch Zeit gefunden, alles Notwendige vorzubereiten. Wenn der Schneesturm vier oder fünf Tage anhielt, würden die Pferde zwar sterben, aber sie selbst würden überleben, wenn auch mehr oder weniger durchgefroren und gelangweilt, doch sie würden überleben. Carls größter Kummer war, daß die Zeit bei einem Schneesturm verstrich, ohne daß er etwas ausrichten konnte. Er würde nichts Produktives schaffen, sondern einfach nur überleben.

*

Tony Collins erwies sich tatsächlich als kleiner, recht korpulenter und nach Schweiß riechender Journalist. Überdies war er sichtlich nervös und unkonzentriert.

Luigi war es nicht ganz leichtgefallen, sich zu einem »voraussetzungslosen« Interview überreden zu lassen, was immer das bedeuten sollte. Der Journalist schien davon auszugehen, daß er auf seine Fragen unmöglich eine Antwort erhalten konnte. Luigi, der ausdrücklich Befehl hatte, sich interviewen zu lassen, mußte sich natürlich abweisend und zugleich leicht interessiert geben.

Schließlich hatte sich Luigi aus der Situation gerettet, indem er sagte, er werde die Genehmigung seiner Vorgesetzten einholen, und wenn alles gutgehe, sei er zu einem Gespräch bereit. Am nächsten Tag hatte er sich mit dem überraschenden Bescheid gemeldet, von seiten des Unternehmens gebe es keine Einwände, wenn man davon absehe, daß geheime Informationen selbstverständlich nicht diskutiert werden dürften. Um dann zum Schein doch einige Schwierigkeiten zu machen, hatte er vorgegeben, eine Stunde um die Mittagszeit müsse genügen. Sie könnten sich dann in dem Pub draußen in Addlestone treffen, The Crouch Oak.

Der Journalist hatte ein wenig wegen der langen Anfahrt gejammert, was offenbar nur ein Vorwand war, um sich mit Luigi unter eher konspirativen Bedingungen in der City zu treffen, doch dieser hatte naiv festgestellt, er selbst mache diese Bahnfahrt zweimal am Tag und habe daher empirische Belege dafür, daß es durchaus möglich sei, diese kleine Mühe auf sich zu nehmen. Dann hatte er so getan, als müßte er seinen Kalender konsultieren, und das Treffen um einige Tage hinausgeschoben.

Luigi hatte im The Crouch Oak eine Nische gefunden, die ein wenig abseits lag. Er hatte keinerlei Mühe zu erraten, wer der Journalist war. Dieser war klein, sah verschwitzt aus und trug überdies eine dunkle Brille. Zudem schlich er sich so unauffällig ins Lokal, daß jeder der Anwesenden ihn bemerkte. Luigi winkte resigniert und ironisch, um sich zu erkennen zu geben. Der Journalist tat erst, als hätte er ihn nicht bemerkt, und ging zum Bartresen, um ein Pint Bier zu bestellen. Er hatte immer noch die dunkle Brille auf. Dann ließ er seine Aktentasche fallen, so daß zahlreiche Dokumente und Zeitungen zu Boden segelten. Um ein Haar wäre ihm sein Bierglas aus der Hand gerutscht, als er mit schnell eingesammelten Dokumenten und Zeitungen zu Luigi ging.

Er streckte eine Hand zum Gruß aus, entdeckte, daß Bier darauf geschwappt war, und trocknete sie an einem Hosenbein ab, bevor er das Manöver wiederholte. Luigi gab ihm verblüfft die Hand und rettete dann das Bierglas vor einem Unglück, als der Dokumentenhaufen unter dem Arm dieses so unauffällig geheimnisvollen Mannes zwischen ihnen auf dem Tisch landete.

»Wie ich sehe, möchtest du vermeiden, daß man uns bemerkt«, sagte Luigi und bemühte sich, die Ironie in einem interessierten und teilnahmsvollen Gesichtsausdruck zu verbergen.

Der Journalist nickte kurz, sah sich um und nahm die Sonnenbrille ab. Dann begann er von sich und der Zeitung zu erzählen, bei der er arbeitete. Sie heiße *Computer Weekly* und behandle hauptsächlich Themen, bei denen es um die Entwicklung von Computersoftware gehe. Allerdings widme sich das Blatt gelegentlich auch investigativem Journalismus, das heiße, er, Tony Collins, sei hauptsächlich für diesen Bereich verantwortlich. Dafür habe er übrigens im vergangenen Jahr einen Journalistenpreis erhalten. In dieser Branche schaffe man sich leicht mächtige Feinde und müsse lernen, vorsichtig an alles heranzugehen.

Luigi lauschte eine Zeitlang mit beherrschten und wohlgeordneten Gesichtszügen, als der Journalist die Bedeutung seiner

Person beschrieb. Gleichzeitig überlegte er, wie sich dieses bizarre Gespräch zu einem Interview entwickeln sollte. Bisher war der gesamte Informationsstrom vom Journalisten zum Interviewten gegangen. In die Gegenrichtung war noch kein Wort geflossen.

Schließlich konnte Luigi nicht mehr an sich halten. Er sah demonstrativ auf die Armbanduhr, versicherte, er sei inzwischen von den einzigartigen Meriten des Journalisten überzeugt, schlage jedoch vor, zum Thema zu kommen. Falls es irgendwelche Fragen gebe?

Dieser schroffe Vorschlag schien den Journalisten völlig zu überrumpeln. Er entschuldigte sich und begann, in seiner Aktentasche zu wühlen, bis er ein Diktiergerät hervorkramte, dessen Batterien sich als zu schwach erwiesen. Daraufhin entschuldigte er sich erneut und fragte, ob er sich statt dessen Notizen machen könne.

Luigi erwiderte verblüfft, er wolle keine Meinung dazu äußern, welcher journalistischen Technik sich sein Gegenüber bediene, sofern er nur erfahre, worum es eigentlich gehe.

Als der Journalist endlich begann, Fragen zu stellen, ging es zunächst um Tony Gianellis amerikanischen Hintergrund. Luigi leierte ihn herunter, und dann kam die Frage, weshalb ein amerikanischer Spezialist nach London gehe.

Auf diese Frage antwortete Luigi ausweichend, da der Hauptgrund etwas mit seinen technischen Sonderkenntnissen zu tun habe, die er aus Gründen der Geheimhaltung nicht näher beschreiben könne. Natürlich sei er auch deshalb nach London gegangen, weil es ganz einfach Spaß mache, eine Zeitlang außerhalb von Kalifornien zu arbeiten. Die meisten Menschen stellten sich vor, daß die Arbeit am Computer standardisiert und weltweit vergleichbar sei. Doch ganz so sei es nicht. Man lerne eine ganze Menge Neues kennen, wenn man in ein anderes Land komme, eine neue Computerkultur. Bestenfalls könne dies auch in die andere Richtung funktionieren, so daß man auch selbst etwas Neues beitragen könne.

Luigi staunte, wie eifrig sich der Journalist Notizen machte. Er ging davon aus, daß die wichtigen Fragen noch nicht gestellt worden waren, daß er jetzt als Interview-Opfer zunächst ein bißchen mürbe gemacht werden sollte.

Nach einiger Zeit fing der Journalist tatsächlich an, Luigi in kleine Fallen zu locken, und dieser half nach, so gut er konnte.

»Ist es nicht unangenehm, als junger Wissenschaftler mit so vielen Möglichkeiten zu hochspezialisierter Arbeit auf einem Feld gelandet zu sein, in dem man nach bestem Vermögen Tod und Vernichtung konstruiert?«

»Diese Aufteilung in den zivilen und den militärischen Bereich ist oft ziemlich theoretisch. Erkenntnisse, die im zivilen Sektor erarbeitet werden, lassen sich leicht in den militärischen überführen, obwohl es genausogut umgekehrt sein kann.«

Der Journalist hakte nach: »Ist es aber nicht so, daß du dich mit Computer-Simulations-Programmen beschäftigst, die zum Beispiel einen effektiveren Kampfeinsatz von Torpedos zur Folge haben? Hast du keine moralischen Zweifel bei dieser Arbeit?«

»Eigentlich«, erwiderte Luigi, »ist alles geheim, woran ich arbeite. Aber da das Unternehmen, bei dem ich angestellt bin, nun mal Marconi Naval Systems heißt, liegt doch auf der Hand, daß es bei meiner Arbeit um Torpedos geht sowie um U-Boote. Bei deren Bewegungen wird natürlich versucht, so etwas wie STEALTH-Eigenschaften unter Wasser zu erreichen. Was diese Computerprogramme angeht, sind solche Dinge ja bei der gesamten Forschung internationaler Standard. Was ist daran schon Besonderes?«

»Ist dir denn nicht bekannt, daß eine erstaunlich große Zahl von Personen mit genau deinen Fachkenntnissen in den letzten Jahren Selbstmord begangen haben?« fragte Tony Collins mit ernster Miene.

»Selbstmord?« sagte Luigi verblüfft. »Glaubst du, ich könnte Gefahr laufen, wegen des Schicksals der Menschheit aufgrund meiner Arbeit deprimiert zu werden? Das kann ich mir nicht vorstellen.«

»Zwei deiner Vorgänger hier draußen in Addlestone haben Selbstmord begangen«, wandte der Journalist schnell ein. »Hast du noch nichts davon gehört? Hat dich niemand gewarnt?«

»Nein, darüber hat niemand mit mir gesprochen. Und wovor sollte man mich warnen?« fragte Luigi mit gerunzelter Stirn, als begriffe er rein gar nichts.

»Vor dem Selbstmord-Risiko oder anderen Gefahren. Hat niemand etwas gesagt?« fragte der Journalist mit einem Gesichtsausdruck, der erkennen ließ, daß er selbst im Begriff war, schon sehr bald mehr zu diesem Thema zu sagen.

»Nein, von Selbstmord ist in keinem meiner Einstellungsgespräche die Rede gewesen«, erwiderte Luigi nachdenklich.

»Es kann ja so sein, daß bestimmte Selbstmorde gar keine sind«, sagte der Journalist flüsternd. Dann beugte er sich zu Luigi vor. In seinen Augen blitzte ein Anflug von Irrsinn auf, den Luigi normalerweise zum Anlaß genommen hätte, dem Gespräch rasch ein Ende zu machen.

»Wenn die Selbstmorde keine Selbstmorde sind, was sind sie dann?« fragte er mißtrauisch.

»Morde«, flüsterte der Journalist. Er beugte sich jetzt so weit über den Tisch, daß sein Atem Luigis Gesicht streifte und dieser erschrocken zurückzuckte.

»Und wer sollte uns wohl ermorden?« fragte Luigi ironisch, als er sich wieder gefaßt zu haben schien. »Natürlich SPECTRE?«

»Es ist wirklich kein Stoff für Scherze. Wir reden von mehr als fünfundzwanzig Fällen rätselhafter angeblicher Selbstmorde in der Rüstungsindustrie«, sagte der Journalist gekränkt.

»Auf wie viele Angestellte denn?« fragte Luigi mit einem überlegenen Lächeln.

»Na ja, wenn man alle Verästelungen der Rüstungsindustrie mitrechnet... die sozusagen betroffen sind, dürfte es sich um 150 000 Angestellte handeln«, seufzte der Journalist und senkte leicht den Kopf, als sähe er Luigis Einwand schon voraus.

»Aha!« sagte Luigi amüsiert. »Also hat ein Computerfreak unter 6000 Selbstmord begangen? Ich weiß nichts über die Selbstmordhäufigkeit in Großbritannien, da weißt du sicher besser Bescheid als ich, aber einer von 6000, das klingt doch relativ normal? Wie lautet die Zahl bei der normalen Population?«

»Sie ist etwa genauso«, seufzte der Journalist resigniert.

»Du hast also diesen Preis, von dem du vorhin gesprochen hast, dafür bekommen, daß du mit sorgfältigem investigativem Journalismus bewiesen hast, daß Angestellte der Rüstungsindustrie in exakt dem gleichen Umfang Selbstmord begehen wie Leute, die nicht in der Rüstung arbeiten?«

»Diesen Einwand bringt jeder vor. Du hörst dich an, als hättest du schon davon gehört«, wandte der Journalist mißtrauisch ein.

»Ach was, hör auf!« sagte Luigi lachend. »Ich beschäftige mich mit Mathematik und Wahrscheinlichkeitsrechnung. Das ist zufällig mein Broterwerb. Möglicherweise können Mathematik und Wahrscheinlichkeit so manche gute Geschichte zerstören, aber so bin ich nun mal, bitte um Entschuldigung.«

»Und wenn ich behaupte, daß die Selbstmordfrequenz bei solchen Angestellten der Rüstungsindustrie, die sich mit EDV-Programmen für Waffensysteme unter Wasser befassen, hundertsechsundfünfzigmal höher ist als bei der normalen Population?« fragte der Journalist.

»Wenn das so ist, hast du einen Zusammenhang gefunden, der sich nicht ohne weiteres erklären läßt«, stellte Luigi gleichgültig fest. »Hast du einen solchen statistischen Zusammenhang gefunden?«

»Ja, die Zahl, die ich dir genannt habe, stimmt.«

»Wie groß ist das statistische Material?«

»Acht Personen.«

»Da hast du's! Das kann eine zufällige Abweichung sein. In zehn Jahren ist die Zahl wieder normal«, sagte Luigi lächelnd. »Falls es dir ein Trost ist, ich habe keinerlei Pläne, Selbstmord zu begehen. Aus dem Grund bin ich nicht nach London gekommen.«

»Dazu sind deine beiden Vorgänger hier in Addlestone, die jetzt tot sind, auch nicht nach London gekommen.«

»Durchaus möglich. Aber definitiv kannst du das auch nicht wissen. Leute, die Selbstmord begehen, haben doch meist recht geheime und private Motive?«

»Sie sind aber meist nicht so geheim, daß sie sich nicht untersuchen lassen. Finanzielle Verhältnisse der Familie, Scheidungen, Alkohol, solche Dinge.«

»Gut. Dann befinde ich mich auf der sicheren Seite. Keine Schulden, keine eigentümlichen britischen Sexgewohnheiten, keine Scheidung. Außerdem gibt es noch viel zu viele Frauen in London, die ich noch nicht ausprobiert habe. Wenn ich also Selbstmord begehen sollte, darfst du meinetwegen gern schreiben, daß da etwas faul ist«, sagte Luigi. Er sah auf die Armbanduhr und errötete leicht, weil er sich ausgerechnet zu der Bemerkung über

Frauen hatte hinreißen lassen, zu der ihm sein britischer Führungsoffizier so plump das Stichwort geliefert hatte; der Satz sprudelte wie von selbst aus ihm heraus, als wäre es ein Teil seiner antrainierten Rolle.

»Wir wollen wirklich hoffen, daß es nicht so weit kommt«, brummte der Journalist und schob Luigi dann einige seiner Zeitungsartikel zum Thema hinüber, die dieser mit mäßigem Interesse an sich nahm. Er versprach jedoch, sie sich anzusehen, und sagte überdies gegen alle Logik zu, auf weitere Fragen zu antworten, falls das aktuell werde. Dann stand er auf, schlug dem trotz allem nicht sonderlich unzufriedenen Journalisten vorsichtig auf die Schulter, sah nochmals auf die Uhr, gab vor, es eilig zu haben, und ging.

Als er an der frischen Luft und im Sonnenschein war, holte er ein paar Mal tief Luft. Wenn irgendein Mensch, dem er in der letzten Zeit begegnet war, als künftiger Selbstmordfall in Frage käme, dann dieser unsichere, nur halb erfolgreiche und sicher total mißverstandene Journalist. Zu allem Überfluß war der kleine Mann dem äußeren Anschein nach zu urteilen körperlich vollkommen wehrlos.

*

Sie ritten behutsam einen steilen, mit dichtem Lärchenwald bewachsenen Berghang hinunter, einem natürlichen Weg folgend, der den Spuren im Neuschnee nach zu urteilen von wilden Tieren benutzt wurde.

Als Carl die großen, unübersehbaren Abdrücke entdeckte, hatte er nichts anderes als Wolf raten können. Er fragte Valerja, der vor ihm ritt, ob es tatsächlich Wolfsspuren seien, und dieser nickte ruhig. Er blickte auf den Wirrwarr von Spuren, wandte sich dann um und teilte munter mit, es sei ein Rudel von acht Tieren. Der Leitwolf sei ein Männchen von drei oder höchstens vier Jahren. Das Rudel bestehe also aus recht jungen Tieren.

Sie ritten langsam, da der Berghang steil war. Die zurückgelehnte Reithaltung belastete offenbar besonders die Knie, da Carls Symphonie von Schmerzen sich schon nach einer runden halben Stunde in dieser Körperhaltung auf die Knie konzentriert hatte.

Nach kurzer Zeit beobachtete Carl, daß sämtliche Wolfsspuren auf einmal abbogen, als hätte das Rudel entdeckt, daß es verfolgt wurde. Das erschien Carl logisch. Die Wölfe hatten natürlich gemerkt, daß sich ihr Todfeind in der Nähe aufhielt, sich als gejagt betrachtet und deshalb einen neuen Kurs eingeschlagen.

Doch obwohl Sascha und Valerja, die beide vor ihm ritten, natürlich das gleiche entdeckt haben mußten, schienen sie zu vollkommen anderen Schlußfolgerungen zu kommen. Sie drehten sich in den Sätteln um und spähten nach oben, als erwarteten sie etwas in der Spur hinter sich.

Carl drehte sich jetzt aus Neugier auch gelegentlich um. Er entdeckte die Wölfe als erster. Zwischen den schneebedeckten Stämmen und unter der Schneelast herabhängenden Ästen sah er zwei spitze Ohren, dann die Schnauze, dann einen halben Körper sowie zwei weitere Tiere gleich dahinter. Sie waren stehengeblieben und schienen ihn mit den Blicken zu fixieren.

Zunächst war er vollkommen perplex. Waren die Wölfe hinter den Pferden her? War die Witterung der Pferde vielleicht so stark, daß die Witterung der Menschen unter bestimmten Umständen dahinter verschwand? Was würde passieren, wenn die Pferde in Panik gerieten und auf dem steilen Berghang durchgingen?

Wenn man durch einen Ast vom Pferd heruntergeschlagen, eine Zeitlang im Steigbügel mitgeschleift wurde und eine gute Blutspur zustande brachte – wie würden die sie verfolgenden Wölfe dann reagieren?

»Valerja«, flüsterte er heiser. »Die Wölfe verfolgen uns. Was zum Teufel machen wir jetzt?«

Valerja drehte sich um und lächelte sehr breit und herzlich. Er gab durch ein zustimmendes Kopfnicken zu erkennen, daß er Bescheid wußte. Ja, die Wölfe seien da hinten. Dann wandte er sich wieder um, als brauchten sie sich um nichts Sorgen zu machen. Carl verstand den Inhalt von Valerjas Mitteilung nicht, nahm aber an, daß dieser und Sascha die Situation ganz anders deuteten als er selbst. Außerdem waren sie vier gut bewaffnete Menschen. Es blieb allerdings die Frage, ob die sibirischen Pferde diese Überlegenheit an Feuerkraft mit der gleichen Zuversicht betrachteten.

Doch da kein anderer Mann des Trupps auch nur das mindeste

Zeichen von Unruhe aufwies, breitete Carl die Arme aus und murmelte, Einsätze für den sogenannten Weltfrieden müßten offenbar nicht nur mit ständigen Schmerzen, sondern auch damit verbunden sein, daß man sich von Wölfen verfolgen lasse.

Als sie eine Stunde später an einem Wasserfall Rast machten, bat Carl um cinc Erklärung.

Sascha zufolge war der Wolf das intelligenteste Tier Sibiriens. Wer glaube, daß Hirsch oder Schneeleopard die cleversten seien, irre sich, der Wolf sei tausendmal cleverer.

Die Wölfe hätten nur einen Feind, von dem sie immer gejagt worden seien, natürlich dem Menschen. Bei der sibirischen Methode der Wolfsjagd zäunte man ein Gebiet mit Stoffetzen und Wolfsflaggen ein und durchkämmte es dann Sektor für Sektor mit Treibern. Damit wollte man die Wölfe auf eine Schützenkette zutreiben, doch die Wölfe entschieden sich fast ausnahmslos dafür, sich möglichst dicht hinter den Treibern zu halten. Das war der sicherste Ort. Natürlich gab es verschiedene Lösungen dieses Problems, etwa eine zweite Treiberkette und anderes. Das, was die Wölfe jetzt taten, paßte gut zu ihrem Verhalten, zumindest wenn sie erfahrene Leittiere hatten. Merkwürdig war nur, daß der Leitwolf den Spuren nach zu schließen nicht älter als drei oder vier Jahre zu sein schien, aber diese Technik dennoch bereits beherrschte. Sascha und Valerja hatten um einen Dollar gewettet, und Sascha hatte verloren. Er hatte nicht an einen so jungen Leitwolf glauben können. Jedenfalls hatten sie aufgrund der Wette eine Zeitlang nach hinten gespäht, nicht etwa aus Angst vor dem Wolf, denn beide waren sich bewußt, wer hier wen fürchten mußte.

Es war ein heißer, völlig schneefreier Nachmittag, als sie zu ihrem Basislager zurückkehrten. Die Mongolen arbeiteten immer noch an dem Häuschen, das bis zum Abend fertig werden sollte.

Carl mußte sich eine Weile konzentrieren, bis er die Zähne zusammenbiß und sein eingeschlafenes rechtes Bein nach hinten verfrachtete, so daß er es mit der rechten Hand packen und über den Pferderücken zerren konnte. Dann legte Carl sich hin, ließ das Gesicht von der Sonne bescheinen und schloß die Augen.

Er war frustriert, doch sein schmerzender Körper war nur ein kleiner Teil der Ursache.

Der Jagderfolg, der jetzt dadurch illustriert wurde, daß Sascha und Valerja stolz den russischen und mongolischen Kameraden im Lager zwei Steinbocksköpfe zeigten, interessierte Carl wenig. Am Tag nach dem Schneesturm waren sie in einer weißen Landschaft aufgewacht, auf die eine strahlende Sonne herabschien, die schnell die Schneedecke wegfraß. Nur wenige Stunden später hatten sie eine neue Steinbockherde von mehr als siebzig Tieren entdeckt. Diesmal war natürlich Jurij an der Reihe gewesen, und alles war gutgegangen. Somit hatten sie schon nach wenigen Tagen je einen Steinbock geschossen. Doch diese Jagd war für Carls Reise nach Sibirien nur der Vorwand. Wenn er es nie schaffte, mit Jurij Tschiwartschew allein zu sein, wäre die ganze Expedition sinnlos oder, was noch schlimmer war – dann entfielen alle Entschuldigungen zur Ermordung dieses Steinbocks, der ja nicht die geringste Schuld an einigen verrückten russischen Vorhaben mit der britischen Rüstungsindustrie trug.

Jurij Tschiwartschew ging mit zwei Bierdosen in den Händen zu Carl, setzte sich und reichte ihm eine Dose. Carl nahm sie dankbar entgegen.

»Deutsches Bier?« fragte er erstaunt, als er nach einigen kräftigen Schlucken das Etikett der rot-weißen Dose las.

»Richtig, deutsches Bier«, erwiderte Jurij Tschiwartschew. »Das ist auch *biznizz*. Man muß zwei Dollar pro Dose bezahlen. Die Jäger-Aktiengesellschaft der Republik Altaj, oder wie sie sich jetzt nennen, kauft es für einen Dollar pro Dose. Folglich ist der Gewinn ein Dollar.«

»Nein, das stimmt nicht ganz«, wandte Carl lächelnd ein. »Du mußt noch den Transport vom Hersteller dazurechnen, Benzinkosten, Arbeitskraft, Pferdefutter, was auch immer. Der Gewinn dürfte nicht mehr als einen halben Dollar betragen, aber auch das ist noch ganz hübsch.«

»Die Wege des Kapitalismus sind unerforschlich«, brummte Jurij Tschiwartschew. »Besonders die des russischen Kapitalismus, aber ich habe mir gedacht, daß wir darüber erst später sprechen. Was ist mit deinen Beinen? Hast du starke Schmerzen?«

»Was soll ich sagen«, erwiderte Carl zögernd. »Wenn ich nein sage, entspricht es nicht ganz den Tatsachen. Doch ich sehe das nicht als etwas, was mit meinem Besuch zusammenhängt, sondern eher als Trainingsschmerzen. Wir sind schon am ersten Tag acht Stunden geritten und seitdem an jedem weiteren Tag. Der Körper bekommt keine Chance, sich an die Strapazen zu gewöhnen und sich zu erholen. Spürst du denn nichts davon?«

»O doch«, gab Jurij Tschiwartschew widerwillig zu. »Ich bin ja nicht gerade ein Mongole oder so einer wie Sascha und Valerja, die auf dem Pferderücken wohnen. Aber was tut man nicht alles, um alte Freunde ungestört treffen zu können.«

»Wir sind nicht ganz ungestört«, betonte Carl vorsichtig.

»Nein. Darauf wollte ich gerade zu sprechen kommen«, erwiderte Jurij Tschiwartschew schnell. »Bei allem Respekt vor den Genossen Alexander und Valerja, beide sind ausgezeichnete Männer, kann ich mir aber vorstellen, daß wir beide dieses oder jenes Gespräch führen wollen, das unseren Beruf betrifft.«

»Ich glaube, das wäre für unsere geehrten Jagdgenossen ziemlich mühsam«, entgegnete Carl, darum bemüht, keine übertriebene Begeisterung zu zeigen.

»Richtig, genau mein Gedanke«, erwiderte Jurij Tschiwartschew und nickte nachdenklich. »Deshalb habe ich dir einen Vorschlag zu machen.«

Dieser hatte selbstverständlich mit der Jagd zu tun. Aus Rücksicht auf die natürlichen Ressourcen der autonomen Republik Gorno Altaj, die keinem Raubbau ausgesetzt werden sollte, erklärten sich beide Jäger damit zufrieden, je einen Steinbock geschossen zu haben.

Die Pointe war, daß sie von jetzt an zu Maralhirschen übergehen sollten, der sibirischen Variante des Rothirschs. Wenn sie künftig nämlich nur auf Maralhirsche Jagd machten, brauchten sie keine Jagdführer, da der Maralhirsch nicht so hoch in die Berge hinaufging wie der Steinbock. Sie brauchten sich also nicht mehr oberhalb der Baumgrenze aufzuhalten. Außerdem war die Jagdtechnik anders. Man benutzt die Pferde nur dazu, in die richtige Region zu kommen, um sich dann vorsichtig zu Fuß weiterzubewegen. Sie mußten nur den richtigen Platz finden, um die Hirsche in der Morgen- oder Abenddämmerung beim Äsen zu erwischen.

Die Jäger hatten zunächst ihren Widerwillen geäußert, als Jurij Tschiwartschew ihnen von seinen Plänen berichtete. Schließlich befände man sich in der Wildnis und die Besucher würden sich hier nicht zurechtfinden können. Die Berge sahen sich alle sehr ähnlich, zahlreiche Flüsse und Bäche verliefen kreuz und quer durch die Landschaft.

Jurij Tschiwartschew hatte in Carls Gepäck jedoch einen GPS-Messer bemerkt und erklärte, wie er funktioniere; man könne auf einen Meter genau bestimmen, wo auf der Erde man sich befinde. Das Gerät könne wie ein Kompaß programmiert werden und dann könne man aus jeder beliebigen Richtung eine Anweisung bekommen, wo genau es nach Hause gehe.

Schließlich war es nur noch um den Vorteil gegangen, mit möglichst wenigen Personen auf die Hirschjagd zu gehen, und um die eher materielle Seite der Angelegenheit. Jurij Tschiwartschew hatte versichert, daß sich nichts zum Schlechteren verändern werde, was die Bezahlung von Jägern, Köchen und anderen angehe. Eher umgekehrt, und damit war das Thema ausdiskutiert.

Voller Optimismus, mit neuen Kräften und beinahe schmerzfrei, hatte sich Carl nach nur wenigen Stunden in den Sattel gesetzt; zuvor hatte er sein GPS natürlich dem begeisterten Valerij und dem mit ausdruckslosem Gesicht knurrenden Alexander vorgeführt.

Carl und Jurij Tschiwartschew ritten Seite an Seite. Sie bewegten sich langsam auf die Region zu, die ihnen empfohlen worden war, und unterhielten sich zunächst in einem heiteren Plauderton über Alexander und Valerij.

Carl meinte, die beiden Männer kämen ihm vor, als wären sie schwarzweißen russischen Filmen der sechziger Jahre über den wahren russischen Menschen entstiegen.

Jurij Tschiwartschew lachte laut und bestätigte Carls Eindruck. Kaum waren sie außer Hörweite des Basislagers, gaben sie jeden Versuch auf, als stille Jäger aufzutreten. Jurij fragte, zu welchem der beiden russischen Typen, dem Wolf oder dem Bären, er selbst wohl gehöre.

Ohne Zweifel zu dem Wolfs-Typ Alexander mit einem nur selten sichtbaren Herzen, das jedoch aus Gold sei, entgegnete Carl.

Von diesem Augenblick an sprachen sie nur noch über Politik.

Sie hatten keinen langen Ritt vor sich. Schon bei ihrem Aufbruch war es später Nachmittag gewesen. Ihr angeblicher Plan bestand darin, zunächst nur in die Region zu kommen, in der die Hirsche vermutet wurden. Dann wollten sie für die Nacht ihr Lager aufschlagen und sich in den frühen Morgenstunden im Licht der ersten Dämmerung der Jagd widmen. Den Rest des Tages wollten sie das Gelände erkunden. Wenn es am ersten Tag nicht klappte, wollten sie sich ein paar Tage im selben Gebiet aufhalten.

Sie waren bergab geritten. Die an die Alpen erinnernde Berglandschaft, die hinter ihnen lag, veränderte sich und ähnelte immer mehr den langgestreckten weichen Bergen des nördlichen Skandinavien. Sie waren teilweise mit Lärchen oder Tannen bewachsen. In den Talsenken standen Zwergbirken. In dem dichten Birkengestrüpp, das manchmal quadratkilometergroße Teppiche bildete, sah man deutlich die Pfade des Wildwechsels.

Sie schlugen ihr Lager in möglichst großer Höhe auf, um einen guten Überblick über die Landschaft zu haben. Sie hatten einige Felsformationen gefunden, die an die natürlichen Skulpturen erinnerten, wie sie der Wind in Arizona oder auf Gotland erschaffen hat.

Die Steinblöcke würden sie schützen, falls ein neuer Schneesturm sie überraschte. Da in dieser Region immer noch vereinzelt Bäume wuchsen, konnten sie sich einen einfachen Windschutz bauen und Feuer machen.

Sie holten ihren Proviant hervor, der wie gewöhnlich aus Steinbockfleisch bestand. Carl schnitt es in Würfel und spießte es auf Stöckchen auf, die er vor dem Feuer in die Erde bohrte. Dazu gab es geräucherte Sprotten aus Konservendosen, grobes Weißbrot, konzentrierte Kondensmilch, die dickflüssig aus der Dose floß, und Tee.

Die Dämmerung brach schnell herein, und bald gab es nichts mehr zu sehen. So blieb ihnen nichts anderes übrig, als zu essen und miteinander zu sprechen.

Carl hatte sich entschlossen, zunächst herauszufinden, was Jurij Tschiwartschew wollte, falls er mehr wollte, als nur gebildete Gespräche zu führen. Zunächst sprachen sie über Ökonomie, genauer, die Schocktherapie für die russische Wirtschaft. Jurij Tschiwartschew sprach an, ob all das wirklich seriös sei, ob es überhaupt so etwas wie eine Schocktherapie gebe und ob es empirische Belege für den Erfolg solcher Methoden gebe. Carl erwiderte vorsichtig, soviel er wisse, sei das ein neues Wort, eine ziemlich schwammige und verdächtige Idee, die von den dogmatischsten rechten Politikern der westlichen Welt stamme. Seines Wissens gehe es dabei mehr um Psychologie als um ökonomische Wissenschaft. Zumindest entstehe dieser Eindruck, wenn man den Versuch mache, den Ursprung dieser Ideen zu analysieren.

Sie seien auf den Sieg der westlichen Welt im Kalten Krieg zurückzuführen. Man habe die Sowjetunion zu Tode gerüstet. Und als Gorbatschow es irgendwann eingesehen habe, habe er eine Hand ausgestreckt und erleben müssen, daß der ganze Arm aufgefressen wurde. Mit der Auflösung des sowjetischen Imperiums, dem Zusammenbruch des Warschauer Pakts und dem Fall der Berliner Mauer hätten die rechtsgerichteten Kräfte im Westen den Eindruck gewonnen, daß dieser Sieg mehr zeige als die Unterlegenheit der russischen Planwirtschaft. Sie habe, so Carl, nämlich auch erwiesen, daß derjenige, der ganz weit rechts stehe, auch am meisten Recht habe. Der Fall der Berliner Mauer war als Beweis dafür angeführt worden, daß die Konservativen *the good guys*, Sozialdemokraten, Grüne und ähnlich Denkende *the bad guys* waren, da man meinte, sie irgendwie mit dem Bau der Berliner Mauer in Verbindung bringen zu können.

Das war nicht sonderlich logisch. Deutsche Sozialdemokraten waren genausowenig Anhänger der Berliner Mauer gewesen wie schwedische Sozialdemokraten Fans des GULAG oder der sowjetischen Kommandowirtschaft – ja, so heiße das neuerdings, Kommandowirtschaft, nicht Planwirtschaft. Doch diese rechte Welle hatte sicher mehr mit Psychologie und einem Siegesrausch als mit Vernunft zu tun.

Erst danach hatten die selbsternannten Sieger eine Art Verantwortung auf sich genommen. Sie wollten ihre Dogmen nicht nur an den eigenen Ländern ausprobieren, wo sie für alle reichen Menschen die Steuern senkten, damit es den Armen besser gehen konnte, sondern hatten auch darin gewetteifert, die neuen Staaten Osteuropas mit Zuckerbrot und Peitsche dazu zu bringen, sich als Versuchskaninchen für den *instant capitalism* zur Verfügung zu stellen. In diesem Zusammenhang war das Wort Schocktherapie entstanden. Der Grundgedanke war wohl, daß die Umwandlung um so schneller vonstatten ging, je schneller man damit verfuhr.

Bis dahin hatte Carl nur zu referieren versucht, ohne irgendwelche persönlichen Standpunkte zu äußern.

Jurij Tschiwartschew hatte weder durch Mienenspiel noch Formulierungen auch nur angedeutet, wo er selbst stand, abgesehen vielleicht von der Selbstverständlichkeit, daß die Lage so gut wie verzweifelt war; *kompliziert und gefährlich*, wie er es vermutlich ausgedrückt hätte.

»Wie beurteilt ihr diese Entwicklung, liebe Kollegen beim schwedischen Nachrichtendienst?« fragte er leise und stocherte in dem Gluthaufen vor seinen Füßen herum.

Carl antwortete nicht gleich, sondern versuchte Zeit zu gewinnen. Er inspizierte die Grillspieße und reichte Jurij Tschiwartschew einen davon. Wenn er die ihm soeben gestellte Frage beantwortete, wäre es im Sinn des Gesetzes Spionage. Andererseits hatte seine Regierung ihm empfohlen, sehr weit zu gehen, um bei der Operation Striped Dragon Erfolg zu haben, und genau hier und jetzt stand die Entscheidung bevor. Überdies würden weder die schwedische Sicherheitspolizei noch ein schwedisches Gericht je von diesem Gespräch in Sibirien Kenntnis erhalten.

»Du sollst eine aufrichtige Antwort bekommen«, begann Carl mit einer ironischen Grimasse über die russische Formulierung, die im Grunde bedeutete, daß man gelogen und Streit gesucht hatte. Dann biß er ein Stück von seinem Grillspieß ab, um noch etwas darüber nachzudenken, wie er seinen Landesverrat präziser formulieren konnte.

»Die militärische *raswedka*, deren stellvertretender Chef ich jetzt bin, nimmt eine Analyse vor, während der Stab des Ministerpräsidenten eine völlig andere Analyse macht«, begann er entschlossen. »Laß mich mit dem anfangen, was wir bei der *raswedka* glauben: In Ländern wie Polen und vor allem Tschechien ist es gelungen, Schritt für Schritt eine vorsichtige Umstellung auf das westliche System vorzunehmen. Dort hat man eine stabile politische Führung beibehalten, ein relativ demokratisches Entscheidungssystem. Produktion und Beschäftigung laufen ohne Schocktherapie. Somit ist den Leuten dort auch die Gangsterherrschaft erspart geblieben. Doch in Rußland verhält es sich völlig anders. Rußland hat in kurzer Zeit die Voraussetzungen für eine Aufrechterhaltung seines Produktionsniveaus beseitigt. Wir haben allein für dieses Jahr eine Produktionsminderung von mehr als fünfundzwanzig Prozent errechnet. Rußland hat zudem keine Führung, sondern einen diktatorischen und in seinen Entscheidungen schwankenden Präsidenten, der an einem Tag dieses und an einem anderen jenes dekretiert und außerdem dabei ist, seine Gegensätze zum Parlament weiter zu verstärken, so daß die Situation schon heute gefährlich ist und schlimmstenfalls sogar in Kriegshandlungen enden kann. Das Ergebnis der allgemeinen Wahlen, die im Herbst abgehalten werden sollen, läßt sich nur schwer vorhersehen, aber wir sind pessimistisch. Wir glauben, daß Ultranationalisten, Antisemiten, religiöse Fanatiker, Mystiker und großrussische Revanchisten eher siegen werden als irgendwelche Demokraten, welcher Spielart auch immer. Was bedeuten würde, daß Präsident Jelzin noch mehr umzingelt wird. Das Fehlen politischer Autorität führt zu zunehmender Gangsterherrschaft, und diese wiederum wird am Ende alle westlichen Investitionen ausschließen, da das Regime Recht und Ordnung nicht garantieren kann. Diese Gangsterbanden sägen natürlich an dem Ast, auf dem sie zu sitzen versuchen, aber die Verluste, die sie für das gesamte russische Volk bewirken, sind unermeßlich. Am Ende wird dies, so glauben wir, zu vollständigem Chaos führen, eventuell sogar zu einem Bürgerkrieg. Wir glauben auch, daß Boris Jelzin schon ziemlich bald durch einen für uns sehr unangenehmen Führer ersetzt werden wird. Dies in aller Kürze. Was willst du noch wissen?«

»Wie analysiert eure Regierung die Lage?« fragte Jurij Tschiwartschew.

»Unsere Regierung… Unsere fähigste Regierung der Geschichte, ja«, seufzte Carl. »Die kommen also zu einem vollkommen anderen Ergebnis. Erstens glauben sie, die Schocktherapie wirke sich hervorragend aus. Sie meinen ferner, daß die gesamte Unterstützung aus dem Westen auf Boris Jelzin setzen soll und daß westliche Regierungen sich einmischen sollten. Sie sollen euch ermahnen und erziehen, mit dem Entzug von Geld drohen oder mehr Geld versprechen, um schnellstens möglichst große Teile der Produktion in private Hände zu überführen. Etwa so, wie ein drastischer chirurgischer Eingriff zwar weh tut, aber dennoch der einzige Weg zur Rettung ist. Die Gangsterherrschaft scheinen sie fast als ein reines Ordnungsproblem zu betrachten.«

»Wie seht ihr das Risiko einer militärischen Konfrontation? Habt ihr auch dort unterschiedliche Analysen?« fragte Jurij Tschiwartschew.

»Ja, das eine folgt ja aus dem anderen«, erwiderte Carl. »Bei der *raswedka* sehen wir kein Risiko einer militärischen Konfrontation zwischen Schweden und Rußland, jedenfalls nicht mittelfristig. Wir arbeiten mit zwei Kriegsfällen größeren Wahrscheinlichkeitsgrades. Einmal handelt es sich um verschiedene russische Bürgerkriege oder einen Krieg zwischen Rußland und der Ukraine. Wir glauben aber eher noch an eine Entwicklung, die damit beginnt, daß irgendein verrückter Revanchist Boris Jelzin ersetzt und sich dann daran macht, die baltischen Staaten zurückzuerobern. Das ist übrigens ein Risiko, das die Balten selbst anheizen, indem sie die dort lebende russische Bevölkerung diskriminieren. Rußland hat die Kapazität, schon heute eine solche Rückeroberung durchzuführen, aber eure Ausrüstung reicht nicht aus, um euch auf einen Gegner außerhalb der alten Sowjetunion zu stürzen. Schweden ist im Moment also zum ersten Mal seit Peter dem Großen außer Gefahr.«

»Hm«, bemerkte Jurij Tschiwartschew. »Aber euer Ministerpräsident hat sich ja mit Äußerungen hervorgewagt, die sich so deuten ließen, als wolle Schweden militärisch gegen russische Angriffe auf die baltischen Republiken eingreifen, Verzeihung, die baltischen Staaten. Dann hat er noch die Freundlichkeit besessen, uns mit dem Hinweis erziehen zu wollen, daß wir mehr Schocktherapie brauchen und nicht weniger. Wie kann man solche Manieren erklären?«

»Ich weiß es nicht«, gab Carl fast beschämt zu, als wäre er selbst für die seltsamen Äußerungen seines Ministerpräsidenten verantwortlich. »Wie du selbst weißt, haben wir keinerlei Ressourcen für militärische Operationen auf baltischem Territorium. Was dieses Säbelrasseln also soll, hat keiner von uns verstanden. Unser Oberbefehlshaber hat sogar in der Presse gegen diese Dummheiten polemisiert. Und was diese Äußerung über noch mehr Schocktherapie betrifft, muß man sie wohl als eine Erscheinungsform der persönlichen, aber dogmatischen Einstellung des Ministerpräsidenten sehen, daß nämlich alles, was rechts ist, richtig sei, etwas in der Richtung.«

»Aber das sind doch sehr unkluge Äußerungen«, überlegte Jurij Tschiwartschew laut. »So etwas fördert doch die Möglichkeiten der allerschlimmsten Revanchisten. Hast du zum Beispiel mal etwas von einem gewissen Schirinowskij gehört?«

»Ja, ich habe seinen Namen irgendwo in einem Bericht gelesen. Er wird offenbar als ein Mann angesehen, der besorgniserregend an politischem Boden gewinnt.«

»Korrekt. Und Leute seines Schlages werden von Drohungen, man wolle Krieg gegen uns führen, und wir brauchten mehr Schocktherapie, nachgerade gemästet. Das ist übrigens ein Wort, das die meisten von uns inzwischen hassen. Nun, was haltet ihr von dem Risiko, wir könnten die Macht übernehmen?«

»Die Sowjetarmee?« fragte Carl. Die indiskrete Direktheit der Frage verblüffte ihn erneut. »Nun ja, ihr müßt darüber gesprochen haben, davon gehen wir mit einiger Sicherheit aus. Soviel wir wissen, gibt es zwei Fraktionen. Eine möchte umgehend die Macht übernehmen, und zwar unter Hinweis darauf, daß man Recht und Ordnung schaffen müsse. Die zweite Fraktion ist skeptischer und meint, daß man die Macht nicht übernehmen könne, ohne gleichzeitig geordnete wirtschaftliche Verhältnisse zu versprechen, und das könnt ihr nicht zusagen. Wir glauben nicht, daß ihr besonders sentimentale Gefühle für oder gegen den Demokratisierungsprozeß aufbringt, sondern halten euch eher für Realpolitiker und praktisch denkende Menschen.«

»Das war eine bemerkenswert gute Analyse«, sagte Jurij Tschiwartschew mit einem bestätigenden Nicken. »Euer Nachrichtendienst muß in unserem Land heute besser funktionieren als je zuvor.«

»Ja, das wirst du verstehen«, gab Carl ohne Umschweife zu. »Das KGB befindet sich in Auflösung, die Grenzen zwischen legal und illegal sind fließend, und die Leute brauchen mehr Geld als je zuvor. Insgesamt fällt es uns also außerordentlich leicht, Quellen anzuwerben. Das versteht sich von selbst.«

»Wie sollten wir bei den Streitkräften mit dieser Situation umgehen? Was meinst du?« fragte Jurij Tschiwartschew.

Dies war offenbar Carls Chance, die Gedanken auf das eigentliche Ziel zu lenken. Er wollte jedoch unterstreichen, daß er wirklich nachdachte, bevor er antwortete. Deshalb ging er los und holte frisches Holz, blies ins Feuer, so daß es aufflammte und mehr Licht verbreitete, damit sie einander in die Augen sehen konnten.

»Wir leben in seltsamen Zeiten. Wer hätte glauben können, daß du oder ich jemals dem anderen eine solche Frage stellen könnte«, sagte er, als er sich setzte. Er schien weiter an seine Antwort zu denken, während er sich den schmerzenden linken Schenkel massierte. »Laß uns die Gefahrenmomente nach ihrer Größenordnung behandeln«, fuhr er dann langsam fort. »Wenn die Streitkräfte die Macht übernehmen sollten, wozu ihr natürlich durchaus in der Lage seid unter Hinweis auf Recht und Ordnung und all das, würdet ihr damit so etwas wie einen neuen Kalten Krieg auslösen. Rußland würde einer intensiven ökonomischen Kriegsführung ausgesetzt werden, die jetzt, nach einigen Jahren der Zerstörung in Form der Schocktherapie, euer Land vernichtend hart treffen würde. Das nächste Risiko entsteht, falls so ein revanchistischer Irrer an die Macht kommt, vielleicht sogar bei demokratischen Wahlen, und den Streitkräften befiehlt, beispielsweise die baltischen Staaten zurückzuerobern. Dann sitzt ihr in einem Fuchseisen. Wenn ihr den Befehlen der legalen Regierung des Landes gehorcht, bedeutet das einen Wirtschaftskrieg mit der westlichen Welt und eine Katastrophe. Wenn ihr nicht gehorcht, nun ja, das ist dann eine Art Aufstand. Doch bis auf weiteres ist das nur eine hypothetische Frage. Schlimmer ist das Risiko einer unmittelbaren Konfrontation mit einflußreichen Staaten im Westen, die etwa durch mangelnde Urteilsfähigkeit der Streitkräfte ausgelöst wird.«

Nach diesen Worten hielt Carl inne. Jetzt hatte er den Köder ausgeworfen, jetzt stand die Entscheidung unmittelbar bevor.

»Hast du etwas Bestimmtes im Auge, eine akute Gefahr?« fragte Jurij Tschiwartschew.

»Korrekt. Ich denke an eine sehr konkrete Situation«, erwiderte Carl. Er blickte von seinem schmerzenden Bein hoch und sah Jurij Tschiwartschew in die Augen.

»Laß hören«, sagte Jurij Tschiwartschew, ohne eine Miene zu verziehen.

»Irgendeine Abteilung bei den Streitkräften, sicher mit Anbindung an die *raswedka*, betreibt im Augenblick in England eine Operation von außerordentlicher Aggressivität. Ihr lauft Gefahr, entlarvt zu werden, und dann wird es sich nicht um irgendeine beliebige kleine Spionageaffäre handeln, sondern es gibt Wirtschaftssanktionen großen Umfangs als Antwort. Ihr sitzt mit einer tickenden Zeitbombe auf dem Schoß da. Das ist die Wahrheit.«

»Was ist das für eine Operation?« fragte Jurij Tschiwartschew erstaunt.

»Ihr ermordet handverlesene Spezialisten der britischen Rüstungsindustrie, die an einer bestimmten Marine-Technologie arbeiten.«

»Dummes Zeug!« schnaubte Jurij Tschiwartschew. »Warum in aller Welt sollten wir uns auf so altmodische und außerdem politisch riskante Dinge stürzen?«

»Ich habe gedacht, du könntest mir darauf antworten«, entgegnete Carl.

»Ich weiß nichts von einem solchen Unternehmen und glaube auch nicht daran. Es erscheint mir unmöglich«, erwiderte Jurij Tschiwartschew und schüttelte mißtrauisch den Kopf. »Hingegen kenne ich eine ähnliche Serie von Morden in der britischen Rüstungsindustrie, die sich vor ungefähr zehn Jahren ereignet hat. Und in dem Fall weiß ich zufällig, wie alles zusammenhängt, weil zumindest die britische Presse andeuten wollte, wir steckten dahinter. Wir haben das Ganze sehr genau untersucht. Ich kann zwar nicht auf Details eingehen… ach was, natürlich kann ich das! Es ist schließlich wohlbekannt, daß wir zu jener Zeit die britischen Sicherheitsorgane recht gut penetriert haben. Diese Idioten ermordeten ihre eigenen Leute, und das aus Gründen, die zum Teil unverständlich und zum Teil rational waren. Einige der Opfer waren nämlich unsere Agenten. Aber das war damals. Willst du etwa sagen, es hätte jetzt wieder angefangen?«

»Ja. Ich habe einen Auftrag erhalten, einen klaren Befehl operativen Inhalts im Zusammenhang mit dieser Geschichte. Ich habe vor Ort in London die Dokumentation durchgesehen, die mir das

MI 6 zur Verfügung gestellt hat. Sie sind davon überzeugt, daß es eine russische Operation ist.«

»Sofern es keine schlaue *maskirowka* ist«, wandte Jurij Tschiwartschew skeptisch ein. »Sie leiten eine operative Zusammenarbeit mit ihrem Verbündeten ein. Zum Beispiel bist du in die Sache verwickelt. Dann arbeiten sie, als wären wir es, damit es am Ende jeder glaubt. Dann sickert das Ganze zu den Medien durch, du wirst wieder aufs Podium gejagt, um Pressekonferenzen abzuhalten, und wir sitzen mit dem Schwarzen Peter da.«

»Warum um Himmels willen sollten sich die Briten auf etwas so Dummes einlassen?« fragte Carl. »Habt ihr in jüngster Zeit in London ein paar Agenten verloren? *Das* müßtest du zumindest wissen.«

»Nein, das haben wir nicht. Keinen einzigen«, erwiderte Jurij Tschiwartschew in einem Tonfall, der erkennen ließ, daß er etwas verunsichert war. »Du meinst also, daß es tatsächlich eine Mordserie gibt, natürlich arrangierte Selbstmorde wie beim letzten Mal, als sie selbst unter ihren Leuten aufräumten?«

»Zweifellos. Es sind kompetente nasse Jobs. Wie ich schon sagte, habe ich mir das Material selbst angesehen.«

»Und unsere Freunde bei der britischen Opposition sind überzeugt, daß wir dahinterstecken?«

»Ja, richtig. Das glaube ich übrigens auch.«

»Aber dann sind wir wieder bei der Frage, weshalb wir uns so verhalten sollten.«

»Richtig. Wer in der *raswedka* verhält sich so verantwortungslos und dumm? Was euch betrifft, kann diese Geschichte mit einer Katastrophe enden.«

»Und wie lautet dein Auftrag, mein lieber Carl?«

»Informationen aus Rußland zu beschaffen, das Personal in London aufzuspüren, das diese Morde verübt, und es zu liquidieren.«

Jurij Tschiwartschew stand auf, ging ein Stück weg und pinkelte. Er ließ sich viel Zeit und schlenderte langsam zurück. Carl versuchte vergebens, seinem Blick zu begegnen, als Jurij sich wieder setzte.

»Warum sollst ausgerechnet du diese Information beschaffen?« fragte er schließlich.

»Weil ich, wenn du entschuldigst, so viele sonstige Informationen aus der Sowjetunion und Rußland beschafft habe, daß man glaubt, ich müsse hier sehr gute Quellen haben. Theoretisch habe ich das auch, nämlich dich. Wenn du mir hilfst, diesen Dummheiten ein Ende zu machen, hilfst du auch Rußland, oder etwa nicht?«

»Du bittest mich, ein britischer Spion zu werden«, schnaubte Jurij Tschiwartschew.

»Kein britischer, aber ein schwedischer«, entgegnete Carl ohne zu zögern. Jetzt war die Karte ausgespielt.

»Es ist wirklich nicht wenig, was du da verlangst, mein Freund«, murmelte Jurij Tschiwartschew.

»Nein, das versteht sich«, erwiderte Carl. »Es gibt zwei Auswege aus der Klemme, nein, eigentlich drei.«

»Welche denn?«

»Erstens, daß du gar nichts unternimmst. Dieser Weg führt früher oder später zur Entlarvung. Das ist der schlechteste Weg. Zweitens. Du bringst deine Kollegen im Generalstab dazu, diese Dummheiten sofort abzubrechen und die Operateure zurückzuholen. Doch dann riskierst du, überstimmt zu werden, und es bleibt noch das Risiko eines Skandals. Das ist der zweitschlechteste Weg. Drittens. Du findest die Identität der Operateure heraus, ich eliminiere sie, und alles ist aus der Welt.«

»Wieso? Diesem Szenario zufolge schnappt man uns doch auf frischer Tat.«

»Nein. In unserem Teil der Welt ist es verboten, Leute zu liquidieren. Aus diesem Grund darf so etwas niemals an die Öffentlichkeit gelangen. Niemand wünscht, eine solche Geschichte bekannt werden zu lassen.«

»Eins werde ich tun«, sagte Jurij Tschiwartschew entschlossen. »Ich werde herausfinden, ob du recht hast. Wenn ich entdecke, daß du recht hast, landen wir beide in einer sehr komplizierten Situation. Der Grundgedanke ist also, daß du all dieses Wissen für dich behältst, falls es dir gelingt, aus einer russischen Quelle, also von mir, die entscheidenden Informationen zu erhalten?«

»Ja, das ist der Grundgedanke«, bestätigte Carl. »Wie du verstehst, würde ich dich niemals verraten.«

»Das muß gründlich überschlafen werden, glaube ich«, sagte

Jurij Tschiwartschew. Er stand auf und ging ein Stück weg, um seinen Schlafsack für die Nacht auszurollen.

*

James Rusbridger hatte die letzten Jahre seines Lebens in einem kleinen Häuschen mit dem schönen Namen Jasmine Cottage im Dorf Lanivet in Cornwall verbracht. Er war bestimmten Teilen des britischen Establishments ein Dorn im Auge gewesen, nicht zuletzt dem kleinen Kreis mehr oder weniger offiziell autorisierter Schriftsteller, die sich der Aufgabe widmeten, über die Nachrichten- und Sicherheitsdienste Großbritanniens zu schreiben. Diese Hofpoeten, die nie etwas Bedeutendes enthüllten, zumindest nichts, was den Geheimdiensten Ihrer Majestät Kopfschmerzen bereiten konnte, hatten immer wieder wütend James Rusbridgers Behauptung zurückgewiesen, er sei beim MI 6 tätig gewesen. Natürlich hatten sie sich mit vereinten Anstrengungen über sein Spionagebuch *The Intelligence Game* hergemacht, als es vor einigen Jahren erschien. Den staatlich anerkannten Spionage-Schriftstellern Londons zufolge bestand sein Buch zur Hälfte aus reinen Lügen und zur Hälfte aus albernen Vermutungen. Was sein Buch jedoch objektiv von den Werken seiner Kollegen zum Thema unterschied, waren seine zahlreichen Beispiele für Unbeholfenheit, Nachlässigkeit gegenüber Gesetzen und Gleichgültigkeit gegenüber Menschenleben.

Sein Tod war spektakulär. Die britische Presse informierte fast übertrieben genau über alle peinlichen oder merkwürdigen Details. Man hatte ihn auf dem Dachboden seines Hauses gefunden. Er hing mit einer Schlinge um die Beine und einer weiteren um den Hals an einem Dachbalken, so daß sein Körper ein U bildete. Er trug einen schwarzen, engsitzenden Regenmantel aus Gummi und eine Gasmaske aus dem Zweiten Weltkrieg, nichts weiter. Auf dem Dachboden, auf dem er gestorben war, fanden sich große Mengen von Pornographie, gewaltbetonte Bilder oder solche sadomasochistischen Charakters. Auffallend war die Menge der Bilder von schwarzen Frauen in Domina-Aufmachung.

Er war ein eifriger Sammler von Gasmasken gewesen. In seinem Haus fand man mehr als ein Dutzend.

James Rusbridger war nicht nur Schriftsteller gewesen, sondern auch einer der herausragenden Konspirations-Theoretiker des Landes und der vermutlich fleißigste Leserbriefschreiber. Er war in allen Zeitungsredaktionen Londons bestens bekannt, weil zahlreiche Journalisten mit seinen penetranten Erklärungen über verschiedene Verschwörungen hatten Bekanntschaft schließen müssen. Kurz vor seinem Tod hatte er sich besonders Mark Thatchers eventuell kriminellen Geschäften gewidmet sowie dem Politiker Stephen Milligan, dem Mann, der mit Damenunterwäsche, Plastiktüte und einer Apfelsine im Mund tot aufgefunden worden war. Rusbridger vertrat die Theorie, daß Milligan sich überhaupt nicht mit albernen Sexspielen befaßt habe, sondern ermordet worden sei. Rusbridger hatte mehrere Zeitungen mit diesen Ansichten bombardiert.

Daß es sich um Selbstmord handeln mußte, wurde durch einige leicht zu deutende Fakten unterstützt. Rusbridger hatte zum Beispiel einen Abschiedsbrief in Form eines sehr scherzhaften Testaments geschrieben. Er starb mittellos mit der Drohung im Nacken, daß seine Wohnung fristlos gekündigt würde, da er seit Monaten mit einer Mietschuld von sechshundert Pfund im Rückstand war.

Aufgrund der zahlreichen pikanten Details wurde in den britischen Zeitschriften viel über den Fall geschrieben, und Luigi las alles, was ihm in die Hände kam. Er drehte und wendete die Angaben und versuchte verschiedene Mordhypothesen anzuwenden. Er fragte sich, wie ein Mord gegebenenfalls arrangiert worden sein konnte, gab nach einiger Zeit jedoch auf, da die Presse zu den gerichtsmedizinischen Dokumenten keinen Zugang hatte und die Frage des toxikologischen Status des Opfers ausgelassen wurde. An keiner Stelle in den Medien entdeckte Luigi auch nur eine mißtrauische Frage, ob es sich vielleicht um etwas anderes als Selbstmord gehandelt haben könnte. In diesem Punkt war sich die Presse erstaunlich einig. James Rusbridger hatte sich im Alter von fünfundsechzig Jahren das Leben genommen, weil er pleite war.

Luigi raffte seinen Zeitungshaufen zusammen, ohne in irgendeiner Frage Klarheit gewonnen zu haben. Es waren doch die Russen, die die Selbstmorde hier in der Stadt organisierten. Das war zumindest die These, die ihn zum Köder gemacht hatte. Aber weshalb die Russen sich auf eine Expedition nach Cornwall begeben sollten, um mit Gummikleidung und Pornographie einen abgebrannten Schriftsteller zu »selbstmorden«, der bislang vor allem durch Rechthaberei aufgefallen war, war nicht leicht zu verstehen.

Luigi sollte Lady Carmen in einem Restaurant treffen. Als Luigi die Zeitungsstapel in einen Müllsack stopfte, spürte er so etwas wie freudige Erwartung. Er war bester Laune und hätte für den Rest des Tages James Rusbridgers traurigem Hinscheiden keinen Gedanken mehr gewidmet, wenn nicht der selten aufdringliche Journalist Tony Collins angerufen hätte. Dieser wollte, wie er immer sagte, »noch einige letzte ergänzende Fragen stellen«. Worum es bei diesen Fragen eigentlich ging, war bisher immer sehr unklar gewesen. Luigi hatte diese Prozedur schon dreimal mit wachsender Irritation mitgemacht.

Diesmal kam Tony Collins jedoch schnell auf Rusbridger zu sprechen und fragte schon bei der Einleitung seines Monologs, ob Luigi der Fall bekannt sei. Dieser gab widerwillig zu, er habe in der Presse darüber etwas gesehen, lese aber nie Kriminaljournalismus. Das war eine Auskunft, die er schnell bereute, da Tony Collins nun umständlich alles wiedergab, was Luigi schon gelesen hatte.

Tony Collins kam bald auf die für Luigis Geschmack halsbrecherische Theorie zu sprechen, es seien britische Behörden gewesen, die Rusbridger »geselbstmordet« hätten, nachdem dieser im Fall Milligan etwas herausgefunden habe. Luigi wurde ungeduldig und verhielt sich schließlich brüsk abweisend. Er wies darauf hin, bis jetzt hätten sich draußen in Addlestone noch keine Vertreter britischer Behörden in Gummikleidung gezeigt. Nach diesen Worten legte er auf.

Anschließend fiel ihm auf, daß er keine Erklärung dafür kannte, *weshalb* die Russen Selbstmorde organisierten. Es hieß nur, man sei überzeugt, daß tatsächlich die Russen dahintersteckten. Was immer ihr Motiv sein mochte, so mußte es doch weit hergeholt sein. In der klassischen Spionagegeschichte gab es zwar eine Menge Beispiele für russische Theorien über sogenannte Destabilisierungs-Operationen, mit denen man Unsicherheit und Desinformation verbreiten wollte, um dem Gegner zu schaden. Falls es sich auch hier so verhielt, war es den Russen zumindest gelungen, einen Redakteur der Zeitschrift *Computer Weekly* zu beeindrucken. Doch das schien Luigi zu dumm und absurd. Es roch zu sehr nach Kaltem Krieg und den fünfziger Jahren. Die Russen mußten rationalere Motive haben. Luigi vermutete, daß es ganz einfach um eine Art Wettrüsten ging. Die Russen hatten in der Unterwassertechnologie einen Vorsprung, den sie schützen wollten. Sie fuhren noch immer mit ihren U-Booten in schwedischen Gewässern herum, und es war bisher vollkommen unmöglich gewesen, eins davon zu erwischen. Sie waren einfach zu gut.

Doch auch diese Gedankenkette führte in eine Sackgasse. Natürlich war London der beste Ort im Westen, um die technische Forschung auf diesem Gebiet zu schädigen. Im Moment arbeiteten etwa tausend Personen in der Unterwassertechnologie.

Aber wie sollten die Russen ihre Opfer aufspüren und entscheiden können, an welchen Punkten im System sie zuschlagen mußten, um mit dem geringsten Einsatz möglichst großen Schaden anzurichten? In dieser Frage kam Luigi nicht weiter. Woher sollten sie solche Einsichten bekommen, einen solchen strategischen Überblick?

Er schlug sich entschlossen alle Überlegungen zu diesem düsteren Thema aus dem Kopf, da er Lady Carmen in zwanzig Minuten treffen sollte. Leise vor sich hin pfeifend schlenderte er Richtung Chelsea. Lady Carmen hatte leicht die Nase gerümpft, als er erzählte, wo das von ihm ausgewählte Restaurant liege. Ihrem Gesichtsausdruck hatte er entnommen, daß Chelsea und vor allem die Touristenfalle King's Road reichlich vulgär sei. Darauf hatte er als netter junger Amerikaner eingewandt, Vulgarität liege ihm auch nicht so recht, aber die King's Road gebe ihm das Gefühl, zu Hause zu sein.

Das Restaurant, das er gefunden hatte, hieß Argyll. Die Speisekarte war überwiegend norditalienisch. Luigi hatte sogar einen Anflug von Heimweh empfunden, als er den Namen des lombardischen Gerichts *Insalata di Petti di Polli* las. Eigentlich sollte es mit Kapaunbrüsten zubereitet werden, die hier aber vermutlich durch Masthähnchen ersetzt wurden. Ebenso komisch verhielt es sich mit *Insalata alla Russa*. Trotz der angeblich russischen Herkunft handelte es sich auch hier um ein Gericht aus der Lombardei, das aber aus so vielen Zutaten bestand, daß es wie ein einziger Mischmasch aussah und deshalb im italienischen Sinne »russisch« wurde; Luigis Mutter hatte sein unaufgeräumtes Zimmer manchmal »ein veritables Rußland« genannt.

Luigi war unsicher, wie viele Kenntnisse dieser Art ein Italo-Amerikaner aus Kalifornien vernünftigerweise haben konnte, machte sich deswegen aber nicht die geringsten Sorgen, da Lady Carmen bislang nicht viel an Wissen über Italien an den Tag gelegt hatte.

Sie kam zu spät, natürlich, und rauschte in das gemütliche kleine Restaurant herein, so daß keiner der Anwesenden ihren Auftritt übersehen konnte. Sie trug ein scheinbar einfaches smaragdgrünes Seidenkleid, das ein Stück über den Knien endete und ihren durch Aerobic gestählten Körper auf sehr überzeugende Weise zum Blickfang des Lokals machte.

Luigi stand leicht errötend auf. Aus einem unerfindlichen Grund fühlte er sich beim ersten Kontakt mit ihr immer erhitzt. Er küßte sie auf die Wangen und zog ihr einen Stuhl unter dem Tisch hervor. Als er sich setzte und mit den Speisekarten hantierte, um ihr etwas zu empfehlen, beugte sie sich plötzlich vor und flüsterte mit gespieltem Ernst, eigentlich wolle sie gar nicht essen, jedenfalls nicht besonders lange, da sie das nur von wichtigeren Dingen abhalte. Im übrigen hoffe sie, daß er sie schon im Fahrstuhl nehmen werde, wenn sie nach Hause führen, denn sie sei sicher, daß sie schon zum Orgasmus kommen werde, bevor sie den vierten Stock erreichten.

Luigi lehnte sich verlegen lachend zurück. Er sagte, angesichts solcher Vorhaben müsse ein Mann sich zunächst Energie zuführen, etwa gutes Essen und Wein. Sie lobte sein Jackett und zeigte dann auf seine Schuhe, worauf er ihr »Mailand« zuflüsterte. Er mußte davon ausgehen, daß sie für diese Dinge einen sicheren Blick hatte, der es ihm unmöglich machte zu lügen.

Luigi bestellte schnell, was er sich während der Wartezeit überlegt hatte. Als der Kellner hörte, wie er die Namen der Speisen aussprach, wechselte er schnell ins Italienische. Das bereitete Luigi einiges Kopfzerbrechen, da er sich noch nicht entschieden hatte, was für ein Italienisch er sprechen sollte, falls es sich als notwendig erwies. Theoretisch durfte er nicht allzu gut sprechen, und ein deutlich hörbarer amerikanischer Akzent war ebenfalls angezeigt, doch er hatte bisher nicht einmal geübt.

Als er die Bestellung erledigt hatte und der Kellner gegangen war, fragte sie ihn kichernd, ob er schon die Zeitungen des Tages gelesen habe. Er mußte zugeben, es getan zu haben. Dann bat sie um seine Meinung zu... bei diesen Worten beugte sie sich vor, formte die Hände zu einem Trichter und sagte mit einem lauten Bühnenflüstern: ...der LUTSCH-AFFÄRE!

Mehrere der Gäste an den Nebentischen hörten ihre Worte und drehten sich grinsend zu ihnen um.

Anscheinend wußten alle Anwesenden im Lokal, was es mit dieser Affäre auf sich hatte, nur Luigi nicht.

Lady Carmen erzählte ihm fröhlich, was im Augenblick das alles andere in den Schatten stellende Gesprächsthema in London sei.

Eine offenbar sehr bekannte Schauspielerin, die eine der Hauptrollen in *Eastenders*, der gegenwärtig beliebtesten Seifenoper des britischen Fernsehens spiele, sei vor einiger Zeit auf einem Parkplatz neben der Autobahn von der Polizei aufgegriffen worden. Im Wagen befand sich außerdem ihr Mann. Ihr Verbrechen bestand in einer erotischen Handlung, die gewiß in den besten Familien vorkomme, nun ja, außer vielleicht in England, und im Grunde nicht illegal ist. Zumindest nicht in den eigenen vier Wänden. Jedoch wurde diese nächtliche romantische Handlung an einem öffentlichen Ort vollzogen. Der dunkle Parkplatz der Autobahn galt juristisch als allgemein zugänglicher Ort. Ein Polizeibeamter hatte sich an das Ehepaar angeschlichen und bei der Frau »charakteristische Kopfbewegungen auf und nieder« beobachtet, während der Mann sich zurückgelehnt und »unartikuliert gesprochen« habe. Der Polizeibeamte griff natürlich ein und machte der kriminellen Handlung ein Ende. Die beiden Sex-Verbrecher mußten daher je zwanzig Pfund Bußgeld für unsittliches Verhalten in der Öffentlichkeit bezahlen.

Insoweit keine Affäre, und die vierzig Pfund waren überdies eine Ausgabe, die das Ehepaar sicher ohne große Probleme bewältigen konnte. Vermutlich fühlten sie sich auch um eine lustige Geschichte reicher.

Aber. *The Sun*, eine der schlimmsten Skandalzeitungen des Landes, hatte jetzt mit heuchlerischer Entrüstung das Verbrechen der Schauspielerin »enthüllt«. Es hatte einen schrecklichen Wirbel gegeben, und sie hatte die Zeitung wegen übler Nachrede auf soundso viele hunderttausend Pfund Schadensersatz verklagt. Und zwar unter Hinweis darauf, und hier lachte Lady Carmen so sehr, daß es ihr schwerfiel, mit dem Bericht fortzufahren, was in ihrer Umgebung zu großer Heiterkeit führte, daß sie sich *niemals*, niemals zu einem so erniedrigenden Akt hätte hinreißen lassen. Folglich sollte jetzt im Old Bailey verhandelt werden, was in diesem Zusammenhang, also in der Ehe, erniedrigend war und was nicht. Das Ganze, fuhr Lady Carmen fort, entwickle sich zu einer Gerichtsfarce unglaublichen Ausmaßes, so daß selbst Engländer eigentlich die Augenbrauen hochziehen müßten.

Lady Carmen hatte lebhaft und mit sehr eleganter Wortwahl so laut erzählt, daß keinem der Gäste im Lokal entgangen sein konnte, um welches Thema es ging. Luigi wußte nicht recht, wie er sich jetzt verhalten sollte. Er war natürlich über alle Maßen amüsiert, war aber unschlüssig, ob er jetzt Amerikaner oder Italiener sein sollte, da er jetzt reagieren mußte.

Sie sah ihn erwartungsvoll an. Etwas mußte er sagen. Im übrigen blickten ihn mehrere Gäste neugierig an, um zu sehen, wie er das Ganze aufnahm.

»Well«, sagte er ernst, »bei dieser Geschichte muß ich gestehen, mich etwas gespalten zu fühlen. Zuhause in L. A. hätte man die beiden in der gleichen Situation auch geschnappt. Dort hätten sie sogar ein etwas höheres Bußgeld riskiert, jedoch keine Publizität. Bei meinen lieben Vorvätern in Neapel wäre die Polizei allerdings nie auf die Idee gekommen, sich in diese innereheliche Liebeshandlung einzumischen.«

Die Umgebung lachte laut und ließ einige fröhliche Kommentare hören. Lady Carmen beugte sich vor, legte ihm die Hand um den Nacken und zog sich an sein Ohr heran. Dann flüsterte sie, aber diesmal so, daß kein anderer es hören konnte, daß sie heute wohl eher ihre neapolitanische Seite als die kalifornische herauskehren müsse. Luigi errötete, und die Beobachter von den Nebentischen verstanden, glucksten und nickten zustimmend.

Als nach einer Weile das Essen kam, beschrieb er, wie die Vorspeisen hießen und woher sie kämen. Sie wiederholte gehorsam die italienischen Namen, die er ihr vorsprach. In seinen Ohren hörte sie sich weder wie eine Spanierin noch wie eine Italienerin an. Ihre italienische Aussprache wurde erst perfekt, wenn sie die Chance erhielt, ihm nachzusprechen.

Das Essen war durch und durch lombardisch, doch Luigi war unsicher, ob er etwas dazu sagen sollte. So beschränkte er sich darauf, es ganz allgemein für gut zu erklären. Er aß wie ein Amerikaner mit der linken Hand auf dem Knie und der nach oben gedrehten Gabel in der rechten Hand. Sie aß wie eine Europäerin und schien das Essen und den italienischen Wein wirklich zu schätzen.

Während sie auf das Hauptgericht warteten und sie sich eine Zigarette anzündete, entschloß er sich, es mit einem Gesprächsthema zu probieren, das sie bemerkenswerterweise noch nie berührt hatten.

»Ich muß dir etwas gestehen«, begann er und fingerte mit gespielter Schüchternheit an seinem Weinglas. »Zu Anfang unserer Bekanntschaft bin ich davon ausgegangen, daß du gewiß die umwerfendste Frau bist, die ich in meinem jungen Leben kennengelernt habe. Ich bin aber auch davon ausgegangen, daß du von Computern nicht die leiseste Ahnung hast. Kurz, die erste Besprechung mit dir hat mich ungeheuer beeindruckt. Was diesen Job angeht, hast du wirklich einen guten Durchblick.«

»Männliche Vorurteile«, sagte sie spöttisch und mit einem mokanten Lächeln. »Als ich dich sah, war mir zweierlei auf der Stelle klar: zum einen, daß du deinen Job beherrschst, zum andern, daß du im Bett ein Teufel bist. Beide Beobachtungen haben sich empirisch bestätigt. Der Chef draußen in Addlestone lobt dich übrigens sehr, weißt du das?«

»Was soll ich sagen«, erwiderte Luigi. »Schließlich wurde ich gerade wegen bestimmter Spezialkenntnisse eingestellt, falls wir damit meinen einen Vorzug erklären sollen. Und was den Teufel im Bett betrifft, habe ich mich selbst nie so gesehen, bevor du mich auf deine sanfte pädagogische Weise auf den schmalen Weg geführt hast.«

»Den breiten meinst du doch wohl?«

»O nein! So viele Menschen kann es auf diesem Pfad nicht geben!«

Sie lehnte sich mit einem klingenden Lachen zurück und hob zustimmend ihr Glas, um ihm zuzuprosten.

»*Touché*, mein Musketier«, kicherte sie und sprach das Wort Musketier auf zweideutige Weise aus.

»Du hast eine beachtliche wissenschaftliche Kompetenz«, beharrte er. »Woher hast du die?«

»Von der Universität Madrid. Nichts Besonderes. Jetzt wollen wir aber nicht mehr über die Arbeit sprechen, sondern über etwas Angenehmes«, erwiderte sie schnell und ausweichend. »Hast du vor, mich im Fahrstuhl zu nehmen?«

»Vorausgesetzt, wir sind allein im Fahrstuhl. Sonst landen wir mit Foto in *The Sun*, und ich glaube, daß dein Mann das nicht sehr schätzen würde«, erwiderte Luigi gespielt trocken.

*

Auf dem außerhalb Moskaus gelegenen Flughafen Domodedewo landen die Maschinen aus sibirischen und zentralasiatischen Städten die ganze Nacht. Einige der alten Aeroflot-Maschinen sind bemalt worden und tragen jetzt die Embleme der neuen kasachischen, aserbaidschanischen und georgischen Fluglinien. Auf Domodedewo selbst ist beinahe alles beim alten geblieben: die gleiche ungeheure Zahl von Passagieren, die gleiche grünblaue schwache Beleuchtung und die Verwirrung der Menschen aus asiatischen und sibirischen Städten, die verzweifelt hin und her rennen, um die Information zu finden, die es nur aus dröhnenden Lautsprechern mit elektronischem Hall gibt, in einem Russisch, das selbst für Russen sehr schwer zu verstehen sein muß. Ein Menschenmeer in schwacher Beleuchtung mitten in der Nacht, dazu Urindünste, russischer Tabakduft und der Gestank von Kerosin. Zwei oder drei vor Angst gelähmte Polizisten stehen inmitten der größten Halle und versuchen, tausend Menschen gleichzeitig den Rücken zuzuwenden.

Das einzige, was Schocktherapie und Demokratie hier draußen in Domodedewo bewirkt haben, ist selbst für den naivsten Beobachter sichtbar. Es sind die Rudel junger Männer in schwarzen Lederjacken mit Zigarette im Mundwinkel, die mit forschenden Blicken auf und ab schlendern, um ihre Opfer auszuwählen.

Sämtliche Verkehrsverbindungen von und nach Domodedewo werden von diesen Gangsterbanden beherrscht. Niemand darf einen gewöhnlichen Bus nehmen, wenn es ihm nicht von den Gangstern erlaubt wird, niemand darf sein eigenes Taxi wählen. Reisende aus den Städten Zentralasiens, auf deren Flughäfen inzwischen Tax-Free-Läden eingeführt worden sind, schleppen oft braune Pappkartons mit der Aufschrift Sony mit sich herum, in denen begehrenswerte elektronische Ausrüstung steckt. Diese Leute werden ausgeraubt, vielleicht sogar ermordet und nach ihrem Tod beseitigt. Doch sonst ist alles wie zu Zeiten der alten Sowjetunion.

Diesmal hatte Carl akzeptiert, einen Erster-Klasse-Platz in der Tupolew-Maschine einzunehmen, und zwar ohne jedes schlechte Gewissen. Das berechtigte ihn nämlich bei der Ankunft zu einem besonderen Gepäckservice von Intourist. Er hatte sich genau erkundigt, wie und wo er sein Gepäck wiederbekommen würde. In Sibirien wurde nichts gestohlen. In Sibirien war es immer noch verboten. Überdies betrachtete man das Stehlen dort mit dickschädeliger russischer Beharrlichkeit immer noch als unmoralisch. Das hatte Jurij Tschiwartschew ihm lachend versichert, als sie einander auf dem Flugplatz von Barnaul zum Abschied umarmt hatten.

Carl hatte sich bei der Ankunft in Domodedewo jede weitere militärische Aufwartung verbeten, mit Hinweis darauf, daß er wirklich nur sein Gepäck abholen und mit einem Taxi zum Metropol fahren müsse. Er wolle nur eine Nacht dort schlafen, bevor er weiterfliege. Das, so meinte er, werde er doch wohl hoffentlich allein schaffen. Jurij Tschiwartschew war nicht weiter in ihn gedrungen, sondern hatte nur lahm gewitzelt, wie schade es wäre, wenn eine politische Krise nur deshalb ausgelöst würde, weil Carl auf Domodedewo in einem falschen Taxi lande.

Carl hatte in der Maschine vor allem deshalb schlecht geschlafen, weil alles, was den Job betraf, zum Stillstand gekommen war. Er mußte noch einmal nach Sibirien zurück, um auf eine sogenannte Jagd zu gehen; sie hatten abgemacht, daß er seinen Maralhirsch später schießen sollte, nämlich in der Brunftzeit, wenn die Hirsche sich durch ihr Gebrüll verrieten und weniger wachsam waren. Der wirkliche Grund war natürlich, daß Jurij Tschiwartschew inzwischen in Erfahrung bringen wollte, ob Carls Angaben über eine Liquidierungskampagne in London vom militärischen Nachrichtendienst der Russen durchgeführt wurde.

Carl hatte während der Reise viel geweint. Er hatte nach Erinnerungen an Johanna Louise gesucht, sah in ewigen Wiederholungen ihr lachendes Gesicht vor sich, dachte an ihren Vorderzahn, sah, wie sie zum letzten Mal sein Krankenzimmer verließ und sich schüchtern zu ihm umdrehte. Sie hatte sich an den Mund gefaßt, in dem beide Vorderzähne fehlten. Dann waren ihm Bilder von Eva-Britt durch den Kopf geschossen. Er sah, wie sie sich zum ersten Mal begegneten, wie er ihr sagte, daß er sich scheiden lassen wolle, sah, wie sie sich draußen in den Schären geliebt hatten, nachdem er nach der Armbanduhr einer ihrer Freundinnen getaucht war.

In Sibirien hatte er keine Zeit für Trauer gehabt. Dort hatte er die Möglichkeit gehabt, alles mit dem mehr oder weniger unehrlichen Hinweis darauf zu verdrängen, etwas ungeheuer Wichtiges zu tun zu haben. In dem nach Schweiß riechenden und unaufgeräumten russischen Flugzeug waren alle diese Abwehrmechanismen verschwunden. In der Maschine waren nur noch seine Trauer und seine körperlichen Schmerzen geblieben.

Er war miserabler Laune, schwitzte vor Angst, war unrasiert und roch vermutlich genauso schlecht wie die meisten Menschen in seiner Umgebung, als er in Domodedewo die Maschine verließ und sich zu der Gepäckaufbewahrung von Intourist begab. Er konnte nirgends einen Gepäckwagen entdecken und mußte seinen schweren Koffer fluchend selber tragen. Langsam ging er in dem Gedränge asiatischer Menschen zum Ausgang.

Er war noch nicht weit gekommen, als das erste Rudel junger Männer ihn umringte und sich drohend erbot, ihm ein Taxi zu besorgen. Und das in einer Sprache, die Englisch darstellen sollte. Sie nannten ihn unaufhörlich *guy*.

He da, *guy*. Wir besorgen dir ein Taxi, *guy*, ein *guy* wie du muß ein Taxi haben.

Er fauchte sie auf englisch an, er sei auf dem Weg zum Ausgang und brauche verdammt noch mal keinerlei Hilfe. Taxis gebe es da draußen. Unterdessen streichelten sie seinen Waffenkoffer lüstern mit den Blicken.

Außerhalb der Halle befand sich eine Menschenmasse. In verschiedenen Sprachen wurde mit den Taxifahrern verhandelt. Es gab kaum Lampen, und fünfzig Meter weiter begann der schwarze Nadelwald. Carl erinnerte sich vom letzten Mal, daß man einige Dutzend Kilometer auf einer unbeleuchteten Straße fuhr, bevor die Vororte und damit die Straßenbeleuchtung begannen.

Ein neues Wolfsrudel stürzte sich auf ihn, um ihm ein Taxi anzudrehen. Eine Eingebung riet Carl, nicht auf russisch zu antworten. Ihnen war offenbar bewußt, was sich in seinem Waffenkoffer befand.

Diesmal ließ Carl sich auf Verhandlungen ein. Sie begannen mit einer Forderung von zweihundert Dollar für die Fahrt in die Stadt. Er bot fünfundzwanzig. Sie feilschten eine Weile, bis Carl darauf hingewiesen wurde, daß sie ohnehin allein zu entscheiden hätten, wer mit einem Taxi fahren dürfe und wer nicht. Er gab sich arrogant und desinteressiert, gab zu, Amerikaner zu sein, stritt ab, Raucher zu sein und lauschte ihrem kaum verständlichen Slang.

Als das Taxi vorfuhr, das die jungen Ganoven für ihn ausgewählt hatten, und ihm drei grinsende Männer mit dem Gepäck halfen, tat er, als suchte er in einer der Taschen nach etwas. Dann sagte er, er habe doch Zigaretten bei sich, und steckte schnell ein Messer ein, für das er bisher keine Verwendung gefunden hatte. In der Dunkelheit hier draußen würde es ihm nützlich sein, da die Klinge aus reflexfreiem schwarzem Stahl gearbeitet war. Aus den geflüsterten Unterhaltungen der jungen Ganoven ging hervor, daß Carl offenbar an dem üblichen Ort einer wartenden Bande ausgeliefert werden sollte, die ihn ausrauben wollte.

Sie hielten ihm liebedienerisch die hintere Tür auf, doch er schlug sie demonstrativ zu und sagte, ihm werde übel, wenn er auf dem Rücksitz fahre. Er ziehe es vor, vorn zu sitzen. Sie versuchten, ihn daran zu hindern, doch er schob sie mit ein paar Armbewegungen zur Seite. Dann setzte er sich mit ein paar scherzhaften Worten vorn hin und knallte die Tür zu. Um ein Haar hätte er einem der jungen Wölfe die Finger abgeschnitten. Dann resignierten die Männer und gaben dem nervösen Fahrer ein paar letzte Anweisungen. Dann startete der gelbe Wolga unter lautem Ächzen und rumpelte zwischen Schlaglöchern im Asphalt los.

»Ich njet viel Englisch sprechen«, sagte der Fahrer mit einem nervösen Lächeln, als der Wagen durch die Dunkelheit auf den dichten Fichtenwald zuglitt.

»Das stört mich nicht im geringsten. Ich bin nämlich verdammt müde«, sagte Carl und lehnte sich zurück, als wollte er schlafen. Im Moment war ihm alles egal.

Zehn Minuten lang wartete Carl hellwach und angespannt, wenn auch zurückgelehnt, als schliefe er fast, und blickte zwischen halbgeschlossenen Augen hervor.

Als der Fahrer plötzlich herunterschaltete und Anstalten machte, auf einen kleinen Waldweg abzubiegen, zog Carl sein Messer und legte es dem Fahrer an den Hals.

»Halten Sie hier an!« befahl er auf russisch. Der Mann gehorchte sofort. Der Wagen blieb mit laufendem Motor am Straßenrand stehen, kurz vor der Seitenstraße, in die der Fahrer hatte einbiegen wollen.

»Jetzt ist es so, junger Gangster«, fuhr Carl fort. »Es gibt nur einen einzigen Grund, weshalb ich dir nicht auf der Stelle den Hals durchschneide. Ich will schlafen, und es würde mich eine verdammte halbe Stunde kosten, nach der Rückkehr in die Stadt der russischen Polizei deinen Tod zu erklären.«

Der Chauffeur neigte den Kopf weit zurück und saß starr da, da Carl ihm die Messerklinge fest an den Hals preßte. Er durchsuchte die Taschen des Mannes und fischte schließlich eine Pistole hervor. Er wog sie in der Hand, zog das Magazin heraus und stellte fest, daß die Waffe geladen war. Dann steckte er sein Messer in die Tasche, schob das Magazin wieder ein, entsicherte die Pistole und hielt sie dem Fahrer an den Kopf.

»So wird es besser«, erklärte er. »Wenn ich dir aus dieser Richtung durch den Kopf schieße, spritze ich mich nicht mit Blut voll, wenn dein verfluchtes kleines Gehirn aus dem Fenster fliegt. Das ist gut. Wenn ich dir den Hals durchschnitten hätte, hätte ich mich über und über mit Blut bespritzt. Du verstehst doch Russisch, nicht wahr, du Scheißkerl?«

»Ja, mein Herr, aber Verzeihung, ich habe die Pistole doch nur, weil heute so viele gefährliche Menschen auf den Straßen sind«, versuchte der Fahrer sich herauszuwinden.

»Dummes Gewäsch!« schnaubte Carl. »Vergiß nicht, daß ich auch Russisch verstehe. Ich habe euer Gespräch gehört. Deine Freunde warten irgendwo dort im Wald auf dich. Aber jetzt pfeifen wir auf sie. Wir fahren statt dessen zum Hotel Metropol. Ich muß nämlich schlafen. Kapiert?«

»Nein, mein Herr, das geht nicht. Sie schlagen mich tot«, flüsterte der Fahrer heiser.

»Hm«, sagte Carl und nahm die Pistole von der Schläfe des Mannes. Er wog sie mit gespieltem Interesse in der Hand. »Tokarew, Kaliber 7,62, halbummantelte Munition. Na ja, aus so geringer Entfernung macht das auch nichts. Wollen wir jetzt in aller Ruhe zum Hotel fahren?«

»Die schlagen mich tot«, flehte ihn der Fahrer an und machte sogar Anstalten loszuschluchzen.

»Teufel auch«, sagte Carl. »Mir kommen gleich die Tränen. Und warum sollten sie das tun?«

»Weil sie glauben werden, daß ich die Sore für eigene Rechnung genommen habe und die Kameraden um ihren Anteil an der Beute betrogen habe.«

»Dann wirst du wohl sagen müssen, wie es gewesen ist, daß die Sore… doch jetzt will ich mich erst einmal vorstellen. Ich bin Offizier beim Nachrichtendienst, Spezialist in der Ermordung von Menschen, und reise im Augenblick für die *raswedka* des Generalstabs. Lustig, was? Das nennt man wohl den falschen Kerl überfallen, nicht wahr?«

»Aber das werden sie mir doch nicht glauben!«

»Es zerreißt mir das Herz. Wirklich, wahrhaft herzzerreißend. Um also die Glaubwürdigkeitsprobleme des jungen Herrn Gangsters zu bewältigen, sollten wir vielleicht jetzt in den Wald fahren und deine Kumpels begrüßen?«

»Ja, das wäre riesig«, sagte der Fahrer voller Optimismus. Er wagte jetzt zum ersten Mal, zu Carl hinüberzublicken.

»Gut, wirklich gut«, sagte Carl und gestikulierte resigniert mit der Pistole in der Hand. »Dann fahren wir also zu deinen Freunden dort in den Wald. Ich töte sie, da es nun mal mein Job ist, Leute zu töten, und *dann* fahren wir zum Hotel Metropol, damit ich endlich schlafen kann. Dadurch hast du natürlich ein kleines Problem damit zu erklären, wie es gekommen ist, daß einige Freunde von dir gestorben sind. Erschossen mit deiner Pistole. Eine wunderbar intelligente Lösung deiner persönlichen Schwierigkeiten!«

»Nein, vielleicht ist das doch nicht so gut«, sagte der Taxifahrer zögernd.

Carl seufzte resigniert und blickte zum Wagendach hoch, als könnte er dort eine Antwort finden.

»Liebes Mütterchen Rußland, was haben sie mit dir gemacht«, sagte er. »So, du junger Idiot! Fahr mich jetzt ohne Widerrede zum Hotel Metropol. Jetzt gleich!«

Der Fahrer fuhr zögernd los, und nach rund einem Kilometer steckte Carl die Pistole in seine rechte Jackentasche, lehnte sich zurück und schlief ein.

Er wachte erst auf, als sie angekommen waren und der Taxifahrer ihn nervös anstieß. Carl richtete sich verschlafen auf und streckte sich mit einem herzhaften Gähnen. Dann stieg er aus und nahm sein Gepäck in Empfang.

Als der Fahrer nach der Bezahlung für die Fuhre fragte, wurde Carl sichtlich munter. Die Situation schien ihn sehr zu erheitern.

»Bezahlung?« fragte er und zog die Augenbrauen hoch. »Was waren es noch, hundert Dollar? Erstens habe ich dir schon dein Leben geschenkt, obwohl zweifelhaft ist, ob es in dieser Zeit tatsächlich hundert Dollar wert ist. Zweitens bekommst du das Ding hier wieder. Die Qualität ist minderwertig. Ich habe keine Verwendung dafür.«

Er riß das Magazin aus der Pistole und ließ die Patrone, die im Lauf steckte, herausspringen. Sie fiel klirrend auf den weichen, verschwitzten Asphalt. Dann trat er sie in einen Gully. Anschließend warf Carl Magazin und Pistole auf den Rücksitz, machte eine ironische Ehrenbezeigung und überließ sich den Dienstleuten des Hotels. Diese waren eilig herausgekommen und begannen mit ihm für eine Reihe von Waren oder Dienstleistungen über eine Bezahlung in Dollar zu verhandeln.

8

Blue Bird rückte näher. Åke Stålhandske litt inzwischen an Schlafmangel und fühlte sich wie eine wandelnde Enzyklopädie in Sachen Kampfhubschrauber.

Aus Gründen, die er nicht als operativ auffaßte, hatte der Verteidigungsminister sich für die Alternative mit der geringsten Vorbereitungszeit entschieden, selbst wenn darunter die Technik ein wenig leiden würde. Åke Stålhandske war nicht ganz sicher, ob er die Argumentation des Verteidigungsministers in dieser Frage nachvollziehen konnte, doch er verstand es so, als verlangte »die öffentliche Meinung in Schweden im Hinblick auf die drei Gefangenen im Irak« irgendwie, daß die Regierung sich als handlungsfähig erwies, während es gleichzeitig nicht aussehen durfte, als wäre man durch eine Kampagne der Medien und Oppositionspolitiker zur Tat gepeitscht worden. Åke Stålhandske hatte das Gefühl, als wäre die Frage, wer sich am Ende die Feder an den Hut heften durfte, wichtiger, als die Sache selbst.

Bei einer längeren Vorbereitungszeit hätten sie die modernsten amerikanischen Kampfhubschrauber des Typs AH 64 Apache eingesetzt, die auch bei der saudischen Luftwaffe geflogen wurden und die sie vor Ort hätten ausleihen können. Das hätte beträchtliche taktische Vorteile mit sich gebracht. Die Apache-Hubschrauber waren mit dem FLIR-System (Forward Looking Infra Red) ausgestattet, was sowohl die Nachtsicht als auch die Navigation erheblich vereinfacht hätte, und sie niedriger und sicherer hätten fliegen können. Überdies wäre es möglich gewesen, schon während des Anflugs vom Hubschrauber aus Hellfire-Raketen abzufeuern.

Die längere Vorbereitungszeit wäre nötig gewesen, da die schwedischen Piloten der Hubschrauberdivision der Armee in Boden eine einmonatige Ausbildung in Fort Rucker in Alabama gebraucht hätten, um die neuen Systeme mit ausreichender Sicherheit zu beherrschen.

Der Verteidigungsminister hatte zu diesem Thema komplizierte Erklärungen abgegeben und unter anderem gesagt, es werde Aufsehen erregen, wenn sie sechs der besten Hubschrauberpiloten der Armee für so lange Zeit aus dem Verkehr zögen, ohne irgendeine Erklärung dafür abzugeben – »geheim« sei da nicht ausreichend.

Als Åke Stålhandske eingewandt hatte, in dem Fall könne man ja die Lasten verteilen, indem man die halbe Truppe von der Hubschrauberdivision der Marine in Berga oder Göteborg abziehe, hatte der Verteidigungsminister ein wenig verlegen erklärt, es nähmen ohnehin schon zahlreiche Leute der Marine an dem Unternehmen teil. Åke Stålhandske hatte den Einwand zunächst nicht verstanden, doch nachdem er hartnäckig auf eine Erklärung gedrängt hatte, schien es ihm, als sollten die verschiedenen Waffengattungen bei dem bevorstehenden Triumph jeweils einen »gerechten« Anteil erhalten.

Ob logisch begründbar oder nicht, der Befehl des Verteidigungsministers mußte befolgt werden.

Neue Hubschrauber-Studien hatten gezeigt, daß das in Schweden unter der Bezeichnung Hubschrauber 3 verwendete Fluggerät in Wahrheit eine in Italien gebaute Lizenz-Version des alten amerikanischen Huey-Hubschraubers war. Eine Nachfrage im Computerarchiv des Nachrichtendienstes ergab, daß in Saudi-Arabien noch zahlreiche Huey-Hubschrauber geflogen wurden. Es war aber nicht so einfach, wie es schien, denn die amerikanische Originalversion hatte andere Motoren, nämlich amerikanische anstelle der britischen Rolls-Royce-Triebwerke. Deshalb brauchte das schwedische Personal auch in diesem Falle einige Zeit für Übungsflüge, selbst wenn es nur um die Huey-Helikopter ging.

Dieses Problem würde sich jedoch rasch lösen lassen, da Åkes Verbindungsmann bei den Hubschrauberpiloten der Armee in Boden der Meinung war, daß zwei oder drei Tage für diesen Teil der Vorbereitung genügen würden.

Wenn sie Huey-Hubschrauber flogen, gewannen sie Zeit, was die Politiker verlangten, verloren aber gleichzeitig an Schlagkraft und Manövrierfähigkeit. Von einem Huey konnten sie keine Hellfire-Raketen abfeuern, da er vor allem ein Transporthubschrauber war.

Folglich ergaben sich neue Probleme, vor allem die Frage, wie sie die Wachtürme oben auf der Gefängnismauer ausschalten sollten.

Eine Möglichkeit bestand darin, Küstenjäger mitzunehmen, die vom Boden aus Hellfire-Raketen abfeuern konnten. Doch dazu mußten sie erst einige Kilometer vom Ziel entfernt landen und würden womöglich zuviel Aufmerksamkeit erregen. Diese Schützen müßten dann ihre Rampen aufbauen und schußbereit machen, und auch das würde die Operation verzögern.

Primitiver, aber sehr viel schneller wäre es, in der Seitentür des Hubschraubers eine Maschinenpistole zu montieren, auf die Gefängnismauer zuzufliegen und die Wachtürme sozusagen im Landeanflug auszuschalten.

So mußte es gemacht werden. Als erste mußten die Küstenjäger nach Saudi-Arabien abreisen. Diese vier Mann würden die Maschinenpistolen bedienen. Anschließend sollten die sechs Hubschrauberpiloten nach Fort Rucker in Alabama fliegen, wo schon mehrere von ihnen ausgebildet worden waren.

Als nächstes mußten das technische Personal und Sanitäter nach Saudi-Arabien reisen, anschließend Küstenjäger für allgemeine Kampfaufgaben und als letzte die Kommandeure des Unternehmens.

Die einzige militärische Ausrüstung, die sie aus Schweden mitnehmen würden, waren die Funkgeräte. Der ganze Rest in Form von Overalls, Lebensmitteln, Zeltausrüstung, Medikamenten und medizinischem Gerät, Farbe und anderes, konnten sie leicht transportieren, ohne Aufmerksamkeit zu erregen.

Die Truppe würde einige Tage vor Beginn der Operation zusammengezogen werden. Maschinenpistolenfeuer auf feste Ziele sowie Nachtflüge über der Wüste mußten an Ort und Stelle geübt werden, was nicht so leicht war, wie Åke Stålhandske zunächst vermutet hatte.

Das große Holz- und Kunststoffmodell des Abu-Ghraib-Gefängnisses, das Åke Stålhandske in seinem Dienstzimmer aufbewahrte, war inzwischen erheblich verfeinert worden, nachdem die schwedischen Angehörigen der im Irak Einsitzenden erste Fotos und Beobachtungen geliefert hatten.

Jetzt wußten sie genau, in welcher Zelle die schwedischen Gefangenen saßen und wie viele Türen sie auf dem Weg vom Landeplatz des Hubschraubers bis zum Ziel überwinden mußten. Die Schaltzentrale für die Stromversorgung war inzwischen ebenfalls mit großer Wahrscheinlichkeit geortet, doch da sie nicht mehr die Möglichkeit hatten, aus der Luft Hellfires abzufeuern, mußten sie eine einfachere Lösung finden. Die Stromkabel verliefen in den Gefängniskorridoren an der Decke. Damit würden sie die wichtigsten Sektoren der Gefängnisbeleuchtung schon ausschalten können, sobald sie die erste Außentür durchbrachen. Die Ausrüstung für einfachere Sprengstoffeinsätze würden ihnen die in Saudi-Arabien stationierten Amerikaner liefern.

Die Zahl der Verluste auf irakischer Seite würde sich vielleicht unter zehn Mann halten lassen, bestenfalls bei den nur vier Mann, die sich in den Wachtürmen aufhielten. Die restlichen Wachen würden gar nicht begreifen, was geschah, bevor die Gefangenen ausgeflogen worden waren.

Als Carl ins Büro kam, hatte er Åke seit mehreren Wochen nicht gesehen. Dieser fand, daß Carl erstaunlich frisch und sonnengebräunt aussah, obwohl er immer noch Trauer ausstrahlte.

Carl kam gleich zur Sache. Er setzte sich hin und zeigte mit der Hand, daß er für Åke Stålhandskes Vortrag bereit sei. Dieser begann in umgekehrter chronologischer Reihenfolge beim Gefängnismodell. Er berichtete, welche neuen Erkenntnisse sie über ihre »Agenten«, die Verwandten, eingeholt hatten und wie sich diese Erkenntnisse praktisch umsetzen ließen. Carl lauschte aufmerksam, ohne zu unterbrechen, von Zeit zu Zeit nickte er zustimmend, als sähe er die einzelnen Szenen vor sich, über die Åke Stålhandske berichtete.

Dann kam Åke Stålhandske auf die Modifikationen bei der Wahl der Hubschrauber zu sprechen. Er erklärte, die Regierung habe einen schnelleren Einsatz gefordert, als vielleicht notwendig sei. Carl wies trocken darauf hin, daß die größere Sicherheit des Einsatzes der modernen AH 64 Apache-Hubschrauber wohl mehr als ausreichend sei, um das weitere Warten der drei Gefangenen zu rechtfertigen, selbst wenn es noch Wochen dauern sollte. Es sei völlig aberwitzig, die Risiken des Vorhabens zu steigern, nur um ein paar Wochen Zeit zu gewinnen. Was wolle der Minister nur damit bewirken? Falls er überhaupt nachgedacht habe.

»Unserem geehrten Verteidigungsminister zufolge hat es unter anderem mit der Abendpresse zu tun«, erwiderte Åke unbeabsichtigt geheimnisvoll, denn seine Ironie blieb dadurch verborgen, daß er Carl nicht anzulächeln wagte.

»Abendzeitungen«, sagte Carl tonlos. »Sollen wir PR-Leute mitnehmen, oder was soll das?«

»Nein, nein, die sollen doch vorher nichts erfahren«, sagte Åke Stålhandske schnell. »Das würde vielleicht aussehen. Nein, der Verteidigungsminister scheint zu meinen, daß die schwedische Bevölkerung immer stärker dafür eintritt, daß die Gefangenen befreit werden. Es werden Unterschriften gesammelt, gelbe Buttons verkauft, was auch immer. Es ist wichtig, daß... ja, es scheint jedenfalls wichtig zu sein, daß es nicht so aussieht, als hätte die Regierung uns hingeschickt, um... weil andere es verlangt haben oder so. Ich bin nicht sicher, daß ich alle seine Argumente wiedergegeben habe, aber wir haben jedenfalls den Befehl, so zu handeln.«

»Okay, ich verstehe«, sagte Carl resigniert. »Politik also. Es darf nicht so aussehen, als hätte Ingvar Carlsson etwas mit der Sache zu tun. *Say hail to the chief.* Lang lebe unser Ministerpräsident. Aber Huey-Hubschrauber können doch keine Hellfires tragen. Wie zum Teufel sollen wir dann die Wachtürme ausschalten?«

»Wir haben zwei Möglichkeiten«, erklärte Åke Stålhandske und rutschte unruhig auf seinem Stuhl hin und her. »Wir können ja Hellfires mitnehmen, Schützen in sicherem Abstand absetzen und die Wachtürme von ihnen ausschalten lassen, bevor wir vorrücken...«

»Lebensgefährlich, dauert viel zu lange«, unterbrach ihn Carl irritiert.

»Ja. Das habe ich auch gedacht«, fuhr Åke Stålhandske fort. »Die Alternative wäre, daß wir Maschinenpistolen in den Seitentüren der Hubschrauber montieren, von zwei Seiten anfliegen und die Wachtürme sozusagen von Hand erledigen.«

»Dann ist es beinahe wie im Vietnamkrieg«, stellte Carl fest. »Jedenfalls dürften Maschinenpistolen weit besser sein, als zu landen und Raketenbatterien aufzubauen. Bevor wir mit der Peilung fertig sind, ist schon das halbe Gefängnis wach. Aber zwei Hubschrauber, die auf Wachtürme zufliegen... Na ja, das ist in wenigen Sekunden vorbei. Eine besondere Ausbildung für die Schützen?«

»Ja. Sie fliegen als erstes Kontingent los und sind genau zu diesem Zweck früh vor Ort, ebenso die Fahrer.«

Carl nickte stumm und überlegte kurz, bevor er fortfuhr.

»Die Funkverbindung mit unseren amerikanischen Freunden?« fragte er, als wollte er demonstrativ das Thema wechseln, um nicht mehr über die Wahl von Hubschraubern und Waffen sprechen zu müssen.

»Das erledigt Sam«, erwiderte Åke Stålhandske. »Die Yankees amüsiert das Vorhaben natürlich. Ihnen macht nur eins Sorgen – falls es schiefgeht, wollen sie nach außen hin mit weißer Weste dastehen. Wenn es gutgeht, sieht es natürlich anders aus.«

»Wie bei der Regierung. Der Sieg hat viele Hebammen«, brummte Carl. »Na schön, wann legen wir los?«

»Jetzt haben wir noch genau zehn Tage bis zum Tag D«, sagte Åke Stålhandske. »Wirst du bei dem Unternehmen selbst das Kommando führen?«

»Ja«, sagte Carl ernst. »Wer von uns beiden in dem ersten Hubschrauber mitfliegt und den ersten Angriff leitet, müssen wir später entscheiden. Ich finde jedenfalls, daß wir nicht in derselben Maschine sitzen sollten. Wenn du verstehst, was ich meine.«

»Nein, das tue ich nicht«, entgegnete Åke Stålhandske schnell. »Wir beide haben die größte Erfahrung von allen Beteiligten. Dann wäre es doch nur logisch, daß wir beide bei der ersten Angriffswelle dabei sind.«

»Nein, das ist ganz und gar nicht logisch. Man darf nicht alle Eier in einen Korb legen«, erwiderte Carl. »Die Verlustrisiken sind im ersten Hubschrauber größer, in Nummer zwei klein und in Nummer drei so gut wie nicht vorhanden. Wer von uns beiden den Hintern am weitesten rausstrecken soll, sollte wohl die Tagesform entscheiden, aber es dürfte klar sein, daß wir beide fähig sind, neunzig Sekunden lang einen oder zwei Soldaten zu führen. Der eigentliche Job ist ja nicht schwierig, sondern nur riskant.«

»Du hast recht«, bestätigte Åke Stålhandske.

»In zehn Tagen, also am 23. September. Das paßt mir ausgezeichnet«, überlegte Carl laut. »Der Maralhirsch hat seine Brunftzeit nämlich im September. Dann fügt es sich in den Stundenplan.«

»Wie bitte?« fragte Åke Stålhandske ratlos.

Jetzt lächelte Carl zum ersten Mal. Er zwinkerte und murmelte etwas von einem ganz anderen Projekt. Dann stand er auf und machte einige gymnastische Übungen, massierte sich den Schenkel und die Taille.

»Ist das Personal rekrutiert?« fragte er neugierig.

»Ja, alle bis auf einen. Direktor Heiskanen hat irgendein *biznizz* vor. Deshalb will er um Aufschub bitten, bevor man ihn zu einer Übung einberuft«, murmelte Åke Stålhandske sauer. Seine Miene zeigte sehr deutlich, was er von der moralischen Tragfähigkeit dieses Hinderungsgrundes hielt.

»Wie gut«, sagte Carl leichthin. »Dann nimm statt dessen doch diesen Verwandten dazu, diesen Jungen mit der Küstenjägerausbildung.«

»Ist das klug?« wandte Åke Stålhandske in einem Ton ein, der erkennen ließ, daß er dies nicht für den intelligentesten Vorschlag des Tages hielt.

»Na ja«, sagte Carl. »Nicht wenn wir ihn im ersten Hubschrauber unterbringen würden. Aber wir beordern ihn in die Reserve. Dort brauchen wir ebenfalls gute Leute. Wir müssen uns um jeden Preis die Loyalität der Familienmitglieder erhalten, und ich glaube, es kann uns helfen, wenn wir diesen Jungen dazunehmen. Was meinst du?«

»Aber ja«, bestätigte Åke Stålhandske.

»Hast du irgendwelche Zukunftspläne?« fragte Carl plötzlich ernst.

»Tot bin ich ja noch nicht«, erwiderte Åke Stålhandske zögernd.

»Nein. Aber in diesem Job kann es leicht passieren. Du bist dreiunddreißig Jahre alt und arbeitest seit mehr als zehn Jahren im geheimen operativen Dienst. Es ist wie bei Kampffliegern. Es gibt ein Ende und eine lange Zeit danach. Hast du dir darüber schon Gedanken gemacht?«

»Du meinst wegen der Familie?«

»Ja, unter anderem. Wie geht es ihnen übrigens? Hast du Anna von Blue Bird erzählt?«

»Wie bitte? Ja, es geht ihnen beiden gut. Schade nur, daß ich so verdammt viel zu tun hatte, als so schönes Wetter war. Na ja, und dann hatte Anna einige feministische Standpunkte zu Vaterschaftsurlaub, Machotypen und so weiter.«

»Im Prinzip hat Anna recht«, sagte Carl. »Und deine einzige ehrliche Möglichkeit, dir den Feminismus vom Hals zu halten, bestand also darin, zu beichten, womit du tatsächlich beschäftigt warst, also Blue Bird?«

»Ja«, gestand Åke Stålhandske peinlich berührt.

»Und das hat sie als gute Patriotin akzeptiert?«

»Ja. Aber nicht ohne ihre Meinung dazu zu äußern.«

»Wie etwa?«

»Daß es hinterher ein bißchen Urlaub geben sollte.«

»Bewilligt! September ist kein schlechter Monat. Fahrt irgendwohin. Aber dann, in der weiteren Zukunft, hast du dir da noch gar nichts vorgestellt?«

»Nein, nicht sehr viel«, gab Åke Stålhandske sichtlich verlegen zu. »Ich bin doch nichts anderes als Soldat, verdammt.«

»Mit einer Ausbildung in amerikanischer Literatur statt in Computern«, bemerkte Carl sarkastisch. »Keine Ideen?«

»Was Militärisches. Was zum Teufel sollte es denn sonst sein?« fragte Åke Stålhandske und zuckte die Achseln.

»Ich glaube, ich habe eine Idee«, sagte Carl nachdenklich. »Ich will sie aber erst ausprobieren, bevor ich etwas sage. Kommt ihr übers Wochenende raus?«

»Gern. Aber von diesem elenden Rotspon bekomme ich Kopfschmerzen.«

»Ich werde den Bier- und Branntweinvorrat auffüllen«, sagte Carl amüsiert. Er klopfte Åke Stålhandske auf die Schulter und ging hinaus.

Åke Stålhandske lehnte sich zurück, streckte seinen gewaltigen Körper der ganzen Länge nach aus und gähnte wie eine große Katze. Dann faßte er sich plötzlich beschämt an den Bauch und betastete die Andeutung eines kleinen Speckgürtels; er hatte schon seit Wochen fast jede Nacht durchgearbeitet und sein körperliches Training vernachlässigt. Inzwischen war er offenbar in ein Alter gekommen, in dem sich das schnell rächte.

Doch er war zufrieden, ja, mehr noch, er spürte innere Ruhe. Wenn Carl ernste Einwände gegen seine Planung gehabt hätte, hätte er sie wahrlich zu hören bekommen. Und, was noch wichtiger war – Carl schien irgendwie dabei zu sein, sich zu erholen, vielleicht nicht körperlich, aber seelisch. Carls Tragödie stand nicht mehr wie eine große, schwarze Mauer zwischen ihnen, wenn sie sich unterhielten.

Carl ging schnell den Korridor entlang, da er zu einem Treffen mit dem Oberbefehlshaber und Samuel Ulfsson unterwegs war. Sie wollten seine Bewertung von Åke Stålhandskes Vorbereitungen hören.

Zum ersten Mal seit langer Zeit empfand er so etwas wie Zufriedenheit, nicht so sehr wegen der bevorstehenden Operation im Irak, sondern weil er eine Idee hatte, was Åke Stålhandskes Zukunft betraf.

Nachdem er den Gedanken an die geplante Emigration hinter sich gelassen hatte, hatte er begonnen, schwedische Zeitungen sehr viel sorgfältiger zu lesen, um sich erneut mit dem Land bekanntzumachen, das er schon beinahe verlassen hatte.

Was von der gegenwärtigen Entwicklung sein Interesse am meisten erregt hatte, war die Tatsache, daß die kleine populistische Partei im Reichstag ihre Strategie geändert und immer offener auf Rassismus gesetzt hatte. Das hatte Konsequenzen gehabt. Als der Parteiführer geäußert hatte, es gebe zu viele Moscheen im Land, war eine der zwei Moscheen des Landes sofort von einigen jungen Skinheads in Brand gesteckt worden. Gleichzeitig hatte der stellvertretende Parteichef, ein Wursthändler aus Skara, der außerdem eine Art Musikagentur betrieb, einen Plattenvertrag mit der neonazistischsten Rockgruppe des Landes abgeschlossen. Und kurze Zeit darauf hatte die größte Zeitung des Landes, *Expressen*, erklärt, was man mit den Kanaken tun solle, nämlich:

SCHMEISST SIE RAUS!

Um dann heuchlerisch zu erklären, daß man als aufgeklärte Abendzeitung natürlich nicht hinter derart verrückten Ideen stehe, sondern man habe nur pflichtgemäß mitgeteilt, was das schwedische Volk schlimmstenfalls vielleicht denke, und, wenn man die Frage auf eine besondere Weise stelle, vermutlich denken könne.

Es gab auch einen bestimmten militärischen Aspekt bei dieser Spur. In einigen Zeitungsartikeln wurde behauptet, daß inzwischen sogar die Küstenjägerschule von dem rassistischen Bazillus angesteckt worden sei. Es hieß, die Wehrpflichtigen sängen Lieder rassistischen Inhalts, wollten Neger töten und dieser Dinge mehr.

Angeblich sei es schwierig, dieses Problem zu lösen, da nicht nur die Wehrpflichtigen solche Ansichten über Neger verträten, sondern auch einige Offiziere.

Es konnte stimmen, es konnte übertrieben sein, und es konnte unwahr sein. Doch das spielte keine so große Rolle. Schon allein die bloße *Vorstellung*, daß die Eliteverbände Schwedens von Rassisten unterwandert werden konnten, war eine Katastrophe.

Hier waren für Carl plötzlich alle Fäden zusammengelaufen, und hier hatte er eine Möglichkeit entdeckt, alle Fliegen mit einer Klappe zu schlagen.

Der Oberbefehlshaber und Samuel Ulfsson schienen völlig überrascht, als sie Carl anscheinend gesund und guter Laune eintreten sahen.

Sie begrüßten ihn sehr informell und setzten sich, als wollte der Oberbefehlshaber betonen, daß er nicht erwartete, einen »Vortrag« Carls zu hören.

»Du hast Sonnenbräune. Badeurlaub?« fragte der Oberbefehlshaber.

»Nein, Sibirien«, erwiderte Carl.

»Ach ja, natürlich, das war diese Geschichte«, korrigierte sich der OB schnell. »Kann man sich in Sibirien so leicht eine Sonnenbräune holen?«

»Ja«, erwiderte Carl, »zumindest in den bergigen Teilen. Der Schnee reflektiert die Sonnenstrahlen. Das habe ich in den Überlebenskursen nicht gelernt. Zum Glück gab mir jemand den Tip, Sonnenöl mitzunehmen. Nun, wollt ihr wissen, was Åke in der Zwischenzeit gemacht hat?«

Carl beschrieb in wenigen Minuten, wie er die Lage beurteilte.

»Der offenbar innenpolitische Aspekt, der uns zu einem schnelleren Einsatz und daher zu weniger modernen Hubschraubern zwingt, dürfte aber kein allzu großes Problem darstellen. Die Risiken werden dadurch nicht erheblich vergrößert. Das scheint mir die Hauptsache zu sein. Die propagandistischen Absichten der Regierung müssen wir wohl als eine Art praktisches Hindernis betrachten, das wir überwinden müssen und können.

Für die Leitung des Expeditionstrupps stelle ich mich selbst zur Verfügung. Der Verteidigungsminister hat mich nämlich angerufen und mich gebeten, das Kommando zu übernehmen. Nun ja, was heißt gebeten. Jedenfalls ist es der Wunsch der Regierung. Angesichts unserer Innenpolitik kann ich es auch gut verstehen. Immerhin bin ich sozusagen das Aushängeschild. Wenn es gutgeht, hat die Regierung mich losgeschickt und damit ihre Tatkraft bewiesen. Wenn es schiefgeht und man mich in Bagdad auf dem Midan Tahrir aufhängt, dem Freiheitsplatz, hat sie zumindest ihr Äußerstes getan, so daß die Opposition sie nicht kritisieren kann. Außerdem hat sie dann einen Märtyrer. Das muß ich einfach so hinnehmen.«

Das Gespräch kreiste dann eine halbe Stunde um verschiedene technische Details. Schon nach einigen Minuten hatte Carl das Gefühl, daß seine beiden Gesprächspartner zusammengekommen waren, um mit ihrer Modelleisenbahn zu spielen; schließlich war es eine ungewöhnlich spaßige Operation, sofern man nicht unmittelbar beteiligt war. Hier waren weder Langeweile noch triste Morde zu erwarten. Die Menschen, die getötet werden sollten, würden bloß erschossen werden und waren überdies Männer in Uniform. Nach den menschlichen Normen, die Carl als Privatmann zunehmend in Frage zu stellen begann, erlaubten sie das Töten uniformierter Männer jedenfalls eher als das anderer Menschen.

Die drei tranken Kaffee aus weißen Plastikbechern. Carl wartete mit seinem eigentlichen Anliegen, bis der Oberbefehlshaber endlich etwas sagte, was nicht mehr mit der Modelleisenbahn zu tun hatte.

»Es ist schön zu sehen, daß du dich so schnell erholt zu haben scheinst«, sagte er.

»Oh, danke. Medikamente brauche ich inzwischen nicht mehr zu nehmen. Die Narben jucken ein bißchen, aber nicht mehr sehr, und außerdem habe ich wieder mit dem Lauftraining und Gymnastik angefangen«, erwiderte Carl.

»Ich habe eine Idee ganz anderer Art«, sagte er dann. Es geht um Åke Stålhandske und um die Küstenjägerschule. Åke ist den Russen inzwischen bekannt. Er hat mehr als zehn Jahre lang draußen im Feld seinen Hintern riskiert und verdient, einen weniger gefährlichen Dienst zu erhalten. Er hat Familie, hat Frau und Kind. Na ja, ihr wißt schon… Leider hat er seine zivile Studienzeit in San Diego ein wenig vernachlässigt. So ist er als eine Art Frankenstein-Mischung nach Hause gekommen. Er ist erstens ein außerordentlich fähiger Operateur im Feld und hat andererseits das Recht, amerikanische Oberstufenschüler in amerikanischer Literatur zu unterrichten«, fuhr Carl fort. »Wenn er den zivilen Teil der Ausbildung wie wir anderen absolviert hätte, hätten wir ihn jetzt einfach in die Operationsanalyse wechseln lassen, und alles wäre Friede, Freude, Eierkuchen.«

»Ja, darüber habe ich auch schon viel nachgedacht«, schaltete sich Samuel Ulfsson ein. »Nicht ohne schlechtes Gewissen, möchte ich hinzufügen. Ich selbst fahre jetzt nach Berga und werde dort in den letzten Jahren Leiter der Schule. Friede, Freude, Eierkuchen, wie du gesagt hast.«

»Wie bitte?« sagte Carl. »Dann muß ich wohl gratulieren? Oder wolltest du lieber wieder Schiffskommandant werden?«

»Diese verdammten kleinen Kähne, die wir heutzutage haben, verlangen nach jungen Flipperspielern und nicht nach Leuten wie mir«, knurrte Samuel Ulfsson mit gespieltem Mißmut.

»Computerspieler, nicht Flipperspieler«, korrigierte der Oberbefehlshaber. »Nun, aber worauf wolltest du eigentlich hinaus, Carl?«

»Also, ich habe an diese beunruhigenden Nachrichten von der Küstenjägerschule gedacht. Wenn es tatsächlich so ist, daß es dort auch nur andeutungsweise Tendenzen zum Rassismus gibt oder wenn man es auch nur behaupten kann, haben wir Probleme. In einem Jahr kommen die Sozis wieder an die Macht und möchten beim Wehretat sparen, wo es nur geht. Wenn ruchbar wird, daß die Küstenjäger Rassisten sind, ob es nun stimmt oder nicht, schließen sie die Schule.«

»Ich halte das für höchst übertrieben«, entgegnete der Oberbefehlshaber.

»Möglich«, sagte Carl. »Doch hier geht es nicht darum, was in einem objektiven Sinn wahr ist. Wenn wir es mal von der anderen Seite angehen: Was wollen wir bei den Streitkräften? Daß Gangster und Rassisten die Eliteverbände unterwandern?«

»Unsere Sicherheitsabteilung hat sich dieses Problems schon angenommen«, sagte Samuel Ulfsson und runzelte tief bekümmert die Stirn. »Du weißt sicher, daß diese Militärbande, wie man sie nennt…?«

»Ja, ich habe den Bericht gelesen«, unterbrach ihn Carl. »Verkorkster als jetzt kann es doch gar nicht werden. Wir sind dazu da, die Demokratie zu verteidigen. Ich schenke mir all die feierlichen Ansprachen, die ihr euch selber vorstellen könnt. Und dann bilden wir Kriminelle und Rassisten aus?«

»Das ist gewiß ein sehr besorgniserregender Aspekt, und allein die Behauptung ist schon schlimm genug«, sagte der Oberbefehlshaber. »Aber um wieder auf den guten Åke Stålhandske zurückzukommen?«

»Er ist bis ins Mark Küstenjäger«, sagte Carl lächelnd.

»Ja. Und?« fragte der Oberbefehlshaber.

»Macht ihn da draußen zum Chef!« sagte Carl, der jetzt endlich ins Ziel lief.

Die beiden anderen sahen jedoch nicht gleich so enthusiastisch aus, wie er gehofft hatte.

»Die Küstenjägerschule ist keine selbständige Einheit mehr, sie gehört zum Amphibien-Bataillon«, sagte der Oberbefehlshaber zögernd.

»Das ist so, als würde man Regimentskommandeur werden«, verdeutlichte Samuel Ulfsson, der fragend blickte.

»Bei allem Respekt vor Åke Stålhandske und unter Anerkennung der Tatsache, daß wir sein Beschäftigungsproblem lösen müssen – aber wozu dieser Job?« fragte der Oberbefehlshaber.

»Stellt es euch doch mal vor!« sagte Carl begeistert. »Was bedeutet es, wenn Åke in den offenen Dienst überwechselt? Zunächst zieht er die Uniform an. Seine grüne Baskenmütze ist echt. Er hat sie nicht am Schreibtisch erobert, sondern er *ist* Küstenjäger. Er ist außerdem der Küstenjäger mit den größten Verdiensten, den es in Schweden je gegeben hat, und der höchstdekorierte dazu. Seine Auszeichnungen sind nicht mehr geheim. Stellt euch die Szene vor, wenn er dort ankommt! Wenn ihr wollt, begleite ich ihn zur Antrittsrede.«

»Hm«, machte der Oberbefehlshaber mit plötzlich aufblitzendem Interesse in den Augen. »Aber was hat das nun mit Rassismus zu tun?«

»Åke Stålhandske ist ein erbitterter Gegner all dieser Scheiße, und zwar aus tiefer und echter Überzeugung«, erklärte Carl.

Er war leicht mißgelaunt, weil sein Hintergedanke nicht sofort verstanden worden war. »Ich verstehe nicht, daß ihr es nicht vor euch seht. Wir haben noch zehn Tage bis zum Tag D. Wenn wir mit den drei Schweden nach Hause kommen, darf Åke sie der schwedischen Freiheit und der Öffentlichkeit übergeben, gern im Fernsehen, was auch immer. Zwei Tage später gebt ihr bekannt, daß er der neue Chef der Küstenjäger wird. Er hält eine Antrittsrede. Wenn nicht schon vorher, ist spätestens dann das Fernsehen da. Seine Antrittsrede wird vielleicht ein bißchen kurz und finnisch und kernig klingen, aber es wird gewiß um die Verteidigung der Demokratie gehen und damit auch um den Kampf gegen den Rassismus. Was sagt ihr jetzt?«

Carl lehnte sich zurück und atmete tief ein. Die beiden anderen schienen nachzudenken und warfen einander Seitenblicke zu, um zu entscheiden, wer sich als erster äußern sollte.

»Das ist wirklich eine glänzende Idee«, sagte der Oberbefehlshaber gedehnt. »Je mehr ich darüber nachdenke, um so klarer wird es mir. Er wird nach außen hin ein gewaltiger Aktivposten für die Medien und ein ebenso großer Aktivposten nach innen. Ich meine, wenn er sich antirassistisch so stark engagiert hat, wie du andeutest, wird künftig wohl kaum noch eine Baskenmütze, ob grün, rot oder blau, es besonders toll finden, Rassist zu sein.«

»Was für Auszeichnungen hat er eigentlich? Weißt du das noch, Carl?« fragte Samuel Ulfsson.

»Die Medaille des Königs für Tapferkeit auf See, die Kommandeursklasse des Sankt-Olafs-Ordens, die Kommandeursklasse von Finnlands Weißer Rose und den russischen Sankt-Georgs-Orden. Außerdem ist er Kommandeur dieses italienischen Ordens, wie immer er heißt, und nach Blue Dragon ist es Zeit für eine Königsmedaille mit Seraphinenband«, sagte Carl.

»Tapferkeit *im* Feld heißt es doch wohl?« bemerkte der Oberbefehlshaber mit einem triumphierenden Lächeln.

»Nicht bei uns, bei uns heißt es auf See!« protestierte Samuel Ulfsson mit übertriebener Schärfe.

»Na ja«, sagte der Oberbefehlshaber. »Wie es aussieht, haben wir für die Küstenjäger eine erfreuliche Überraschung, möglicherweise abgesehen von dem in diesem Zusammenhang unschuldigen Chef, der jetzt noch dort sitzt. Guter Mann übrigens.«

»Mach ihn doch zum Oberst oder so«, schlug Samuel Ulfsson vor.

»Das ist Sache von Anders Lönnh, doch er dürfte Verständnis für dieses Vorhaben aufbringen. Stålhandske, was ist er? Major?«

»Ja«, erwiderte Carl. »Du selbst hast ihn zum Major befördert.«

»Nun gut! Dann wird er in zehn Tagen Oberstleutnant, nein, in neun Tagen, damit er den Dienstgrad schon hat, wenn ihr da unten seid.«

»Du kannst ihn mit einer Torte überraschen, wenn ihr vor Ort seid«, schlug Samuel Ulfsson vor.

»Glaube ich kaum. Dort, wo wir hin sollen, herrscht eine Temperatur von fünfzig Grad«, sagte Carl, ohne zu lächeln.

*

Tessie genoß es, den neuen Wagen zu fahren. Es verlieh ihr ein eigentümliches Gefühl von Macht und Sicherheit. Sie hatte bislang immer Wagen mit Automatikgetriebe gefahren und mußte viel üben, bevor sie die Gangschaltung beherrschte. Der Wagen war unerhört schnell, obwohl er mit seinem gepanzerten Blech und dem schußsicheren Glas an die zwei Tonnen wog. Er sah aus wie ein gewöhnlicher Wagen und war viel unauffälliger, als sie geglaubt hatte. Die Farbe der Scheiben wechselte mit der Außenbeleuchtung. Bei klarem Sonnenschein waren die Scheiben völlig schwarz und nachts klar und durchsichtig.

Sie zog das dunkelgrüne Exemplar vor, doch Carl hatte sie ermahnt, sie dürfe auf gar keinen Fall einen der Wagen vorziehen, sondern müsse sich von Anfang an daran gewöhnen, ständig zwischen dem grünen und dem graphitgrauen zu wechseln. Irgendwann werde die Zeit kommen, in der sie wieder zur Arbeit müsse, und da sei es wichtig, unregelmäßige Zeiten zu halten und ständig den Wagen zu wechseln.

Es erstaunte sie selbst, daß sie die Regeln für das weitere Leben so leicht akzeptiert hatte. Carl hatte sie nach und nach unterwiesen.

Mit den Wagen war es wie mit allem anderen. Zunächst hatte er kaum mehr gesagt, als daß die Scheiben schußsicher seien und verborgen hielten, wer am Steuer saß. Einen Tag später hatte er gleichsam nebenbei erzählt, daß der Wagen rundum mit zwei Zentimeter starkem Panzerblech gesichert sei. Erst am vierten Tag hatte er genauso leichthin erwähnt, der Wagen sei auf der Unterseite mit dickem Panzerblech bedeckt, das auch einer Landmine standhalte. Erst danach war er auf die Elektronik eingegangen. Am Ende erwartete Tessie fast, daß er ihr erzählen würde, wo die nach hinten gerichteten Maschinenpistolen versteckt waren. Aber die Wagen waren offenbar unbewaffnet. Passive Verteidigung hatte Carl das genannt.

Auf Tessies Frage, was die Wagen gekostet hätten, hatte er gereizt erklärt, rund drei Millionen pro Stück. Citroën, der französische Staat und bestimmte Gewinne des schwedischen Nachrichtendienstes hätten die Kosten gemeinsam getragen. Die Haushaltskasse habe es nicht im mindesten belastet.

Carl hatte ihr Büro bei IBM aufgesucht, um die Parkplätze und andere Gegebenheiten zu studieren. Nach seiner Rückkehr hatte er gesagt, sie habe jetzt die Genehmigung, ihren Wagen dort abzustellen, wo auch die hohen Tiere parkten, gleich vor dem Haupteingang. Dort werde es keine Probleme geben. Nachdem sie gelernt hatte, die Wagen zu beherrschen, nahm er sie zu einigen kleinen Übungen mit. Er beschrieb ihr in drastischen Worten verschiedene mögliche Gefahrensituationen. Es lief immer darauf hinaus, daß sie weiterfahren sollte. Schlimmstenfalls sollte sie die extreme Schwere und Widerstandsfähigkeit des Wagens dazu nutzen, jedes Hindernis zu durchfahren. Wenn man sie dennoch zwinge, irgendwo anzuhalten, erklärte er, sei der Wagen kurzfristig uneinnehmbar und außerdem durch ein internes Löschsystem vor Feuer geschützt. Es würde lange dauern, das System zu überwinden, da das elektronische Alarmsystem des Wagens von außen nicht zu stören sei. Und Hilfe werde immer in Reichweite sein.

Er selbst hatte sich langsam, aber sicher an dieses Leben gewöhnt und versuchte jetzt, es auch für sie selbstverständlich zu machen. Das Leben hatte neu begonnen, es würde nie so werden wie zuvor. Die Toten würden nie mehr zurückkehren. Und in dem neuen Leben war die Militarisierung des Daseins das, woran sie sich am leichtesten anpassen konnte. Es war rational und klug, denn schließlich wollten sie überleben. Sie hatte es geschafft, die Logik immer mehr über die Gefühle siegen zu lassen; noch vor wenigen Monaten hatten sie alle Gedanken in diese Richtung vollständig blockiert.

Als er von seiner Reise zurückkehrte, hatte Carl ein wenig ruhiger gewirkt als zuvor. Er sagte kaum mehr, als daß er in Saudi-Arabien gewesen sei. Erst dann fiel ihr ein, daß er während dieser Reise vierzig geworden war; er selbst behauptete, mit keinem Gedanken an den Geburtstag gedacht zu haben. Sie wußte nicht, ob es stimmte oder nur eine beruhigende Bemerkung war, weil sie es vergessen hatte. Wie auch immer: Mit Hilfe ihrer Sicherheitsbeamten hatte sie zum Wochenende eine Überraschung für ihn bereit. Sie hatte telefonisch ein komplettes Festessen bestellt, dessen Zubereitung sie Stunden gekostet hätte. Die Sicherheitsbeamten sollten es mit dem Wagen aus der Stadt bringen. Carl glaubte, daß nur Anna, Lis Erika und Åke kommen würden und daß sie wie immer unten am Ufer Würstchen über offenem Feuer grillen würden. Jetzt würde es ein etwas größeres Essen geben, und alle Gäste waren mit dem Überraschungsmoment einverstanden. Die Sicherheitspolizei auch, Gott sei Dank. Sie kicherte bei dem Gedanken, was sonst hätte geschehen können; sie sah einen mit Handschellen versehenen Verteidigungsminister, der gegen die Wand gepreßt wurde, einen Oberbefehlshaber, der mit erhobenen Händen aus dem Wagen steigen mußte.

Im Wagen hörte Tessie Kirchenmusik von Palestrina. Sie summte die Musik vorsichtig mit. Als sie vor den schwarzen Stahltoren der jetzt fertiggestellten weißen Steinmauer hielt und an den verschiedenen elektronischen Instrumenten herumfingerte, voller Sorge, nicht die Tore zu öffnen, sondern Alarm auszulösen, fiel ihr plötzlich ein, daß sie in den letzten Monaten nicht mehr gesungen hatte. Keinen Ton. Sie hatte zwar getanzt, aber das war eher ein heftiges körperliches Ausleben, das zu ihrer Trauer gepaßt hatte. Gesungen hatte sie nicht.

An den Wagenspuren auf dem Kies – der täglich geharkt wurde, damit man jede Spur sehen konnte – sah sie, daß Carl nach Hause gekommen war. Fast hätte sie den Wagen vor der Garage stehen lassen. Immerhin war es ein sonniger Sommertag, und kein

Wagen, nicht einmal der des französischen Staatspräsidenten, brauchte da in einer Garage zu stehen. Doch sie durfte den Wagen niemals außerhalb der einbruchssicheren und alarmgeschützten Garage stehen lassen. So ging sie entschlossen zurück, machte das Garagentor auf und parkte den grünen Wagen, den sie natürlich benutzt hatte, hinter dem zweiten, dem grauen. Dann tippte sie ohne zu zögern die richtigen Codes ein und ging in der feuchten Sommerdämmerung mit schnellen Schritten ins Haus.

Sie fand Carl wie eine Gewitterwolke vor dem Fernseher stehend. Das erstaunte sie, da gerade Nachrichten gesendet wurden und er Fernsehnachrichten verabscheute. Als sie eintrat, hob er nur die Hand. Es war fast wie ein Befehl. Tessie konnte kaum hören, worum es ging, sondern sah nur ein Bild von ihrem Haus.

In diesem Augenblick schaltete er den Fernseher aus. Er war weiß im Gesicht vor Zorn, nicht vor Trauer, nicht vor Furcht, sondern nur vor Wut.

»Ist was passiert?« fragte sie vorsichtig auf schwedisch. Sie wählte intuitiv das Schwedische, wenn es ihr gefühlsmäßig schwerfiel, etwas zu sagen, und das Englische, wenn es intellektuell kompliziert war.

»Nein, es ist absolut nichts passiert«, sagte er mit zusammengebissenen Zähnen. »Abgesehen davon vielleicht, daß wir jetzt auch in Schweden ein kommerzielles Fernsehen mit sogenannten Nachrichten haben. Sonst ist absolut nichts passiert.«

Ihm schien plötzlich aufzugehen, daß sie sich nach einem langen Tag auf andere Weise begrüßen sollten. Er trat mit einem entschuldigenden Schulterzucken zu ihr, nahm sie eine Weile in den Arm und küßte sie vorsichtig auf den Hals. Sie spürte, daß sein ganzer Körper angespannt war.

»Von gestern sind noch ein paar Enchiladas im Kühlschrank. Wir können sie in die Mikrowelle tun. Möchtest du ein Glas sehr guten Rotwein dazu?« fragte er dann leise, während er sich gleichzeitig zu entspannen schien.

»Nein«, sagte sie entschieden. »Es ist Freitagabend. Ich habe absolut nichts gegen guten Rotwein, aber ich finde, wir sollten etwas Besseres essen. Hast du Ian Carlos was zu essen gegeben?«

»Ja«, flüsterte er, ohne seinen Griff um sie zu lockern. Er küßte sie erneut behutsam auf den Hals. »Er hat gegessen, hat auch frische Windeln. Außerdem schläft er.«

»Du kommst deinen Pflichten nach, Sailor. Wissen deine Offizierskameraden eigentlich, daß du ein Softie bist?« flüsterte Tessie ihm ins Ohr, als erzählte sie ihm ein Geheimnis.

»Aber ja!« sagte er laut und schob sie mit geraden Armen von sich. »Nun, was möchtest du denn lieber essen?«

»Tja«, sagte sie gedehnt. Dann rückte sie mit einer affektierten Handbewegung die Frisur zurecht und ging mit übertrieben schwingenden Hüften in die Küche. »Etwas verdammt Gutes, zum Beispiel!« rief sie zu ihm zurück.

Er überlegte kurz, was sich im Kühlschrank befand, nickte vor sich hin, als hätte er einen entscheidenden Entschluß gefaßt, und ging in den Weinkeller.

Sie aßen an ihrem Lieblingsplatz an den französischen Fenstern und sahen die Sonne durch das leicht grün schimmernde Licht im Panzerglas untergehen; Tessie hatte ohne weiteres seine Erklärung akzeptiert, daß es nicht gut sei, draußen zu sitzen, wenn es dunkel werde. Dann kämen nur die Mücken.

Die Mahlzeit begann mit Meereskrebssuppe. Dazu gab es einen ungewöhnlich kraftvollen spanischen Wein, der wie griechischer fast ein wenig nach Baumharz schmeckte. Sie hatte ihn noch nie getrunken. Dann servierte Carl Kalbsfilets, in Butter gedünstete Champignons, Zuckerschoten und einen Bordeaux, nach dem sie sich gar nicht erst erkundigte. Vermutlich würde sie doch nichts anderes meinen, als daß er gut, schlecht oder verdammt gut war. Das waren die einzigen Bewertungen, die auch er vornahm. Zum Abschluß saßen sie mit einigen Käsesorten da.

Sie hatten nicht viel gesprochen, doch das Fehlen der Worte störte sie nicht. Das Schweigen war nicht mehr angestrengt und quälend wie noch vor einem Monat. Dann fragte Tessie, was vorhin im Fernsehen gewesen war. Sie bereute es sofort, als sie sah, wie er erstarrte.

»Die schwedische Sicherheitspolizei hat wieder etwas verkündet«, sagte er schnell und fast aggressiv.

»Ja?« fragte Tessie, um ihn zum Weitersprechen zu bewegen.

»Es ist so«, begann er etwas müde. Er warf ihr ein vorsichtiges Lächeln zu. Das war ein Signal, daß er nicht mehr empört war und Zeit gefunden hatte nachzudenken. »Ein Reporter soll vor kurzem die interessante Neuigkeit ans Licht gebracht haben, daß ein gewisser Spion namens Stig Sandström heute als finnischer Geschäftsmann in Österreich lebt, und zwar in Saus und Braus. Das alles natürlich russischen Hundert-Dollar-Quellen zufolge. Jetzt hat er mitteilen können, daß die schwedische Sicherheitspolizei sich nicht nur um dein und mein Wohlergehen Sorgen macht, sondern auch um die Sicherheit aller Mitarbeiter von IBM, wenn du weiter dort arbeitest, sowie um das Wohlergehen aller, die etwas mit meinen Immobiliengesellschaften zu tun haben. Angeblich schweben alle diese Menschen unseretwegen in Lebensgefahr. Außerdem meint der Mann, die Steuerzahler müßten für uns aberwitzige Summen aufbringen. Die Scheißkerle haben die Namen meiner Angestellten genannt, eine große Zahl von Häusern mit Bild und Adresse vorgestellt und gesagt, sie könnten in die Luft gesprengt werden, und der Teufel weiß, was sonst noch.«

»Sandström?« fragte sie verwirrt. »War das nicht der Mann, den du getötet hast?«

»Das war eine direkte Frage, wenn ich so sagen darf. Es ist von schwedischer Seite nie offiziell erklärt worden, was mit Sandström in Moskau geschehen ist. Aber eins kann ich jedenfalls sagen, nämlich daß er nicht in Saus und Braus in Österreich lebt. Aber was weiß ich schon im Vergleich zum Fernsehen?«

»Nun, darüber sollten wir jetzt vielleicht nicht sprechen«, sagte sie. »Aber was ist mit IBM und deinen Angestellten?«

»Wie kommst du nur auf die Idee, ich hätte Sandström liquidiert?« fragte er.

»Es stand in allen amerikanischen Zeitungen, und deswegen wurdest du doch Man of the Year, oder hast du das schon vergessen?«

»Jaja, ach so, das. Sie behaupten, daß du eine Zeitbombe wärst, wenn du weiter bei IBM arbeitest. Den Sizilianern sei es völlig gleichgültig, wer in der Nähe stehe, wie es die Fernsehreporter und Säpo ausgedrückt haben. Die Säpo hat sich jetzt nämlich in den Kopf gesetzt, daß ich von Sizilianern verfolgt werde und nicht von Arabern. Das gleiche gilt für meine Angestellten, meine Immobilien, alles. Ferner bringen sie Karten und Namenslisten und Aussagen erschreckter Menschen, die, wie kaum anders zu erwarten, der Meinung sind, sie möchten am liebsten nicht ermordet oder in die Luft gesprengt werden.«

»Was unternehmen wir?« fragte sie resigniert.

»Die Sache mit den Immobilien ist einfach. Ich habe ein Angebot von deutscher Seite. Ich verkaufe den ganzen Mist am Montag, ohne Rücksicht auf steuerliche Konsequenzen und anderes. Dann ist die Sache aus der Welt.«

»Und mein Job bei IBM?«

»Das können wir nicht so leicht erledigen. Offen gestanden, ich weiß nicht, was wir machen sollen.«

»Ich will aber nicht hier sitzen wie die Jungfrau, die vom Drachen bewacht wird und nichts anderes mehr tun kann. Dann ist mir Kalifornien schon lieber. Gibt es denn keine amerikanischen Autos dieser Art?«

Carl war nicht ganz sicher, ob das Galgenhumor war, oder ob sie tatsächlich spontan gefragt hatte.

»Ich habe beim Essen versucht, ein wenig über all das nachzudenken. Ja, entschuldige, aber ich kann ja kaum anders. Das Ganze hängt davon ab, wie es mit deinem Job aussieht und wie nett deine Chefs sind.«

»Natürlich«, bestätigte sie.

»Ich weiß nicht, ob es so natürlich ist. Ich habe vorhin gesehen, wie einer von ihnen auf die Frage zu antworten versuchte, ob man dich bei IBM jetzt feuern muß. Das nennt man Nachrichten-Journalismus.«

»Was hat er gesagt?«

»Erst sagte er, daß man Leute natürlich nicht auf die Straße setzt, wenn sie von persönlichen Tragödien betroffen werden.«

»Und dann?«

»Dann fragte der muntere Nachrichtenjournalist, ob der Chef es mit seinem Gewissen vereinbaren könne, Hunderte von Menschenleben zu riskieren. Darauf antwortete dieser, das könne er nicht mit seinem Gewissen vereinbaren. Anschließend wurde das Interview gekappt.«

»Man hat nicht erfahren, was er dann sagte?«

»Nein, das ist es eben. Dieser Nachrichtenreporter teilte jedoch mit, daß Menschen es ganz allgemein nicht mit ihrem Gewissen vereinbaren könnten, Hunderte von Menschenleben zu riskieren. Folglich hänge deine weitere Beschäftigung an einem seidenen Faden. Etwas in der Richtung.«

»Warum reden sie denn über mich?« fragte sie mutlos.

»Weil ihnen so etwas Spaß macht«, erwiderte Carl. Er schien erneut die Wut aufzuarbeiten, in der ihn Tessie vor ein paar Stunden vor dem Fernseher gefunden hatte. Er öffnete und schloß seine rechte Hand, so daß die Knöchel weiß aufblitzten. »Wenn IBM dich an die Luft setzt, ist es ihr Verdienst. Sie haben die Nachricht geschaffen, das heißt, sie haben sie als erste gebracht. Und anschließend laufen sie zu deiner Seite über und spielen tief entrüstet.«

»Ich nehme an, daß du leider nicht das Recht hast, diese Journalisten zu töten«, seufzte sie. Ihre Miene ließ erkennen, daß sie die gesetzlichen Beschränkungen in dieser Hinsicht aufrichtig bedauerte.

Erst war er vollkommen perplex. Dann hellte sich sein Gesicht auf.

»Ich habe eine bessere Idee«, sagte er. »Du kennst dich doch einigermaßen mit Computern aus?«

»Einigermaßen. Ich mache es seit der Schule, bin aber alles andere als ein Genie.«

»Und deine Arbeit besteht hauptsächlich aus juristischen Analysen, Patentrecht, dem Verkauf immaterieller Rechte, oder wie das heißt?«

»So könnte man sagen, ja.«

Er nickte nachdenklich, seine Stimmung hatte sich völlig verändert.

»Weißt du, was ein ThinkPad ist?« fragte er eifrig.

»Nein, ich bin, wie gesagt, Juristin«, erwiderte sie.

»Aber du arbeitest doch immerhin bei IBM! Ein kleiner ThinkPad 750 C hat eine Speicherfähigkeit von 20 MB und eine Festplatte mit 340 MB. Das dürfte wohl genügen.«

»Ich bin. Nicht ganz sicher. Daß ich verstehe. Was du meinst«, sagte sie mit übertriebener Betonung jedes Wortes.

»Ich meine, daß du mit deiner Arbeit nach Hause umziehen kannst. Du arbeitest schließlich nicht bei einem Malermeister, sondern bei IBM. Wir können eins der leeren Zimmer auf dem Dachboden herrichten. Da kannst du unmittelbar mit allen

Archiven kommunizieren, mit allen Menschen. Wir können dir ein Bildtelefon installieren, du kannst Simultangespräche führen, du kannst aus der ganzen Welt alles anfordern und ein paar Tage in der Woche in die Stadt zur Arbeit fahren, und zwar zu verschiedenen Zeiten, wie immer es dir paßt.«

»Hast du vor, mich zu einem Computerfreak auszubilden?« fragte sie übellaunig. »Wie stellst du dir das vor?«

»Kleinigkeit! Es sind ja IBM-Maschinen! Die benutzen wir auch bei den Streitkräften. Das bring' ich dir im Handumdrehen bei.«

»Das wird ein ziemlich langes Handumdrehen«, murmelte sie mißtrauisch.

»Du arbeitest, ich habe Vaterschaftsurlaub, und damit habe ich das Recht, mich um den Haushalt zu kümmern. Das wird sich schon alles regeln lassen.«

»Aber kannst du denn alles…?« fragte sie zweifelnd. Dann blickte sie in sein verblüfftes Gesicht und lachte im selben Moment los wie er.

Es war das erste Mal seit sehr langer Zeit, daß sie gemeinsam lachten.

*

SELBSTERNANNTER SELBSTMORD-EXPERTE MACHT ES SELBST lautete die zynische Schlagzeile in der *Daily Mail.*

Die Nachricht war nicht sonderlich groß aufgemacht.

Tony Gianelli alias Luigi Bertoni-Svensson las den Artikel sorgfältig zweimal. Was ihn zunächst am meisten erschütterte und anwiderte, war nicht, daß Tony Collins in Wahrheit ermordet worden war, denn über dieses Risiko hatte sein MI-6-Verbindungsmann sogar gewitzelt. Im Augenblick des Lesens, war der ironische und fast scherzhafte Ton, in dem der Artikel abgefaßt war, für Luigi am schlimmsten.

Tony Collins wurde, nach Luigis Erfahrung im Grunde zutreffend, als ein übertrieben verschwörerischer Journalist beschrieben, der überzeugt gewesen sei, als einziger Reporter Großbritanniens verstanden zu haben, weshalb anscheinend eine Selbstmordepidemie über die britische Rüstungsindustrie hinwegfege. Anonyme Quellen in seiner Umgebung bezeugten, daß es ihn zunehmend deprimiert habe, nicht recht ernst genommen zu werden. Sein letzter Artikel sei beispielsweise in keinem einzigen wichtigen Blatt zitiert worden, geschweige denn im Fernsehen. Offenbar habe er den Eindruck gewonnen, daß auch das auf eine Art Verschwörung zurückzuführen sei, wenn auch diesmal oben in der »Gesellschaft für eigenartiges Händeschütteln«. Er sei also der Meinung gewesen, das Establishment habe alles unter den Teppich gekehrt.

Man verglich Tony Collins in psycho-medizinischer Hinsicht mit Personen, die sich vor dem Parlamentsgebäude und ähnlichen Orten selbst verbrennen, um ein letztes Mal auf ihre Sache aufmerksam zu machen.

Das würde auch seine Selbstmordtechnik erklären, hatte er doch offenbar vor, seinen Tod in einem rätselhaften Licht erscheinen zu lassen.

Seine Frau bezeugte nämlich ebenso wie natürlich auch angebliche Freunde und angebliche Arbeitskollegen, die namentlich nicht genannt wurden, daß er ein an der Grenze zum Langweiler normaler heterosexueller Mann gewesen sei, der mit seiner Frau die Missionarsstellung vorgezogen habe und Variationen nicht zugeneigt gewesen sei.

Seine Frau meinte, wenn man in einem kleinen Haus im Süden Londons lebe, könne man als Hausfrau mit der Verantwortung fürs Putzen und die Wäsche kaum zehn Jahre mit einem Mann leben, der eine Vorliebe für rosa Damenunterwäsche hege, ohne diese kleine Eigenheit zu entdecken.

Ohne die Witwe direkt zu dementieren, zitierte man doch in einem anschließenden Artikel einen Psychologen, der zu wissen behauptete, daß Angehörige nur sehr selten absonderliche Gewohnheiten ihrer Verwandten einzugestehen bereit seien, wenn sie zugleich die Trauer um einen Toten bewältigen müßten.

Der *Daily Mail* zufolge hatte Tony Collins eine Todesart gewählt, die unübersehbar an einige der Fälle erinnerte, denen er selbst so große und in gewisser Hinsicht paranoide oder rechthaberische Aufmerksamkeit gewidmet hatte.

Er war ein paar Tage länger in London geblieben, um an einer wichtigen Sache zu arbeiten, wie er seiner Frau erzählt hatte. Die

Familie war nach Brighton vorausgefahren, um bei seinen Schwiegereltern eine Woche Urlaub zu machen.

Als er in seinem Haus allein zurückgeblieben war, hatte er einen hochkomplizierten Selbstmord begangen, ohne irgendeine Mitteilung zu hinterlassen. Die Technik war ein Potpourri der Fälle, die er mit so beharrlicher Hartnäckigkeit geschildert hatte.

Man fand ihn im Badezimmer mit einer rosafarbenen Korsage und einem rosafarbenen Höschen pornographischen Typs (Luigi hatte den Eindruck, daß das Höschen aufgrund der Beschreibung im Schritt offen war), aus dem sein Geschlechtsorgan hervorragte. Im übrigen trug er rosafarbene Lackstiefel, die bis über die Knie gingen, schwarze Nylonstrümpfe mit Gummizug ohne Strumpfhalter. Als Krönung des Ganzen war eine Plastiktüte von einem bekannten Pornohändler eng um den Kopf geschnürt.

Neben ihm stand eine Flasche eines sehr kostspieligen französischen Cognacs, in der nur noch ein paar Tropfen waren.

Die Tatsache, daß die gerichtsmedizinische Untersuchung einen Alkoholgehalt von 0,0 Promille im Blut ergeben hatte, wurde damit erklärt, daß er in seinem eigenen Buch vor kurzem über einen solchen Fall berichtet habe; das sei nur eine desperate Methode, um erneut die Aufmerksamkeit auf seine mißverstandene journalistische Großtat zu lenken.

Sowohl Polizei als auch Gerichtsmediziner waren sich darin einig, daß der Fall als Selbstmord bezeichnet werden müsse, da sonst keine vernünftige Erklärung zu Gebote stehe.

Luigi saß an diesem Sonntagnachmittag lange in seinem Wohnzimmer im Erdgeschoß seines Hauses mit den Fenstern zur Straße und rang mit seinen Gefühlen, in denen sich Schuld, Ekel und Trauer mischten.

Tony Collins war ganz gewiß ein Langweiler gewesen. Er hatte die verrückte Vorstellung gehabt, die organisierten Selbstmorde seien von den nachrichtendienstlichen und Sicherheitsorganen des eigenen Landes arrangiert worden, *dem Dienst Ihrer Majestät.*

Aus diesem Grund war er tatsächlich zum Opfer eines Komplotts geworden, das nicht nur vom Dienst Ihrer Majestät organisiert worden war, sondern auch noch von einem assoziierten ausländischen, vermutlich verbündeten Dienst, und dieses Komplott hatte zu seinem Tod geführt.

Er war so paranoid und mißtrauisch gewesen, daß er am Ende die Wahrheit geschrieben hatte, eine Wahrheit, an die nie jemand glauben und die nie herauskommen würde und ihn überdies das Leben gekostet hatte.

Luigi fühlte sich betrogen, als wäre er in etwas hineingelockt worden, was er nicht genau hatte vorhersehen können.

Er war stolz auf seinen Job gewesen, hatte sich als ein Auserwählter gefühlt, *the best of the best*, als einer der wenigen Menschen der Welt, welche die Hell Week auf Coronado nicht einmal, sondern fünfmal bewältigt hatten. Er arbeitete direkt unter Carl Hamilton, der Spionagelegende der westlichen Welt.

Luigi spürte, daß seine Identität als Tony Gianelli plötzlich ein Gefängnis war, dessen Mauern er am liebsten gleich gesprengt hätte. Er stellte sich vor, wie er mit einem Taxi nach Heathrow fuhr, einem dieser langsamen Londoner Taxis, in denen ein Gentleman sich um seine Bügelfalten keine Sorgen zu machen brauchte. Im Geiste flog Luigi eilig nach Schweden und ging zu Hamilton, um er selbst zu sein und alles zu erzählen und...

Ja, und was dann?

Was hätte Hamilton ihm gesagt? »Wenn wir das Unternehmen lange genug und gut genug weiterführen, schnappen wir die Scheißkerle, die es getan haben, und damit machen wir ihrem Treiben ein Ende und retten das Leben von Menschen, die sonst gestorben wären.«

Luigi versuchte logisch zu denken. Er wollte der glänzende Offizier des Nachrichtendienstes sein, der zu sein er bis jetzt geglaubt hatte. Er holte das Exemplar von *Computer Weekly*, in dem das irre Interview mit ihm in einem noch wirrköpfigeren Artikel erschienen war, der nicht das Establishment der britischen Massenmedien erschüttert hatte, wohl aber die russischen Mörder.

Neben ihm selbst befand sich ein Bild seines Vorgängers bei Marconi Naval Systems, eines Inders oder Pakistani. Der Mann hieß Vijaj Samjani und hatte angeblich Selbstmord begangen.

Tony Collins hatte einige Behauptungen aufgestellt, die den Tatsachen entsprachen. Zum Beispiel hatte Vijaj Samjani mit Computersimulationsprogrammen gearbeitet, bei denen es um die Entwicklung des Anti-U-Boot-Torpedos Sting Ray gegangen war. Tony Gianelli arbeite an der gleichen Aufgabe.

Ferner war der seit kurzem angestellte amerikanische Staatsbürger Tony Gianelli von Marconi nicht darüber informiert worden, daß sein Vorgänger unter rätselhaften Umständen Selbstmord begangen hatte.

Anschließend folgten einige entrüstete Bemerkungen über das unverantwortliche Handeln von Marconi, wo man den neueingestellten Amerikaner nicht über bestimmte Risiken informiert habe. Vielleicht sei Tony Gianelli jetzt der Nächste, der mit Plastiktüte, Strumpfband, Autoabgasen oder durch Ertrinken in der Badewanne ohne Alkohol im Körper stirbt.

Luigi stand auf, um vor seinem Treffen noch einen Spaziergang zu machen.

Er faltete die Zeitung zusammen, klemmte sie sich unter den Arm und machte sich auf den Weg zu einem langen Spaziergang vor seiner pflichtgetreuen religiösen Andacht am Sonntagabend. Er sollte Kincaid im Tempel des Herrn treffen. Was für eine göttliche Ironie.

Er lief an dem späten Sonntagnachmittag einfach mehrere Stunden lang kreuz und quer, landete im Hyde Park, der immer noch voller Spaziergänger war, und entdeckte zu seinem Erstaunen ein Standbild von Peter Pan. Es waren fast nur Paare, die draußen im Long Water ruderten. Er kaufte sich ein Eis und setzte sich auf eine Parkbank.

Luigi hatte sich gezwungen, rational zu denken und mehr seinen Job im Auge zu behalten als die Moral. Er hatte bestimmten Befehlen gehorcht, an denen nichts auszusetzen war. Zum Beispiel hatte er in den vergangenen Wochen damit begonnen, sich einen normalen Bekanntenkreis aufzubauen. Den vergangenen Abend hatte er mit einigen Arbeitskollegen und deren Bekannten in Soho verbracht. Er hatte sich betrunken, das heißt nicht er, sondern Tony Gianelli. Nach amerikanischer Manier hatte er *champagne for everybody* bestellt, wie es einem jungen Mann mit einem sehr hohen Einkommen gut zu Gesicht stand. Seine Kollegen hatten ihm ein *blind date* besorgt. Sie meinten scherzhaft, das müsse er in Kalifornien auch in jüngeren Jahren schon mal mitgemacht haben. Das entsprach den Tatsachen, was er in unterhaltsamem Ton sogar hatte erzählen können, ohne allzusehr zu lügen. Wenn er gewollt hätte, wären diese Carol und er am Ende dieses sehr feuchten Abends gemeinsam nach Hause gegangen. Er hatte jedoch darauf verzichtet, den schüchternen Amerikaner gespielt und etwas davon gemurmelt, es sei der erste Abend und falsch, sofort miteinander zu schlafen. Warum er verzichtete, war ihm selbst nicht ganz einleuchtend. Er wollte Lady Carmen nicht »untreu« sein.

Er war unsicher, ob er selbst oder Tony Gianelli in sie verliebt war. Und wenn sie in diesen Tony Gianelli verliebt war, war es nicht seine wirkliche Identität, die sie vor Augen hatte. Das war sehr verwirrend. Sie hatte angedeutet, daß sie sich vielleicht scheiden lassen wolle. Sie hatten sogar scherzhaft über ein gemeinsames Leben gesprochen, irgendwo weit weg, wo es keine Engländer gab. Er glaubte ihr keine Sekunde und war nicht einmal sicher, ob sie es überhaupt erwartete. Ihre Treffen waren in der letzten Zeit seltener geworden. Beide gaben der Arbeit die Schuld. Luigi mußte den Umgang mit anderen Menschen suchen, ihre Gründe kannte er nicht. Er ging jedoch davon aus, daß sie alle bei allem anlog; die Art, wie die Ehefrau des ehemaligen Verteidigungsministers ihn so blitzschnell erobert hatte, deutete darauf hin, daß sie so etwas nicht zum ersten Mal getan hatte. Das kränkte Luigi nicht im mindesten, obwohl er nicht wußte, wie Tony Gianelli sich dazu gestellt hätte. Luigi hatte es jedenfalls vorgezogen, den naiven Amerikaner auch weiterhin unschuldsvoll und ohne jeden Verdacht bleiben zu lassen, als wäre er, also Tony Gianelli, tatsächlich so unwiderstehlich, daß eine Lady Carmen gar nicht anders konnte, als sich gerade in ihn zu verlieben.

Er kam zwei Minuten zu früh zur Kirche.

Als er am Eingang etwas von dem Weihwasser genommen und sich bekreuzigt hatte, ging er durch das gesamte Mittelschiff bis zu dem Seitenaltar, an dem man Gedenkkerzen anzünden oder beten konnte. Er nahm eine Kerze und stellte sie ein Stück weg von den anderen Kerzen. Diese schienen zusammenhalten zu wollen wie verlorene Seelen.

»Verzeihen Sie mir«, flüsterte er der brennenden Kerze zu. »Verzeihen Sie mir, Mr. Collins.«

Langsam und mit gesenktem Kopf ging er den Mittelgang entlang und bog zu dem verabredeten Treffpunkt ab. Aus dem

Augenwinkel hatte er schon gesehen, daß Kincaid auf dem vereinbarten Platz saß.

»Gott sei Tony Collins' Seele gnädig«, flüsterte Luigi.

»Jesses, bist du gläubiger Katholik?« erwiderte Kincaid amüsiert.

»Tony Gianelli ist es, falls du dich erinnerst«, gab Luigi zurück.

»Nun, wie schön für ihn, aber jetzt geht es um dich und mich«, antwortete Kincaid nach einigem Zögern. Ausnahmsweise hatte sein Tonfall nicht diesen selbstsicheren und überlegenen Klang.

»Wir haben sie dazu gebracht, Collins zu ermorden, nicht wahr?« sagte Luigi etwas geschäftsmäßiger.

»Ja, das hat zweifellos einige Befürchtungen bestätigt. Wie schade, daß sie sich nicht über dich hergemacht haben, alter Knabe.«

»Ja, es ist schade, wirklich *schade*. Wißt ihr etwas über die Methode? Wie viele Mann, Giftanalyse, all das?«

»Die Leiche war völlig frei von Giften. Wir vermuten, daß man ihn mit einer Waffe bedroht hat. Aber die Polizei glaubt, daß ein Selbstmord vorliegt. Deshalb geben die Beamten sich keine übertriebene Mühe. Außer ein paar Faserproben haben wir nichts bekommen. Baumwolle, ägyptische, ukrainische, was auch immer, aber die Analysen sind noch nicht abgeschlossen.«

»Kann Ihre Majestät nicht ein bißchen Druck machen?«

»Du Witzbold! Es fällt mir außerordentlich schwer zu glauben, daß sie so etwas tun könnte.«

»Ich meine *den Dienst.*«

»Ach so, den Dienst, aha. Es würde ein bißchen komisch aussehen, wenn wir uns da einmischten, in eine ganz normale Polizeiermittlung, die sich um das schäbige Hinscheiden eines kleinen beschissenen Journalisten kümmert. Es würde unangemessene Aufmerksamkeit erregen. Wir müssen uns bis auf weiteres mit dem Bescheid begnügen, daß die Gegenseite irgendwie angebissen hat. Schließlich haben sie den Burschen ja umgenietet. Armer Kerl, übrigens. Es muß schrecklich peinlich gewesen sein.«

»Wieso peinlich?«

»Was würdest du davon halten, in einer rosa Korsage aufgefunden zu werden?«

»Ach so, das. Nun ja. Ihr scheint es aber leicht zu nehmen?«

»Es liegt ein gewisser Humor in dieser Geschichte. Der Gegner scheint ebenfalls einen erstaunlich hohen Grad von Humor zu haben. Beinahe könnte man vermuten, daß das Ganze nicht so russisch ist, wie wir in unserer Arbeitshypothese angenommen haben.«

»Inwiefern Humor?«

»Aber hör mal! Eine rosa Korsage?«

»Ich verstehe. Sehr humorvoll. Glaubt ihr, daß der Vogel jetzt verjagt ist, weil wir sie auf das falsche Ziel angesetzt haben? Ist Tony Gianelli jetzt sicher, weil sein Tod beweisen würde, daß Tony Collins vielleicht recht hatte?«

»Es wäre zu traurig, wenn es so wäre.«

»Ohne Zweifel. Sogar sehr traurig.«

»Aber wir gehen selbstverständlich nicht davon aus. Wir gehen davon aus, daß du von jetzt an Ziel Nummer eins bist.«

»Wie schön, das zu hören. Ich möchte die Mörder von Tony Collins nämlich kennenlernen. Ich habe noch ein Hühnchen mit ihnen zu rupfen.«

»Ja, aber untersteh dich, dich mit einem Hundehalsband zu erdrosseln oder eine ähnlich pikante Todesart zu wählen. Es wäre für den Dienst außerordentlich peinlich.«

»Ich habe keinerlei Absichten in dieser Richtung, lieber Bruder. Soviel ich weiß, muß dies unter Bedrohung mit Waffen und aus nächster Nähe passiert sein. Die Opfer gehorchen, weil sie nicht erschossen werden wollen. So einfach ist das. Vermutlich hat man die Opfer so dazu gebracht, sich selbst so auszustaffieren. *Elementary, my dear Watson.*«

»Das hat Sherlock Holmes übrigens nie gesagt, das ist eine Äußerung, die ihr Amerikaner euch nur einbildet.«

»Vielen Dank für die Aufklärung, Schlaumeier. Und was machen wir jetzt?«

»Wie gesagt, es ist vermutlich unter Androhung von Waffengewalt geschehen. Wahrscheinlich furchterregende Pistolen mit Schalldämpfer. Was würdest du in der Situation tun?«

»Sie töten.«

»Verzeihung?«

»Ich würde sie töten, habe ich gesagt.«

»So ohne weiteres, sozusagen wie im Kino?«

»So ohne weiteres. Aber nicht wie im Kino.«

»Das ist eine höchst aufmunternde Information. Drückt ihr Amerikaner euch immer so selbstsicher aus?«

»Ich bin kein Amerikaner. Du sitzt einen Meter von mir entfernt – theoretisch eine Sekunde vom Tod entfernt. Mach dir keine Sorgen, mein Freund.«

»Ich sorge mich nicht im geringsten, alter Knabe.«

»Wenn du mich noch einmal alter Knabe nennst, schlage ich dich tot. Wie sieht der nächste operative Schritt aus?«

Endlich hatte Luigi den Briten dazu gebracht, die Fassung zu verlieren. Luigi haßte den arroganten und zynischen Ton des Mannes.

»Der nächste operative Schritt besteht darin, daß wir dir einen *homer* geben müssen, den du selbst aktivieren kannst. Damit löst du einen Alarm aus. Wir haben es nämlich für richtig gehalten, die Bereitschaft ein wenig zu erhöhen. Wir haben einige Jungs von SAS geholt, die sich rund um die Uhr in Bereitschaft befinden. Ich werde dir jetzt ein kleines Ding geben, das wie die Miniaturausgabe eines französischen Feuerzeugs aussieht. Du sollst es im Absatz eines deiner Schuhe tragen. Es funktioniert wie folgt…«

»Hör auf, du Schlaumeier! Sobald ich es sehe, weiß ich, um welchen Typ und welchen Jahrgang es sich handelt. Ich weiß, wie das Ding funktioniert und kann es auch einbauen. Sprich weiter!«

»Nun, wir haben uns gedacht, daß du von jetzt an, vorausgesetzt, du befindest dich in der Region London, fünfzehn Minuten Zeit hast. Der *homer* funktioniert auf zweierlei Weise. Einmal Stadium Nummer eins zum Aufspüren, dann Stadium Nummer zwei, ein reines SOS. Im ersten Stadium werden wir dich lokalisieren, im zweiten Stadium greifen wir sofort ein, und das Ganze geht so vor sich…«

»Hör auf, ich weiß, wie das geht. Zu Befehl. Und möge der Himmel die Güte haben, mir diese Figuren möglichst schnell zu schicken. Aber ich will noch etwas haben. Ich will eine Telefonnummer haben, die ich anrufen kann. Es genügt mir nicht, ein zweites Mal mit dem Absatz aufzustampfen.«

»Ich fürchte, ich muß dich um eine Begründung dafür bitten. Ich kann nichts garantieren, weil ich mich an eine höhere Stelle wenden muß, wenn du verstehst.«

»O ja. Ich verstehe. Wenn ich von diesem Scheißkerl Besuch

bekomme, aktiviere ich den *homer*, ihr startet das Vorhaben, die Paviane des Special Air Service umzingeln mein kleines Haus, unauffällig, natürlich. Ich weiß, daß ihr da draußen steht und daß euch die Adrenalinstöße bis in die Ohren gehen. Ich töte die Mörder. Dann will ich einen Telefonhörer abnehmen können, damit ihr Zeit habt, den SAS abzuziehen und ein Aufräumkommando anzufordern, und wir die Sache unauffällig beenden können. Habe ich mich verständlich genug ausgedrückt?«

»Vollkommen. Du bekommst morgen bei The Miller Bescheid.«

Der MI-6-Mann schob ihm eine Zigarettenschachtel hin. Luigi verzog das Gesicht. Er rauchte nicht. Sie hätten es wissen müssen. Dann nickte der andere, nahm seinen Hut und seinen Regenschirm und ging. Er setzte den Hut fast sofort auf, obwohl er noch zehn Meter Kirche vor sich hatte.

Barbaren, dachte Luigi.

Er blieb noch lange sitzen.

Schräg vor ihm stand der Beichtstuhl. Er war mit einem Priester besetzt, der jetzt frei war.

Luigi hatte das Gefühl, nicht mehr von sich selbst gelenkt zu werden, als er plötzlich aufstand und zum Beichtstuhl ging. Er trat ein, nachdem er sich unruhig ein paarmal umgeblickt hatte, um zu sehen, ob jemand ihn beobachtete.

Im Namen des Vaters und des Sohnes, murmelte der anonyme Priester auf der anderen Seite des grünen Vorhangs.

»Vater, vergib mir, denn ich habe gesündigt«, begann Luigi, zu seinem Erstaunen auf italienisch.

*

Carl stand ein wenig abseits des Lagers, sah zu den Sternen hoch und lauschte Sibelius' zweiter Symphonie mit Herbert Blomstedt und dem San Francisco Symphony Orchestra. Es war Halbmond, und der Wind war kaum zu spüren. Die Bedingungen waren perfekt.

Er stellte die Musik nach dem zweiten Satz ab, sah auf die Armbanduhr und ging ins Lager zurück. Vor dem letzten Briefing um 00.00 Uhr hatte er noch eine Sache zu erledigen. Er müsse ein Telefongespräch führen, erklärte er lässig, als er das kleine Zelt betrat, in dem die Funkgeräte standen. Er bestellte beim Funker eine Frequenz und gab den Männern, die sich im Zelt befanden, ein Zeichen, sie könnten gern bleiben.

»Trident an Eagle Eye, Trident an Eagle Eye, hörst du mich?« sprach er ins Mikrofon, als man es ihm reichte.

»Hier Eagle Eye. Wir hören dich laut und deutlich, Trident. Kommen, Trident!« antwortete die typisch amerikanische Fliegerstimme, eine Stimme, die leicht schleppend in einem Südstaaten-Dialekt sprach.

Carl lächelte in sich hinein und zeichnete mit den Fingern die Buchstaben AWAC in die Luft. Dann zeigte er auf den Himmel; dort oben, in zehntausend Meter Höhe flog ständig eine dieser AWAC-Maschinen, die alles sahen und hörten.

»Okay, Eagle Eye, wie sind die Wetteraussichten? Kommen!« sprach er in sein Mikrofon.

»Könnte gar nicht besser sein, Trident. Wir haben klare Sicht, mäßigen Wind und sogar etwas Mondschein. Im Zielgebiet beträgt die Temperatur im Augenblick dreiundzwanzig Grad Celsius. Keinerlei Anzeichen für eine Änderung. Kommt ihr zur festgesetzten Zeit? Kommen!«

»Ja, Eagle Eye. Wir befinden uns von jetzt an in Bereitschaft Rot und kommen zur festgesetzten Zeit auf der angekündigten Strecke. Was bekommen wir für Gesellschaft? Kommen!«

»Ihr bekommt eine besondere Ehren-Eskorte, Trident. Ich kann dir nur die Anrufsignale nennen, aber du wirst von Fregattenkapitän Viper und Leutnant Maverick Gesellschaft bekommen. Sie sind *Navigatoren*. Viper und Maverick lassen grüßen und sagen, ihr seid herzlich willkommen. Sie werden dafür sorgen, daß keiner eurem Hintern auch nur in die Nähe kommt. Im übrigen finden alle, auch wir, die wir keine Navigatoren sind, sondern nur gewöhnliche Flieger, daß es sehr viel Spaß machen wird. Kommen!«

»Dürfen wir das mit den Navigatoren als eine besondere Ehrenbezeigung ansehen? Kommen!«

»Ja, Trident. Du kannst darauf Gift nehmen, daß es das ist. Irgendein hohes Tier meinte, Ehre, wem Ehre gebührt. Kommen!«

»Gut, Eagle Eye. Unsere kameradschaftlichen Grüße an dich

und die Besatzung und natürlich auch an Viper und Maverick und deren Radarbeobachter. Wir werden uns nur bei Bedarf melden, aber nicht, um dummes Zeug zu reden. Verstanden? Kommen!«

»Alles verstanden, Trident. Sorgt dafür, daß die Scheißkerle eine Abreibung bekommen. Kommen!«

»Darauf kannst du Gift nehmen, Eagle Eye. Ende!«

Als Carl mit einem Lächeln das Telefon zurückgab, sah er, daß zwei seiner Kameraden von den Fallschirmjägern wie lebende Fragezeichen aussahen.

»Was ist denn das für Gequatsche?« fragte einer der Männer. »Wieso Navigatoren?«

»Navigatoren«, erwiderte Carl ernst, »sind nicht irgendwelche Flieger. Wenn man ein beliebiger Flieger ist, etwa bei der beschissenen US Air Force, ist man nur Pilot. Nur die Navy leistet sich *Navigatoren*. Wir werden da oben zwei F 14 Tomcats als Eskorte haben. An den Knüppeln sitzen ein Fregattenkapitän und ein Leutnant. Lustig, was? Kommt jetzt, damit ihr nicht den Appell verpaßt!«

»Also nicht vergessen – Navigatoren«, fügte Carl spöttisch hinzu, als er sich mit den beiden anderen dem großen Zelt näherte, in dem sie aßen und zu Appellen zusammenkamen. Bei diesen Worten setzte er sich demonstrativ ein Schiffchen mit dem Emblem der schwedischen Marine auf.

Eine Minute später waren alle in dem großen Zelt versammelt. Es bestand aus schwarzem Wolltuch, wie es auch Beduinen verwendeten. Die Konstruktion wurde von einem Gestell aus Holz getragen. Die Seiten waren wegen der Belüftung offen. Eine Klimaanlage hatte nur das Ärztezelt, das auch über eine eigene Stromversorgung verfügte; dort befand sich ein kompletter blitzender Operationssaal sowie Räumlichkeiten für die Pflege von Verwundeten. Die Temperatur lag um fünfzig Grad.

Carl hatte eine kleine Show daraus gemacht, daß er die Hitze zu ignorieren schien. Er schlenderte tagsüber herum und unterhielt sich mit den Leuten, um dem Gejammer ein Ende zu machen.

Im Befehlsraum befanden sich jetzt insgesamt fünfundzwanzig Personen. Vier trugen Zivilkleidung, sechs Mann Fliegeruniformen, und der Rest, darunter Carl selbst, dunkelblaue Overalls des Typs, den die schwedische Polizei verwendet. Darunter trugen sie kugelsichere Westen. Zwei Mann hatten sich grüne Baskenmützen unter die Schulterklappen gestopft, der Rest rote.

Die Stimmung war sehr angespannt und konzentriert angesichts der bevorstehenden Instruktionen.

Carl war sich der Theatralik des Moments durchaus bewußt, als er an das kleine Pult trat, das am hinteren Ende des Zelts stand.

»Meine Herren«, begann er gedehnt. »Es ist jetzt genau 00.00 Uhr, und wessen Uhr eine andere Zeit anzeigt, sollte das sofort korrigieren. Ich kann mitteilen, daß es keine Änderung der Pläne gegeben hat. Die Wetterverhältnisse sind ausgezeichnet, und die Operation beginnt wie vorgesehen um 01.30. Bitte setzt euch!«

Die Männer setzten sich erleichtert und wechselten optimistische Blicke. Carls Ernst hatte einige glauben lassen, es wäre zu Problemen gekommen.

»Wir beginnen mit dem technischen Bericht, Station für Station«, befahl Carl. »Ärzte?«

»Alles in funktionstauglichem Zustand. Es gibt keine Probleme, und die Übungen sind durchgeführt worden. Jetzt warten wir nur noch darauf, euch operieren zu können, wenn ihr wieder da seid«, sagte der ältere der beiden Militärärzte. Er hatte sich für seinen Bericht hingestellt und damit ein Beispiel gegeben, dem alle anderen folgten.

»Sehr gut!« sagte Carl. »Mechaniker?«

»Admiral, die Maschinen sind heute zweimal durchgesehen worden. Wir haben beim ersten Durchlauf ein kleines Problem gefunden, nämlich bei der Kraftstoffpumpe von Vogel Rot. Wir haben sie ersetzt, und jetzt funktioniert sie, wie sie soll. Im übrigen keine Probleme!«

»Schön, daß wir in der Luft nicht plötzlich ohne Saft dastehen«, sagte Carl mit einem Lächeln.

»Kommandant von Vogel Blau, erstatten Sie Bericht!« fuhr Carl fort.

»Inzwischen haben wir den Vogel hier vor Ort schon mehr als eine Woche geflogen, und es gibt keinerlei Probleme«, teilte der Major aus Boden mit.

»Gut!« sagte Carl. »Vogel Gelb?«

»Ebenso, Chef«, sagte der nächste Major, der offenbar einen Versuch machen wollte, der Stimmung die Dramatik zu nehmen.

»Gut!« sagte Carl. »Vogel Rot?«

»Admiral! Vogel Rot hat nur das schon erwähnte Problem mit der Kraftstoffpumpe gehabt. Es ist inzwischen abgestellt, im übrigen keine Probleme«, brüllte der jüngste der Flieger.

»Ausgezeichnet!« bemerkte Carl. »Wir können also fliegen. Damit stellt sich die Frage, ob wir sehen können. Wer ist für diesen Teil der Ausrüstung verantwortlich? Ich erwarte Bericht!«

Es dauerte eine weitere Viertelstunde, die verschiedenen Verantwortungsgebiete abzuarbeiten.

»Wir kommen jetzt zur Plazierung der Herren«, sagte Carl in einem möglichst neutralen Tonfall. »Wahrscheinlich werden einige zufriedener sein als andere. Allerdings möchte ich vorausschicken, daß nur schwerwiegende Gründe mich dazu bringen könnten, die vorgesehene Einsatzordnung zu ändern, die ich euch jetzt vortragen will.«

Damit schlug er die Decke zur Seite, die einen an der Wand angebrachten großen Zeichenblock bedeckte. Er hatte mit einem Tintenschreiber die drei Hubschrauber gezeichnet und angegeben, welche Männer wo untergebracht werden sollten.

»So wird es sein!« sagte er hart und zeigte dann auf die Aufstellung. »Vogel Blau ist Maschine Nummer eins. Sie soll im Zielgebiet landen. Chefpilot ist Major Johan Bylund. Chef an Bord, Kommandant, wie wir bei meiner Waffengattung sagen, bin ich selbst. Maschinenpistolenschützen sind Hauptmann Lars Andersson und Leutnant Stridsberg. Für das Eindringen in das Gefängnis bin ich zusammen mit Hauptmann Edström verantwortlich.«

Damit waren die höchsten Gewinne der Lotterie verteilt.

Als Kommandant in Hubschrauber Nummer zwei, Vogel Gelb, der vor dem Gefängnis landen und mit laufenden Motoren in Bereitschaft sein sollte, wurde Åke Stålhandske genannt. Vogel Rot, der sich dem eigentlichen Zielgebiet gar nicht erst nähern sollte, es sei denn auf direkten Befehl, sollte von Major Edvin Larsson von der Fallschirmjägerschule befehligt werden. In dem dritten und am wenigsten exponierten Hubschrauber brachte Carl außerdem einen gewissen Leutnant Wihlborg unter. Dieser hatte sicher auf eine bedeutend riskantere Aufgabe gehofft. Carl hatte jedoch nie auch nur im Traum daran gedacht, ihn einer Gefahr auszusetzen.

Als die Plazierung bekanntgegeben war, ließ die Spannung nach. Es war den versammelten Männern an der Körpersprache anzusehen. Manche saßen noch angespannt da, besonders einer der jüngeren, Fallschirmjägerleutnant Edström. Dieser sah aus, als hätte er noch nicht recht begriffen, daß er dazu ausersehen worden war, zusammen mit Carl persönlich den entscheidenden Vorstoß vorzunehmen.

»Ich habe noch einiges zu sagen«, ergänzte Carl mit leicht erhobener Stimme. Er wollte dem Flüstern und Gemurmel, das entstanden war, schnell ein Ende machen.

»Die Befehlssprache für die gesamte Operation ist Englisch. Dafür gibt es mehrere Gründe. Der wichtigste aber ist, daß Englisch sich nicht merkwürdig anhört, wenn unser Funkverkehr zufällig irgendwo mitgehört wird. Dann hören wir uns an wie Amerikaner. Schwedisch dagegen ist eine unbekannte Sprache. Vielleicht würde jemand sogar auf die Idee kommen, daß es Hebräisch ist. Wir werden um der Geschwindigkeit willen im Klartext kommunizieren. Damit versteht sich von selbst, daß so wenig wie möglich gesprochen wird. Immer möglichst kurz und sozusagen halb im Code. Wir haben drei Anrufsignale für die Hubschrauber, nämlich aus leicht ersichtlichen Gründen Blue Bird, Yellow Bird und Red Bird. Die Kommandeure haben folgende Code-Anrufe: Trident für mich, Orca für Oberstleutnant Stålhandske…«

»Major, nicht Oberstleutnant«, unterbrach ihn Åke Stålhandske mürrisch.

»Will der Oberstleutnant die Güte haben, mich nicht zu unterbrechen!« sagte Carl streng. »Also, wie schon gesagt, Orca für Oberstleutnant Stålhandske. Damit kommen wir zur Zehntausend-Kronen-Frage des Tages. Welches Anrufsignal hat dann Major Edvin Larsson von der Fallschirmjägerschule?«

Carl blickte amüsiert in die Runde, doch keiner schien einen Vorschlag zu haben.

»Aber, aber, Jungs, laßt euch was einfallen!« sagte Carl. »Welches Symbol haben unsere geehrten Fallschirmjäger wohl, und wie lautet es auf englisch?« Er zeigte auf Edvin Larsson selbst.

»Falcon«, erwiderte dieser.

»Richtig!« sagte Carl. »Nun, und dann gibt es noch zwei Dinge, nein, drei. Beim Anflug muß das gesamte Personal in den Hubschraubern mit Ausnahme der Fahrer das Gesicht mit Tarnfarbe beschmiert haben. Die Maschinenpistolenschützen müssen beim eigentlichen Angriff, merkt euch das, *beim eigentlichen Angriff* einen Stahlhelm auf dem Kopf haben. Ihr seid vielleicht der Ansicht, daß das feige ist, das ist mir aber egal. Also, Helm beim Angriff. Wenn ihr wollt, könnt ihr euch danach eure roten Baskenmützen aufsetzen. Für uns übrigen gilt die Kopfbedeckung, die wir selbst wählen. Das war das eine. Und jetzt noch etwas. Die Vögel müssen sofort mit schwedischen Symbolen versehen werden, also mit drei Kronen auf rundem blauen Boden mit einem gelben Rand. Schablonen für Schnellbemalung sowie schnelltrocknende Farbe gibt es bei den Vorräten. Wir fliegen nicht ohne die Symbole unseres Landes, also beeilt euch mit dem Streichen, Jungs. Sollte noch jemand eine Frage haben, stehe ich jetzt zur Verfügung. Ihr anderen malt. Links um, rechts um, Marsch!«

Carl winkte den Männern zum Abschied fröhlich zu, während die meisten von ihnen aufbrachen, um sich der sowohl feierlichen als auch lustigen Aufgabe zu widmen, die Hubschrauber mit den schwedischen Hoheitszeichen zu versehen. Beim Hinausgehen setzten sich die Männer ihre Baskenmützen auf. Carl hatte erwartet, daß jeder dieses Kleidungsstück dabei hatte. Trotz der strikten Anweisung, das Gepäck dürfe keinen einzigen Gegenstand enthalten, der an Militär erinnere.

Als die anderen gegangen waren, blieben drei Mann sitzen, die drei, mit denen Carl gerechnet hatte. Es waren Åke Stålhandske, der junge Küstenjäger Wihlborg und Fallschirmjäger Stridsberg.

»Soso«, sagte Carl und warf einen Blick auf das große Modell des Abu-Ghraib-Gefängnisses, das mitten im Zelt auf einem Tisch stand; inzwischen hatten sie etliche Male am Modell geübt. Jeder Mann fand sich zurecht und konnte wie im Schlaf Stromkabel, Korridore und Zellennummern herunterleiern. »Ihr drei wollt mich also sprechen? Gut, dann machen wir es in folgender Reihenfolge: Wihlborg, Stridsberg, Stålhandske. Wartet bitte draußen, bis ihr an der Reihe seid!«

Åke Stålhandske erhob sich demonstrativ schwer und ging mit dem Fallschirmjäger im Schlepptau hinaus. Der junge Wihlborg blieb sitzen. Er wand sich auf seinem Stuhl.

»Nun«, sagte Carl freundlich und setzte sich zu ihm. Dann neigte er den Kopf, als wäre er bereit, sich teilnahmsvoll jedes kleine Kümmernis anzuhören.

»Warum hast du mich ... Verzeihung, wenn ich du sage, Admiral!«

»Von mir aus gern. Wir befinden uns nicht auf dem Kasernenhof, sondern werden in einer Stunde in den Kampf gehen.«

»Also, warum hast du mich in der Reserve untergebracht?«

»Das will ich dir gern beantworten. Du mußt wissen, daß alle Angehörigen dieser Expedition schon früher mit einem Kampfauftrag an ähnlichen Operationen teilgenommen haben, nur du nicht. Darüber hat bislang niemand etwas gesagt, weil es verboten ist. Du darfst auch nichts darüber verlauten lassen. Ich denke daran, daß du einige Interviews durchstehen mußt, wenn du wieder zu Hause bist. Natürlich nur, wenn du willst.«

»Wenn ich will?«

»Ja. Gerade bei dir kann es ja schwierig werden, ein Durchsickern von Details zu verhindern. Ich denke an die Freude, die ihr hoffentlich bald in eurer Verwandtschaft erleben werdet. Doch das bedeutet auch, daß wir dich für weitere Aufträge dieser Art nicht mehr anfordern können.«

»Die anderen haben also alle ...«

»Im Kampf getötet? Ja, das stimmt. Alle, nur du nicht. Ich habe die Besatzung der drei Hubschrauber so zusammenzustellen versucht, daß ich Kompetenz, Fähigkeit zur Zusammenarbeit, verschiedene Spezialitäten, persönliche Chemie und anderes verteilt habe, so gut ich konnte. Dein Kommandant zum Beispiel, Edvin Larsson, ist ein alter Kampfgefährte bei bedeutend gefährlicheren Aufträgen als diesem hier, um ein Beispiel zu nennen.«

»Und dennoch nur in der Reserve?«

»Falsch! Wenn die Reserve *nur* wäre, wäre sie keine Reserve. Hier geht es um Teamarbeit. Wir sind alle etwa gleich gut. Dann gibt es einige, die bestimmte Dinge besser können. Ich gehe zum Beispiel als erster ins Gefängnis, weil ich vermutlich sehr viel besser darin bin als du, andere Menschen ohne zu zögern zu töten. Würdest du mit mir tauschen wollen?«

»Nein, natürlich nicht, Admiral! Aber ich würde trotzdem gern mit reingehen.«

Carl antwortete nicht, sondern lächelte nur versonnen.

»Ich bin doch nicht bis hierher gereist, um …, also ich bin hergekommen, um …«

»… deinen Bruder zu befreien!« unterbrach ihn Carl. »Genau das wirst du auch tun, denn das ist das Ziel von fünfundzwanzig Mann hier, Mechaniker und Ärzte eingeschlossen. Es ist die Gesamtheit, die zählt. Einige müssen operieren können, andere müssen im Dunkeln einen Hubschrauber fliegen, andere müssen in einer beweglichen Position mit einer Maschinenpistole umgehen können. Jeder Mann zählt. Wir sind nur fünfundzwanzig, und alle sind handverlesen. Jeder kann seinen Job, auch du. Deshalb bist du hier.«

»Abgesehen davon, daß ich mich freiwillig gemeldet habe, nicht wahr?«

»Ja, abgesehen davon. Wir erhielten eine Absage. Es sollten nämlich Fallschirmjäger beim Kampfauftrag eingesetzt werden. Diese Entscheidung wurde auf einer höheren Ebene getroffen als meiner, und die kann ich ebensosehr in Frage stellen wie du, aber nur innerhalb der Marine. So ist es nun mal. Wir bekamen eine Absage, und da haben wir einen Küstenjäger ausgewählt. Du warst bereits mit dem Vorhaben einverstanden, und deswegen fiel die Entscheidung auf dich.«

Das war eine Lüge, aber eine Lüge mit überwältigender Wahrscheinlichkeit, und damit war die Sache entschieden.

»Noch etwas, Leutnant!« sagte Carl, als der andere schon aufgestanden war. Carl ließ ein wenig auf die Fortsetzung warten, während er sich gleichzeitig zu einem Lächeln zwang. »Wenn ihr von der Reserve heute abend in den Kampf eingreift, dann vermutlich nur, um uns zu retten. Du hast einen verdammt guten Kommandanten an Bord. Ich vertraue ihm hundertprozentig. Und dir vertraue ich ebenfalls hundertprozentig. Verstanden?«

»Ja, Admiral!« sagte der junge Küstenjäger, salutierte und ging. Carl atmete erleichtert auf.

Das nächste Gespräch geriet bedeutend kürzer und unkomplizierter. Der junge Leutnant der Fallschirmjäger, der jetzt eintrat, hatte schon groteske Tarnfarbe im Gesicht.

»Bitte um ein Gespräch unter vier Augen, Admiral!« brüllte er.

»Bewilligt«, seufzte Carl. »Komm her und setz dich. Benimm dich wie ein normaler Mensch und sag, was du auf dem Herzen hast«, fuhr er fort, obwohl er sehr genau wußte, was der andere wollte.

Der Fallschirmjäger kam zögernd näher und setzte sich in respektvollem Abstand von Carl hin.

»Na schön, Stridsberg, was willst du?« fragte Carl und lehnte sich bequem zurück, um anzudeuten, daß er kein förmliches Gespräch wünschte.

»Warum gerade ich?« fragte der junge Leutnant direkt.

»Jemand mußte genau deine Position erhalten, und jetzt bist du es geworden«, erwiderte Carl in einem beiläufigen Tonfall, als wäre die Frage nicht besonders wichtig.

»Ja, natürlich, aber … nun, ich würde es gern wissen.«

»Tja«, sagte Carl und streckte sich leicht affektiert. »In dieser Gesellschaft würden die meisten deine Position ausfüllen können. Du hast alles genauso geübt wie die anderen. Du kannst mit Sprengstoffen umgehen, du findest dich nach der Landung zurecht und beherrschst auch alles andere. Außerdem hast du keine Kinder. Ich habe einmal gesehen, wie du etwas ungeheuer Schweres getan hast, und folglich weiß ich, was du taugst. Wir beide haben schon früher zusammengearbeitet und werden es jetzt wieder tun. Das ist alles. Zufrieden mit der Antwort?«

»Ja«, entgegnete der junge Mann und setzte sich wieder die Baskenmütze auf. »Das bin ich. Ich finde, du hast mir eine gute Antwort gegeben. Ich wollte nur Bescheid wissen.«

»Gut«, bemerkte Carl. »Jetzt weißt du es. Du weißt außerdem, was du in einer Stunde tun sollst. Halt dich die ganze Zeit nur in meiner Nähe, dann wird alles ein Kinderspiel. Wenn du rausgehst, sei so nett und schick mir bitte diesen Riesen rein!«

Der Leutnant lächelte verlegen und deutete einen Salut an, als er hinausging. Er war kaum einen Meter in die Dunkelheit verschwunden, als Åke Stålhandske wie eine Lokomotive hereinschoß.

»Ich bitte Platz zu nehmen, Oberstleutnant!« befahl Carl amüsiert.

»Was soll dieser Scheiß mit Oberstleutnant?« knurrte der gewaltige Mann, griff mit einer Hand einen Stuhl und hob ihn vor sich, als wöge er nur hundert Gramm. Er stellte ihn einen Meter vor Carl in den Sand.

»Gratuliere zur Beförderung«, fuhr Carl vergnügt fort. »Ich habe vom Oberbefehlshaber den Auftrag erhalten, dir die Neuigkeit an diesem Ort und zu diesem Zeitpunkt zu überbringen.«

»Oh, Teufel auch«, sagte Åke Stålhandske, der einige Sekunden sprachlos blieb, bis er sich so weit erholt hatte, daß er sagen konnte, was er wollte. »Verdammt noch mal, Carl, ich will in das Gefängnis eindringen. Ich bin besser in Form als du. Noch besser wäre es, wenn wir es gemeinsam machten. Ich finde es unverantwortlich von dir, wenn du dich in deinem noch nicht ganz wiederhergestellten Zustand mit so einem kleinen Scheißer von der Fallschirmjägerschule zusammentust.«

»Jetzt hör mir mal zu«, sagte Carl mit einem tiefen Seufzer. »Fangen wir mal mit dem Operativen an. Wenn bis zur Landung alles klappt, würden wir beide für den Rest unsere Mütter mitnehmen können, und es würde wahrscheinlich genausogut gehen. Das weißt du ebenso gut wie ich. Aber, wenn etwas schiefgeht, müssen wir in den beiden anderen Vögeln zwei verdammt kompetente Chefs haben. Das ist so einfach, daß auch du das begreifen mußt.«

»Schon. Aber das ist noch nicht die ganze Wahrheit. Du bist mein Freund, Carl. Ich kenne dich.«

»Wie wahr«, erwiderte Carl mit einem Kopfnicken. »Ich befehlige aber die Operation, und ich entscheide. Ich habe die exponierteste Aufgabe hier übernommen, denn wenn die Sache danebengeht, geht sie vermutlich total daneben. Dann wird Mann Nummer eins nicht überleben. Nein, hör mir jetzt zu! Ich beurteile das Risiko zwar als mikroskopisch klein, wenn ich ehrlich sein soll. Aber wenn Tessie Witwe wird, ist sie auch befreit. Wenn ich das hier überlebe, womit ich aufrichtig gesagt rechne, ist sie für den Rest ihres Lebens für die Sizilianer vermutlich Ziel Nummer drei oder vier. Meine Zeit ist bemessen und gezählt. Verstehst du mich jetzt?«

Carl hatte langsam gesprochen. Er sah, daß seine Worte überzeugt hatten. Von den drei Männern, die den Chef unter vier Augen hatten sprechen wollen, war Åke Stålhandske derjenige, der die ehrlichste Antwort erhalten hatte.

»Verdammt, Carl, du bist in Ordnung, *verdammt* in Ordnung«, sagte Åke Stålhandske und übertrieb seinen finnlandschwedischen Tonfall.

»Wie du meinst«, sagte Carl und ahmte Åkes Tonfall nach. »Wir haben noch zweiunddreißig Minuten bis zum Abflug. Laß uns noch ein bißchen rausgehen.«

Sie erhoben sich langsam, umarmten einander und klopften sich gegenseitig auf den Rücken, ohne etwas zu sagen. Dann gingen sie in die laue arabische Nacht hinaus.

Sie hörten, daß es bei den Hubschraubern recht lebhaft zuging. Diese standen unter Tarnnetzen, wurden aber von Spotlights angestrahlt, damit die Hoheitszeichen aufgemalt werden konnten.

Die Männer dort fotografierten sich gegenseitig neben dem ersten Hoheitszeichen mit drei gelben Kronen auf blauem Grund.

»Das hier wird wirklich verdammt viel Spaß machen«, bemerkte Åke Stålhandske mit einem Blick zu den drei Hubschraubern und all der Aktivität dort. »Wie in meiner Kindheit, als mein Vater mich zum ersten Mal zum Borgbacken mitgenommen hat.«

»Borgbacken?« fragte Carl.

»Ja, das ist wie Tivoli in Kopenhagen, nur in Helsinki. Bist du sicher, daß du nichts vergessen hast?« sagte er mit einem frechen Lächeln.

»Ja«, entgegnete Carl ernst. »Nichts ist vergessen worden. Falls es etwas gibt, was wir nicht bedacht haben, werden wir es in einer runden Stunde auf handgreifliche Weise erfahren, aber vergessen haben wir nichts. Entsprach Borgbacken deinen hochgespannten Erwartungen?«

»Nein, leider ganz und gar nicht. Es war alles schnell vorbei. Die Achterbahn war kleiner, als ich geglaubt hatte, und zum Schießen war ich zu jung. Das hier wird bestimmt besser. Was willst du den drei Gefangenen sagen, wenn du bei ihnen bist?«

»Mein Name ist Hamilton, ich komme vom Generalstab. Folgt mir, wir haben draußen einen Hubschrauber, den wir nicht verpassen dürfen«, erwiderte Carl. »Etwas in der Richtung. Der Rest dürfte wohl durch all den Lärm deutlich werden, den sie dann schon gehört haben werden.«

»Das muß für sie ein recht bemerkenswertes Erlebnis sein, viel aufregender als für uns«, überlegte Åke Stålhandske. »Wie so ein verdammter Traum.«

»Ja«, bestätigte Carl und sah auf die Armbanduhr. »Es ist bald so weit. Ich muß Anders Lönnh anrufen, damit er das Vergnügen hat, uns viel Glück zu wünschen. Wir sehen uns in ein paar Minuten unten bei den Hubschraubern.«

In dem kleinen Zelt, in dem sie ihre Funkausrüstung aufbewahrten, war niemand mehr da, doch Carl brauchte keine Hilfe, um auf der schon eingestellten und geprüften Frequenz die einfache Mitteilung zu senden.

Er zog die Tastatur zu sich heran, überlegte einige Sekunden und schrieb dann seine kurze Mitteilung:

Expedition Blue Bird bereit zu sofortigem Beginn. Alles okay. Bitte den Empfang der Mitteilung zu bestätigen. Trident.

Als er auf den Sendeknopf drückte, hörte er, wie die Motoren der drei Hubschrauber gestartet wurden und die Maschinen heulend mal stärker, mal mit geringerer Drehzahl liefen.

Die Antwort war nicht länger, als Carl erwartet hatte. Der Inhalt war jedoch das letzte, was er sich in dieser Situation hatte vorstellen können:

Die drei Schweden sind vor zwei Stunden auf schwedischem Boden gelandet. Ein Brief Seiner Majestät des Königs an Saddam Hussein hat zu ihrer Freilassung geführt. Brecht Operation Blue Bird ab. Station abwickeln. Kehrt nach Hause zurück. Verteidigungsminister.

Carl las den Text zweimal. Die Mitteilung war kaum mißzuverstehen. Dennoch bat er um eine Wiederholung der Botschaft und erhielt sie innerhalb weniger Sekunden. Er antwortete, der Befehl sei verstanden und werde sofort ausgeführt werden. Dann beendete er die Unterhaltung und schaltete den Sender aus. Langsam ging er zu den drei Hubschraubern hinunter, in denen inzwischen alle Platz genommen hatten. Die Motoren tourten immer höher und höher. Er sprang in seine Maschine hoch, aus der ihm hilfreiche Hände entgegengestreckt wurden, drängte sich zum Chefpiloten durch und bat diesen, den anderen über Funk mitzuteilen, daß die Operation abgebrochen wurde. Sie sollten sich alle sofort im Befehlsraum einfinden.

Die großen Rotorblätter drehten sich immer langsamer. Enttäuscht fluchend sprangen alle Männer aus den Hubschraubern und gingen langsam auf das große schwarze Zelt zu, in dem erneut Licht gemacht wurde.

Carl wartete, bis alle sich eingefunden hatten und das Gemurmel sich gelegt hatte.

»Ich habe eine sehr erfreuliche Nachricht, die euch enttäuschen wird«, begann er lächelnd. »Die drei gefangenen Schweden wurden heute aufgrund eines Briefes Seiner Majestät des Königs an Saddam Hussein freigelassen. Sie sind inzwischen schon auf schwedischem Boden gelandet. Der Befehl des Verteidigungsministers an uns lautet daher, was kaum überraschen kann, die Operation Blue Bird abzubrechen. Morgen wickeln wir die Basis ab und reisen in verschiedenen Gruppen nach Hause, etwa wie geplant.«

Die Männer sahen aus, als wären sie Luftballons, die man mit einer Nadel zerstochen hatte. Er hörte einige Flüche.

»Achtung, ich bin noch nicht fertig!« befahl Carl scharf. »Wir standen eineinhalb Stunden vor der Durchführung eines Unternehmens, von dem wir alle wissen, daß wir es geschafft hätten. Das bringt einige Konsequenzen mit sich, und ich muß euch jetzt bitten, sie ernsthaft zu bedenken. Ein solches Unternehmen kann jederzeit wieder notwendig werden. Aus Gründen, die wohl jedem einleuchten, würde ich im Fall einer neuen Operation dieser Art versuchen, dieselbe Mannschaft zusammenzubekommen. Wir haben dieses Team ja schon durch Übung zusammengeschweißt. Das bringt unter anderem folgendes mit sich: Wir müssen eine absolute Geheimhaltung dieser Operation wahren. Kein Laut darf davon nach draußen dringen, wie lustig das Ganze in einigen Tagen auch erscheinen mag. Wenn aber Blue Bird Nummer eins durchsickert, kann es nie ein Blue Bird Nummer zwei geben. Die privaten Fotoapparate, die ich hier gesehen habe, werden eingesammelt. Ihr müßt sie mit euren Namen kennzeichnen und werdet sie bei späterer Gelegenheit zusammen mit einigen Fotos zurückerhalten. Ferner haben wir einiges an illegaler schwedischer Festausstattung bei uns, die für den Konsum in ein paar Stunden gedacht war. Das ist recht pikant im Hinblick darauf, in welchem Land wir uns befinden. Ich schlage vor, unser Reisegepäck zu erleichtern, indem wir diese Waren sofort konsumieren. Und dann noch etwas. Ihr habt sehr gute Arbeit geleistet, phantastische Arbeit. Ich hoffe, daß es uns gelingt, den Mund zu halten, damit wir Gelegenheit erhalten, dies zu wiederholen!«

In einer Stimmung, in der sich Resignation und Galgenhumor mit einigen abschätzigen Urteilen über den Brief Seiner Majestät des Königs an Saddam Hussein mischten, folgten jedoch alle Carls Vorschlag.

9

Carl saß auf einem vorspringenden Felsen über einem schnell dahinfließenden Strom in dreihundertsechsundzwanzig Meter Höhe, wie sein Laser-Höhenmesser mitteilte. Der gegenüberliegende Berghang war sanft gerundet und teilweise mit Wald bewachsen. Auf der anderen Seite des Flußtals, fünfhundertsiebzig Meter entfernt, befand sich Jurij Tschiwartschew. Gelegentlich ertönte der langgezogene schrille Brunftruf des Maralhirschs.

Der Berg auf der anderen Seite sah aus wie das Haupt eines gewaltigen Riesen, der viel Haar verloren hatte.

Am Rand einer Haarsträhne des Riesen entdeckte Carl etwas. Er nahm sein großes Fernglas und stellte die Entfernung ein. Es waren vier oder fünf Tiere, Hirschkühe. Sie traten mit behutsamen, hohen Beinbewegungen sehr langsam aus dem schützenden Wald. Sie lauschten mit den großen Ohren, die wie Radarschirme ständig in Bewegung waren.

Carl nahm an, daß Jurij Tschiwartschew auf die Tiere gestoßen war, und versuchte ihn in der Umgebung zu entdecken. Die kleine Gruppe von Hirschen stand jetzt mucksmäuschenstill da. Nur die Leitkuh bewegte sich langsam mit anmutigen Schritten, als ginge sie schon durch tiefen sibirischen Schnee.

Die Tiere standen auf einer offenen Fläche, die von Wald begrenzt wurde. Einige hundert Meter weiter links entdeckte Carl die eigentliche Ursache ihrer Unruhe. Sie wurde nicht durch Jurij Tschiwartschew ausgelöst, sondern durch ein Wolfsrudel.

Der Leitwolf blieb plötzlich stehen. Er witterte und lauschte. Er schien seiner Sache sicher zu sein. Die anderen Rudelmitglieder standen ruhig da und warteten einige Meter hinter ihm auf Befehle.

Einige wirbelnde dünne Wolkenfetzen bewegten sich langsam von den Hirschen auf die Wölfe zu. Der Abstand betrug vielleicht ein paar hundert Meter. Ein Zipfel Wald versperrte beiden Seiten die Sicht. Sie konnten einander nicht sehen und nicht hören. Dann nahm der Leitwolf die Witterung auf. Das ganze Rudel setzte sich entschlossen in Bewegung und durchquerte das Waldstück in Richtung der Hirsche.

Diese standen reglos da und lauschten. Jedoch schon bald hörten sie auf dem knirschenden gefrorenen Boden die näher kommende Gefahr. Die Leitkuh ergriff entschlossen die Initiative und führte ihre Herde schnell nach oben. Dann verschwanden die Hirsche zwischen den schützenden Bäumen.

Eine halbe Minute später tauchte das Wolfsrudel an der Stelle auf, wo eben noch die Hirsche gestanden hatten. Der Leitwolf untersuchte den Boden in immer weiteren Kreisen.

Schließlich nahm er die Witterung auf und lief dann mit hoher Geschwindigkeit los, die anderen folgten ihm auf der frischen Spur.

Wegen der Bergkuppe konnte Carl das weitere Geschehen nicht mehr verfolgen. Er wußte zu wenig über Wölfe und Maralhirsche, um beurteilen zu können, wer gewinnen und wer verlieren würde.

Er war darauf eingestellt, so schnell wie möglich einen Hirsch zu schießen, doch Jurij Tschiwartschew hatte ihn ermahnt, beim Feuern Disziplin zu wahren. Es müsse ein schöner Hirsch mit einer prachtvollen Trophäe sein, sonst werde es einen merkwürdigen Eindruck machen. Niemand fahre bis nach Sibirien, um einen kleinen Scheißhirsch zu schießen.

Carl hatte keine Gewissensbisse mehr, weil er unschuldige Tiere jagte. Diesmal wußte er, was in der anderen Waagschale lag. Jurij Tschiwartschew hatte deutlich zu erkennen gegeben, daß er sehr konkrete Angaben machen könne, er aber ein bißchen Zeit brauche, bevor er sie Carl anvertraue. Er müsse sich irgendwie erst mit seinem Vertrauensbruch abfinden. Er hatte sogar das Wort Landesverrat verwendet, den er zu begehen im Begriff sei.

Jurij Tschiwartschew hatte sein Offizierspatent 1951 erhalten, und Carl versuchte sich vorzustellen, was das eigentlich bedeutete.

Zu jener Zeit war der Kalte Krieg richtig in Gang gekommen.

Der Staatschef der Sowjetunion, Jurij Tschiwartschews höchster Vorgesetzter zu Beginn seiner Karriere, war also Josef Stalin gewesen. Carl und Jurij Tschiwartschew hatten Stalin bei ihren Gesprächen kaum erwähnt, was vermutlich hauptsächlich daran lag, daß Carl in Stalins Todesjahr geboren war und diesen nur als eine Art historischen Dinosaurier angesehen hatte, einen Mann wie Caligula, Vlad den Pfähler oder Frankensteins Monstrum. Für Jurij Tschiwartschew, der schon nach einigen Jahren als Offizier zum militärischen Nachrichtendienst übergewechselt war, mußte all dies jedoch sehr real sein, möglicherweise sogar auf ganz persönliche Weise.

Jurij Tschiwartschew war also schon um die Zeit der größten Erfolge der sowjetischen Spionage beim Nachrichtendienst gewesen. Damals hatten die Sowjets den Bau ihrer Atomwaffen durch den Diebstahl der amerikanischen Kernwaffengeheimnisse beschleunigt.

Und nun war Jurij Tschiwartschew dabei, sein Land zu verraten, indem er eine russische Auslandsoperation preisgab. Für einen Mann, der seit Josef Stalins Zeiten beim sowjetischen Nachrichtendienst gearbeitet hatte, konnte das keine Kleinigkeit sein.

Wenn er aber dennoch beabsichtigt hatte, Verrat zu begehen, mußte er gute Gründe dafür haben. Carl vermutete, daß die in London laufende Operation als töricht angesehen werden mußte, von welcher Seite man sie auch betrachtete. Vermutlich war die Führung der Sowjetarmee uneinig über den Sinn der Operation. Für Carl war Jurij Tschiwartschew vor allem ein Offizier der Sowjetarmee, denn Carl war überzeugt, daß sie die einzige der drei früheren Machtsäulen des Imperiums war, die immer noch als intakt gelten konnte. Vielleicht hatte man Jurij Tschiwartschew überstimmt?

Carl vermutete, daß bei der eigentlichen *raswedka* mindestens ein Mann Jurij Tschiwartschew übergeordnet sein mußte. Folglich mußten rund zehn Mann in der Führung der Streitkräfte einen höheren Rang haben als er. Manche russischen Generäle gehen erst in einem so hohen Alter in den Ruhestand, daß sie, wenn schon nicht aus anderen Gründen, mindestens wegen ihrer Senilität eine Gefahr für den Weltfrieden darstellen.

Rußland stand kurz vor einem Bürgerkrieg. Boris Jelzin hatte das Parlament »aufgelöst«. Dieses hatte mit Jelzins »Absetzung« geantwortet und ihn als Präsidenten durch Alexander Ruzkoj ersetzt. Daraufhin hatte Jelzin das Parlament von Sondereinheiten umstellen und mit Stacheldraht abriegeln lassen. Die Frage war nicht ob, sondern wann und auf wessen Seite die Armee einschreiten würde, um den Kampf zu beenden. Wer die Armee auf seiner Seite hatte, würde natürlich siegen – um anschließend in einem direkten Abhängigkeitsverhältnis zur Armee zu stehen, sofern die Militärs nicht sowieso offen die Macht übernahmen.

Es konnte nicht leicht sein, im Augenblick zur Führung der russischen Streitkräfte zu gehören. Jurij Tschiwartschew schlief zur Zeit vermutlich nicht besonders ruhig. Und zu allem Überfluß, als böte die Situation im Inland nicht schon genug Probleme, riskierte die Führung der Streitkräfte in Rußland, bald in eine große und sehr aggressive Konfrontation mit London und damit auch mit Washington verwickelt zu werden.

Es hätte als ein eigenartiger Zeitpunkt erscheinen können, sich ausgerechnet jetzt nach Sibirien zurückzuziehen, um dort Hirsche zu jagen. Zumindest wenn dies die einzige Erklärung gewesen war, die Jurij Tschiwartschew vor seiner Abreise aus Moskau gegeben hatte. Vielleicht hatte er aber tatsächlich gesagt, wie es sich verhielt, daß er reise, um einem westlichen Nachrichtendienst Informationen zuzuspielen? Doch dann hätte er andererseits einen weniger gequälten Eindruck machen müssen.

Carl erkannte, wie sinnlos es war, über Jurij Tschiwartschews Gemütszustand Vermutungen anzustellen. Auf die eine oder andere Weise würde er noch konkrete Antworten erhalten. Eine Zeitlang versuchte er, an etwas anderes zu denken. Ihm fiel sein Besuch mit Tessie bei IBM ein. Dort hatten sie sich darauf geeinigt, mit Hilfe der Computer den größeren Teil ihrer Arbeit nach Stenhamra zu verlegen. Die Geräte mußten dort inzwischen eingetroffen und installiert worden sein. Dann fiel Carl ein, was sich in Tunis wie ein Scherz angehört hatte, nämlich daß »die Norweger« die schwedische Mittlerrolle zwischen Israelis und Palästinensern übernehmen sollten. Offenbar war es wahr gewesen, denn Arafat, Clinton und Rabin hatten inzwischen auf dem Rasen vor dem Weißen Haus die Hände geschüttelt.

Ganz in der Nähe röhrte plötzlich ein Hirsch laut und klagend. Von Jurij Tschiwartschew war auf der anderen Seite nichts zu sehen oder zu hören.

Carl stand widerwillig auf und ging langsam den Abhang hinauf, bis er die Pferde und ihr provisorisches Lager entdeckte. Es herrschte Hochdruckwetter. Die Luft war klar und kalt, sonst hätten sie an einem so hochgelegenen und exponierten Platz nicht ihr Lager aufschlagen können.

Carl hatte hervorragende Sicht in zwei Richtungen. Kurz bevor er bei den Pferden war, entdeckte er auf dem einen Abhang des

Bergs einen großen Hirsch. Als Carl das Fernglas an die Augen führte und den Hirsch betrachtete, erkannte er, daß das Tier groß genug war, um erlegt zu werden. Mit einem Seufzer legte er das Fernglas beiseite, ging zu seinem Pferd und löste sein Gewehr. Er nahm eine gewachste englische Jacke mit, um sie als Stütze zu verwenden, und schlich langsam den Berghang hinunter. Er bewegte sich nicht sonderlich vorsichtig und war keineswegs von Jagdfieber erfüllt. Der Hirsch konzentrierte sich voll und ganz auf einen Rivalen, der sich auf der offenen Fläche näherte. Die beiden Hirsche waren etwa gleich groß, und keiner würde allein durch das Vorzeigen des Geweihs den anderen dazu bringen zu flüchten. Sie mußten vermutlich durch einen Kampf entscheiden, wer die Nummer eins sein sollte.

Carl setzte sich und maß die Entfernung. Es waren zweihundertsiebenundzwanzig Meter. Er brauchte nicht näher heranzugehen. Dort unten umkreisten die beiden Hirsche einander. Carl seufzte, legte die englische Jacke auf einen Stein vor sich und strich sie glatt. Dann legte er sein Gewehr auf diese Stütze und blickte durch das Zielfernrohr. Die Hirsche waren nur noch wenige Meter voneinander entfernt. Es sah aus, als beleidigten sie einander, um den Gegner herauszufordern. Vielleicht hoffte jeder bis zuletzt, daß es gelingen konnte, den anderen ohne Kampf in die Flucht zu schlagen.

Carl erkannte, daß er der Situation nicht entrinnen konnte. Selbst wenn er sich hingestellt und den Hirschen DUMMKÖPFE zugebrüllt hätte, hätten sie sich nicht um ihn gekümmert. Und je schneller er die beiden Hirsche erschoß, um so schneller würde er nach Hause kommen. Tessie war unzufrieden, weil er so kurz nach der Rückkehr von der Operation Saure Gurke in Saudi-Arabien wieder verreisen mußte. Er wollte so schnell wie möglich nach Hause.

Er zog seine Patronen hervor und lud vier Schuß. Dann zielte er erneut probeweise auf die beiden Hirsche, die jetzt mit gesenkten Geweihen voreinander standen. Sie schnaubten und scharrten nur wenige Meter von dem scheinbaren Feind entfernt, während der wirkliche Feind sich mürrisch bereit machte, beide zu töten.

Carl setzte sich zurecht und änderte noch einige Male die Körperhaltung. Er zielte auf den Hals des ihm näher stehenden Hirsches, klappte die Sicherung hoch und drückte mit derselben Bewegung ab. Dann schaufelte er schnell eine neue Patrone in den Lauf und blickte auf die Szene hinunter.

Der Hirsch, den er erlegt hatte, lag tretend und sterbend vor seinem Rivalen. Dieser wirkte nicht einmal verblüfft, geschweige denn erschreckt. Er schien es für selbstverständlich zu halten, daß es jedem so erging, der ausgerechnet mit ihm Streit anfing.

Der überlebende Hirsch zeigte keinerlei Neigung zu flüchten, sondern ging mit langsamen und in Carls Augen bemerkenswert hochmütigen Schritten um seinen Rivalen herum, um sich zu vergewissern, daß die Sache entschieden war. Der verendende Hirsch trat immer noch mit den Hinterläufen, wurde jedoch immer schwächer.

Carl schüttelte murrend den Kopf und zielte auf den Überlebenden. Er wartete, bis er den ganzen Hals im Profil hatte, und drückte erneut weich ab. Diesmal machte er sich nicht mehr die Mühe, eine weitere Patrone in den Lauf zu schieben. Es war vorbei.

Er ging davon aus, daß Jurij Tschiwartschew die Schüsse von den Berghängen gehört haben mußte und deshalb auf dem Rückweg war.

Carl hatte den einen Hirsch schon ausgeweidet und arbeitete an dem zweiten, als er Jurij Tschiwartschew auf dem Berghang entdeckte. Dieser zog zwei der Packpferde hinter sich her. Es war zu steil zum Reiten, so daß er die Tiere führen mußte.

Jurij Tschiwartschew erstaunte Carl mit zwei für seinen Geschmack fast übertriebenen Reaktionen. Zunächst lobte er Carl überschwenglich wegen der beiden Hirsche. Sie seien alle beide wirklich prachtvoll, und es sei nur wenigen Männern vergönnt, gleich zwei solche Tiere zu schießen. Dann amüsierte er sich darüber, daß Carl die Hirsche ausweidete, um das Fleisch nicht verkommen zu lassen. Das Fleisch brünftiger Hirsche sei ungenießbar.

Jurij Tschiwartschew zog sein langes Messer mit der breiten Klinge hervor und trennte die Köpfe der Hirsche sachkundig von den Rümpfen. Es sah ganz einfach aus, als wären sie Menschen. Er band je eine Trophäe auf jedes Packpferd, wobei Carl ihm widerwillig half. Dann gab er fröhlich ein Zeichen, es sei wieder Zeit, zum Lager hinaufzugehen.

Als sie ankamen, Feuer machten und Proviant hervorholten, war es dunkel geworden. Die Lufttemperatur lag bei etwa drei Grad unter Null, doch es herrschte kein starker Wind, und es gab keine Anzeichen für einen Wetterumschwung. Sie konnten vermutlich ohne Gefahr die Nacht über bleiben, wo sie waren.

Sie aßen dunkles Brot mit Sprotten in Öl, die übliche Kost, und tranken dazu etwas Tee und Kondensmilch. Carl antwortete einsilbig und fast bewußt freudlos auf Jurij Tschiwartschews Versuche, das Jagdglück gutgelaunt zu feiern.

»Nun«, sagte Carl, als er sich plötzlich entschied, nicht mehr mürrisch zu sein und das Gespräch auf anderes zu lenken als unschuldige Hirsche. »Auf welcher Seite werdet ihr stehen, wenn es knallt? Was glaubst du?«

»Du meinst auf seiten des Präsidenten oder des Parlaments?« fragte Jurij Tschiwartschew. Er war erstaunt, wie brüsk Carl auf dieses sensible Gesprächsthema kam. »Wahrscheinlich auf seiten des Präsidenten. Was glaubst du?«

»Auf der Seite des Präsidenten«, erwiderte Carl. »Er ist vom Volk gewählt worden. Alles andere würde als Staatsstreich gewertet werden, und dann säßt ihr mit dem Schwarzen Peter da.«

»Richtig, das ist auch meine Meinung«, erwiderte Jurij Tschiwartschew wachsam. »Wie würde die Umwelt es denn auffassen, wenn wir Jelzin absetzten?« fragte er und breitete die Arme aus.

»Als eine Art Konterrevolution, wenn du den Ausdruck entschuldigst. Als einen Grund für eine intensivierte wirtschaftliche Kriegsführung gegen Rußland zu erzieherischen Zwecken. Das wäre für uns alle sehr lästig«, sagte Carl. Er ging zum Holzstapel und hackte etwas Holz, um anzudeuten, daß er nicht unbedingt daran interessiert war, das offenbar sehr sensible Gespräch fortzusetzen.

»Was uns zu der Frage der Beziehungen zu London bringt«, sagte Jurij Tschiwartschew überraschend direkt, nachdem Carl frisches Holz ins Feuer geworfen hatte. »Denn bei diesem Thema sollten wir schließlich und endlich landen, nicht wahr?«

»Ja«, bestätigte Carl. »Aber du bist derjenige, der entscheidet, mein Freund. Ich kann nur zuhören.«

»Tatjana Simonescu. Wir nennen Sie die Moldavierin«, sagte Jurij Tschiwartschew schließlich. »Vermutlich eine der erfolgreichsten Operationen, die wir seit langer Zeit in England laufen hatten. Solange der Spaß dauerte.«

»Was ist zu Ende gegangen?« fragte Carl vorsichtig und in neutralem Tonfall.

»Sie wurde von ihrer Quelle abgeschnitten«, brummte Jurij Tschiwartschew. »Oder, richtiger gesagt, ihr Mann wurde von jedem Zugang zu interessanten Informationen abgeschnitten. Ihr im Westen seid ja in mancherlei Hinsicht anders als wir. Solange ihr Mann Verteidigungsminister war, hatten wir ständig Zugang zu Informationen, weil er es hatte. Als er den Job loswurde, wurde er über Nacht wertlos.«

»Lady Carmen?« sagte Carl. Er mußte sich zum Feuer umdrehen, um nicht zu verraten, wie sehr ihn die Nachricht erschüttert hatte.

»Ja, genau. So wird sie genannt. Sie glauben, sie sei Spanierin, obwohl sie Rumänin ist«, sagte Jurij Tschiwartschew fast nebenbei. »Eine glänzende Operation, solange sie lief«, fuhr er beinahe traurig fort.

»Was passierte dann?« fragte Carl in einem Ton, als wäre er nur mäßig interessiert; hinter seiner Maske aber schrie er nach dem nächsten Flug nach Moskau. Luigi lag abends nackt mit dem Tod im Bett. Er hatte wahrscheinlich nicht einmal den leisesten Verdacht.

»Tja«, sagte Jurij Tschiwartschew, »das ist eigentlich eine lange Geschichte. Major Simonescu erstattete direkt an Zentral Bericht, natürlich dem höchsten Chef. Ihre Informationen haben mehr als einem General hohe und begehrte Auszeichnungen verschafft. Als sie als Quelle ausgespielt hatte, hätten wir die Operation eigentlich abwickeln müssen. Dann hätte sie sich scheiden lassen und einen neuen Mann finden müssen, was auch immer. Aber leider ist es nicht so gekommen.«

»Was ist statt dessen passiert?« fragte Carl.

»Die Operation veränderte sich drastisch, geradezu idiotisch«, bemerkte Jurij Tschiwartschew mißbilligend. »Die Moldawierin landete auf einem Posten mit sehr gutem Einblick in die britische Rüstungsindustrie. Alles gut und schön.«

»Aber?« fragte Carl vorsichtig.

»Aber die veränderte Situation, der gute Einblick in eine bestimmte westliche Technologie, ließ einige Kollegen glauben, wir könnten einen gewissen technologischen Vorsprung halten oder zumindest verhindern, daß der Feind uns einholt, und zwar durch den begrenzten Einsatz von Sabotage«, seufzte Jurij Tschiwartschew, als erzählte er eine sehr traurige Gesichte.

»Man hat euch durchschaut«, sagte Carl. »Warum nicht die Operation abbrechen und das Personal zurückrufen?«

»Du läßt diese Frage als sehr einfach erscheinen.«

»Richtig. Weil es eine sehr einfache Frage sein müßte. Ich kann den Wert der nassen Operation, zu der das Ganze dann geworden ist, nicht beurteilen. Wenn ihr aber Gefahr lauft, entlarvt zu werden, riskiert ihr eine große wirtschaftliche und politische Katastrophe. Zu der Zeit, als es in diesem Land noch ein Politbüro gab, hätte man euch kaum gestattet, damit weiterzumachen. Es fällt mir jedenfalls schwer, das zu glauben.«

»Wahr. Sehr wahr«, sagte Jurij Tschiwartschew. »Du weißt natürlich sehr gut, wie es früher bei uns funktionierte. Du hast es soeben bewiesen. Das Problem ist, daß es kein Politbüro mehr gibt, es gibt überhaupt keine politische Führung mehr.«

»Abgesehen von einem vom Volk gewählten Präsidenten?« fragte Carl, ohne seinem unausgesprochenen Vorschlag selbst richtig zu trauen.

»Ach was!« sagte Jurij Tschiwartschew. »Zu *dem* kann man doch nicht mit sensiblen Operationen der *raswedka* kommen. Das wäre ja noch schöner.«

»Aber jemand muß doch entscheiden, was die *raswedka* tut«, wandte Carl mit einer steilen Falte auf der Stirn ein. »Sonst geratet ihr doch in eine absurde Situation. Man kann einen Nachrichtendienst doch nicht im luftleeren Raum schweben lassen. Ein Nachrichtendienst muß doch ein Dienst *für* jemanden sein!«

»Selbstverständlich. So müßte es sein, aber so ist es bei uns nun mal nicht. Wir befinden uns, wie du möglicherweise weißt, obwohl du den Naiven spielst, in einer bemerkenswerten Übergangsphase. Solange es in Rußland keine wirkliche politische Macht gibt, gibt es niemanden, der über uns Macht hat. Innerhalb der *raswedka* sind wir ein Triumvirat, drei Mann. Bei bestimmten Entscheidungen sind wir auch von der Führung der Streitkräfte unabhängig.«

»Ein schwindelerregender Gedanke!« rief Carl verblüfft aus. »Daß die Sowjetarmee ein Staat im Staat ist, glauben wir im Westen schon verstanden zu haben. Daß aber die *raswedka* außerdem ein Staat innerhalb der Sowjetarmee ist … Du mußt schon verstehen, wenn ich das für reichlich irrsinnig halte.«

»O ja. Die Situation ist sowohl gefährlich als auch kompliziert. Für uns bedeutet das, klar zu denken und praktisch zu handeln, obwohl wir uns in einer schwierigen Lage befinden.«

»Damit sind wir wieder beim Thema. Am praktischsten wäre es, diese verrückte und verzeih, wenn ich es sage, etwas altmodische und unproduktive nasse Operation in London möglichst unauffällig abzubrechen.«

»Wie wahr, wie wahr.«

»Und warum tut ihr es nicht einfach?«

»Wir sind uneinig. Das verhindert einen Beschluß. Wie du weißt, bin ich deiner Meinung, aber das hilft nichts. Allerdings müssen wir dieser Geschichte ein Ende machen, bevor sie uns allen Unglück bringt, zumindest Rußland.«

»Ja«, bestätigte Carl. »Hast du Namen oder Identitäten vom Team dieser Moldawierin?«

»Ja«, sagte Jurij Tschiwartschew und nickte bekümmert. »Das habe ich, und ich habe vor, sie dir zu geben.«

»Wie viele sind es?« fragte Carl bemüht sachlich.

»Vier Mann. Es sind natürlich alles Spezialisten. Hinzu kommt die Moldawierin. Sie betreiben zusammen mit anderen, nicht beteiligten Personen ein kleines Umzugsunternehmen. Du wirst die Namen von mir bekommen.«

»Du wirst verstehen, daß die Operation schon bald ein deutliches Ende finden wird«, sagte Carl und wandte den Blick ab.

»Ja, das ist mir klar. Du bist ja beteiligt. Ich kann mir sehr gut vorstellen, wie deutlich das Ganze zu Ende geht.«

»Die Alternative wäre Öffentlichkeit, Spionageprozeß, und sowohl in London als auch in Moskau würden Köpfe rollen. Wer weiß, was es sonst noch für Konsequenzen hätte.«

»Korrekt. Es würde für viele Beteiligte eine sehr traurige Geschichte werden. Rein sachlich ist es also am besten, wenn das

Ganze ein schnelles und diskretes Ende findet. Aber du wirst vielleicht verstehen, daß ich die Situation äußerst unangenehm finde.«

»Ja«, bestätigte Carl, »natürlich verstehe ich das. Es muß ein trauriges Gefühl sein, enge Mitarbeiter zu haben, die solche Dummheiten anstellen.«

»Und ob. Aber daran habe ich nicht gedacht. Nach vielen Jahren als Offizier der *raswedka* ende ich als Spion für den Feind. Es fällt mir schwer, das zu akzeptieren.«

»Das ist allerdings eine Frage der Definition«, erwiderte Carl schnell und begütigend. »Man könnte das Ganze ja auch umdrehen und sagen, daß du bei eurer Führung der einzige bist, der Verantwortung übernommen hat und das Land vor einer politischen Katastrophe bewahrt. Die *raswedka* würdest du damit übrigens auch retten. Einem Politbüro oder einem Generalstaatsanwalt würde es wohl nicht sehr schwerfallen, Dummköpfe von dem Mann zu unterscheiden, der sich zu einer wahrhaft patriotischen Tat aufgerafft hat.«

»Sag das nicht«, murmelte Jurij Tschiwartschew düster. »Die Organe, die du gerade genannt hast, neigen dazu, in ihren Urteilen streng formal vorzugehen. Wenn man kleinlich sein will, könnte man auch behaupten, ich hätte dem Feind eine Operation ausgeliefert, die damit endet, daß unsere Leute geschnappt oder getötet werden. In unserer Sprache gibt es für ein solches Handeln nur ein Wort. Und übrigens auch nur eine Strafe.«

»In unserer Sprache haben wir mehrere Wörter dafür, und ich könnte mir vorstellen, daß es auch im Russischen einige gibt«, entgegnete Carl und dachte fieberhaft nach, bevor er weitersprach. »Eine patriotische Tat, notwendiger Pragmatismus zum Wohl des Vaterlandes, zum Beispiel?«

»Na ja«, brummte Jurij Tschiwartschew mit der Andeutung eines Lächelns. »Wie auch immer – mein Leben liegt jetzt in deiner Hand. Ich hoffe, du bist dir dessen bewußt.«

»Ja«, sagte Carl ernst. »Dessen bin ich mir bewußt. Laß mich meine Erleichterung darüber ausdrücken, daß es nicht umgekehrt ist, lieber Freund.«

»Du Kanaille! Dies ist kein Grund zu scherzen«, rief Jurij Tschiwartschew aus. »Wann reist du nach London?«

»Mit dem nächsten Pferd. Müssen wir diese Hirschköpfe da wirklich mitschleppen?«

»Ja!« entgegnete Jurij Tschiwartschew streng. »Was für Dummköpfe wären wir sonst. Man fährt doch nicht nach Sibirien, um zwei prachtvolle Hirsche zu schießen, deren Trophäen man dann einfach wegwirft! Du bist zum Jagen hergekommen, mein Freund. Und nicht, um einen russischen General als Spion anzuwerben.«

*

Sie hatte es sich zur Gewohnheit gemacht, sich hinterher wie ein kleines Kätzchen hinzukauern, sich an ihn zu drücken und seinen Schweiß abzulecken. Das war natürlich ein Trick. Sie wollte ihn wieder in Fahrt bringen, wollte, daß es zunächst weich und liebevoll und unschuldig wirkte. Vielleicht wollte sie ihn nicht erschrecken, indem sie allzu fordernd wirkte. Luigi kam es so vor, als glaubte sie, ihn manipulieren zu müssen, statt offen zu sagen, was sie wollte. Er hätte nicht gezögert. Diese Aura ihrer viel zu großen Erfahrung, diese Art Geschicklichkeit, die die Identität Tony Gianelli anscheinend nicht durchschaute, welche die Identität Luigi Bertoni-Svensson jedoch störte, wirkte entzaubernd. Tony Gianelli war natürlich bis über beide Ohren in sie verliebt, doch es war eher unklar, wie Luigi empfand. Seine beiden Identitäten verwirrten ihn.

Salamanca war auf jeden Fall ein schönes Wort. Es paßte zu ihr. Es war melodisch und hart zugleich. In der Stadt Salamanca, von der Luigi noch nie etwas gehört hatte, sei sie aufgewachsen, hatte sie erklärt. Ihr Vater sei Arzt im Armenviertel gewesen und habe kaum genug verdient, um sie das Abitur machen zu lassen. Ihre Zeugnisse seien aber zu gut gewesen, so daß er kaum einen Grund habe finden können, sie von der Schule zu nehmen. Außerdem habe sie als einzige Schülerin des Gymnasiums in Salamanca den mathematisch-naturwissenschaftlichen Zweig gewählt.

Stipendien und Studiendarlehen hatten sie dann nach Madrid geführt, wo sie Diplomingenieurin geworden sei. Danach wurde die Geschichte etwas diffuser. Vielleicht hatte es mit anderen Männern zu tun, worüber zu sprechen nicht sehr angenehm war, besonders dann nicht, wenn man nackt war. Luigi und Lady Carmen verbrachten ohne jeden Zweifel mehr Zeit zusammen ohne Kleidung als mit.

Luigi hatte im Lexikon unter Salamanca nachgeschlagen. Die Stadt lag nicht weit von der Grenze zum Norden Portugals entfernt, was ihn an seinen Eindruck erinnerte, sie sei vielleicht Portugiesin und keine Spanierin. Die große Zeit der Universität waren das dreizehnte bis siebzehnte Jahrhundert gewesen, berühmt war sie hauptsächlich für Jurisprudenz und Theologie. Kaum ihre Spezialgebiete.

Tony Gianelli hatte ihrer Geschichte voller Neugier, Entdeckerfreude und Bewunderung gelauscht. Luigi hatte gleichsam nebenbei festgestellt, daß es eine Gemeinsamkeit zwischen ihrer Geschichte und seiner gab: Beides waren Legenden, die sich unmöglich nachprüfen ließen. Doch Salamanca war ein schönes Wort.

Hingegen hatte er nicht den geringsten Grund, ihre naturwissenschaftliche Kompetenz in Frage zu stellen. Es stimmte natürlich, daß sie ihren Job, der eine durchschnittliche Ministerfrau weit überforderte, nur deshalb bekommen hatte, weil sie eben eine Ministerfrau war, eine Lady. Doch inzwischen hatte Luigi dreimal erlebt, wie sie Konferenzen bei Marconi Naval Systems in Addlestone leitete. Sie hatte es mit einer solchen Konzentration, Einsatzfreude und einem Wissen getan, daß sie sogar vergessen hatte, ihren Sex-Appeal einzusetzen. Vor kurzem hatte sie zum ersten Mal privat mit ihm über eins seiner Projekte gesprochen. Sie hatte ihm Fragen gestellt und Bemerkungen gemacht, die verblüffend präzise gewesen waren. Sie sprachen über die Neuentwicklung des Torpedos Sting Ray und dessen Fähigkeit, doppelte U-Boot-Rümpfe aus Titan zu durchschlagen. Es war ein kompliziertes Projekt, da es bedeutend mehr als Steuerungsmechanismen und Sprengwirkung unter Wasser umfaßte, denn es ging dabei auch um metallurgische Probleme, über die man sich auf empirischem Weg nur schwer Erkenntnisse verschaffen konnte. Ihr war jedoch kein Aspekt des komplexen Problems fremd gewesen. Er oder vielmehr seine Identität Tony Gianelli hatte den Versuch gemacht, dem Gesprächsthema auszuweichen. Er hatte sie nachsichtig behandelt, sie geküßt und ihr gesagt, eine süße Maus wie sie solle sich mit solchen Dingen nicht das hübsche kleine Köpfchen zerbrechen. Das war etwas, was er selbst, Luigi, nicht einmal im Traum gesagt hätte. daher war er auch der Meinung, daß die Schimpftirade, die er damit auslöste, vollauf verdient war. Es war das einzige Mal gewesen, daß sie ihm gegenüber die Stimme erhoben oder so etwas wie Aggressivität an den Tag gelegt hatte.

Sofern man ihre Sexualität nicht als durch und durch aggressiv ansah. Sie liebte in einer rasenden Entschlossenheit, wie ein Torpedo, der unerbittlich sein Ziel sucht, die Detonation, und zwar von dem Augenblick an, in dem er abgeschossen worden ist. Doch er bewunderte auch diesen Zug an ihr. Sein lateinischer Anteil wäre vermutlich zu Tode erschreckt gewesen, wäre da nicht auch der schwedische Mann gewesen mit seinen mehr oder weniger wohlerzogenen Ansichten über die Gleichberechtigung der Frau, über die bewundernswerteste Frau, die Männer so behandeln konnte, wie Männer Frauen seit Urzeiten behandelt haben, die ihr eigenes Leben lebte und alles absolut selbständig entschied.

Luigi fragte sich, ob er mit ihr hätte zusammensein können, wenn er seine eigene Identität gehabt hätte. Die Frage wurde quälend, als sie ihm versicherte, sie habe ihr Leben zerstört, weil sie wegen Geld und Macht geheiratet habe. Sie wolle sich scheiden lassen und mit ihm zusammen ein neues Leben aufbauen.

Luigi glaubte ihr nicht, was möglicherweise vor allem daran lag, daß er mit seiner Identität des Tony Gianelli Schwierigkeiten hatte. Luigis Auffassung zufolge war Tony Gianelli naiver als erlaubt und überdies ein halb durchgedrehter Computerfreak aus Kalifornien, der eine Pizza Napoletana nicht von Michelangelo unterscheiden konnte. Carmen hätte nicht diese vermeintlich unbezwingbare Lust spüren dürfen, sich mit dem jungen Herrn Tony Gianelli als einzigem Fallschirm in die Welt zu stürzen. Dazu war sie viel zu clever und gut ausgebildet. Da sie überdies schön war und eine große erotische Ausstrahlung hatte, hätte sie wie eine Feinschmeckerin unter Männern wählen können, so daß sie diesen Tony Gianelli vernünftigerweise schon nach dem zweiten Versuch hätte fallen lassen müssen. Luigi zog die leicht bizarre Schlußfolgerung, daß er wohl auf sein falsches Ich eifersüchtig war, auf diesen Tony Gianelli.

Sie verführte ihn natürlich wieder, obwohl sie es so sehr in die Länge zog, daß Luigi schon ungeduldig wurde. Vielleicht hatte sie auch das berechnet. Inzwischen hatte sie jede Möglichkeit seines Körpers erforscht. Sie wollte oft Dinge tun, von denen sie versicherte, sie seien ihr mit keinem anderen Mann möglich, ganz besonders nicht mit ihrem angetrauten.

Anschließend erklärte sie fast im Befehlston, sie wolle irgendwo essen gehen, am liebsten irgendwo in Chelsea. Aber natürlich nicht in einem der Lokale, die sie schon gemeinsam besucht hätten. Sie gehe nie zweimal in das selbe Restaurant, erklärte sie nochmals, das liege ganz einfach an dem Risiko von Entdeckung und Tratsch.

Sie schlenderten ein paar Straßenblocks zu ihrem Wagen, fuhren zur King's Road und stellten das Auto auf einem bewachten Parkplatz ab. Dann betraten sie das erstbeste Restaurant, das einen einigermaßen gepflegten Eindruck machte – wie immer achtete Carmen sorgfältig darauf, den Wagen nicht vor dem Lokal abzustellen.

Sie aßen einfach und tranken Bier zum Essen. Lady Carmen sprach leicht gezwungen und unengagiert von gewissen Plänen zum Kauf neuer Unternehmen, die im Vorstand von General Electric diskutiert worden seien, bis sie bemerkte, daß Luigi fast betont uninteressiert wirkte. Das gehörte zu seiner angenommenen Attitüde: Alles, was mit den Plänen des Konzerns zu tun hatte, ob sie nun wissenschaftlicher oder ökonomischer Natur waren, sei ihm vollständig schnuppe, wie er behauptete. Er sei Techniker mit einem sehr begrenzten Interessengebiet, wenn man von ihr und gutem Essen und Trinken absehe. Wenn Lady Carmen den Versuch machte, mit ihm über Vorstandsbeschlüsse bei General Electric zu sprechen, geriet die Unterhaltung so, als versuchte er mit ihr über Football oder Surfen zu sprechen.

Als sie auf die Armbanduhr sah und zu erkennen gab, daß sie noch irgendwo hin müsse, bot er an, sitzen zu bleiben und die Rechnung zu übernehmen. So würde es einen gemeinsamen Spaziergang in der Öffentlichkeit weniger geben. Sie hatte damit begonnen, ihn mit in diese Richtung zu erziehen, um die Diskretion zu wahren.

Als sie gerade gehen wollte, erwähnte sie gleichsam nebenbei, daß sie das Wochenende frei habe. Sie fragte, ob er sie am Freitagabend oder am Sonnabend sehen wolle.

Nach einigem Zögern sagte er Freitagabend. Für den Sonnabend hatte er sich schon mit einigen Kollegen verabredet. Sie wollten übrigens nach Soho, erklärte er. Er mußte sich bemühen, auch noch mit anderen Menschen Kontakt zu pflegen, um nicht als Außenseiter dazustehen. Ihr sagte er, er habe es versprochen und könne nur schwer absagen.

Sie meinte, Freitagabend sei völlig in Ordnung, vorausgesetzt, es mache ihm nichts aus, erst ein paar Möbel umzurücken.

Angesichts seines fragenden und leicht beleidigten Gesichtsausdrucks erklärte sie hastig, sie wolle einen Teil ihrer persönlichen Habseligkeiten aus der gemeinsamen Londoner Wohnung in Mayfair in eine eigene kleine Wohnung bringen. Als seine Miene nur noch ein Fragezeichen war, lächelte sie und nahm sein Gesicht in beide Hände. Sie sagte, über diese eigene Wohnung denke sie schon lange nach. Eigentlich habe sie es ihm erst erzählen wollen, wenn es soweit sei: Sie wolle sich tatsächlich scheiden lassen. Die Zeit mit ihm, Tony, habe sie überzeugt, daß es so sein müsse. Sie habe sich seit vielen Jahren nicht mehr so glücklich und frei gefühlt wie mit ihm.

Er brauchte sich nicht zu verstellen, um wie ein Schaf auszusehen. Sie lachte hell auf und erklärte, im Augenblick gebe es nicht mehr zu sagen, doch sie könnten sich ja für den Freitag vornehmen, über die Zukunft zu sprechen.

»Hinterher«, fügte sie hinzu und legte einen kleinen Schlüsselbund auf den Tisch.

»Ich werde versuchen, es bis sieben Uhr zu schaffen«, sagte sie mit einem warmen Blick. »Du mußt mir aber versprechen, nicht wütend zu werden, wenn ich mich ein bißchen verspäte. Aber die Umzugsleute kommen um sieben. Keine Gefahr, die wissen genau, was sie zu tun haben. Du darfst aber nicht in den Kühlschrank schauen, dort werde ich eine Überraschung für dich haben!«

Schnell küßte sie ihn auf beide Wangen, als hätte sie etwas Besonderes und Feierliches gemeint, da keinerlei erotischer Unterton in der Geste lag. Dann ging sie.

Luigi bestellte noch ein Bier und blieb sitzen. Er war tief erschüttert, aber unfähig, seine Gefühle zu analysieren. Sofort begann er sich vorzustellen, was gewesen wäre, wenn er sie als Luigi kennengelernt hätte und nicht als dieser Tony Gianelli?

Dann hätte sie ihn nicht wie einen untergebenen Angestellten behandeln können, den sie praktisch besaß. Sie hätten einander vielleicht nur höflich begrüßt, und dann hätte er erfahren, daß sie die Ehefrau des ehemaligen Verteidigungsministers war, und wäre zu Eis erstarrt. Der Hauptmann des schwedischen Nachrichtendienstes, der in Großbritannien nur zu Gast war, hätte sich auf *keine* Verbindung mit Lady Carmen eingelassen.

Er wiederholte das Szenario. Sie lernten sich an einem Ferienort in Südeuropa kennen, verführten einander schon am ersten Abend. Die Umstände spielten in diesem Zusammenhang keine Rolle. Sie wachten gemeinsam nach den gleichen Erlebnissen auf wie jetzt, und ...? Nun, angenommen, die Geschichte hätte eine vergleichbare Entwicklung genommen. Der wirkliche Luigi hätte sie eigentlich kaum weniger interessieren können als die ungebildete Kunstfigur aus Del Mar in Kalifornien. Oder aber er hatte alles mißverstanden. Wie auch immer: Er würde es ohnehin nie erfahren.

Oder? Wenn sie sich nun tatsächlich scheiden ließ, wenn die Operation in London abgeschlossen oder aufgegeben wurde und er sich frei nehmen konnte, zumindest von seinem militärischen Auftrag, um sie erneut kennenzulernen und sich zu häuten, würde er vielleicht nach und nach er selbst werden.

Hamilton war ja selbst mit einer Ausländerin verheiratet; Tessie war Juristin und hatte in Schweden einen Job erhalten. Für eine technisch qualifizierte Person wie Lady Carmen würde das viel leichter sein.

Aber er wußte, daß es für einen Mann in geheimen Diensten nicht leicht sein würde, mit einer Frau zusammenzuleben, die zu einem Lieblingsobjekt der Klatschpresse werden würde. Die Ehefrau des früheren britischen Verteidigungsministers ließ sich scheiden, um mit einem jungen schwedischen Hauptmann zusammenzuziehen. Jesses!

Ihr Verhältnis hatte keine Substanz, weil es nicht auf der Realität basierte. Mit den Augen der Legende betrachtet, stand sie seinem Job im Wege und beide konnten für die britische Skandalpresse zu einem Festessen werden. Sowohl ihret- als auch seinetwegen sollte er irgendwie Schluß machen. Doch das war nur eine logische und rationale Erkenntnis. Luigis Intellekt konnte sich damit einverstanden erklären, doch seine Gefühle sträubten sich dagegen. Er war in seinem ganzen Leben noch nie in die Nähe einer Frau gekommen, die er so bewunderte wie Carmen. Sie besaß wirklich alles, abgesehen von guter bürgerlicher Moral, was er jedoch mühelos übersehen konnte.

Luigi vermutete, das Fehlen heftiger Verliebtheiten in den letzten Jahren beruhte darauf, daß er seit seinem Wehrdienst in Schweden in geheimen Diensten gearbeitet hatte. Er hatte schriftlich versichert, er werde nie Informationen nach außen dringen lassen oder auch nur etwas andeuten. Fünf Jahre in San Diego waren mit dem Wissen vergangen, daß er sich an keine Frau binden durfte. Aus diesem Grund hatte er die Beziehung zu einer Frau immer dann abgebrochen, wenn es enger und ernster zu werden drohte. Das hatte ihm an der UCSD eine Zeitlang den schlechten Ruf eines Aufreißertyps eingetragen.

Zu Hause in Schweden hatte er genauso weitergemacht. Nicht einmal seine Mutter begriff, woran er arbeitete. Sie wußte nur, daß er bei den Streitkräften einen Job hatte, der »etwas mit Computern zu tun hat«. Was an und für sich keine Lüge war.

Und erst jetzt, in seiner Rolle als unschuldiger Amerikaner, hatte Luigi sich hingeben können, weil es seinem Auftrage nicht zuwiderlief. Und damit war er dermaßen bei Carmen hängengeblieben, daß er sich nicht vorstellen konnte, wie alle Logik der Welt ihn dazu bringen sollte, sich von ihr loszureißen.

»Das Problem ist, daß ich sie liebe«, flüsterte er vorsichtig auf englisch. Dann blieb er eine Zeitlang still sitzen und wiederholte den Satz auf italienisch, um zu prüfen, ob er immer noch stimmte. Er tat es.

Doch als er es mit schwedisch versuchte, blieb er stecken. Aus irgendeinem Grund konnte er auf schwedisch nicht ausdrücken, daß er sie liebte, jedenfalls nicht mit diesem definitiven, großen und emotionalen Wort. Das war eine sehr eigentümliche Entdeckung. Er verstand sie nicht.

*

Tessie reagierte ungewöhnlich aggressiv, als Carl mehrere Stunden später als angekündigt nach Hause kam. Sie fühlte sich hereingelegt und vernachlässigt, als er mit einer riesigen Limousine vorfuhr, die er damit begründete, daß er zwei außerordentlich alberne, aber sperrige Geweihe auf dem Rücksitz habe. Sie deutete an, daß diese Dinger belegten, daß es auf der Reise nicht nur um Leben und Tod gegangen sei, von den Herren Hirschen vielleicht abgesehen. Wenn sie wütend war, neigte sie dazu, in ihrer Sprache die vermeintlich klare Ausdrucksweise der Juristerei mit eigener Ironie zu würzen.

Carl erwiderte scheu, er bedauere an und für sich den Tod der Herren Hirsche, doch die Reise sei trotzdem sehr wichtig gewesen. Daraufhin schraubte Tessie ein paar giftige Formulierungen zusammen, die besagten, daß nichts wichtiger gewesen sei als Blue Bird, aus dem, soviel sie wisse, nicht einmal was geworden sei, weil angeblich schon ein kleiner Brief des schwedischen Königs genügt habe, die Angelegenheit zu klären.

Carl versuchte, sie in den Arm zu nehmen, doch sie trat schnell einen Schritt zurück, stemmte die Hände in die Seiten und warf den Kopf heftig in den Nacken. Es war zu früh, sie zu einem Lachen oder einem Scherz bewegen zu wollen, was früher einmal, vor der Katastrophe, so leicht gewesen war.

»Wie geht es Ian Carlos?« fragte er hilflos und breitete die Arme aus. Das hatte einen unbeabsichtigt komischen Effekt, da er immer noch eins der Hirschgeweihe in der Hand hielt.

»Er schläft. Aber er soll in zwei Stunden gefüttert werden und wird wohl vorher stinkwütend aufwachen«, erwiderte sie.

»Gut«, sagte Carl und stellte das Geweih zerstreut neben die breite Treppe. »Dann können wir vielleicht etwas essen, bevor ich mich um ihn kümmere. Ich habe seit neun Tagen nichts Vernünftiges mehr gegessen. Getrunken übrigens auch nicht.«

»So kann es nicht mit uns weitergehen. Ich verstehe nicht einmal, wie du denkst«, erwiderte sie kurz und schnell.

»Nein«, sagte er. »Du hast recht. So kann es nicht mit uns weitergehen. Wir müssen öfter zusammen sein, und ich kann nicht so weitermachen und ständig zu angeblich wichtigen Aufträgen reisen. Ich nehme an, daß du das meinst«, sagte er und wechselte dabei ins Englische, um sie mit dem »ich nehme an«, vielleicht zu einem kleinen Lächeln zu verleiten.

»Ich begreife noch immer nicht, wie du denkst«, entgegnete sie auf schwedisch, ohne auch nur den Anflug eines Lächelns zu zeigen. »Du mußt doch zumindest irgendwann einmal während deiner interessanten Jagdexpedition den Versuch gemacht haben, dir vorzustellen, wie es mir ergangen ist.«

»O ja«, sagte er. »Und übers Wochenende werde ich wieder für ein paar Tage nach London reisen müssen und werde auch dann ein ebenso schlechtes Gewissen haben. Ich erzähle es dir lieber gleich.«

»Hast du den ... wie heißt es noch?«

»Den Verstand verloren, meinst du wohl. Nein, noch nicht. Möglicherweise tue ich aber das, wenn ich dir erkläre, weshalb ich nach London reisen muß.«

»Tu es!«

»Weil sonst ein enger Freund von mir und ein guter Freund von dir stirbt.«

Sie verlor den Faden und sah ihn forschend an, um eine Übertreibung oder schlimmstenfalls eine Lüge zu entdecken. Dann schüttelte sie auf ihre so eigentümliche Weise sacht den Kopf, langsam von oben nach unten und mit zunehmender Skepsis in den Augen.

»Hör mal, *sailor!*« sagte sie schließlich. »Nicht schon wieder, *nicht schon wieder!*«

»Doch«, sagte er beschämt. »Schon wieder. Sobald ich wieder da bin, nehmen wir uns frei und reisen irgendwohin. Dann nehme ich meinen Vaterschaftsurlaub. Ich habe dir doch versprochen, die halbe Zeit zu übernehmen.«

»Du bist noch beim Job vorbeigefahren, bevor du herkamst«, sagte sie, als wollte sie sich mit einer neuen Ladung Skepsis gegen seine Argumente wappnen.

»Ja«, erwiderte er kurz. »Ich mußte noch einige Faxe nach London schicken.«

»Das hättest du auch von zu Hause tun können.«

»Aber keine verschlüsselten und abhörsicheren Faxe.«

»Nein, das natürlich nicht«, gab sie zögernd zu. »Aber ich weiß nicht, wann ich dir trauen kann und wann nicht. Ich habe das Gefühl, daß du mich öfter anlügst, als ich ahnen kann«, ergänzte sie verzweifelt.

»Ich lüge dich nicht an, ich enthalte dir nur einige Informationen vor. Das ist aber nicht das gleiche«, sagte er resigniert.

»Enthalte dir einige Informationen vor«, äffte sie ihn sarkastisch nach.

»Ja«, bestätigte er. »Und dabei handelt es sich um geheime Dinge, nichts Privates, und das macht wohl doch einen gewissen Unterschied, sowohl was Juristerei als auch Moral angeht. Willst du wirklich wissen, was ich in London tun muß, weshalb ich schon wieder los muß, wie langweilig es ist, es zu tun, und vielleicht noch mehr, es zu sagen. Willst du es wirklich wissen?«

»Ja!« sagte sie schnell und entschlossen.

»Wenn das so ist …«, begann er zögernd, als er sich wieder gefangen hatte und sogar ein kurzes, vorsichtiges Lächeln wagte, »finde ich trotzdem, daß wir erst etwas essen sollten. Und dann, fürchte ich, wirst du eine deiner mexikanischen Platten auflegen und die Lautstärke aufdrehen müssen. Dann kannst du meine Entschuldigung hören.«

Sie lachte auf, wenn auch nur ganz kurz, als schämte sie sich ihres Lachens, nickte dann ernst und ironisch und zeigte nach militärischer Manier mit der ganzen Hand zur Küche.

Sie hatte dort alles schon lange vorbereitet, schließlich hatte sie sehr viel früher mit seiner Heimkehr gerechnet. Er ahnte Schlimmes, als er die Küche betrat und ihre Vorbereitungen sah; die mexikanische Küche ist eine *cuisine à la minute,* daß heißt die Gerichte müssen sofort aufgetragen werden. Tessie hatte aber, ob aus Intuition oder Geschicklichkeit, Speisen vorbereitet, die warten konnten. Dinge, die eher schwedisch waren, bis auf die Kräuter und Gewürze sogar erstaunlich schwedisch. Als Vorspeise war Lachs vorgesehen und als Hauptgericht Fleisch, das nur kurz gebraten werden sollte. Die Saucen waren im Kühlschrank, die abgebrannten Stearinkerzen brauchten nur ersetzt zu werden, der Wein zum Fleisch hatte Zimmertemperatur, und der Weißwein lag im Kühlschrank. Sie hatte amerikanische Weine gewählt, möglicherweise als ironische Geste ihm gegenüber, da er wie selbstverständlich immer selbst in den Weinkeller ging, und ebenso selbstverständlich immer mit französischen Weinen zurückkehrte. Zum Lachs hatte sie eine ihrer wenigen Flaschen Far Niente ausgewählt, einen kalifornischen Wein, der in Schweden nicht erhältlich war.

Während sie aßen und den Far Niente tranken, sprachen sie behutsam über Erinnerungen, die der Wein hervorlockte. Vor allem darüber, wie man einander mißverstehen kann, wie ausgebliebene Erklärungen eine Beziehung durcheinanderbringen können. Wenn er ihr damals die Wahrheit gesagt hätte, vor langer Zeit in San Diego, hätte sie Burt nie geheiratet, und dann wäre es nie …

Er versuchte die Assoziation mit einem mißlungenen Scherz abzutun, ging wieder in den Keller und kramte einen kleinen Gegenstand hervor, der wie ein älteres Transistorradio aussah. Er stellte das Gerät ein, briet das Fleisch und wärmte ihre Sauce auf. Dann goß er etwas von dem Rotwein Robert Mondavis ein.

»Es ist so«, sagte er, als sie ein wenig gegessen und einen Schluck von dem Wein getrunken hatten. »Es geht um Luigi. Er befindet sich in London, und zwar *under cover*. Seine Aufgabe besteht darin, eine Bande von Mördern aufzuspüren. Das hat er getan. Er hat ein Verhältnis mit einer Frau – der Chefin der Bande. Es ist eine glänzende Operation. Es gibt nur ein kleines Problem. Luigi weiß nicht, daß die Frau, der er einen so großen Teil seiner Zeit widmet, eine Schwarze Witwe ist.«

»Das Spinnenweibchen, das nach dem Geschlechtsakt das Männchen auffrißt«, flüsterte Tessie. Sie machte ein Gesicht, als hätte sie sofort den Appetit verloren.

»Richtig!« sagte Carl und hielt ironisch seine mit Fleisch und Sauce beladene Gabel hoch. »Er weiß nicht, wie gut er seinen Auftrag erledigt hat. Sie sollen sich am Freitagabend zu einem kleinen Schäferstündchen treffen – wenn sie ihren Willen durchsetzt, wird es seine letzte Stunde auf Erden.«

»Was ist denn das für ein unangenehmes kleines Ding?« fragte sie nach einem plötzlichen Wechsel ins Englische. Sie zeigte mit einem Kopfnicken auf den Apparat auf dem Kaminsims.

»Es stört die meisten Frequenzen aktiver Mikrophone. An passive Mikros hier im Haus glaube ich nicht«, erwiderte er kurz und nahm mit gutem Appetit einen neuen Bissen Fleisch. »Das Technische überspringen wir«, fuhr er schnell fort, als er sah, daß sie ihn um eine Erklärung bitten wollte. »Dieses Gespräch wird für den jungen Luigi folgenschwer, falls es von den falschen Ohren mitgehört wird.«

»Hatten *die da*!«, sie flüsterte unbewußt und zeigte auf die Eingangshalle, in der die Hirschgeweihe lagen und schlecht rochen, »hatten die etwas mit der Sache zu tun?«

»In allerhöchstem Maße«, erwiderte er mit einer etwas zu affektierten Miene, die offenbar kontraproduktiv war, da sie eine Lüge zu ahnen schien.

»Bist du dir da sicher?« fragte sie mit Nachdruck.

»Absolut«, sagte er. »Anfang nächster Woche werde ich dir die ganze Geschichte erzählen. Sobald ich wieder da bin.«

»Hat er sich in diese Frau verliebt?« fragte sie.

»Keine Ahnung, aber ich glaube nicht. Ich nehme an, es ist für ihn nur ein Job«, erwiderte Carl schnell und ahnungslos. Er erkannte zu spät, daß er einen Fehler gemacht hatte.

»Könnt ihr … kann man …?« fragte sie, blieb dann aber stecken und aß eine Zeitlang und trank von dem Wein, bevor sie fortfuhr. »Schließt euer Job auch sexuellen Umgang mit dem Feind ein?« fragte sie dann entschlossen in ihrem Anwaltston.

»In manchen Fällen ja«, erwiderte Carl. Er hatte die Pause genutzt, um seine Angst vor der Frage zu überwinden.

»Ist es dir auch schon passiert?« fragte sie blitzschnell.

»Ja, aber das war noch zu der Zeit, als ich mit Eva-Britt zusammenlebte, am Anfang unserer Beziehung«, erwiderte er gequält.

»Könntest du es wieder tun?« fragte sie in dem ruhigen, analytischen Verhörston, der ihn jetzt nicht mehr überraschte.

»Nein«, sagte er mit kontrollierter Miene. »Und der Grund dafür ist einfach. Ich kann nicht mehr *under cover* arbeiten, weil das Risiko viel zu groß ist, daß man mich erkennt … ach nein, übrigens. Es ist sogar noch einfacher. Diesen Job gibt es nicht mehr für mich. Wenn ich aus London wiederkomme, habe ich Vaterschaftsurlaub, dann ist es zu Ende. Es wird nie mehr etwas … nun ja, irgend etwas in dieser Branche geben.«

»Ich hatte gehofft, du würdest nein sagen, weil du mich liebst, nur mich, daß du dir gar nicht vorstellen kannst, mit einer anderen Frau zu schlafen, weil, du weißt schon, wegen, ich meine, du hättest mir etwas sagen können, was ich gern höre, etwas Romantisches«, sagte sie hastig.

»Genau«, erwiderte er und wagte gleichzeitig ein Lächeln.

»Denn der Grund dafür, daß ich mit diesem Job aufhöre, bist du. Von jetzt an bist du diejenige, die für den Unterhalt der Familie sorgen muß. Sofern ich nichts anderes finde, natürlich.«

»Du meinst wirklich, was du sagst? Es ist nicht so, daß etwas ungeheuer Wichtiges, etwas, was nicht warten kann, etwas, wovon der Weltfrieden abhängt, nächste Woche eintrifft?«

»Etwas für den Weltfrieden Entscheidendes dürfte ganz sicher in der nächsten Woche passieren. Ich könnte mir vorstellen, daß es in Moskau zum Beispiel einen Bürgerkrieg gibt«, erwiderte er ruhig. »Aber Åke ist jetzt Oberstleutnant geworden. Er soll eine zivile Tätigkeit übernehmen, hätte ich fast gesagt. Die verehrten Küstenjäger wären schwer beleidigt, wenn sie mich jetzt hörten. Kurz, Åke ist raus aus allem. Er hat überlebt. Bald werde auch ich raus sein. Ich will nur noch dafür sorgen, daß Luigi nach Hause kommt. Ja! Ich meine, was ich sage.«

Sie antwortete eine Zeitlang nicht. Zunächst sah sie ihn an, als wollte sie erforschen, ob sich irgendwo auch nur der kleinste Vorbehalt verbarg. Als sie keine Anzeichen dafür fand, begann sie zu lächeln und legte sacht den Kopf in den Nacken.

»Na schön, *sailor*«, sagte sie. »Trotz der Minuspunkte, die du durch deine späte Rückkehr eingefangen hast, muß ich zugeben, daß du gegen Ende stark aufgeholt hast.«

»Es ist noch nicht alles, sagte er und hob fröhlich die Augenbrauen, um anzudeuten, daß der Abend noch lange nicht zu Ende sei. In diesem Augenblick hörten sie, wie ein kleines, aber sehr wütendes Kind sie an ganz andere eheliche Pflichten erinnerte als die, die Carl angedeutet hatte.

»Ich kümmere mich um ihn«, sagte Carl und stand schnell auf. Zu schnell, denn er unterbrach die Bewegung mit einer schmerzverzerrten Grimasse und griff sich an den Schenkel.

»Ist es immer noch so schlimm …?« fragte sie besorgt.

»Nein, nein«, sagte er und winkte abwehrend mit einer Hand, während er sich mit der anderen massierte. »Es ist alles verheilt, die Narben sehen wunderbar aus, alles bestens. Es sind nur Reitschmerzen.«

»Reitschmerzen?« fragte sie amüsiert.

»Ja. Alle wichtigen Dinge scheinen immer mit Reitschmerzen verbunden zu sein, ob zu Kamel oder zu Pferde. Mir hätte schon in Saudi-Arabien klar sein müssen, daß aus Blue Bird nichts wird, weil wir Hubschrauber hatten und keine Kamele. In London werden sie mir, darauf kannst du Gift nehmen, einen Schimmel bereitstellen.«

Er ging nach oben und holte sein Kind, während sie abdeckte und Kaffee machte. »In dem neuen Zimmer sieht es aus wie im Raumfahrtkontrollzentrum in Houston. Ich habe noch nicht mal gewagt, die Dinger anzufassen«, sagte sie, als er mit einem frischgewickelten Kind zurückkam und in der Mikrowelle einen Brei aufwärmte.

»Schön, daß die Sachen jetzt da sind«, sagte er zufrieden. »Bald wirst du an Konferenzen teilnehmen, mit Bogotá, Lidingö und Kista gleichzeitig korrespondieren, Paragraphen lateinamerikanischer Gesetze nachschlagen und dich so über ideelle Rechte informieren, während du mit der anderen Hand Briefe beantwortest. Es ist wie ein Spaziergang im Park, so einfach.«

»Und du bist absolut sicher, daß du diese Klamotten beherrscht?« fragte sie skeptisch. »Hast du dir mal angesehen, wie das alles aussieht?«

»Ja«, sagte er mit gespielter Entrüstung und stellte die erwärmte Flasche mit einem Knall auf den Küchentisch. Dann nahm er seinen Sohn auf den Arm. »Ich weiß, wie so was aussieht. So sieht mein Job nämlich fast immer aus.«

»Dann jedenfalls ohne Reitschmerzen. Kannst du es mir gleich zeigen?«

»Für heute abend hatte ich mir eigentlich eine romantischere Fortsetzung gedacht«, entgegnete er ausweichend.

»Das eine schließt das andere nicht aus. Ich platze vor Neugier. Für mich sieht es aus, als wäre ein Zauberer nötig, um alle diese Maschinen in Gang zu setzen.«

Er hatte schon begonnen, seinen Sohn zu füttern, und änderte dann den Griff, um Kind und Flasche mit einer Hand gleichzeitig halten zu können. Dann hielt er die andere Hand hoch wie ein Zauberer, erst die Vorderseite mit gespreizten Fingern, dann den Handrücken.

»Hier ist nichts! Da auch nichts!« sagte er. »Aber schon bald wirst du sehen, daß es doch wie Zauberei aussieht.«

Sie blickte auf seine Hand und seine scherzhafte Geste. Sie

betrachtete die Hand genau. Ihr kam in den Sinn, daß diese Hände, die ihr Kind so liebevoll und weich hielten, mit der gleichen Einfachheit und Selbstverständlichkeit Menschen töteten.

10

Das Personal des Hotels The Connaught empfing Carl wie erwartet mit einer Höflichkeit, als wäre er schon seit hundert Jahren Stammgast. Man wollte ihm die gleiche Suite wie beim letzten Mal geben, doch er bat um eine andere. Versicherungen, es werde kaum möglich sein, ihm eine andere Suite zu geben, tat er mit einer Handbewegung ab. Er wollte nicht erklären, daß er nicht zweimal in dem selben Hotelzimmer wohnen wollte, um nicht sofort auffindbar zu sein. Natürlich setzte er seinen Willen durch. Die Angestellten des Hotels trugen sein Gepäck schnell in die neuen Räume, meldeten den erwarteten Besucher und zogen sich dann schnell und diskret zurück.

Der Mann, der Carls Wohnzimmer betrat und seinen Regenschirm lässig abstellte, bevor er sich als Hauptmann Kincaid vorstellte, schien fünf oder sechs Jahre jünger zu sein als Carl. Doch es ließ sich nur schwer sagen. Er war einer dieser Typen, die immer älter aussehen, als sie sind, und das schon seit ihrem elften Lebensjahr, da sie schon in der Schule Krawatten trugen und Aktentaschen mit sich herumschleppten.

»Ich habe hier eine schriftliche Zusammenfassung der Lage«, sagte Kincaid und zog laut raschelnd einige Dokumente aus seinem ziemlich abgewetzten Aktenkoffer. »Ziehen Sie es vor, selbst zu lesen, Admiral, oder kann ich den Inhalt mündlich vortragen? Die Dokumente dürfen nämlich, wie Sie sicher verstehen werden, nicht hierbleiben.«

»Es scheint nicht besonders viel zu sein«, bemerkte Carl. »Ein Vortrag dürfte reichen. Ach, übrigens, möchten Sie etwas trinken, Hauptmann?«

»Nein, bitte keine Umstände, trotzdem vielen Dank. Ja, ich habe den sowohl interessanten als auch in mancherlei Hinsicht etwas frustrierenden Auftrag gehabt, Ihren Mann hier in London, Hauptmann Gianelli, als Führungsoffizier zu betreuen.

»Inwiefern frustrierend?« fragte Carl mit gerunzelter Stirn. Er konnte sich vorstellen, daß es mit der persönlichen Chemie der beiden Männer nicht besonders gut klappte.

»Nun«, sagte der MI-6-Mann, »seine Aktivität hat sich in gewisser Weise auf die Person konzentriert, die wir jetzt die Spinnenfrau nennen ...«

»Ich verstehe!« unterbrach ihn Carl. »Also, er hat seinen Umgang in hohem Maße auf die Person konzentriert, die Ziel Nummer eins zu sein scheint. Das erscheint mir sehr glücklich, sogar sehr gelungen. Nicht wahr?«

»Nun, Sir, nachträglich muß man wohl zugeben, daß es unseren Absichten förderlich ist. Aber ...«

»Ich darf Sie vielleicht daran erinnern, Hauptmann, daß wir nachträglich sprechen. Haben Sie die Güte, auf die Philosophie zu verzichten!«

»Ja, Sir! Wie Sie wünschen.«

»Gut. Die Spinnenfrau und ihr Team sind identifiziert und geortet?«

»Ja, tatsächlich, Sir. Die Angaben sind einer minuziösen, aber natürlich diskreten Kontrolle unterzogen worden. Es scheint alles zu stimmen. Wenn Sie erlauben, Sir, möchte ich Ihnen zu einem fabelhaften Job gratulieren.«

»Danke, Hauptmann. Welche operativen Schlußfolgerungen haben Sie aus diesem Wissen gezogen?«

»Sir, ich nehme an, daß Sir Geoffrey das ausführlicher mit Ihnen besprechen wird, wenn Sie sich sehen. Ich kann vielleicht vorwegnehmen, daß wir ein kleines Problem zu haben scheinen.«

»Lassen Sie hören, Hauptmann.«

»Bei allem Respekt, Sir, aber Sie erlauben mir sicher, vollkommen aufrichtig zu sein?«

»Bitte, Hauptmann! Seien Sie nicht kindisch. Wie sieht das kleine Problem aus?«

»Nun, Sir«, fuhr der MI-6-Mann fort und räusperte sich verlegen. »Wenn Ihre anscheinend außerordentliche Quelle ... ja, beim Gegner, wahre Angaben gemacht hat, haben wir diese Bande praktisch im Sack. Alle unsere Kontrollen deuten darauf hin. Wenn man uns aber einer *maskirowka* bekannten Modells ausgesetzt hat ... Wie Sie wissen, haben wir hier in London einige peinliche Erfahrungen damit gemacht ...«

»Ja, in der Tat! Das haben Sie. Wenn ich Sie richtig verstehe, Hauptmann, meinen Sie, wenn wir uns über die Spinnenfrau hermachen und wir uns irren, wird der Gegner allen Grund haben, sich halb totzulachen. Und wir anderen müssen unseren Regierungen dann das eine oder andere erklären?«

»Ja, Sir, das etwa befürchten wir.«

»Ich verstehe«, sagte Carl zögernd. »Ich glaube zumindest zu verstehen. Wir haben also übers Wochenende einen wichtigen Test vor uns? Wenn der Fisch anbeißt, wissen wir Bescheid?«

»Ja, Sir, das nehme ich an.«

»Damit stellt sich eine interessante Frage. Ist mein Mann schon über seine Rolle als Wurm am Angelhaken informiert?«

»Nein, Sir.«

»Warum nicht?«

»Aus mehreren Gründen, Sir. Er hat eine Intimität mit dieser Dame entwickelt, die vielleicht ein wenig über das hinausgeht, was seine berufliche Rolle erfordert. Daher sind wir zu der Meinung gekommen, daß die Entscheidung bei Ihnen liegen sollte, ob diese Information an die betreffenden Stellen weitergegeben werden soll. Die Information sollte auch von Ihnen überbracht werden, wenn ich das hinzufügen darf.«

Carl nickte zustimmend. »Ich kann das also mit dem guten alten Geoff klären?«

»Das erscheint mir außerordentlich passend, Sir.«

»Ausgezeichnet! Ist der Gegner in letzter Zeit irgendwie tätig geworden, hier in der Stadt?«

»Ja, wir gehen jedenfalls davon aus. Es ist beinahe komisch, aber wir haben einen Journalisten der eher unbedarften Art mit etwas zu viel Wissen gefüttert. Nun ja, der Grundgedanke war, unseren Köder etwas verlockender zu machen. Aber ich nehme an, daß der Fisch sozusagen beim falschen Köder angebissen hat.«

»Sie müssen entschuldigen, Hauptmann, aber ich bin nicht ganz sicher, ob ich Ihrer Darstellung folgen kann«, entgegnete Carl irritiert; der Mann ging ihm auf die Nerven, und er konnte sich gut vorstellen, daß Luigi der Umgang mit ihm nicht ganz leichtgefallen war.

»Also, Sir«, begann der MI-6-Mann plötzlich lebhaft, als könnte er sich endlich entspannen, weil er etwas Aufmunterndes mitzuteilen hatte, »das komische war, daß der Gegner den Journalisten getötet hat, statt in die Falle zu tappen. Zudem auf recht aufsehenerregende Art. Wenn ich mich recht erinnere, trug das

Opfer rosafarbene Lackstiefel und solche Dinge, als es aufgefunden wurde. Die Bullen glauben natürlich wie immer an Selbstmord.«

»Ich bin nicht ganz sicher«, sagte Carl förmlich und erhob sich. Dann holte er Hut und Regenschirm des Mannes und überreichte sie, »daß ich das Komische am Tod dieses unschuldigen Menschen zu erkennen vermag. Ich danke Ihnen aber für Ihren Vortrag, Hauptmann, und damit wünsche ich Ihnen einen guten Tag!«

»Da ist noch etwas, Sir«, sagte der MI-6-Mann und stand nervös auf. »Sir Geoffrey kommt um 17.00 Uhr und holt Sie ab. Dann fahren Sie zum Essen in sein Stammlokal, Sie wissen schon.«

»Wenn Sie die Güte hätten, Hauptmann, Sir Geoffrey zu grüßen und ihm auszurichten, daß die Zeit in Ordnung ist. Was aber das *Stammlokal* betrifft, hat der ausländische Gast etwas anderes entschieden. Wir sind ohnehin an der Reihe einzuladen.«

»Natürlich, Sir, das werde ich gern ausrichten. Guten Tag, Sir!«

Carl nickte und hielt seine Abneigung zurück, als der britische Kollege sich verbeugte und ging. Dann holte er tief Luft, sah auf die Uhr, begann sich zu entkleiden und einige Möbel zur Seite zu schieben. Er hatte noch einige Stunden Zeit. Vor die Wahl gestellt, aus den beachtlichen Kellerbeständen des Connaught ein gutes Glas Wein zu bestellen oder sich eine Stunde mit Training und Gymnastik zu beschäftigen, wählte er entschlossen die zweite Möglichkeit. Am Abend würde er ohnehin Wein trinken müssen. Und in gut vierundzwanzig Stunden mußte er in perfekter Form sein. Das wurde von ihm erwartet. Er wußte, obwohl er es sich irgendwie nicht eingestehen wollte, wie das Ganze enden würde.

Carl wärmte langsam Muskel für Muskel auf. Nach und nach steigerte er das Tempo. Als er eine halbe Stunde später richtig schwitzte, näherte er sich vorsichtig dem Niveau, das er vor den Schüssen hatte halten können. Dann brach er das Programm ab, da er sicher war, daß sein Körper endlich wiederhergestellt war.

Er duschte und bestellte zwei große Gläser Apfelsinensaft. Auf die höfliche Gegenfrage, ob er spanische Apfelsinen vorziehe, südafrikanische oder Blutapfelsinen, entschied er sich amüsiert für Blutapfelsine.

Kurze Zeit später hörte er das diskrete Geräusch des kleinen Messingklopfers und ließ den Etagenkellner ein, der das kleine Silbertablett mit den beiden Kristallgläsern abstellte. Carl gab dem Kellner ein paar Pfund Trinkgeld und bedankte sich.

Auf dem Tablett waren die Herkunftsetiketten der Apfelsinen hübsch arrangiert. Während Carl gierig die ersten Schlucke trank, blickte er auf das Etikett; er nahm es in die Hand und las amüsiert die Herkunftsbezeichnung: Catania.

Sobald er die Information verarbeitet hatte, mußte er heftig würgen und spie die blutrote Flüssigkeit über den hellblauen Teppichboden, auf dem sich ein Muster bildete, wie es ein angeschossener Mensch hinterlassen hätte.

Hustend sank Carl auf die Knie und versuchte, sich wieder in die Gewalt zu bekommen. Dann nahm er die Reste des Safts, ging ins Badezimmer und goß alles in die Toilette. Die rote Farbe wurde herumgewirbelt, bis endlich ein gurgelndes Geräusch verkündete, daß alles verschwunden war. Aber an der weißen Oberkante des Steinguts befanden sich immer noch rote Spritzer. Carl nahm die Toilettenbürste und säuberte die Schüssel, bis nichts mehr zu sehen war.

Dann ging er wieder ins Wohnzimmer, legte zwei Pfundmünzen auf das Silbertablett. Er griff zum Telefon und erklärte einem Hotelangestellten am anderen Ende, ihm sei ein kleines Mißgeschick passiert. Er wolle die Saftflecken sofort vom Teppich in seinem Zimmer entfernt haben. Im übrigen befinde er sich im Schlafzimmer und wolle nicht gestört werden.

Im Schlafzimmer machte er seinen weißen Morgenmantel auf, legte sich auf das große Bett und sah an die Decke. Sizilianisches Blut, dachte er. Die Erinnerungen an Joar Lundwall, der hustend und Blut speiend auf dem Straßenpflaster lag, überwältigte ihn, und er fand keine Möglichkeit, ihnen ein Ende zu machen.

Joar war in seinen Armen gestorben. Doch der Tod an sich war nicht das Problem. Die Möglichkeit, im Dienst zu sterben, gehörte zu den Risiken ihres Arbeitsverhältnisses. Aber es war seine, Carls, Schuld gewesen. Es hatte an seiner Arroganz gelegen. Er hatte darauf bestanden, keine Waffen zu tragen, weil sie ja nur mit diesen »kleinen Gangstern« verhandeln sollten. Seine Entscheidung war nachweisbar falsch gewesen. Hätten sie Waffen getragen, hätten sie diese beiden verfluchten sizilianischen Mörder erschossen, bevor diese auf ihrem Motorrad in Schußposition gekommen wären.

Doch es war nicht nur Joar. Stan, Burt und die drei Mexikaner, deren Namen er nicht einmal kannte, waren ebenfalls aufgrund seiner Arroganz gestorben. Dieser alberne Trick, einen Sorgerechtsstreit beeinflussen zu wollen, indem er in der *Los Angeles Times* Publizität schuf, hatte dazu geführt, daß ganze Karten und Lagebeschreibungen veröffentlicht wurden, und die Mörder nur noch hinzuspazieren brauchten.

Eva-Britt und Johanna Louise. Er hatte Eva-Britt gesagt, sie solle lieber verreisen. Dann war er zu dumm und zurückhaltend gewesen, ihr mit Nachdruck klarzumachen, wie ernst es war. Er hatte sich nicht mal die Mühe gemacht, ihr die Risiken zu erklären. Und einige Stunden später waren beide tot gewesen.

Da draußen irgendwo befand sich Luigi. Luigi wußte nicht, daß die Frau, die er für Lady Carmen hielt und die angeblich aus Spanien stammte, in Wahrheit Major Tatjana Simonescu hieß und aus der Republik Moldawa kam, wie Moldawien nach 1990 hieß. Geboren in Kischinjow. Ihre Eltern waren Rumänen. Sie war zu Hause mit einer lateinischen Sprache aufgewachsen und hatte in der Schule Russisch gelernt. Sie sprach mit einiger Leichtigkeit Spanisch und Italienisch und jetzt überdies Englisch; irgendwo in Luigis Papieren hatte es geheißen, er werde aus ihrem Akzent nicht schlau und habe vermutet, sie stamme vielleicht aus Portugal. Die richtige Antwort lautete also Kischinjow in Moldawien.

Die britischen Bestien hatten Luigi nichts davon berichtet und vermutlich nicht, weil sie der Meinung waren, daß es am klügsten sei, wenn Luigis schwedischer Chef ihm die dramatische Nachricht überbrachte. Sie hielten ihn vielmehr ganz einfach für eine *quantité négligeable*, einen Mann, den man ohne weiteres opfern konnte. Falls Luigi ermordet wurde, würden sie es wahrscheinlich als »äußerst peinlich« ansehen oder auch nur als »leicht ironisch«.

Carl erkannte, daß er sich zusammennehmen mußte. Selbstanklagen und Zynismen mußten warten, bis Luigi in der Maschine nach Hause saß, im günstigsten Fall also in achtundvierzig Stunden.

Carl versuchte zu schlafen. Als er beinahe eingeschlafen war, fielen ihm die Morgennachrichten aus Moskau ein. Carl stand auf und holte die Fernbedienung des Fernsehers und schaltete CNN ein. Auf dem Schirm erschien ein Werbespot. Er ging wieder ins Bett und trocknete sich mit dem weichen Frottee des Bademantels ab; eigenartigerweise schwitzte er immer noch.

Einige Zeit später sah er, wie das Weiße Haus in Moskau von Panzern beschossen wurde und Truppen vorrückten. Er ging näher an den Fernseher heran und betrachtete aufmerksam die Bilder, um zu sehen, welche Truppen eingesetzt wurden, wie sie ausgerüstet waren und wie ihre Uniformen aussahen. Es mußte sich um Eliteverbände der Sowjetarmee handeln, die um Moskau stationiert waren. Diese Truppen hätten nicht zugunsten Jelzins eingegriffen, wenn nicht die Führung der Sowjetarmee so entschieden hätte. Carl schaltete erleichtert den Fernseher aus. Die Armee würde die Lage schon bald unter Kontrolle haben, und die Soldaten würden in ihre Kasernen zurückkehren. Von einem Staatsstreich der Armee konnte keine Rede sein. Jurij Tschiwartschew war jetzt einer von ungefähr fünfzehn Generälen, welche in Moskau die eigentliche Macht hatten. Nach außen würde davon nichts zu merken sein. Die Rechnung würde Jelzin von ihnen erst in ein paar Tagen erhalten. Was gerade passierte, war nicht das Schlimmste, was in Rußland hätte passieren können.

Sir Geoffreys grüner Bentley erschien zu Carls Irritation eine Minute zu spät. Das bedeutete, daß Carl zunächst durch die Halle hatte gehen müssen, vorbei am Portier, um dann exponiert auf der Straße zu stehen. Folglich mußte er wieder hinein und in dem kleinen Teesalon neben der Halle warten, von wo aus er die Straße im Blick hatte.

»Wir haben uns heute ein wenig verspätet, nicht wahr, Geoff?« grüßte er ironisch, als er sich auf den stark nach Leder riechenden Rücksitz setzte und die Tür zuschlug, die wie die eines Panzerschranks ins Schloß fiel.

»Soso, mein lieber Freund, wir wollen uns doch nicht an Kleinigkeiten aufhalten. Außerdem weißt du doch, wie es mit dem Londoner Verkehr ist, oder etwa nicht?«

»Nein«, gab Carl zurück, »das weiß ich nicht. Wenn ich es aber wüßte, würde ich mich darauf einstellen, um rechtzeitig da zu sein, *nehme ich an.*«

»Wir sind heute mit dem falschen Fuß aufgestanden, nicht wahr?« parierte Sir Geoffrey vorsichtig. Als Carl nur mit einem Schulterzucken antwortete und aus dem Fenster blickte, entstand eine eigenartige Kälte im Wagen.

»Wie ich höre, Carl«, nahm Sir Geoffrey einen neuen Anlauf, »fahren wir nicht in den Club. Du hast etwas anderes im Visier. Vielleicht solltest du mir die Adresse nennen. Es ist übrigens höchst ungewöhnlich, den vorgesehenen Zeitplan zu verändern, aber deinetwegen kann man schon mal eine Ausnahme machen. Sei doch so gut und sag mir die Adresse.«

»Waterside Inn«, erwiderte Carl. »Es liegt in Richtung Eton und Windsor. Das müßten doch für dich heimatliche Gefilde sein?«

»Waterside Inn!« sagte Sir Geoffrey mit offener Entrüstung. »Ist das nicht so ein Lokal für Froschesser?«

»Ich nehme an, daß man es so ausdrücken kann«, sagte Carl, drehte sich um und machte ein leicht amüsiertes Gesicht. »Zumindest, wenn du mit *Lokal für Froschesser* ein französisches Restaurant meinst. Es dürfte das beste in England sein.«

»Wenn du aus Erfahrung sprichst, werde ich mit dir nicht darüber streiten. Dann fahren wir eben zum Waterside Inn«, stellte Sir Geoffrey fest. Er vergewisserte sich beim Fahrer, daß die Adresse bekannt war und ließ die dicke Trennscheibe surrend hochfahren, so daß die Konferenz beginnen konnte.

»Also. Abgesehen von der kulinarischen Seite der Sache, bin ich der Meinung, daß wir vielleicht für ein Gespräch hier im Wagen etwas mehr Zeit brauchen«, erklärte Carl.

»Ja, wahrscheinlich hast du recht«, seufzte Sir Geoffrey bekümmert. »Wir befinden uns ja in einer schrecklich peinlichen Situation.«

»Inwiefern peinlich?« fragte Carl erstaunt. Er war nicht ganz sicher, ob es vielleicht eine eigenartige Nuance in dem britischen Englisch gab, die ihm entgangen war.

»Ich bin beispielsweise gezwungen gewesen, meinen Freund Sir Anthony über die tolldreisten Seitensprünge seiner lieben Frau aufzuklären. Ich kann dir versichern, daß es nicht sehr amüsant war, ihm diese Botschaft zu überbringen.«

»Du hast was getan?« rief Carl bestürzt. »Du hast Sir Anthony Harding erzählt, daß seine Frau eine russische Spionin ist?«

»Natürlich. Und wie ich schon sagte, es war nicht leicht«, entgegnete Sir Geoffrey mit hochgezogenen Augenbrauen, als könnte er Carls Empörung überhaupt nicht verstehen.

»Hast du vollkommen den Verstand verloren?« fragte Carl beherrscht, aber mit zusammengebissenen Zähnen.

»Nein, das habe ich nicht. Ich hoffe es jedenfalls nicht, denn das wäre für Ihre Majestät ziemlich traurig. Du scheinst aber einige Einwände gegen mein Vorgehen zu haben, alter Knabe?«

»Ja, das habe ich«, entgegnete Carl verkniffen. »Ich habe einen Mann da draußen, dessen Leben auf dem Spiel steht. Unsere Feindin kann, wie ich annehme, mit ihrem Mann gut umgehen. Was er weiß, kann auch sie in Erfahrung bringen. Das war doch die eigentliche Geschäftsidee, nicht wahr? Du hast das Leben eines meiner Männer wegen alberner britischer Etikette aufs Spiel gesetzt?«

»Hör mal, ich möchte schon behaupten, daß es ein bißchen mehr als das ist, brummte Sir Geoffrey verlegen. »Wie ich annehme, möchtest du eine nähere Erklärung meines Vorgehens?«

»Ja, bitte! Ich bin ganz Ohr. Und nenn mich nicht mehr alter Knabe.«

»Wir sind heute aber *wirklich* ein bißchen empfindlich, nicht wahr? Nun, die Sache sieht so aus: Sir Anthony hat jetzt die Scheidungsklage eingereicht wegen der Untreue seiner Frau. Das ist für das weitere Procedere von strategischer Bedeutung. Wenn Lady Carmen jetzt verschwindet, hat es etwas mit dem Skandal um ihre Untreue und der Scheidung zu tun.«

»Sie soll also verschwinden. Ja, dann verstehe ich, worauf du hinaus willst. Keine aufsehenerregenden Auftritte vor Gericht, keine juristischen Haarspaltereien, sondern sie soll einfach verschwinden?«

»Vollkommen richtig«, sagte Sir Geoffrey. Sein Gesicht hellte sich auf, weil es ihm gelungen war, sich seinem exotischen Kollegen gegenüber voll verständlich auszudrücken.

»Du weißt, es wäre für die Regierung Ihrer Majestät eine

schrecklich peinliche Geschichte, wenn diese Sache herauskäme. So wie es im Augenblick aussieht, könnte sie sogar zum Sturz der Regierung beitragen.«

»Eine Profumo-Geschichte also, wenn auch doppelt so skandalös?« fühlte Carl vor.

»Ich fürchte, die ekelhafte Geschichte mit Profumo würde verglichen mit dieser Sache wie ein kleiner Windhauch erscheinen. Ein Mitglied der Regierung heiratet wegen Überbewertung erotischer Fähigkeiten eine russische Spionin. Der ehemalige Verteidigungsminister Ihrer Majestät ist also mit einer feindlichen Agentin verheiratet gewesen und hat mit der Frau das Bett geteilt, die eine nicht unerhebliche Zahl von Todesfällen organisiert hat, wozu sie vermutlich nur aufgrund ihrer Ehe in der Lage war. Der Premierminister ist sowieso in einer außerordentlich schwierigen Lage. Diese Geschichte würde das Faß zum Überlaufen bringen. Es würde eine Regierungskrise geben. Und wenn wir einen Blick auf internationale Aspekte der Angelegenheit werfen, dann ... tja, so wie es in Moskau im Augenblick aussieht, würde diese Spionageaffäre ein Schlag ins Gesicht sein.«

»Durchaus«, gab Carl düster zu. »Manche Leute in eurer Regierung würden, nicht ganz zu Unrecht, wenn ich jetzt, da niemand uns zuhört, die Kühnheit besitzen darf, es zu sagen, als Vollidioten dastehen. Kurz: Die Regierung äußert den Wunsch oder den Befehl, es so erscheinen zu lassen, als wären sie keine Vollidioten?«

»Ein sehr starker Ausdruck, lieber Freund. In der Sache jedoch völlig korrekt. Das wünscht die Regierung. Wir haben entsprechende Instruktionen erhalten.«

»Natürlich«, sagte Carl. »Aber sag mir eins: Müßte man nicht auch dich oder jemanden vom MI 5 hängen, etwa *diese Frau,* wie du immer sagst?«

»Jetzt weiß ich wirklich nicht, was du meinst, alter K... ehm, Freund?« sagte Sir Geoffrey und hob erstaunt die Augenbrauen.

»Es ist doch so«, sagte Carl und holte tief Luft, als versuchte er die Geduld zu bewahren. »Eine russische Spionin moldawischer Nationalität und Ausbildung in Kischinjow und Moskau hat sich mit einer Legende in der britischen Regierung eingenistet, derzufolge sie Spanierin ist. Hätte man vorher nicht irgendeine kleine Sicherheitskontrolle durchführen müssen? Nur eine kleine?«

»Ich verstehe«, gestand Sir Geoffrey trocken ein. »So hättet ihr es beispielsweise in Schweden gemacht?«

»Wenn ein ausländisches Flittchen käme und unseren Verteidigungsminister verführte? Ja, lieber Freund, das kann ich dir versprechen. Nicht eine Naht ihrer Unterwäsche wäre dem Mikroskop entkommen. Kein Schamhaar wäre der DNA-Kontrolle entgangen, kein Fingerabdruck, der nicht durch sämtliche Dateien der Welt gegangen wäre, und so weiter. Und was habt ihr getan? Was hat der Dienst Ihrer Majestät getan?«

»Nichts von dem, was du so sachkundig aufzählst. Wir haben überhaupt nichts in dieser Richtung unternommen.«

»Dann ist einer von uns verrückt. Entweder bin ich es, weil ich an Halluzinationen leide, oder aber du, falls ich nicht halluziniere.«

»Ich fürchte, es ist noch schlimmer«, gab Sir Geoffrey zu. »Die Erklärung ist sehr einfach. Sämtlichen Sicherheitsorganen wurde verboten, in Lady Carmens Hintergrund zu wühlen.«

»Wie bitte! Wer hat das denn verboten?«

»Natürlich Sir Anthony selbst. Er war ja immerhin Verteidigungsminister. Der Premierminister hat diese Entscheidung mitgetragen.«

»Und ihr habt euch mit dem abgefunden, was ein offenbar durchgedrehter geiler alter Bock sich in den Kopf gesetzt hatte?«

»Abgesehen von deiner moralischen Verdammung war dieser besagte geile Bock Verteidigungsminister und wurde bei dem fraglichen Beschluß vom Premierminister unterstützt.«

»Dann hängen ihre Ministerhintern also in peinlicher Gemeinschaft an der frischen Luft. Und wenn das hier herauskommt, müssen beide gleichzeitig daran glauben?«

»Das ist sicher eine Möglichkeit. Sie selbst scheinen leicht echauffiert ähnliche Schlüsse gezogen zu haben. Daher unsere sehr entschiedenen Anweisungen.«

»Lady Carmen soll verschwinden, so daß man nie wieder etwas von ihr hört. Sie hat sich nach der Scheidung unglücklich und vernichtet getrollt, da ihre schändliche Untreue ans Licht gekommen ist. Mit wem ist sie übrigens untreu gewesen, ich meine der Scheidungsklage zufolge?«

»Mit einem jungen italo-amerikanischen Wissenschaftler

namens Tony Gianelli. Schließlich haben wir eine umfassende Dokumentation aus einer erstklassigen Quelle.«

»Der junge Gianelli soll also auch verschwinden. Sind sie gemeinsam abgehauen?« fragte Carl grimmig.

»Wie recht du hast, wie recht! Die beiden jungen Leute müssen gemeinsam durchgebrannt sein«, bemerkte Sir Geoffrey entzückt, bremste sich aber, als er Carls wütenden Blick sah.

»Nein, ich meine natürlich nicht buchstäblich. Dein junger Hauptmann reist selbstverständlich unter der eigenen Identität nach Hause und zwar unter deiner Oberaufsicht. Lady Carmen fährt nicht so weit weg, die räumen wir nur beiseite.«

»Wie schön, das zu hören«, bemerkte Carl sarkastisch. »Deine Worte bedeuten natürlich, daß auch die Gehilfen der Spinnenfrau *beiseite geräumt* werden sollen?«

»Natürlich. Sonst würde es ein schreckliches Durcheinander geben.«

Carl grübelte über die Konsequenzen dieser Informationen nach. Das Ganze war natürlich praktisch, das ließ sich nicht leugnen. Keine Öffentlichkeit, kein Skandal, keine Schreibereien. Bei *Zentral* in Moskau würde man nur erfahren, daß die gesamte Operation plötzlich geplatzt war, daß alle Operateure verschwunden und mit hoher Wahrscheinlichkeit von den Engländern ermordet worden waren. Doch man würde dort nie die Hintergründe verstehen. Es würde sich nicht die kleinste Spur finden, die auf Jurij Tschiwartschew hinwies.

»Da ist noch eine Kleinigkeit, um die ich dich im Zusammenhang mit der rein operativen Phase bitten möchte«, sagte Sir Geoffrey vorsichtig, als er glaubte, das Gespräch wiederaufnehmen zu können.

»Natürlich«, sagte Carl. »Dein Premierminister hat meinen Ministerpräsidenten dazu gebracht, mir mitzuteilen, daß ich für dich sein soll, was für Aladdin der Geist in der Flasche war. Vergiß nur nicht, daß die Zahl der Wünsche begrenzt ist.«

»Ja, es geht um ein kleines, aber aus bürokratisch-politischer Sicht recht wichtiges Detail«, murmelte Sir Geoffrey. »Wir wären nämlich verdammt dankbar, wenn du dich mit deinem jungen Kollegen um die nasse Seite der Angelegenheit kümmern könntest.«

»Habe ich's doch gewußt!« entgegnete Carl sarkastisch. »Sobald du sagtest, ›kleines Detail‹, wußte ich, daß es um so etwas geht. Wir Schweden sollen also das Morden besorgen. Dafür mußt du meine Neugier in einem bestimmten Punkt befriedigen. Habt ihr keine eigenen Beamten für solche Dinge zur Verfügung, Leute Ihrer Majestät?«

»O ja«, sagte Sir Geoffrey mit einem Lächeln. »Gewiß haben wir den einen oder anderen Operateur. Aber wie du verstehst, ist es ein erheblicher Unterschied, wenn ausländische Operateure, in diesem Fall du und dein Hauptmann, andere ausländische Spione auf unserem Territorium liquidieren. Die Regierung Ihrer Majestät kann eine solche Maßnahme ohne weiteres sanktionieren. Das geht übrigens auf irgendein königliches Vorrecht aus dem siebzehnten Jahrhundert zurück. Diese Frage ist eigentlich nie Gegenstand von Kontroversen gewesen. Wie du siehst, würde es die Sache in legaler Hinsicht erheblich erleichtern, wenn ihr beiden so nett wärt ...«

»Die Henkeraxt zu bedienen!«

»Wir müssen an einige Teppichböden denken. Ich würde eine weniger blutige Methode empfehlen, doch das ist eure Sache. Benötigt ihr Hilfe, etwa technische Ausrüstung oder Arbeitsgeräte, braucht ihr es nur zu sagen.«

»Sehr liebenswürdig, vielen Dank«, entgegnete Carl. »Im Augenblick aber dürfte das das geringste Problem sein, glaube ich.«

»Wenn wir das rein operative Problem bis zur Rückfahrt aufheben könnten, wir sind gleich da«, bemerkte Sir Geoffrey und blickte aus einem unerfindlichen Grund gehetzt auf die Armbanduhr.

»Natürlich, ich habe nichts dagegen«, erwiderte Carl. »Aber, wenn du erlaubst, würde ich meinen Mann heute abend gern sehen, um ihm die Lage zu erklären.«

»Hieße das nicht, ihn um seinen Nachtschlaf bringen?«

»Doch, durchaus. Die Alternative ist, daß er morgen nach der Arbeit nur eine Stunde Zeit hat, die Sache zu erfassen und sich vorzubereiten. Ich halte es für besser, seinen Nachtschlaf zu stören.«

»Dann machen wir es so! Um 23.00 Uhr?«

Carl nickte. Sir Geoffrey beugte sich leicht keuchend vor und griff nach seinem Autotelefon. Er wählte eine Nummer und einige Sekunden später wurde am anderen Ende abgenommen.

»Hier Kontrolle!« sagte er. »Sorgen Sie dafür, daß Apollo Zeus um 23.00 Uhr auf dem Olymp trifft!« Er erhielt eine kurze Antwort, nickte und legte auf.

Das Waterside Inn lag, wie der Name schon andcutctc, am Wasser, so nahe an der Themse, daß eine kleine Terrasse des Lokals wie eine Anlegebrücke über dem Fluß lag.

Das Personal trug zu Carls Entzücken keine Jacketts, nicht einmal Krawatten. Die Männer sprachen mit einem unverkennbaren französischen Akzent.

Sie bekamen einen Tisch am Wasser, die großen Glastüren waren noch geöffnet. Carls Wissen, daß dies Englands bestes Restaurant war, ging nicht auf persönliche Erfahrungen zurück, sondern auf einen Hinweis. Er hatte nämlich aus Rachsucht wegen des widerwärtigen Essen im Travellers' Club den Guide Michelin eingesehen und schnell festgestellt, daß Englands einziges Drei-Sterne-Restaurant mit dem Wagen von der Londoner City gut zu erreichen war. Er freute sich auf das Essen und darüber, daß Sir Geoffrey die französische Küche nicht mochte.

Carl rieb sich die Hände und schob Sir Geoffrey schnell die Speisekarte hin, auf der die Preise fehlten, die Damenkarte. Er breitete in einer ausgelassenen erwartungsvollen Geste die Arme aus und erklärte, jetzt sei es der Dienst *Seiner* Majestät, der den Gastgeber spiele. Was kaum den Tatsachen entsprach.

»Die Speisekarte ist ja nur in der Froschessersprache abgefaßt«, stellte Sir Geoffrey übellaunig fest, und da Carl tat, als hörte er nicht, versuchte Sir Geoffrey, sie zu lesen.

»Ich hoffe, du hast großen Hunger«, sagte Carl, der sich in die Speisekarte vertiefte.

»O ja, durchaus. Das Tagesmenü könnte ich mir vielleicht vorstellen«, flüsterte Sir Geoffrey vorsichtig. »Hast du etwas dagegen, es mir zu erklären? Mir kommt es vor, als gebe es von oben bis unten nur gegrillte Schnecken und Froschschenkel.«

»Das Tagesmenü! Eine glänzende Idee. Du scheinst ja richtig in Festlaune zu sein«, bemerkte Carl.

»Weder Frösche noch Schnecken?« fragte Sir Geoffrey mißtrauisch.

»Weder noch! Ich will es dir gern übersetzen. Einen Augenblick!«

Zum Auftakt bestellte Carl zwei Glas Champagner. Gin-Tonic gibt es hier nicht, dachte er boshaft und erklärte, sie würden das Festmenü des Tages wählen. Dann bat er darum, den Weinkellner zu sprechen.

»Jetzt, mein lieber Freund!« fuhr er fort und rieb sich vor Begeisterung die Hände. »Jetzt bekommst du was zu hören. Nein, wir essen keine Frösche, Schnecken auch nicht. Wir beginnen mit gegrillten Meerkrebsen in Cognacsauce, fahren fort mit einer leichten roten Paprikacreme mit gegrillten Jakobsmuscheln und in Butter gebratenen Kalbsbries-Noisettes. Dann reinigen wir den Gaumen mit etwas Gemüse. Es gibt grünen Spargel in einer Mandelvinaigrette, und dann läutet es zur Halbzeit. Dazu nehmen wir *Granité auf Rosé-Champagner*. Das paßt ausgezeichnet zu unserem Aperitif.«

Sir Geoffrey sah etwas leidend aus, was Carl geflissentlich übersah. Der Champagner wurde serviert, und sie tranken einander zu. Carl fuhr fröhlich mit seiner Aufzählung fort.

»Jetzt nähern wir uns den schweren Sachen. Zeit für Rotwein. Wir beginnen mit gebratener Gänseleber mit Apfel, bevor wir zu den gebratenen Rebhuhnbrüsten in Cognac-Sahnesauce übergehen. Dazu gibt es braunen Milchling, und wenn wir wollen, können wir mit dem Käse des Tages fortfahren und einem kleinen Soufflé. Wir wär's mit Zitronen-Sabayon auf Grand Marnier? Hast du irgendwelche Vorschläge, was den Wein angeht?«

»Ein Pomerol würde vielleicht ganz gut zu diesem Vogel passen«, schlug Sir Geoffrey hilflos vor.

»Pomerol! Ein glänzender Vorschlag, mein lieber Freund!« sagte Carl und wandte sich dem Weinkellner zu, der lautlos an seiner Seite aufgetaucht war. Er diskutierte mit ihm darüber, welche Jahrgänge verfügbar waren, und verkündete Sir Geoffrey dann das Urteil; dieser nahm die Entscheidung mit gesenktem Kopf entgegen.

»Wir nehmen einen 1982er Château Le Gay!« erklärte Carl gutgelaunt.

»Ich bin überzeugt, daß du eine ausgezeichnete Wahl getroffen hast«, ächzte Sir Geoffrey.

»Ja, und wenn nicht, dann sag es ruhig! Was hast du dir zu den Meeresfrüchten zu Anfang vorgestellt, vielleicht einen weißen Burgunder?«

»Hört sich vorzüglich an«, seufzte Sir Geoffrey und blickte Carl leidend an. Dieser stürzte sich in ein neues Palaver mit dem Weinkellner, bis er mitteilen konnte, er habe sich für einen 1985er Château de Meursault entschieden, jedoch nicht für die gewöhnliche Sorte, sondern die Spezialität des Schlosses mit dem grünen Etikett, einen sogenannten Grand Crodon.

»Ich gehe aber natürlich davon aus, mein Guter, daß wir unseren Pomerol zum Rebhuhn genießen?« fuhr Carl munter fort.

»Natürlich«, murmelte Sir Geoffrey.

»Ausgezeichnet!« sagte Carl. »Dann bist du sicher auch mit einem Burgunder zu der gebratenen Gänseleber einverstanden? Vielleicht einen Wein, der nicht so schwer ist, einen etwas gealterten Burgunder, der leicht nach Sherry schmeckt und kurz vor dem Ende steht?«

»Mir hätte dazu nichts Besseres einfallen können«, seufzte Sir Geoffrey.

»Wunderbar!« fuhr Carl fort. Er stellte sich vollkommen blind für Sir Geoffreys gequälten Gesichtsausdruck. »Ich sehe hier, daß sie etwas Exklusives haben, was deinem Wunsch entsprechen könnte. Einen 1945er Clos de Vougeot.«

»Fabelhaft«, stöhnte Sir Geoffrey.

Doch als immer mehr Speisen und Weine aufgetragen wurden und Sir Geoffrey immer mehr davon zu sich nahm, taute er auf. Der Wein trug möglicherweise dazu bei, und als sie bei der Gänseleber und dem Burgunder von 1945 angekommen waren, kam er richtig in Fahrt und sprach lange von der besonders ruhmvollen Bedeutung gerade dieses Jahres für Großbritannien.

Bissen für Bissen und Schluck für Schluck rang Carl die Vorstellungen seines sehr englischen Kollegen über Froschesser-Diät nieder. Hinterher gab es Käse und ein Dessert, das Carl zum Anlaß nahm, erneut über Wein zu diskutieren. Das Gespräch endete damit, daß sie *keinen* Château d'Yquem wählten, den einzigen Dessertwein, den Sir Geoffrey kannte, da er im Travellers' Club zu haben war. Sie entschieden sich vielmehr für ein Glas eines deutschen 1983er Longuicher Maximiner Herrenberg (Riesling Spätlese). Dieser lieferte Carl den Anlaß, ganz allgemein von Deutschland zu sprechen. Ihre Unterhaltung durfte ohnehin nicht den Beruf berühren.

»Na, wie hat dir das Essen gefallen, Geoff?« stellte Carl munter jene Frage, die er bei ihrem letzten Essen selbst erhalten hatte.

»Ich muß widerwillig zugeben, daß es hervorragend war. Und ich würde es nicht sagen, wenn ich es nicht fände«, erwiderte Sir Geoffrey.

»Oh, Achtung!« sagte Carl, während er sein Kreditkarten-Revers unterschrieb. Sir Geoffrey versuchte, den Betrag zu lesen. Es waren genau 1450 Pfund. »Was hättest du denn gesagt, wenn es dir nicht gefallen hätte?«

»Daß selbst ein Frosch manchmal ein Korn findet, etwas in der Art«, gab Sir Geoffrey zu. »Ihr scheint bei der schwedischen Firma ein üppiges Spesenkonto zu haben«, fügte er dann mit einem Zwinkern hinzu. Eine Handbewegung zur Rechnung hin signalisierte, daß er gesehen hatte, um welchen Betrag es ging.

»Ganz und gar nicht«, entgegnete Carl lässig. »In Wahrheit haben wir überhaupt kein Spesenkonto, nicht mal für Leute wie dich. Das hier übernehme ich selbst.«

Er zerriß demonstrativ die Rechnung, drückte sie zu einem kleinen Ball zusammen und warf diesen in einen Aschenbecher auf dem Tisch. Dann stand er auf und machte eine einladende Handbewegung, um ihre Besprechung in dem wartenden Wagen, der sie gleich wieder in die Stadt bringen sollte, fortzusetzen.

*

Luigi war tief in Gedanken versunken gewesen, als er in der Waterloo Station aus dem Zug gestiegen war und der Mann in dem Regenmantel und mit dem Regenschirm an seine Seite trat. Er hatte die Situation als homosexuelle Annäherung mißverstanden. Erst in letzter Sekunde hatte er die Katastrophe verhindert.

Die Mitteilung erschreckte ihn, er wußte selbst nicht recht, weshalb. Wenn Hamilton in der Stadt war und ihn treffen wollte, dürfte es im Grunde nur bedeuten, daß es Zeit war, den bisherigen Ablauf zu resümieren und das weitere Vorgehen zu planen. Sie würden die Arbeit bewerten, soweit sie schon erledigt war. Außerdem würde Luigi endlich mit jemandem über sein persönliches Problem sprechen können, über seine eigentlichen Gefühle für Carmen. Er versuchte sich einzureden, daß es so kommen würde.

Aber eigentlich glaubte er selbst nicht recht daran. Als er zu Hause war, konnte er sich nicht einmal dadurch abreagieren, daß er sein Trainingspensum unten im Keller fast verdoppelte; das war eine Form der Selbstdisziplin, die ihm ohnehin schon in Fleisch und Blut übergegangen war. Jeden Morgen absolvierte er ein Lauftraining, und wenn er abends wieder zu Hause war, folgte hinter zugezogenen Gardinen ein Gymnastikprogramm.

Die Stunden zwischen acht und zehn krochen dahin, wie sehr er sich auch durch Lektüre und sogar durch Fernsehen abzulenken versuchte. Als er sich endlich zu der langen und komplizierten Fahrt zum Connaught in Mayfair begab, fühlte er sich wie befreit. Die Zeit in der U-Bahn verging schnell, da er trotz aller Umwege und Ablenkungsmanöver immerhin beschäftigt war.

Luigi stieg am Piccadilly Circus aus, aber nicht etwa, weil diese U-Bahn-Station am nächsten lag, sondern weil dort ein lebhafter Zugverkehr herrschte und es viele Ausgänge gab, was eine Verfolgung so gut wie unmöglich machte, falls ihn jemand bis dorthin beschattet hatte. Er brauchte eine knappe halbe Stunde, um mit einigen Umwegen zum Hotel zu kommen, und als er die Halle betrat, war es genau 22.59 Uhr.

Da er die Zimmernummer kannte, nickte er den Hotelangestellten nur zu und ging dann zum Fahrstuhl, ohne daß jemand ihn aufhielt; das hatte er inzwischen gelernt: Engländern fehlt es an Selbstbewußtsein gegenüber dem, der genug davon hat, während sie in der umgekehrten Situation zu brüllenden Löwen werden.

Carl öffnete die Tür in dem Moment, in dem Luigi die Hand hob, um den Türklopfer zu betätigen. Carl schien es für selbstverständlich zu halten, daß Luigi pünktlich erschien.

»Komm rein«, sagte er. »*Long time no see.* Wie ist es dir inzwischen ergangen?«

»O ja, danke, geht so«, erwiderte Luigi vorsichtig. »Man quält sich so durch, wie es heißt. Tatsächlich sind einige unangenehme Dinge geschehen.«

»Ich weiß«, sagte Carl ruhig und führte Luigi in den Salon. Er zeigte auf einen Sessel und erklärte, heute abend könne es aus verschiedenen Gründen keinen Wein geben, geschweige denn stärkere Getränke. Er fügte hinzu, daß dieses Etablissement viel zu großartig sei, um etwas so Plebejisches wie das gute englische Bier zu servieren. Carlsberg oder Heineken gebe es jedoch. Er schlage aber Tee vor.

Luigi merkte, daß es nicht die richtige Situation war, sich diesem Vorschlag zu widersetzen, obwohl er es sich nicht erklären konnte.

Als sie eine Zeitlang dagesessen und sich wie Engländer über Belanglosigkeiten unterhalten hatten, erwähnte Carl fast nebenbei, daß er ein längeres Gespräch mit einem Knirps geführt habe, der sich Kincaid nenne.

Luigi lächelte und nickte langsam, um anzudeuten, daß die Bezeichnung »Knirps« reichlich freundlich war. Sie seien nicht gut miteinander ausgekommen, erklärte er, hätten sich manchmal sogar fast gestritten.

Kincaid sei ein zynischer kleiner Scheißkerl, der es fast für einen lustigen Scherz halte, wenn ein unschuldiger Journalist draufgehe, weil eine Falle nachlässig gestellt worden sei.

Kincaid trete auf, als repräsentiere er Ihre Majestät persönlich, doch im Grunde sei er nur ein anonymer Beamter. Überdies ein anonymer Beamter in einer Behörde, mit der man keinen Kontakt habe, deren Kompetenzen und Verantwortungen unklar seien, eine Behörde, die Vergnügen daran finde, am Schreibtisch Journalisten zu ermorden. Es sei schauerlich.

»Und jetzt zu Lady Carmen«, sagte Carl leise und warf einen Blick auf seine Armbanduhr, als hätten sie für ihr Gespräch nicht mehr viel Zeit zur Verfügung; er hatte Luigis Schilderung ruhig und geduldig zugehört und von Zeit zu Zeit zustimmend genickt und gemurmelt, ein paar Stufen höher im Rang sei es kaum anders. Dann fragte er, was es sonst noch zu berichten gebe.

»Was willst du denn wissen?« fragte Luigi vorsichtig zurück. »Wenn du meine Berichte gelesen hast, kennst du schon alles Wesentliche.«

»Und was steht nicht da?« fragte Carl weich.

»Nun ja«, sagte Luigi zögernd. »Es ist nicht leicht, es zu erzählen. Es wird so privat, so persönlich, und ich meine … man schneuzt es sich nicht einfach so aus der Nase, es einem Vorgesetzten so mir nichts, dir nichts vorzutragen.«

»Versuch's doch einfach!« sagte Carl freundlich. »Ich spreche gern darüber. Vielleicht habe ich selbst etwas ähnliches mitgemacht, als ich *under cover* gearbeitet habe. Laß es mich offen fragen. Bist du in sie verliebt?«

»Ja!« erwiderte Luigi mühsam. »Zunächst war es ein Spiel, eine lustige kleine Affäre, bei der es vor allem um … na ja, du weißt schon. Aber dann wurde es mehr.«

»Hm«, sagte Carl und machte ein Gesicht, als befände er sich woanders. »Als ich vor einigen Jahren in Deutschland unter einer anderen Identität lebte, hatte ich ein zunehmend intensiveres Verhältnis mit einer deutschen Terroristin. Sie hieß Monika. Ihren Nachnamen habe ich vergessen. Es endete jedenfalls damit, daß ich auf sie schoß. Sie hatte einen Lungendurchschuß. Sie hätte überlebt, wenn nicht die GSG 9 eingedrungen wäre und sie derart mit Blei vollgepumpt hätte, daß sie beim Raustragen ziemlich schwer gewesen sein muß.«

»Pfui Teufel, was für eine Geschichte! Wie hast du das überwunden?« fragte Luigi. Es bereitete ihm Mühe, so zu tun, als hätte er die Geschichte noch nie gehört.

»Ehrlich gesagt weiß ich nicht, ob ich darüber hinweggekommen bin. Ich meine, diese Verliebtheit habe ich schon recht bald als eine Art Fiktion betrachtet, als einen Bestandteil der Fiktion, in der ich mich zu leben zwang. Das soll aber ein verbreitetes Phänomen sein. Nicht *ich* war verliebt, sondern meine Rolle.«

»Ich habe auch in diese Richtung gedacht. Wie schön zu hören, daß ich nicht meschugge bin«, sagte Luigi sichtlich erleichtert.

»Nein, wie ich schon sagte, das soll häufiger vorkommen«, sagte Carl, gähnte und goß sich etwas Tee ein. Er streckte Luigi fragend die bizarr geformte englische Teekanne hin, doch dieser schüttelte ablehnend den Kopf.

»Du sollst nicht glauben, daß du damit allein stehst, Bruder. Nun, wie willst du dieses Problem lösen? Dein außerordentlich indiskretes Verhältnis in diesem sexverrückten Land, in dem du ständig Gefahr läufst, durch die Skandalpresse deinen Job zu verlieren?«

»Das ist eine harte Frage«, bemerkte Luigi.

»Durchaus«, gab Carl zu. »Aber sag mir bloß nicht, daß du dir die Frage nicht schon selbst gestellt hast. Dann steht es schlimmer um dich, als ich geglaubt habe.«

»Bist du deswegen hergekommen? Nur um mir zu sagen, daß ich sozusagen wieder zu Verstand kommen soll, was sie betrifft?« fragte Luigi in einem Tonfall, der ahnen ließ, daß er sich verletzt fühlte.

»Ja, das könnte man sagen«, entgegnete Carl leichthin. »Unter anderem deshalb. Wie hast du dir das vorgestellt? Wie willst du wieder zur Vernunft kommen?«

»Ich weiß nicht so recht«, gestand Luigi gequält. »Ich sehe natürlich ein, daß diese Geschichte verrückt ist. Solche Dinge sieht man leicht ein. Die Logik sagt mir, daß ich das Ganze sofort hätte beenden sollen, als ich merkte, wohin die Reise geht. Aber dann war da noch diese Rolle, die des Tony Gianelli. Er hatte keinerlei Anlaß, so zu denken wie ich. So bin ich nach und nach dem Gesetz des geringsten Widerstands gefolgt, in diesem Fall dem Gesetz Tony Gianellis, und dann saß ich im Schlamassel.«

»Ist Hauptmann Luigi Bertoni-Svensson bereit, diese Liebesaffäre zu beenden?« fragte Carl. Sein Tonfall war weich, obwohl es jetzt offensichtlich ernst wurde.

»Selbstverständlich, wenn das ein Befehl ist«, erwiderte Luigi schnell.

»Aber wenn es kein Befehl ist? Wenn ich dich nur frage, und zwar deine wahre Identität? Was sagst du dann?«

»Sie will sich scheiden lassen. Ich glaube es zumindest«, sagte Luigi unschlüssig. »Ich habe Überlegungen des Inhalts angestellt, daß … na ja, daß ich diese Geschichte jetzt beenden sollte, solange der Job noch läuft, um dann, wenn alles vorbei ist, einen neuen Kontakt zu knüpfen. Aber ich weiß nicht, es ist irgendwie verrückt, ich lande ständig zwischen Tony Gianelli und mir selbst. Wenn ich nur daran denke, daß sie in jemanden verliebt ist, der ich nicht bin.«

»Ist sie wirklich in dich verliebt?« fragte Carl. »Woher weißt du das?«

»Sie hat es gesagt«, sagte Luigi und lächelte verlegen über seine Erklärung. Er zuckte entschuldigend die Schultern. »Wenn sie mich belügt, bin ich bestimmt nicht der erste Mann in ihrem Leben, dem sie nicht die Wahrheit sagt.«

»Nein, mit großer Wahrscheinlichkeit nicht«, gab Carl nachdenklich zu. »Aber ich will die Frage so stellen. Liebst du sie?«

»Es ist lustig, daß du dich so ausdrückst, ich meine auf schwedisch.«

»Wieso? Wir sprechen doch schwedisch miteinander«, sagte Carl amüsiert und zog die Augenbrauen hoch.

»Ja, natürlich«, sagte Luigi mit einem schüchternen Lächeln. »Aber neulich habe ich mir diese Frage selbst gestellt, gerade die. Das komische war, daß die Antwort auf englisch ja, auf italienisch ja und auf schwedisch nein lautete. Kannst du das verstehen?«

»Vielleicht, möglich«, überlegte Carl. »Deine wahre Identität ist die schwedische. Du *bist* Hauptmann Luigi Bertoni-Svensson, alles andere ist Theater. Wir wollen jedenfalls hoffen, daß es so ist.«

»Warum hoffst du das?«

»Weil«, sagte Carl, stand auf, streckte sich und ging im Zimmer auf und ab, so daß Luigi sein Gesicht nicht mehr sehen konnte, »weil das, was ich dir jetzt sagen werde, das Ungeheuerlichste und Alptraumhafteste sein wird, was du in deinem ganzen Leben zu hören bekommen hast. Hast du den Sicherheitsgurt angelegt?«

»Ja«, sagte Luigi nervös. »Ich höre. Du hast eine gute und eine schlechte Nachricht oder so was. Also schön, erst die schlechte Nachricht.«

»Ich habe drei schlechte Nachrichten!« sagte Carl hart, wandte sich um und blickte Luigi fest in die Augen. »Erstens. Der Name Lady Carmen Hardings ist in Wahrheit Tatjana Simonescu. Sie ist in Kischinjow geboren, im rumänischen Teil der Sowjetunion, also in Moldawien, und hat dort auch ihre Ausbildung erhalten. Ihr Rang ist Major bei GRU. Sie ist *Zentral* direkt unterstellt. Sie ist vermutlich noch nie in Spanien gewesen.«

Luigi starrte ihn mit weit aufgerissenen Augen an, als hätte er nicht verstanden, als wollte er herausfinden, ob es ein Test war, ein grober Scherz oder eine Art psychologischer Schocktherapie, damit er aus allzu eingefahrenen Denkgewohnheiten herausgerissen wurde. Carl sagte nichts und verzog keine Miene, sondern ließ nur seinen Blick sprechen. Nachdem sie ein paar ewige Sekunden lang mit den Blicken die Kräfte gemessen hatten, sank Luigi in sich zusammen. Er neigte den Kopf und schlug sich sacht mit einer Faust gegen die Stirn.

»Und die erste Nachricht«, fuhr Carl fort, »ist noch nicht zu Ende, obwohl du die Fortsetzung der Frage nach ihrer Identität schon ahnen mußt. Sie ist das Gehirn dieser russischen Organisation. Sie wählt die Opfer aus, sie ist die Chefin, sie hat den Überblick, sie hat die Umzugsleute.«

»Die Umzugsleute!« rief Luigi aus.

»Genau!« sagte Carl und hob abwehrend die Hand, um weitere Kommentare Luigis abzuschneiden. »Die Umzugsleute, die du morgen treffen sollst. Sie sind ihre Handlanger. Wir haben ihre wirklichen Identitäten, alles.«

»Ich sollte also ...«

»Das nächste Opfer werden, ja!« unterbrach Carl ihn kalt. »Doch warte. Bis jetzt hast du nur die erste schlechte Nachricht erhalten. Jetzt bekommst du die zweite. Wie in einer guten westlichen Demokratie üblich hat die britische Regierung entschieden, daß alle diese Personen liquidiert werden sollen. Tag D ist morgen. Möchtest du einen Whisky, dann können wir jetzt was bestellen!«

»Ja, bitte«, sagte Luigi und holte tief Luft. Dabei sah er sich verzweifelt um, als wollte er eine Stütze finden, an der er sich festhalten konnte.

»Eine bestimmte Marke?« fragte Carl höflich, als er zum Telefon gegangen war und abgenommen hatte.

»Nein, verdammt!« sagte Luigi. »Solange es nur was Starkes ist!«

»Na schön«, sagte Carl und bestellte zwei große Highland Park. Dann legte er auf.

Er drehte eine Runde durchs Zimmer und warf dem zusammengesunken dasitzenden Freund und Kollegen einen vorsichtigen Seitenblick zu. Carl war der Meinung, im Augenblick nichts anderes sein zu können als ein älterer Offizierskollege und überdies *commanding officer.* Er durfte um Luigis willen keinen Zoll zurückweichen.

Es war still, während sie auf den Whisky warteten. Carl akzeptierte dankbar die Pause, er ging im Zimmer auf und ab, wobei er Luigi unaufhörlich ansah, um dessen Reaktionen zu deuten.

Als sie einander zugeprostet hatten und Luigi einen kräftigen

Schluck getrunken hatte, nippte Carl vorsichtig an seinem Whisky. Dann wartete er zehn Sekunden, bevor er sein Glas auf das orientalische Tablett neben seinem Sessel stellte.

»Und jetzt kommt die dritte schlechte Nachricht«, sagte er in möglichst neutralem Tonfall. »Aus verschiedenen behördentechnischen und juristischen Gründen, die ich dir nachher noch erklären werde, soll die schwedische Delegation unsere russischen Kollegen aus dem Weg räumen. Also du und ich.«

»Das kann ich nicht! Dies ist doch ein verdammter Traum! Welcher sadistische englische Idiot hat sich das ausgedacht!« rief Luigi aus und preßte sein Whiskyglas so fest, daß seine Knöchel weiß wurden.

»Vorsicht mit dem Glas«, sagte Carl. »Daß es teuer ist, kann uns scheißegal sein, aber du mußt darauf achten, daß du morgen mit gesunden Händen arbeiten kannst.«

»Doch nicht Carmen, nicht Carmen, das kann doch nicht sein«, sagte Luigi verbissen und kippte einen Schluck Whisky in sich hinein.

»Major Tatjana Simonescu«, korrigierte Carl trocken. »Das wäre natürlich zuviel verlangt. Um diese Sache brauchst du dir keine Sorgen zu machen.«

»Carmen ist doch keine *Sache,* zum Teufel!« fauchte Luigi.

»Major Tatjana Simonescu«, korrigierte Carl. »Nein, sie ist ein Mensch wie du und ich. Außerdem ist sie Kollegin, und wenn ich das sagen darf, eine einzigartig erfolgreiche Kollegin. Eine der allerbesten. Wenn es in der Geschichte der Spionage so etwas wie Gerechtigkeit gäbe, würde sie eine große Bronzebüste in der Hall of Fame bekommen. Sie ist also eine Kollegin von uns und hat ihr Leben im Dienst riskiert genau wie du. Jetzt laß uns dafür sorgen, daß sie verliert und nicht du.«

»Das ist doch völlig verrückt«, flüsterte Luigi. »Ich habe für sie den Idioten gespielt, und sie hat, ja, was hat sie mir nun vorgespielt? Ist ihr klar gewesen, wer ich bin?«

»Nein«, erwiderte Carl. »Wir haben keinerlei Grund, das anzunehmen. Dann hätte sie sich nicht an dich herangemacht. Verzeihung … ich meine, dann hätte sie dich nicht als nächstes Opfer ausersehen. Wir werden nie erfahren, was in der Wohnung da oben in Mayfair passiert wäre, wenn man uns nicht gewarnt hätte.

Jetzt werden wir den Sieg einstreichen, gerade weil man uns gewarnt hat. Aber wenn nicht? Was meinst du? Wer wäre wohl für wen die schlimmere Überraschung geworden?«

»Unmöglich zu sagen«, erwiderte Luigi mit aufblitzendem Interesse in den Augen. »Sie war die letzte, bei der ich Verdacht geschöpft hätte … Laß mal sehen! Es sind zwei Umzugsleute, die mich da oben in der Wohnung erledigen sollen, aber nicht sie selbst?«

»Ja, zu dem Schluß sind wir gekommen«, sagte Carl. »Doch das wird sich morgen ja klären. Denn ich nehme an, daß du nichts dagegen hast, den Umzugsleuten zu begegnen? Na ja, das heißt, du wirst natürlich eine gewisse Rückendeckung haben, nämlich mich.«

Carl erinnerte sich daran, wie er zumindest früher, vor der Katastrophe, schwierige Situationen zwischen Tessie und ihm hatte lösen können. Er versuchte es sehr vorsichtig mit einem feinen Lächeln.

»Was die Umzugsleute angeht«, sagte Luigi, der sich inzwischen etwas erholt hatte, »so freue ich mich auf unser Zusammentreffen. Besonders angesichts meiner Rückendeckung.«

Er zeigte die Andeutung eines Lächelns.

»Gut!« sagte Carl. »Dann hast du sicher in groben Zügen verstanden, wie wir es morgen angehen wollen?«

»Ja, ich glaube schon«, erwiderte Luigi und dachte kurz nach, bevor er fortfuhr. »Ich komme wie verabredet, obwohl nicht ganz allein und auch nicht ganz ohne Verdacht. Wir treffen die Umzugsleute, sie verraten sich. Wird übrigens interessant zu sehen, wie sie sich anstellen. Wir räumen die Umzugsleute aus dem Weg und lassen sie verschwinden. Dann kommt Carmen …«

»Major Tatjana Simonescu«, unterbrach ihn Carl streng.

»Ja, Verzeihung. Der kommandierende Offizier des Gegners taucht auf und findet … Ja, was?«

»Einen fröhlichen und erwartungsvollen Tony Gianelli, der nicht im mindesten tot ist«, ergänzte Carl.

»Genau. Und was passiert dann?« fragte Luigi, der intensiv nachdachte.

»Ihr liebt euch noch ein letztes Mal«, sagte Carl lässig und blickte in sein Whiskyglas.

»Was! Bist du noch bei Trost! Warum das denn?«

»Ich hielte es für sehr gut, wenn wir es so einrichten könnten«, sagte Carl angestrengt.

»Könntest du so etwas tun?«

»Ja, ich habe es probiert. Es geht. Was glaubst du selbst?«

»Weiß nicht. Wie zum Teufel soll man vorher so etwas wissen? Was soll das übrigens, ich meine, rein operativ?«

»Rein operativ wäre es von Vorteil, wenn sie deine Spermien in sich hätte.«

»Und das ist operativ wichtig?«

»Ja, das ist es. Aber ich habe volles Verständnis, wenn du es nicht über dich bringst.«

»Und dann? Wenn wir voraussetzen, daß ich befehlsgemäß meine … ja, wenn ich das also tue. Was passiert dann?«

»Dann zieht ihr euch an oder tut das, was ihr sonst so für Gewohnheiten habt. Dann kommt Besuch, unter anderem ich. Du wirst abgeführt, vielleicht sogar in Handschellen. Wir treffen uns dann kurze Zeit später.«

»Und dann ist Carmen tot?« fragte Luigi. Er hatte erneut Schwierigkeiten, die Fassung zu bewahren.

»Nein, es hat sie nie gegeben. Das war eine Rolle. Dann ist Major Tatjana Simonescu tot. Darf ich dir eine persönliche Frage stellen?«

»Selbstverständlich.«

»Würdest du gern sehen wollen, wie sich Carmen in Major Simonescu verwandelt, es mit eigenen Augen sehen?«

»Ja, aber ich würde nicht gern sehen wollen …«

»Davon spreche ich nicht! Aber würdest gern mit eigenen Augen sehen, daß sie eine andere ist als die, in die Teile von dir sich verliebt haben, ich meine, bestimmte Teile deiner Persönlichkeit?«

»Ich glaube schon. Teufel, was für eine Frage! Aber ich glaube schon!«

»Gut. Dann wollen wir mal sehen, ob wir uns etwas in der Richtung ausdenken können. Möchtest du jetzt die Details, wie der Gegner seine Operation angelegt hat?«

»Ja, das dürfte höchste Zeit sein. Ach nein, übrigens, warte noch. Die ganze Situation ist völlig verrückt. Wenn ein anderer als du mir das hier erzählt hätte, hätte ich ihn entweder ausgelacht oder totgeschlagen.«

»Ja?« fragte Carl und zog erstaunt die Augenbrauen hoch. »Aber jetzt bin ich es gewesen. Und?«

»Ich glaube dir blind. Du könntest mir alles erzählen, ich würde es glauben.«

»Wenn es so ist, stimmt was mit deiner Ausbildung nicht oder mit meiner Rolle als Vorgesetzter«, entgegnete Carl gemessen.

»Aber wie konnten wir ein so ungeheures Glück haben! Es ist mathematisch absolut unwahrscheinlich, wenn man darüber nachdenkt«, sagte Luigi nach einiger Zeit eifrig. »Ich nehme an, daß in dieser Stadt mindestens acht Millionen Menschen leben, je nachdem, wie großzügig man die Vororte dazuzählt. Wir kommen her und sollen russische Spione aufspüren. Ich werde installiert. Es ist ein Versuch, ein Schuß ins Blaue, aber warum nicht? Doch schon am ersten Tag an meinem Arbeitsplatz, ich habe kaum Zeit gehabt *How do you do* zu sagen, lande ich mit der Hauptperson im Bett? Das ist doch nicht möglich. Ein solches Glück gibt es doch gar nicht, das mußt du doch zugeben?«

Luigi sah aus, als hätte er sich wieder in den Kopf gesetzt, einem logischen Test, einem psychotherapeutischen Schock oder einer ähnlichen Teufelei unterzogen zu werden, und betrachtete Carl beim Warten auf die Antwort fast triumphierend.

»In einer Hinsicht haben wir tatsächlich ein Riesenglück gehabt, das gebe ich zu«, sagte Carl nachdenklich. »Wenn ich diese Erkenntnisse in Rußland etwas später gewonnen hätte, wenn der Maralhirsch seine Brunftzeit im Oktober statt im September gehabt hätte, hätten wir diese Aktion im entscheidenen Augenblick nur mit deiner Geistesgegenwart als Waffe durchführen können. Jetzt haben wir unerhörtes Glück gehabt, daß ich die Informationen genau rechtzeitig erhalten habe.«

»Du bist also derjenige, der …«, begann Luigi zögernd, bevor er wieder heftiger wurde. »Du verstehst sehr wohl, was ich gemeint habe! Das ist etwa so, als würde man mitten im Atlantik eine Wasserbombe auf gut Glück abwerfen und ein U-Boot der Taifun-Klasse treffen. Das paßt doch nicht zusammen.«

»Das tut es doch«, entgegnete Carl mit einer gut gespielten gleichgültigen Miene. »Wir hatten den Auftrag, eine Person auf bestmögliche Weise *under cover* zu plazieren. Wir haben die richtigen Spezialkenntnisse gewählt, das richtige Unternehmen, das richtige Opfer. Das war kein Glück, sondern eine Mischung aus Wissen und Planung. So einfach war das. Wir hatten offensichtlich ausreichende Kenntnisse und gut geplant. Deine acht Millionen Menschen sind jetzt auf ungefähr zehn Personen oder so reduziert. Wir waren ganz einfach gut. So mußt du es sehen.«

»Bei dir hört es sich verdammt einfach an.«

»Es ist auch so einfach. Wir sind am richtigen Ort gelandet. Daß Major Simonescu hingegen dich schon am ersten Tag aufgerissen hat, kann ja auch an rein persönlichem Interesse gelegen haben. Ebensogut daran, daß der Vorgänger an deinem Arbeitsplatz rechtzeitig ermordet worden ist. Such dir aus, was dir lieber ist.«

»Das ist keine leichte Wahl.«

»Nein, natürlich nicht. Doch eins steht fest. Als sie begriff, was in dir steckt, beschloß sie, dich zu ermorden. Damit ist ihr ursprüngliches Interesse an deiner Person nur von akademischem Interesse.«

Luigi antwortete nicht, und Carl hatte den Eindruck, daß es vorbei war. Tiefe Bewunderung für Luigi erfüllte ihn.

Er wirkte zwar noch immer bleich und erschüttert, aber es schien, als käme er schon wieder zu sich. Carl war sich ganz und gar nicht sicher, wie er selbst eine entsprechende Situation bewältigt hätte.

»Es wird allmählich spät«, sagte er. »Morgen etwa gegen 18.00 Uhr ziehen wir in den Kampf. Außerdem mußt du noch einen gewöhnlichen Arbeitstag wie an jedem Freitag hinter dich bringen. Vielleicht sollten wir ein bißchen an Schlaf denken?«

»Du meinst, ich soll morgen wie gewöhnlich arbeiten?« fragte Luigi mit einem Seufzen. »Außerdem soll ich jetzt nach Hause gehen und ruhig schlafen?«

»Das wäre vielleicht ein bißchen viel verlangt«, gab Carl zu. »Ach, übrigens, trink auch meinen Whisky! Aber daß du morgen wie gewöhnlich arbeitest, ist selbstverständlich. Was für Alternativen hast du denn? Willst du zu Hause sitzen, nachdem du dich telefonisch krank gemeldet hast? Willst du Däumchen drehen und dir Selbstvorwürfe machen und darauf warten, daß es 18.00 Uhr wird?«

»Das hört sich nicht besonders angenehm an«, gestand Luigi mit einem Schulterzucken.

»Nein«, sagte Carl und nickte. »Ich weiß nicht, wie du diese Nacht bewältigen sollst. Übrigens darfst du mich nicht anrufen, denn du bist so etwas wie ein beringter Vogel, und wir wissen nicht, welche Vorbereitungen man in deiner Wohnung getroffen hat. Ich weiß auch nicht, wie ich diese Nacht an deiner Stelle hätte verbringen wollen.«

»Ich glaube, ich mache einen Spaziergang nach Hause. Vielleicht die letzte Nacht in London?«

»Für diesmal wenigstens, wie zu hoffen steht. Im schlimmsten Fall hätte es tatsächlich deine letzte Nacht in London werden können. Willst du wirklich zu Fuß nach Hause?«

»Ja, wenn es dir recht ist. Dem steht doch nichts entgegen?«

»Nein, nicht daß ich wüßte. Der Nachteil ist nur, daß du wieder nüchtern wirst.«

»Das macht nichts. Ich trinke ein Riesenglas Whisky, wenn ich nach Hause komme und mit dem Kampf um den Schlaf beginne.«

»Na schön, tu das«, sagte Carl ausweichend. Er hatte keinerlei Mühe, sich Luigis kommende Nacht vorzustellen. »Ich habe hier noch einige Details, Adressen, Uhrzeiten und so weiter«, fuhr er fort und überreichte Luigi zerstreut einen Umschlag, den dieser entgegennahm, ohne ihn aufzumachen. Er stopfte ihn in seine Jackentasche.

»Morgen ziehen wir in den Kampf. Du bist der beste Rottenkamerad, den ich haben könnte«, sagte Carl und schüttelte Luigi zum Abschied kräftig die Hand.

»Und ich habe eine Rückendeckung, wie sie nur wenigen vergönnt ist«, erwiderte Luigi. »Tay-Hoo, morgen vermöbeln wir sie«, fuhr er selbstbewußt fort und ging schnell zur Tür.

Carl sah ihm nachdenklich nach. Tay-Hoo, dachte er. Als wären wir nur ein paar SEAL-Jungs, die irgendwo in der Dritten Welt per Fallschirm auf ein paar wehrlose Dorfbewohner heruntersegeln. Das hier wird sicher schwieriger.

Als die Tür hinter Luigi ins Schloß gefallen war, ging Carl im Zimmer herum und räumte Gläser und Teeservice beiseite, sah auf die Armbanduhr und schüttelte den Kopf. Er dachte an die lange Nacht, die Luigi bevorstand.

Einige Minuten später schlief Carl bereits tief und ruhig. Das letzte, woran er vor dem Einschlafen gedacht hatte, war Sir Geoffreys entrüstete Reaktion auf das Weinetikett des Château Le Gay, der immerhin ein Pomerol von 1982 war. Sir Geoffrey hatte gemeint, es sei ein besonderer Wein für homosexuelle Froschfresser.

*

Das provisorische Hauptquartier des Einsatztrupps war in einer angemieteten Wohnung in der Upper Brook Street eingerichtet worden, ganz in der Nähe des Grosvenor Square; von Carls Hotel war es dorthin ein kurzer Spaziergang.

Carl war erleichtert, als er endlich, den geliehenen Regenschirm zusammengerollt unterm Arm, hinausgehen konnte. Nachdem er den Park durchquert hatte, bog er in die Upper Brook Street ein. Er stellte zufrieden fest, daß nichts Auffälliges zu sehen war. Keine eigenartigen Fahrzeuge, keine Polizisten, nichts, was ein geübtes Auge als verdächtig ansehen würde.

Das Haus war alt und atmete Wohlstand und entschwundene Größe, genau wie er erwartet hatte. Er ging zu Fuß die Treppe hinauf, da er eine Minute zu früh war. Belustigt betrachtete er abblätternden Stuck und kriegerische Wandgemälde.

Als Carl an der schwarzen Eichentür mit dem blitzenden Messingschild läutete, wurde die Tür blitzschnell von einem ganz in Schwarz gekleideten Soldaten geöffnet, an dessen Hüfte eine kompakte Maschinenpistole hing. Carl zog erschrocken die Tür hinter sich zu, da der Soldat sich streckte, mit dem Fuß aufstampfte und den Mund zu einem Brüllen öffnete.

»Sir! Leutnant Sykes-Johnson, zu Ihrer Verfügung, Sir!« schrie der Schwarzgekleidete Carl ins Gesicht.

»Sehr gut. Leutnant, stehen Sie bequem!« befahl Carl. Der Soldat gehorchte ihm sofort und stampfte mit den Füßen auf. »Ob Sie so nett sein könnten, mich zum CO zu führen?« fragte er dann mit betont leiser Stimme.

»Sie sind der CO! Sir! « schrie der Leutnant.

»Sehr schön. Können Sie mich dann zu Ihrem höchsten britischen Vorgesetzten führen?« fragte Carl. Es fiel ihm schwer, sich das Lachen zu verbeißen.

»Hier entlang, Sir. Folgen Sie mir, Sir!« schrie der Soldat und begann mit dem peinlich berührten Carl im Schlepptau durch die Wohnung zu marschieren.

Es war eine schöne, herrschaftliche Wohnung mit dunklen Gemälden an den Wänden, glimmernden elektrischen Feuern in offenen Kaminen und mit viel Messing und Mahagoni. Der ästhetische Gesamteindruck wurde nur durch schwarzgekleidete Kommandosoldaten zerstört, die plötzlich aufsprangen und Haltung annahmen, als Carl an ihnen vorbeiging.

Sir Geoffrey wartete in einem großen Salon mit Fenstern zur Straße. Dort waren mehrere optische Instrumente montiert, die auf die andere Straßenseite gerichtet waren.

»Special Air Service, nehme ich an?« fragte Carl fröhlich und blickte auf zwei schwarzgekleidete Männer, die neben Sir Geoffrey strammstanden.

»SAS, genau«, bestätigte Sir Geoffrey freundlich mit einem Kopfnicken, als er Carl die Hand gab. »Das Beste ist doch gerade gut genug für uns, nicht wahr? Und à propos, nochmals vielen Dank für gestern. Das Essen war wirklich fabelhaft.«

»Freut mich, einen Hasser der französischen Küche bekehrt zu haben«, sagte Carl lächelnd. Dann trat er an ein großes Militärfernglas, das auf ein Stativ montiert war, und betrachtete eine Zeitlang das Ziel.

Die Wohnung auf der anderen Straßenseite bestand aus vier Zimmern mit Fenstern zur Straße, was sich dahinter verbarg, war schwer auszumachen.

»Haben wir einen Grundriß der Wohnung, und wie sieht es mit Türcodes und solchen Dingen aus?« fragte Carl leise, den Blick immer noch aufs Ziel geheftet.

»Ja! Vortrag vorbereitet, Sir!« brüllte Leutnant Sykes-Johnson hinter Carls Rücken, so daß dieser einen Satz machte und mit dem Auge gegen das Fernglas knallte.

»Jetzt hören Sie mal, Leutnant Sykes-Johnson«, sagte Carl langsam und verkniffen, als er sich umdrehte. Doch weiter kam er nicht.

»Ja, Sir!« schrie der Leutnant.

Carl seufzte tief, bis er sich so weit gefaßt hatte, daß er sagen konnte, was er sagen wollte.

»Hören Sie, Leutnant. In einer Stunde sollen wir in den Kampf ziehen. Wir sind Kollegen bei einem gemeinsamen Auftrag. Wie sehr ich Ihre Höflichkeit auch zu schätzen weiß, ich würde es noch mehr zu schätzen wissen, wenn Sie mir in einem wesentlich leiseren Ton antworten könnten. Verstanden, Leutnant?«

»Ja, Sir!» schrie der Leutnant. Sein Fehler ging ihm zu spät auf. »Verzeihen Sie mir, Sir!« fügte er dann in einer Lautstärke hinzu, die bei einigem guten Willen als leiser gewertet werden konnte.

»Danke, Leutnant«, sagte Carl. »Mein Mitarbeiter kommt in zwanzig Sekunden. Seien Sie doch so nett und lassen Sie ihn herein«, sagte Carl mit einem hastigen Blick auf die Armbanduhr. Dann hob er blitzschnell die Hand, um das Gebrüll abzuwehren, zu dem der Soldat ansetzte.

Als Luigi da war, besprachen sie anhand des Grundrisses Zimmer für Zimmer der gegenüberliegenden Wohnung. Sie stellten fest, an welcher Stelle Personen vom Stützpunkt aus beobachtet werden konnten und wo nicht.

Als Sir Geoffrey die Frage der Bewaffnung anschneiden wollte, tat Carl das mit einer Handbewegung ab. Es stand ja nicht einmal fest, ob sie überhaupt Waffen brauchen würden. Und zum Aufräumen, fuhr er fort, sei es doch nur gut, wenn die Teppichböden da drüben nicht vollgespritzt würden, oder?

Dann entschuldigte sich Carl, nahm Luigi beiseite und sah ihm forschend in die Augen.

»Na, wie ist die Nacht gewesen?« fragte er auf schwedisch. »Du siehst ziemlich bleich aus.«

»Mm«, bestätigte Luigi mit einem Kopfnicken. »Ich weiß nicht mal, ob ich überhaupt geschlafen habe. Schwer zu sagen. Wahrscheinlich schläft man mehr, als man glaubt.«

»Und der Arbeitstag?«

»Da ging es mir besser. Ich kann zwar nicht sagen, daß ich intellektuell heute ganz auf der Höhe gewesen bin, aber es war gut, etwas zu haben, womit ich mich beschäftigen konnte.«

»Und im übrigen fühlst du dich in Form?«

»Ja, jetzt geht es endlich los. Jetzt fühle ich mich viel besser.«

Sie wurden unterbrochen, weil die Briten unten auf der Straße etwas beobachtet hatten. Es war erst halb sieben, und sie waren davon ausgegangen, daß die Angaben von Major Tatjana Simonescu zutreffend waren und die Umzugsleute erst um sieben Uhr kommen würden. Doch das stimmte nicht.

Die Männer hatten einen gedeckten Lastwagen geparkt, dessen Firmennamen auf den Seiten aufgemalt war. Jetzt waren sie gerade dabei, vor der Haustür einige schwere Kisten auszuladen.

»Interessant«, murmelte Carl. »Der Feind bietet also vier Mann auf und nicht zwei, wie wir geglaubt haben. Dann werden wir uns einen Einsatz mit Waffen überlegen müssen.«

»Aber was zum Henker laden die da aus?« fragte Sir Geoffrey. »Es hieß doch, sie sollten Sachen abholen und nicht hinbringen.«

Sechs oder sieben Augenpaare richteten sich jetzt auf die Männer unten auf der Straße. Diese hoben eine weitere sehr schwere Kiste aus dem Laster, legten Tragriemen um die erste und begannen, sie ins Haus zu schleppen. Was konnte so schwer sein, wenn es sich definitiv nicht um Möbel handelte? Metallteile? Waffen?

»So«, sagte Carl und sah auf die Uhr. »Ich habe den Eindruck, daß dieses Ausladen etwa gegen sieben Uhr beendet sein wird, wenn unser Mann vor Ort sein soll. Irgendwelche Ideen, meine Herren, worum es sich handeln könnte?«

Alle schüttelten verwirrt murmelnd den Kopf.

»Nun, aber vorerst können wir wenigstens die Frage der Bewaffnung klären, denn ich fürchte, wir brauchen Waffen, da wir vier Gegner mit unbekannter Ausrüstung vor uns haben«, sagte Carl und wandte den Blick vom Ziel ab. »Was haben Sie zu bieten?«

Es wurde eine Menge geboten, doch Carl entschied, sie sollten nicht übertreiben. Da er selbst Rückendeckung geben wollte, wählte er für sich die schwerere und sperrigere Alternative, eine Maschinenpistole mit Schalldämpfer, die er zusammengeklappt unter dem Regenmantel tragen konnte. Luigi erhielt ein Kommando-Messer, das er an einem Handgelenk befestigen konnte, sowie eine Pistole mit Schalldämpfer. Carl prüfte wählerisch die verschiedenen Munitionstypen, die zur Verfügung standen, und führte eine kurze Diskussion mit dem für das Material verantwortlichen SAS-Offizier. Die Kugeln sollten in den Objekten bleiben, ohne sie zu durchschlagen und alles vollzuspritzen. Er hob erstaunt die Augenbrauen, als er eine Ladung israelischer Hohlspitzenmunition erhielt.

»O ja, das Zeug ist sehr wirkungsvoll. Das kann ich aus eigener

Erfahrung bezeugen«, sagte er sarkastisch und hielt vor Luigi vielsagend eine Handvoll Patronen hoch. Es war die gleiche Munition, mit der auf ihn geschossen worden war.

Die Kommunikation sollte wie geplant erfolgen. Luigi erhielt ein Handy und Carl einen Kopfhörer mit Kehlkopfmikrophon, das an den Sender gekoppelt war. Dieser verschlüsselte die Signale, so daß er sich ausführlicher würde äußern können, falls es nötig war.

Sie konnten die Männer jetzt in der Wohnung sehen, wie diese mit Trageriemen die erste große Kiste keuchend durch die Zimmer wuchteten. Der Grundriß der Wohnung, den sie vergrößert an eine Wand geheftet hatten, ließ erkennen, daß die schwere Kiste jetzt auf dem Weg ins Badezimmer war. Doch dorthin konnten sie nicht blicken.

Nach einiger Zeit kamen zwei der Männer mit der Kiste wieder, die sie jetzt ohne Anstrengung trugen.

»Diese Figuren scheinen ihre Ladung jetzt im Badezimmer deponiert zu haben«, stellte Sir Geoffrey verwirrt fest.

»Es kann Wasser gewesen sein, Sir«, meldete sich Leutnant Sykes-Johnson.

»Hieße das nicht in höchstem Maße Eulen nach Athen tragen?« murmelte Sir Geoffrey übellaunig.

Die beiden Männer, die mit der leeren Kiste losgegangen waren, tauchten jetzt unten auf der Straße auf, schoben die Kiste in den Lastwagen und gingen dann sofort wieder hinauf. Es war zwanzig Minuten vor sieben.

Nach einer Weile sahen Carl und Sir Geoffrey, wie sich die Prozedur wiederholte. Vier Männer schleppten eine sehr schwere Kiste in das Badezimmer und kurze Zeit darauf trugen zwei Männer ohne Anstrengung die wahrscheinlich leere Kiste zum Umzugswagen hinunter.

»Wir gehen jetzt los!« befahl Carl. »Achtung! Die Patrouille begibt sich sofort zu folgendem Zweck auf den Weg. Wir werden uns ein Stockwerk über der Zielwohnung aufhalten. Wenn zwei Gegner beim nächsten Mal eine leere Kiste hinunterbringen, dringen wir ein. Wir nehmen uns der beiden an, die in der Wohnung sind, und warten auf die anderen beiden. Alles verstanden?«

Alle nickten mit dem Kopf. Dann packte er Luigi an den Schultern und schüttelte ihn freundlich.

»Okay, Luigi, jetzt kommt es darauf an«, sagte er lächelnd und zog Luigi schnell aus der Wohnung. Sie gingen zwischen den schwarzgekleideten Soldaten hindurch, die fast wie eine Art Ehrenwache strammstanden.

Carl und Luigi gingen ruhig über die Straße und unterhielten sich leise dabei. Alles, was sie sagten, wurde über Carls Kopfhörer an die Einsatzzentrale weitergegeben.

Sie betraten den Hausflur und stellten wie erwartet fest, daß sich der Fahrstuhl im dritten Stock befand. »Achtung«, flüsterte Carl in sein Kehlkopfmikrophon. »Leichte Änderung der Pläne. Man kann vom Fahrstuhl aus nicht hinausblicken. Wir können also im zweiten Stock abwarten. Ihr teilt mit, wann wieder umgeladen wird. Verstanden?«

»Ja, alles verstanden. Viel Glück, Trident«, erwiderte eine ruhige, gefaßte Stimme, die Carl zu seinem Erstaunen als die von Leutnant Sykes-Johnson identifizierte.

Sie bewegten sich vorsichtig zum zweiten Stock hinauf und stellten sich so, daß sie genau hinter dem Fahrstuhl stehen würden, wenn dieser herunterfuhr. Kurz darauf erhielt Carl von einem tatsächlich flüsternden Leutnant Sykes-Johnson die Nachricht, daß zwei der Objekte jetzt mit der letzten leeren Kiste zum Fahrstuhl gingen. Carl befahl Funkstille von der Einsatzzentrale und nickte Luigi zu. Jetzt war es gleich soweit.

Sie hörten, wie die Männer dort oben lärmend in den Fahrstuhl stiegen, der sich gleich darauf in Bewegung setzte. Sie ließen den Fahrstuhl vorbeigleiten und liefen dann schnell mit leisen Schritten die Treppe zur Wohnungstür hinauf.

»Du hast hoffentlich nicht die Schlüssel vergessen, oder?« flüsterte Carl zwinkernd.

»Laß den Quatsch!« entgegnete Luigi mit einem schnellen und leicht unsicheren Lächeln.

Dann öffnete er die Tür. Sie betraten die Wohnung und gingen in verschiedene Richtungen. Luigi begab sich zum Wohnzimmer, dem kürzesten Weg zum Bad, und Carl in die andere Richtung, so daß er Luigi durch die Küche entgegengehen konnte.

Luigi betrat unbeschwert pfeifend das Wohnzimmer und rief nach den Männern, die er nicht sah. Als beide aus Richtung Badezimmer auftauchten, begrüßte er sie und erklärte, er werde sie nicht bei der Arbeit stören. Carl stand ein paar Meter entfernt, konnte aber nicht alles hören.

Luigi ging zu einem Sessel, sank hinein und winkte mit einer Zeitung den beiden offenbar recht unentschlossenen Umzugsleuten zu.

»Was wollen Sie eigentlich abtransportieren?« fragte er desinteressiert und drehte sich um.

»Achtung! Einsatz beginnt, sofort eingreifen!« hörte Carl in seinem Kopfhörer von Leutnant Sykes-Johnson auf der anderen Straßenseite. Er zog seine Maschinenpistole hervor, entsicherte sie und ging mit einem schnellen Schritt um die Ecke, so daß er ins Wohnzimmer kam.

Einer der Männer hielt Luigi mit bärenstarken Armen an der Taille umfaßt, während der andere sich von hinten mit einem Seil näherte. Carl hatte kein freies Schußfeld, so daß er nicht feuern konnte. Die Männer waren so mit Luigi beschäftigt, daß sie Carl nicht sahen, als er sich schnell zurückzog, um nicht entdeckt zu werden.

Dann hörte er aus dem Wohnzimmer ein lautes Brüllen und betrat das Zimmer erneut mit der Waffe im Anschlag.

Der Mann, der Luigi festgehalten hatte, sank stöhnend und mit glasigem Blick zu Boden. Im selben Augenblick drehte sich Luigi zu dem zweiten um und stieß ihm das Messer von unten nach oben in den Bauch. Dann trat er schnell einen Schritt zurück, um einen Gegenangriff zu parieren.

Er zog seine Pistole und sah Carl fragend an. Dieser nickte kurz, worauf Luigi beide Männer mit Kopfschüssen tötete.

»Gut gemacht, Luigi«, flüsterte Carl. Alles okay. Wir haben zwei Gegner am Boden. Wo sind die anderen?«

»Im Fahrstuhl auf dem Weg nach oben. Berechnete Ankunftszeit in weniger als dreißig Sekunden«, antwortete die Funkstimme auf der anderen Straßenseite.

»Okay, Luigi«, sagte Carl. »Setz dich dort in den Sessel und halte deine Waffe in Bereitschaft. Ich nehme sie von der anderen Seite. Wir wollen vorerst einen von ihnen am Leben lassen. Verstanden?«

»Ja, verstanden«, flüsterte Luigi und setzte sich in seinen Sessel, als wollte er dort weitermachen, wo er vorhin aufgehört hatte. Dieselbe Zeitung, derselbe Sessel.

Die beiden Männer hantierten mit dem Fahrstuhl und schleppten dann lautstark etwas herein.

»Was haben sie bei sich?« fragte Carl leise.

»Ein ähnliches Behältnis wie das, das sie runtergeschleppt haben. Scheint leer zu sein«, flüsterte die andere Seite zurück.

»Danke, bis auf weiteres Funkstille«, erwiderte Carl und wechselte seine Position, so daß er Luigi im Nebenzimmer sehen konnte. Die beiden Männer, die gerade eintraten, sah er jedoch nicht. In diesem Moment mußten sie Luigi im Sessel entdecken sowie ihre beiden auf dem Boden liegenden Kollegen.

Luigi blickte von seiner Zeitung zu den beiden Männern hoch, sagte guten Abend, was passiert denn jetzt? Oder etwas Ähnliches. Er erhielt keine Antwort.

Carl schlich vorsichtig durch die Wohnung bis zur Wohnungstür und befand sich damit hinter den beiden Männern, die gerade umkehrten, um zu flüchten.

Carl gab zwei Schüsse auf den Mann ab, der ihm am nächsten war, und fing den stürzenden Körper mit dem Fuß auf. Dann zeigte er mit seiner Waffe auf den zweiten Mann und wies ihn mit einem Kopfnicken an, wieder zurückzugehen. Der Mann hob vorsichtig beide Hände und retirierte langsam zu Luigi, der inzwischen aufgestanden war und seine Waffe vor sich hielt.

Carl und Luigi zwangen den Mann schnell zu Boden, breiteten dessen Arme und Beine aus und durchsuchten ihn. Sie fanden keine Waffen. Bis jetzt war kein Wort gesprochen worden.

»Ihr habt vermutlich gesehen, wie es gelaufen ist«, flüsterte Carl in sein Mikrophon.

»Nein. Wo ist der andere?« erwiderte Sykes-Johnson in einem Tonfall, als riefe er die Telefonauskunft an.

»Der andere ist am Boden. Liegt draußen im Flur«, entgegnete Carl. »Bitte um sofortige Transporthilfe wie folgt. Nehmen Sie ein paar Mann, am liebsten in geeigneter Kleidung, tragen Sie die Kisten vom Umzugswagen hoch, um diese Leute wegzuschaffen. Verstanden?«

»Verstanden, zu Befehl«, erwiderte Sykes-Johnson.

Carl sah auf die Uhr. Es war alles sehr viel schneller gegangen, als er geglaubt hatte. Es war erst zehn vor sieben.

»Nun?« sagte er und stieß den am Boden liegenden Gefangenen mit dem Fuß an. »Setz dich bitte in den Sessel hier!«

Während der Mann dem Befehl folgte, traten Carl und Luigi automatisch einen Schritt zurück, um außer Reichweite zu bleiben.

»Ich fürchte, wir haben nicht sehr viel Zeit«, sagte Carl auf russisch. »Wenn du gegen einen unserer Leute ausgetauscht werden willst, kommt es jetzt auf deine Antworten an.«

Der andere zögerte, ob er tatsächlich auf russisch antworten sollte. Er wählte jedoch einen eigentümlichen Kompromiß. Er beantwortete die Frage auf englisch und zeigte damit, daß er sie verstanden hatte.

»Das hast du nicht zu entscheiden, du Scheißkerl«, sagte er leise.

»O doch«, fuhr Carl auf russisch fort. »Ich will sofort wissen, wie mein Kollege hier sterben sollte. Sofort!«

Er unterstrich seine Worte, indem er seine Waffe auf den Kopf des Gefangenen richtete.

»Es ist jetzt vorbei. Denk darüber nach. Jetzt gibt es hier nur noch Gerichtsverfahren und andere langweilige Dinge, also beeil dich mit der Antwort«, ermahnte ihn Carl und sah auf die Uhr. Er hörte, daß Leute mit den leeren Kisten auf dem Weg nach oben waren.

»Er sollte ertrinken«, erwiderte der andere leise und blickte auf seine Kameraden. Inzwischen konnte es keine Zweifel mehr geben, daß sie tot waren. Sein Blick schien vollkommen leer zu sein, als hätte ihn der Schock noch nicht getroffen.

»Wieso ertrinken?« fuhr Carl auf englisch fort, um seine vermutlich höchst interessierten Zuschauer auf der anderen Straßenseite nicht ganz auszuschließen. »Warum habt ihr Wasser raufgetragen?«

»Es ist Wasser aus der Themse«, murmelte der andere und blickte plötzlich flehentlich zu Carl hoch, der ihm im selben Augenblick in den Kopf schoß.

Die SAS-Männer, notdürftig so bekleidet, daß sie zumindest in der Dunkelheit nicht wie Militärs aussahen, keuchten mit den leeren Kisten herein. Carl ermahnte die Soldaten, beim Verpacken der Toten in die Kisten vorsichtig zu sein, damit kein Blut auf den gemusterten blauen Perserteppich tropfte.

Innerhalb weniger Minuten waren die Leichen weggeschafft, und unterdessen gingen Carl und Luigi ins Badezimmer. Die große, herzförmige Whirlpool-Wanne war zur Hälfte mit stinkendem grauem Wasser gefüllt, darin schwammen Papierreste, Zigarettenkippen und ein langes blasses Kondom.

»Du bist in der Themse ertrunken«, stellte Carl fest und zog die Kette mit dem Stopfen hoch. Sie betrachteten fasziniert, wie das Kloakenwasser in der eleganten Badewanne schmuddelige Reste hinterließ.

»Ich hätte das Wasser der Themse in den Lungen gehabt«, bemerkte Luigi. Dann nahm er die Handdusche und begann, den Dreck wegzuspülen.

»Ja«, bestätigte Carl. »Dann hätten sie dich in einer der Kisten wegtransportiert und irgendwo flußaufwärts ans Ufer gekippt. Dann hätte es so ausgesehen, als wärst du in der Themse ertrunken und irgendwo an Land getrieben worden.«

»Aber weshalb habe ich Selbstmord begangen?« fragte Luigi irritiert.

»Das müssen wir unseren Ehrengast fragen, wenn sie da ist«, sagte Carl. Er blickte gehetzt auf die Uhr und eilte in die Wohnung hinaus, um die letzten Arrangements zu überwachen. Eine leere Kiste war auf dem Weg nach oben. Carl bat, sie in den hinteren Salon zu bringen, in dem er sich versteckt gehalten hatte. Dort wollte er die weitere Entwicklung abwarten. Über Kopfhörer erfuhr er jetzt, *Objekt eins* sei unterwegs. Die Frau sei soeben mit ihrem Wagen vorgefahren. Er scheuchte eilig die letzten SAS-Männer aus der Wohnung, wies sie an, sich ein Stockwerk tiefer in dem Winkel zu verstecken, in dem sie vom Fahrstuhl aus nicht entdeckt werden konnten, um dann weiter zur Einsatzzentrale zurückzukehren, wenn der Fahrstuhl sie passiert habe. Sie gingen ohne Eile los, während Carl zu Luigi ins Bad eilte, der dort aus einer Sprühdose Veilchenduft verbreitete.

»Ich verabscheue diesen Mist, aber im Vergleich zur Themse ist es doch in Ordnung«, sagte Luigi mit einem zögernden Lächeln.

»Sie ist auf dem Weg nach oben«, sagte Carl. »Du wartest im Wohnzimmer. Du bist Tony Gianelli und weißt nur, daß die

Umzugsleute einfach wieder gegangen sind. Du hast keine Ahnung, weshalb. Verstanden?«

»Ja, verstanden. Meinst du wirklich, daß ich jetzt ...?«

»Versuch's jedenfalls«, sagte Carl und ging zu seinem Versteck, während Luigi sich zum dritten Mal auf seinen Sessel setzte.

Als das Türschloß zu hören war, flüsterte Carl in sein Mikrophon, das Objekt sei auf dem Weg in die Wohnung, Dann bat er um Funkstille.

Als Lady Carmen hereinkam, begrüßte sie Luigi fröhlich, sah sich dann aber verblüfft um und fragte nach den Umzugsleuten. Luigi erwiderte lässig, sie seien gekommen, aber gleich wieder gegangen. Sie hätten gesagt, sie würden an einem anderen Tag wiederkommen, hätten aber keinen Grund dafür genannt. Sie runzelte die Stirn und sagte, das sei schade. Es werde ihr ein bißchen Mühe machen, sei aber trotzdem nicht die Welt.

»Du hast nicht zufällig einen Blick in den Kühlschrank riskiert?« fragte sie dann kichernd und stellte ihre Tasche ab. Dann zog sie ihren Rock hoch und setzte sich rittlings auf seinen Schoß. Sie küßte ihn.

Luigi spielte sein Theater, so gut er vermochte.

»Nein«, sagte er, als sich ihre Lippen voneinander lösten, »aber jetzt könnten wir es tun!«

Er hob sie hoch, und sie klammerte sich an ihm fest. So gingen sie in die Küche und öffneten die Kühlschranktür; Carl hörte nicht, worüber sie sprachen.

Kurz darauf trug Luigi sie auf die gleiche Weise zurück und machte ein paar Bemerkungen über das fabelhafte Souper für zwei, über das sie sich *hinterher* hermachen sollten. Dann gingen sie ins Schlafzimmer.

Souper für zwei? fragte sich Carl. Mit wem wollte sie denn essen?

Die folgende halbe Stunde war befremdlicher als vieles, was Carl bei seinen Aufträgen bislang erlebt hatte. Er saß in einem dunklen Salon in London auf einer Holzkiste, mit der ermordete Menschen transportiert werden sollten, und lauschte einem intensiven, kraftvollen Liebesakt. Er drehte verlegen sein Kehlkopfmikro herunter, um die Liebenden zumindest vor den Ohren von MI 6 und SAS zu schützen. Aus den Geräuschen ging hervor, daß Luigi seinen Auftrag untadelig durchführte. Carl staunte, daß Luigi dazu in der Lage war. Die Loyalität Luigis gegenüber dem Auftrag ging so weit, daß er den Zuhörern mündlich Vollzug meldete.

Carl regelte die Lautstärke seines Mikrophons und teilte mit, er gehe jetzt ins Wohnzimmer, um die entscheidende Vernehmung vorzubereiten. Dazu müsse er allerdings seine Ausrüstung in die Tasche stecken, um das Objekt nicht zu irritieren. Auf der anderen Seite müsse man sich zunächst damit begnügen, dem Geschehen nur visuell zu folgen.

Danach ging er hinaus und setzte sich in einen der dick gepolsterten geblümten Sessel und lauschte den beiden Liebenden, die noch im Bett lagen und herumalberten. Dann schien Luigi Carls Gedanken gelesen zu haben und schlug vor, sie sollten eine Pause machen und etwas essen.

Sie erschienen beide halbnackt, er mit einem Laken um die Hüfte; sie hatte sich einen roten seidenen Morgenmantel umgehängt.

»Dobre wetjer, Major Simonescu«, begrüßte Carl sie mit einem höflichen Lächeln.

Luigi und Lady Carmen blieben abrupt stehen und starrten ihn erstaunt an.

»Erlauben Sie mir, mich vorzustellen, Major«, fuhr Carl auf russisch fort. Er gab beiden ein Zeichen, sie sollten sich setzen. »Ich bin Kapitän zur See des ersten Rangs Eine Viltas. Bedauere, daß ich so ungelegen komme, aber es war wichtig.«

»Was sagt er?« fragte Luigi auf englisch, doch Lady Carmen schüttelte nur ungläubig den Kopf.

»Wir wollen den jungen Mann bis auf weiteres im unklaren lassen, deshalb spreche ich unsere Sprache«, fuhr Carl mit einem geheimnisvollen Zwinkern fort. »*Zentral* hat mich gebeten einzugreifen. Ich habe unsere Gehilfen weggeschickt. Sie sind nämlich gerade dabei gewesen, einen unserer eigenen Leute zu liquidieren.«

Plötzlich ließ Lady Carmen ein hartes Lachen hören, als fände sie die Situation unerhört komisch.

»Was sagen Sie da, Herr Kapitän des ersten Rangs? Sollen wir unserem glücklichen jungen Genossen die Lage erklären?« fragte sie in perfektem Russisch.

Carl warf Luigi einen Seitenblick zu, konnte in dessen Auge aber nur ein leichtes Zucken entdecken. Er schien die Tatsachen jetzt endgültig zu akzeptieren.

»Na ja«, sagte Carl immer noch auf russisch, »ich glaube, wir warten damit noch ein bißchen. Wenn Sie entschuldigen, möchte ich vorschlagen, daß wir ihn wegschicken. Wir haben noch einige ernste Dinge zu besprechen, die mit seiner Funktion nichts zu tun haben.«

»Wie Sie wünschen, Herr Kapitän des ersten Rangs«, erwiderte sie mit einem Schulterzucken.

»Gut«, sagte Carl. »Sie erwarten sonst keinen Besuch mehr?«

»Doch, aber erst in ein paar Stunden«, gab sie mit einem zweideutigen Lächeln zu. »Mit diesem Junghahn hier wäre ich bis dahin fertig geworden.«

»Well, junger Mann!« sagte Carl streng auf englisch. »Wie Ihnen schon klar sein muß, hat sich eine Komplikation ergeben. Machen Sie sich aber deswegen keine Sorgen. Ich weiß, für wen Sie arbeiten, da Sie und ich den gleichen Chef haben. Doch jetzt würde ich vorschlagen, daß Sie sich möglichst schnell anziehen und uns allein lassen.«

»Ja, Sir!« sagte Luigi. Mit diesen Worten stand er auf und ging ins Schlafzimmer, um sich anzukleiden.

»Unser junger Freund hat wirklich Glück gehabt, daß er nicht ertränkt worden ist. Wir haben in letzter Sekunde eingegriffen«, sagte Carl. »Weshalb wollten Sie ihn übrigens loswerden, Major?«

»Meine Situation ist im Augenblick sehr gefährlich und kompliziert«, erwiderte Major Tatjana Simonescu mit einer steilen Falte auf der Stirn. »Der Mann, mit dem ich verheiratet bin, hat herausbekommen, daß ich mit diesem jungen Mann eine sogenannte außereheliche Affäre habe.«

»Aber das kann doch als Grund nicht ausreichen, ihm das Leben zu nehmen«, wandte Carl in einem fast gekränkten Tonfall ein.

»Nein, an und für sich nicht«, sagte sie etwas gehetzt und streckte sich nach einer Zigarettenschachtel. Carl war sofort zur Stelle und gab ihr Feuer. Sie lächelte ihn dankbar an und scherzte, die westliche Welt habe jedenfalls den großen Vorzug, diesen Tölpeln von zu Hause Manieren beizubringen.

»Wie man's nimmt«, sagte Carl, als er sich wieder gesetzt hatte.

»Doch zurück zu meiner Frage, ob der Tod des Genossen Gianelli wirklich notwendig gewesen wäre?«

»Ich habe einige Dispositionen getroffen, die ihm Anlaß zu heftiger Eifersucht geben werden. Doch jetzt lohnt es nicht mehr, näher darauf einzugehen. Die Sache ist ja aus der Welt.«

Luigi schlich an ihnen vorbei wie eine nasse Katze, grüßte zum Abschied sehr unengagiert und ging, ohne sich umzusehen.

Als die Tür hinter Luigi ins Schloß fiel, nahm Carl langsam und umständlich seinen Kopfhörer aus der Tasche und setzte ihn auf. Dann regelte er die Lautstärke des Kehlkopfmikrophons und meldete sich:

»Trident an Basis. Besteht immer noch die Absicht, nach Plan fortzufahren?«

Sie fuhr zusammen, da er plötzlich ins Englische wechselte begriff aber immer noch nicht den Zusammenhang.

»Hier Einsatzleitung«, hörte Carl Sir Geoffreys Stimme in den kleinen Ohrmuscheln. »Antwort bestätigend. Weitermachen wie geplant.«

»Wollt ihr es auf eine besondere Weise erledigt haben, oder spielt das keine Rolle?« fragte Carl, während er sein Opfer betrachtete, das jetzt Gefahr zu wittern schien.

»Nein, sie muß nur aus dem Weg geräumt werden«, erwiderte Sir Geoffrey.

»Aha. Verstanden, Ende«, sagte Carl und holte tief Luft.

Dann riß er sich mit einer Handbewegung die Kopfhörer herunter, ging ins Nebenzimmer und suchte einige Drahtseile, Kunststoffseile, Heftpflaster und die Pistole, die Luigi benutzt hatte. Als er zurückkehrte, entdeckte er wie erwartet, daß sie die Situation noch immer nicht erfaßt hatte. Er warf die Ausrüstung mit einer angeekelten Geste von sich, entsicherte die Waffe und ging auf sie zu.

»Bleiben Sie bitte still sitzen, damit wir hier nicht unnötig alles blutig machen«, sagte er tonlos.

»Sie können mich nicht töten!« sagte sie leise, aber mit brennender Konzentration, als sie begriff, wie wenig Zeit ihr noch blieb.

»Und ob ich das kann«, entgegnete Carl müde.

»Dann stürzt die britische Regierung!« sagte sie verzweifelt.

»Interessant«, sagte Carl. Er drehte die Pistolenmündung

demonstrativ von ihrem Gesicht weg, ging zu seinem Sessel zurück und setzte sich.

»Haben Sie jetzt bitte die Freundlichkeit, sich zu erklären, und zwar schnell und genau, Major Simonescu«, sagte er freundlich.

»Es sieht so aus«, sagte sie so kalt und konzentriert, daß Carl beeindruckt war. »In zwei Tagen bringt *News of the World* eine große Enthüllungsgeschichte. Ich bin die Autorin. Als mein Geliebter wird der Erste Seelord bloßgestellt, Sir Henry Buck, mit Bildern, Briefen und allem, was dazugehört.«

»Wie lustig«, sagte Carl. »Heißt der Erst Seelord tatsächlich Buck? Was für ein passender Name. Nach dem Verteidigungsminister haben Sie sich also dem Chef der Royal Navy zugewandt, Madame. Verzeihen Sie mir die Frage, aber weshalb sollte die Regierung stürzen, wenn ich Ihrem Leben jetzt ein Ende mache, wie die Sitte es verlangt?«

»Engländer bist du offenbar auch nicht«, bemerkte sie kumpelhaft und mit einem frechen Lächeln. »Himmel, dein Russisch hörte sich tatsächlich so an, als könntest du aus einer dieser baltischen Republiken stammen. Auf englisch klingst du wie ein Amerikaner.«

»Das brauchen wir jetzt nicht zu vertiefen. Warum sollte die britische Regierung stürzen, wenn Sie sterben oder verschwinden?«

»Weil ich von Sonntagmorgen an einen gigantischen neuen Regierungsskandal auslöse. Wenn da auch nur der allerkleinste Verdacht aufkommt, die Regierung hätte mich ermorden lassen, könnte sogar ein Amerikaner den Rest verstehen.«

Carl schüttelte den Kopf und legte erneut Kopfhörer und Kehlkopfmikrophon an und rief Sir Geoffrey.

»Wir haben hier ein kleines Problem. Du mußt selbst rüberkommen. Es gibt da etwas, was wir zu dritt diskutieren müssen. Bring ein paar Handschellen mit«, sagte Carl. Er mußte seine Nachricht zweimal wiederholen, bevor Sir Geoffrey äußerst widerwillig nachgab.

»Wir bekommen jetzt Besuch von einem hohen Tier der Briten. Der Mann kann das hier besser beurteilen als ich«, bemerkte Carl. »Haben Sie etwas, was Ihre Geschichte bestätigt?«

»Ja«, erwiderte sie mit neuem Optimismus. »Ich habe meine

Lebensversicherung bei mir. Es sind einige Blätter, die in meiner Handtasche stecken.«

Carl stand auf und holte die Handtasche. Er öffnete sie, drehte sie um und kippte den Inhalt auf den braunen Couchtisch. Tatsächlich lagen da einige gefaltete Blätter Papier, die er an sich nahm und auf dem Tisch auseinanderfaltete.

»Das ist ein Layout des Artikels, der am Sonntag erscheinen soll«, erklärte sie. »Auf dem großen Foto siehst du mich und den Ersten Seelord. Wir kommen gerade aus einem Lokal, und er küßt mich. Die meisten anderen Bilder zeigen seine Liebesbriefe an mich.«

»Ich muß gestehen, daß Sie erfolgreich gewesen sind, Major Simonescu«, sagte Carl mit einem Kopfnicken. »Mata Hari wird sich im Grab umdrehen.«

»Das glaube ich nicht«, entgegnete Tatjana Simonescu forsch. »Sie ist die Pionierin gewesen.«

»Sind wir Männer immer so verdreht?« fragte Carl resigniert. Auch er sprach jetzt in einem kollegialen Tonfall. »Du hast dir nicht nur den Verteidigungsminister gegriffen und bist auf diese Weise eine unangreifbare Lady geworden. Nebenbei hast du dich noch mit dem Chef der Marine vergnügt. Fabelhaft. Hast du etwas aus ihm herausbekommen?«

»O ja«, erklärte die Kollegin mit einem selbstsicheren Lächeln. »Doch du dürftest kaum befugt sein, so etwas zu erfahren. Und was deine Frage nach der Dummheit der Männer angeht, kann ich sagen, daß sie ganz und gar nicht so dumm sind, wie man glauben könnte. Sie sind noch weit dümmer, je älter und machtgieriger sie werden.«

»Das wird für den jungen Tony Gianelli ein Trost sein«, murmelte Carl. »Er war nicht der einzige, sondern nur ein Hering in einem großen Schwarm.«

»Bei ihm war es ein bißchen anders«, sagte sie mit einem plötzlichen Anflug von Melancholie im Gesicht. »Zunächst war es eine reine Privatsache. Dann entdeckte ich zu meinem Kummer, daß er leider ein geeigneter Selbstmordkandidat war. Ja, inzwischen wißt ihr sicher, worauf das Ganze hinauslief?«

»Ja«, bestätigte Carl. »Das wissen wir. Du hast also *zu deinem Kummer* entdeckt, daß er in seinem Job so gut war, daß das kleine

Vergnügen ein abruptes Ende nehmen mußte?« fuhr er sarkastisch fort.

Sie fand nicht mehr die Zeit zu antworten, da Sir Geoffrey das Zimmer betrat. Er war sichtlich peinlich berührt und gehetzt. Carl erhielt Handschellen und fesselte Tatjana Simonescu die Hände auf dem Rücken. Er erklärte Sir Geoffrey die Situation. Dieser lauschte Tatjana Simonescus Darstellung, die er nur gelegentlich durch ein Kopfnicken oder ein Grunzen unterbrach, während er zerstreut in dem Artikel blätterte. Zu Carls Entrüstung hatte Tatjana Simonescu für ihre Lebensversicherung 200 000 Pfund Honorar erhalten.

Plötzlich ging Carl auf, welches Selbstmordmotiv Luigi gehabt hätte. Am Sonntag würde sich herausstellen, daß der junge Liebhaber allen Anlaß hatte, sich grausam getäuscht zu fühlen. Er würde sich in seiner Verzweiflung in die Themse stürzen. Auf diese Weise hätte sie mindestens drei Fliegen mit einer Klappe geschlagen.

»Also, Carl«, sagte Sir Geoffrey schließlich. »Wie wenig ich diesen Menschen auch mag, aber ihre Darstellung ist vollkommen logisch. Wir dürfen ihr kein Haar krümmen. Und sie kann nicht herumlaufen und über ihren wirklichen Hintergrund plappern. Da sind beide Parteien also gebunden.«

»Nun ja«, sagte Carl. »Du bist hier auf heimischen Boden, du hast die Verantwortung. Dann sind wir wohl fast fertig?«

»Carl«, sagte Tatjana Simonescu nachdenklich. »Jetzt verstehe ich, wer du bist. Ich habe die Ehre, Admiral Carl Hamilton persönlich kennenzulernen, den Schweden, der in unserer Branche so einzigartig ist, daß man sein Bild in allen Zeitungen der Welt findet.«

»Mm«, bemerkte Carl desinteressiert. »Das ist möglich. Sag mal, Geoff, könntest du mir einen letzten Dienst erweisen?«

»Selbstverständlich, alter … ehm, Freund, natürlich. Sag nur, was es ist«, erwiderte Sir Geoffrey gezwungen freundlich.

»Ich müßte ungefähr zehn Minuten mit unserer lieben Lady allein gelassen werden. Es gibt da einiges, was wir unter vier Augen besprechen müssen, sie und ich. Ich nehme doch an, daß das in Ordnung ist?«

»Natürlich«, sagte Sir Geoffrey. Er stand auf und verbeugte sich mit automatischer Höflichkeit vor der Dame im Zimmer. Dann fiel ihm ein, daß diese Dame keine war. Er lächelte verlegen und ging.

Carl stand gemächlich auf und zog die Gardinen zu. Damit hatte er das interessierte Publikum auf der anderen Straßenseite ausgesperrt. Dann ging er in die Mitte des Raumes und streckte die Arme nach dem massiven Kronleuchter aus Bronze aus. Er bekam einen der Arme zu fassen und hängte sich prüfend daran. Er nickte zufrieden. Aus dem Gerümpel, das er aus dem Nebenzimmer mitgebracht hatte, zog er ein großes Heftpflaster heraus. Damit verklebte er Tatjana Simonescu mit einigen schnellen Bewegungen den Mund.

Er holte einen Stuhl, den er prüfend unter den Kronleuchter stellte und maß den Abstand mit den Augen.

»Leider kann ich für dich keinen schnellen und schmerzfreien Tod arrangieren. Du hast selbst eingehend erklärt, warum nicht«, sagte er melancholisch. Er legte ihr das Ende einer Wäscheleine aus Kunststoff um den Hals, machte eine Schlaufe und schleifte die Frau, die wild um sich trat, zappelte und unter dem Knebel schrie, zur Lampe, hievte sie am Hals hoch, so daß sie auf dem hübschen blauen Perserteppich auf den Zehenspitzen stehen mußte. Die Lampe schwankte besorgniserregend, und Carl parierte die Bewegungen, so gut es ging, mit dem Ende der Wäscheleine, das er in der Hand hielt. Er sah auf die Uhr und maß die Zeit. Es war wichtig, daß sie jetzt keine zu tiefen Einschnitte in den Hals bekam, doch sie würde dennoch bald das Bewußtsein verlieren.

Als sie durch den Sauerstoffmangel im Gehirn bewußtlos wurde, lockerte Carl die Leine ein wenig, zog den Stuhl heran und plazierte die Frau so, daß sie vornübergebeugt, mit dem Hals am Kronleuchter hängend, auf dem Stuhl kniete. Als er glaubte, den richtigen Winkel erreicht zu haben, befestigte er die Leine mit einem Knoten am Kronleuchter, wobei er sorgfältig darauf achtete, daß der Knoten nicht allzu seemannsmäßig wirkte.

Dann trat er einige Schritte zurück und betrachtete sein Werk. Im Augenblick starb sie langsam in ihrer Bewußtlosigkeit. Carl war mit dem Arrangement noch nicht richtig zufrieden und rückte ihren Körper zurecht, so daß sie etwas mehr vornübergebeugt hing, damit die Schlaufe um ihren Hals mehr Gewicht trug. Als das erledigt war, spreizte er ihr die Beine und nahm Maß, indem er sich hinter sie stellte. Die Höhe stimmte einigermaßen. Er schlug ihren roten seidenen Morgenmantel in einem appetitlichen Arrangement über ihrem sichtlich sehr wohlgeformten Hinterteil zurück und trat dann erneut einen Schritt zurück. Etwas fehlte noch.

Carl ging ins Schlafzimmer und holte ihre roten Schuhe mit den hohen Absätzen. Vorsichtig zwängte er ihre Füße hinein. Jetzt sah es weit besser aus.

Er sah auf die Armbanduhr. Noch wäre es nicht zu spät gewesen, sie zu retten. Der Tod würde in einigen Minuten eintreten.

Er verwendete die Zeit, um zu überlegen, welche Gegenstände er in den einzelnen Räumen berührt hatte. Aus der Küche holte er einen feuchten Lappen, mit dem er methodisch seine Spuren wegwischte. Aber nur seine eigenen.

Anschließend ging er erneut zu Tatjana Simonescu und betrachtete sie aus der Nähe. Er zog eines ihrer Augenlider hoch und piekte mit dem Finger gegen ein Auge, ohne daß sich ein Reflex zeigte. Dann ließ er sich schwer auf seinen Sessel fallen und setzte den Kopfhörer mit dem Mikrophon auf.

Einen Moment lang kam er jedoch nicht auf den Gedanken, sich bei Sir Geoffrey zu melden. Er betrachtete sein Opfer. Eine unglaublich fähige Kollegin, dachte er. Wirklich einzigartig.

Dann rief er Sir Geoffrey.

»Geoff, alter Knabe, es ist erledigt«, sagte er hart. »Sie ist jetzt tot, gestorben bei einem mißglückten sexuellen Experiment. Ihr müßt herkommen und die restlichen Dinge wegräumen, die in den Umzugslaster müssen. Ende.«

Er warf die Funkausrüstung mit einer müden Bewegung von sich und sah auf die Uhr. Nein, heute abend würde er nicht mehr nach Stockholm fliegen können. Nach schwedischer Zeit war es halb zehn. Jetzt ungefähr flog die letzte mögliche Maschine von Heathrow.

Sir Geoffrey rannte in die Wohnung und stürzte zu der toten Frau, in die er beinahe hineingestolpert wäre. Dann starrte er Carl verwirrt an. Im Hintergrund begannen die SAS-Leute bereits in der Wohnung aufzuräumen. Für das Bild im großen Wohnzimmer hatten sie nur einen flüchtigen Blick.

»Was um Himmels willen hast du gemacht, Carl?« keuchte Sir Geoffrey.

»Setz dich, Geoff, dann werde ich es dir erklären«, erwiderte Carl und zeigte auf den Sessel, aus dem Luigi an diesem Abend schon dreimal aufgestanden war.

»Well«, sagte Sir Geoffrey und holte tief Luft. »Gestern hast du mich gefragt, ob ich den Verstand verloren hätte. Möglicherweise ist jetzt die Zeit, dir diese Frage zu stellen. Hast du … nein, das kann ich nicht glauben … aber hast du …?«

Die Worte blieben Sir Geoffrey im Hals stecken.

»Nein«, entgegnete Carl kalt. »Ich habe mich nicht mit der Dame verlustiert, falls du das glauben solltest. Ich bin nämlich kein Engländer. Was du vor dir siehst, ist folgendes. Diese Frau ist bei einem Geschlechtsakt gestorben, der zu weit gegangen ist, möglicherweise stand ihr Partner unter dem Einfluß bestimmter narkotischer Präparate. Sie hat Sperma im Körper, denn sie hat einen Beischlaf hinter sich. Ihr Liebhaber, vermutlich Mr. Tony Gianelli, ist in Panik geflüchtet. Am Montag wird die Polizei in seiner Wohnung in South Kensington eine Hausdurchsuchung vornehmen und sie in dem Zustand finden, in dem er sie heute zurückgelassen hat, inklusive seines Passes. Von Mr. Tony Gianelli wird niemand mehr etwas hören. Der wirkliche Tony Gianelli liegt übrigens in einem Krankenhaus in Kalifornien im Koma. Er kann es also nicht gewesen sein. Kannst du noch folgen?«

»Ja, das ist vielleicht ein Ding«, schnaufte Sir Geoffrey, riß sein weißes Taschentuch aus der Brusttasche und betupfte sich das Gesicht. »Wir werden es wohl schaffen, es glaubhaft aussehen zu lassen. Tony Gianelli ist schließlich der offizielle Scheidungsgrund. Wann soll man sie finden? Was meinst du?«

»Morgen. Du kannst ja mit deinem guten Freund sprechen, dem Wohnungsinhaber Sir Anthony Harding. Ich nehme an, daß du ihn gebeten hast, sich eine Zeitlang aus dem Staub zu machen?«

»Selbstredend. Also *er* soll sie finden. Warum gerade er? Das ist so schrecklich peinlich, du weißt schon.«

»Weil es passend wäre, wenn man sie morgen findet, am Tag *vor* der sensationellen Enthüllung in *News of the World.* Diese Layouts sollte man übrigens nicht in der Wohnung finden, ich meine, nicht in der jetzigen Version mit deinen und meinen Fingerabdrücken darauf.«

»Um Gottes willen«, stöhnte Sir Geoffrey. »Aber warum muß gerade Anthony …?

»Wer sonst sollte an einem Sonnabend hier etwas zu tun haben? Eine Putzfrau vielleicht? Sir Anthony, bei dem wir wohl voraussetzen dürfen, daß er ein über jeden Verdacht erhabener Bürger ist, könnte vielleicht eine Putzfrau anrufen und sie bitten, die Wohnung aufzuräumen und sauber zu machen, da er am Sonntag Gäste erwartet, etwas in der Richtung.«

»Das ist eine glänzende Idee! Dann bleibt ihm sozusagen erspart … ja, du verstehst schon?«

»Eben«, sagte Carl müde. Er räumte die Gegenstände aus Tatjana Simonescus Handtasche so ein, wie sie wahrscheinlich darin gelegen hatten. Dann warf er die Tasche auf den Fußboden, und breitete die Arme aus.

»Fertig? Wollen wir gehen?« fragte er.

»Eins mußt du mir noch sagen«, sagte Sir Geoffrey gequält. »Warum?«

»Sehr einfach«, sagte Carl düster. »Als du vorhin reinkamst, hast du mich mit meinem Namen angeredet. Sie wußte, wer ich bin. Wenn sie lebend wieder zu *Zentral* in Moskau zurückgekehrt wäre, hätte unsere Quelle sterben müssen. Unter diesen Umständen war es für mich eine einfache Wahl. Können wir jetzt gehen?«

Sie gingen zur Tür. Carl sah sich nicht noch einmal um. Sir Geoffrey konnte jedoch den Impuls nicht bekämpfen, sich umzudrehen und die tote Frau ein letztes Mal zu betrachten.

Langsam und leise gingen sie die Treppen hinunter. Es regnete immer noch. Sir Geoffrey spannte den Regenschirm für den kurzen Weg auf, als wäre es eine genetisch bedingte Reflexhandlung. Sie gelangten in die Wohnung, ohne gesehen zu werden. Die SAS-Leute waren gerade dabei, die Räume mit großer Geschwindigkeit wieder in den Urzustand zurückzuversetzen. Es waren nur noch wenige Männer da.

Carl trat an das Fenster, an dem die letzten optischen Instrumente gerade abmontiert wurden. Luigi stand da und starrte auf die zugezogenen Vorhänge auf der anderen Seite. Als Carl sich neben ihn stellte, sahen sie, wie der Umzugslaster unten auf der Straße knirschend im ersten Gang losfuhr und dann in gemächlichem Tempo verschwand.

»Ist sie jetzt tot? Ist sie wirklich tot?« fragte Luigi leise und tonlos.

Carl fand nicht die Zeit zu antworten. Leutnant Sykes-Johnson kam ihm zuvor.

»Sir!« brüllte er. »Sonderabteilung Beta des SAS macht sich jetzt bereit abzuziehen, Sir!«

»Es ist gut, Leutnant, rührt euch!« befahl Carl ernst.

»Vielen Dank, Sir. Es ist ein Vergnügen gewesen, mit so kompetenten Kollegen zusammenzuarbeiten. Ich hoffe, wir haben irgendwann Gelegenheit, es zu wiederholen, wenn ich so aufdringlich sein darf, Sir!«

»Das hoffe ich auch, Leutnant«, erwiderte Carl in einer Lautstärke, die beträchtlich über seiner normalen lag. »Es ist mir eine Ehre gewesen, den berühmten SAS kennenzulernen. Weidmannsheil, Leutnant!«

»Danke, Sir!« brüllte Leutnant Sykes-Johnson, stampfte ein paarmal mit den Füßen auf, machte eine Kehrtwendung und verschwand.

Carl und Luigi sahen ihm verblüfft nach.

»Merkwürdige Menschen«, überlegte Luigi laut.

»Ja«, sagte Carl, »aus denen werden wir wohl nie richtig schlau werden. Hast du dein Handy noch bei dir?«

Luigi nickte und reichte ihm das Telefon. Carl wählte eine Nummer und wartete.

»Hallo, mein Liebling«, sagte er, als abgenommen wurde. »Ich wollte dir nur sagen, daß alles glatter gegangen ist, als wir glaubten. Morgen kommen wir nach Hause. Einen Augenblick, du kannst auch schnell mit Luigi sprechen.«

Carl reichte Luigi das Handy. Dieser sah sehr gequält aus, als er das Gerät annahm. Er erkundigte sich kurz nach dem Wohlbefinden Tessies und des Kindes und versicherte, es sei schön, wieder nach Hause zu kommen, da es in London ohnehin nur regne. Als er das Gespräch beendet hatte, warf er das Handy in die Fensternische.

»Ist sie jetzt tot?« fragte Luigi erneut.

»Ja«, sagte Carl. »Sie ist tot. Andererseits ist sie vielleicht unsterblich, du weißt schon. Sie hat dich jedenfalls grüßen lassen.«

EPILOG

Selbst als völlig isoliertes Ereignis hätte Lady Carmens Tod in der britischen Skandalpresse für erhebliche Aufregung gesorgt und zahllose Berichte und Kommentare provoziert. Mit ihr war ein weiteres Mitglied des britischen Establishments bei der Ausübung bizarrer Sexualpraktiken gestorben. Am meisten kitzelte natürlich die Frage, wer der unglückliche Liebhaber gewesen war. Da der Erste Seelord Buck schon am Tag nach Lady Carmens Tod in *News of the World* als ihr Liebhaber präsentiert wurde, wurde sofort auf ihn gezeigt. Er leugnete sowohl bei Vernehmungen durch New Scotland Yard als auch in den Medien, hatte jedoch bedeutende Schwierigkeiten zu erklären, wo er sich zu dem Zeitpunkt ihres Todes aufgehalten hatte. Selbstverständlich mußte er bei der Royal Navy seinen Abschied nehmen. Seine Karriere war damit beendet. Später wurde er von jedem Verdacht reingewaschen, da ein DNA-Test erwies, daß er nicht Lady Carmens letzter Liebhaber gewesen sein konnte. Die Blutgruppe stimmte nicht.

Der nächste, der in Verdacht geriet, erwies sich in publizitätsmäßiger Hinsicht als beinahe ebenso interessant wie der soeben zurückgetretene Chef der Marine. Beamte von Scotland Yard klopften in dem Haus, in dem Lady Carmen gestorben war, an alle Wohnungstüren. Diese Befragung ergab, daß Sir Humphrey Montaque, Staatssekretär im Verteidigungsministerium, gegen 22.00 Uhr des entsprechenden Abends lange an Lady Carmens Tür geläutet hatte. Den Nachbarn, die ihn vor der Tür gesehen hatten, hatte er gesagt, in einer eiligen Angelegenheit Lady Carmens Mann zu suchen.

Er sah sich genötigt, diese Erklärung bei einer polizeilichen Vernehmung zurückzunehmen, da ihm nachweislich bekannt gewesen war, daß Sir Anthony sich zu der fraglichen Zeit in seiner Residenz in Oxfordshire aufhielt; die beiden hatten nämlich am Nachmittag desselben Tages miteinander telefoniert.

Derart bedrängt gab er schließlich zu, von Lady Carmen zu einem späten Souper eingeladen worden zu sein, um ihr mit persönlichen Ratschlägen bei ihrem Scheidungsproblem zur Seite zu stehen. Diese Erklärung sickerte aus den Polizeivernehmungen durch und löste in der Presse beträchtliche Heiterkeit aus. Die allgemeine und spöttisch variierte Meinung auf den Titelseiten lautete, Lady Carmen sei mit Sicherheit durchaus fähig gewesen, ihre Probleme mit Männern zu lösen, ohne sich auf Sir Humphreys in dieser Hinsicht undokumentiertes Fachwissen verlassen zu müssen.

Bei New Scotland Yard wurde Sir Humphrey jedoch in einem wesentlichen Punkt Glauben geschenkt. Dort akzeptierte man seine Behauptung, er sei nicht in die Wohnung eingelassen worden und habe folglich mit Lady Carmen weder ein Souper noch sonst etwas genießen können. Das potentielle Souper stand nämlich unangerührt im Kühlschrank und, was noch bedeutsamer war, Sir Humphreys Blutgruppe stimmte ebenfalls nicht mit der des unglücklichen sexuellen Experimentators überein, der Lady Carmen als letzter lebend gesehen hatte.

Erst nach vier Tagen heftiger und entzückter Turbulenzen in den britischen Medien hatte sich die Polizei zu dem Verdacht vorgearbeitet, der Mann, der Lady Carmen zu Tode geliebt haben könnte, sei der, den Sir Anthony selbst als Ursache ihrer Untreue und damit Scheidungsgrund genannt hatte, ein junger amerikanischer Computerexperte bei Marconi Naval Systems namens Tony Gianelli.

Mr. Gianelli war jedoch verschwunden. Er war am Montag nicht zur Arbeit erschienen, hatte sich nicht krank gemeldet, und auch sonst hatte niemand mehr von ihm gehört.

Als die Polizei seine Wohnung in der Sydney Street in South Kensington einer Hausdurchsuchung unterzog, wurde nichts gefunden, was sein Verschwinden hätte erklären können. Sämtliche Habseligkeiten waren noch da, persönliche Dinge wie Familienfotos und Briefe von den Eltern in Kalifornien sowie sein Paß und eine recht große Menge Bargeld.

Tony Gianelli hatte sich in Panik aus dem Staub gemacht, nachdem er versehentlich zu Lady Carmens Tod beigetragen hatte. Vielleicht hatte er sogar Selbstmord begangen. Jedenfalls schien er nicht in seine Wohnung zurückgekehrt zu sein.

Etwas später ließ sich gerichtsmedizinisch bestätigen, daß dieser auf rätselhafte Weise verschwundene Amerikaner tatsächlich den tödlichen Liebesakt mit Lady Carmen vollzogen hatte. Erstens ließ sich nachweisen, daß es an Lady Carmens letztem Abend auch zu Sex im Bett gekommen zu sein schien. Schamhaare und Spermienproben aus dem Schlafzimmer stimmten mit den Sekret- und Spermienfunden überein, die man im Körper der verstorbenen Frau gefunden hatte. Und der Vergleich mit Proben von Tony Gianellis Bett in der Wohnung in Sydney Street beantwortete schließlich die Frage, wer ihr letzter Liebhaber gewesen war. Fingerabdrücke aus der Wohnung in South Kensington befanden sich überdies an mehreren Stellen in der Wohnung in Mayfair.

Der Gerichtsmediziner, der die Todesursache feststellen sollte, zögerte nicht besonders lange. Er kam zu dem Schluß, daß es sich um einen Unglücksfall handle, ein sexuelles Experiment, das zu weit getrieben worden sei. Der Mann, der daran teilgenommen habe, sei hinter der mit Handschellen gefesselten und in einer Schlinge steckenden Frau so sehr mit seiner eigenen Aktivität beschäftigt gewesen, daß ihm erst zu spät aufgefallen sei, daß sie zumindest das Bewußtsein verloren hatte. Möglicherweise sei er dabei in Panik geraten. Vielleicht habe er nicht erkannt, daß es noch immer möglich gewesen wäre, sie zu retten. Der Zustand der Leiche habe jedenfalls ergeben, daß dic Frau recht langsam erstickt sei. Der Vorgang habe sich offenbar sehr in die Länge gezogen. Die Würgemale an ihrem Hals zeigten überdies, daß die Schlinge mehrmals dort angelegt worden sei, vermutlich bei einigen Varianten des Geschlechtsakts.

Folglich sei nicht Mord als Todesursache zu nennen. Es liege ein Unglücksfall vor wie bei vielen anderen ähnlichen Fällen.

Damit war die Jagd nach dem unglücklichen Tony Gianelli für die Polizei nicht mehr sonderlich dringlich. Man fahndete zwar nach ihm und nahm auch mit amerikanischen Behörden Verbindung auf. Als man dann endlich einen runden Monat später bei New Scotland Yard von der Polizei in Kalifornien erfuhr, daß Tony Gianelli nach einem Autounfall seit mehr als einem Jahr im Koma lag, kam man in London zunächst nur zu dem Schluß, daß eine Verwechslung vorliegen müsse.

Weiter gedieh die Polizeiarbeit jedoch nicht, da von den obersten Gesellschaftsschichten diskreter Druck ausgeübt wurde. Man ließ durchblicken, weitere Nachforschungen in der Sache Tony Gianelli seien unerwünscht. Zu dieser Zeit hatten zudem bereits neue Sex-Skandale des britischen Establishments das Interesse der Medien auf sich gezogen.

*

Als Jassir Arafat später in diesem Herbst als offizieller Gast des schwedischen Ministerpräsidenten in Stockholm eintraf, wurde Carl, zunächst zu seinem Erstaunen und dann zu seiner Schadenfreude, erneut zu den Fahnen gerufen.

Er war unbestreitbar der einzige Schwede, dem je die Palästinensische Ehrenlegion verliehen worden war. Das führte zu der ebenso logischen wie ironischen Konsequenz, daß Carl ausdrücklich angewiesen wurde, vor der Begegnung mit Jassir Arafat diese Auszeichnung anzulegen.

Um die Frage, wie verschiedene Auszeichnungen an einer Uniform anzubringen seien, hat sich eine ganze Wissenschaft etabliert. Es gibt so etwas wie eine internationale Übereinkunft über die Rangfolge.

Die Hauptregel lautet, daß die Auszeichnungen des eigenen Landes »dem Herzen am nächsten« anzubringen sind, eine Vorschrift, der Carl sich natürlich immer gefügt hatte. Doch als der Zufall es jetzt wollte, daß Carl an seiner Uniform drei volle Reihen sogenannter Ordensspangen trug, mußte er wieder von vorn anfangen. Die korrekte Möglichkeit wäre wohl gewesen, die schwarz-weiß-rot-grünen Farbmarkierungen direkt unter den übrigen drei Reihen anzubringen. Doch Carl plazierte die palästinensische Ordensspange gleichsam aus Versehen falsch, wenn auch nur um einige Zentimeter, so daß sie »dem Herzen am nächsten« saß.

Als Carl beim Ministerpräsidenten zu dem ersten Treffen mit Jassir Arafat in Rosenbad eintraf, konnte er feststellen, daß der Ministerpräsident die kindische Demonstration entdeckte. Zumindest für einen kurzen Augenblick sah es aus, als wollte der Regierungschef darauf hinweisen, wie unpassend dieses Vorgehen sei, doch dann schien er es sich anders zu überlegen. Carl ließ die Chance nicht ungenutzt verstreichen, Salz in diese kleine Wunde zu streuen, beugte sich vor und sagte mit einem Theaterflüstern: »Was habe ich gesagt? Daß du Jassir Arafat eines Tages als Ehrengast wirst empfangen müssen. Und sagtest du nicht, *that would be the day?*«

»Möglich. *This is the day,* wie es scheint«, murmelte der Ministerpräsident zurück.

Die Frage der Neubesetzung der Chefposition an der Küstenjägerschule oder vielmehr beim Amphibien-Bataillon von KA 1 draußen in Vaxholm wurde beim Generalstab erst nach längerer Zeit und vielleicht nicht mit der Begeisterung gelöst, die man zunächst erwartet hatte.

Der amtierende Chef, ein gewisser Oberstleutnant Håkan Syréhn, wurde zum Regimentskommandeur des gesamten KA 1 befördert, so daß der Posten des Chefs des Amphibien-Bataillons vakant wurde. Diese Vakanz wurde mit dem frischernannten Oberstleutnant Åke Stålhandske besetzt.

Auch ohne eine erfolgreich durchgeführte Operation Blue Bird im Rücken gelang es, den Propagandawert der Ernennung recht gut zu nutzen, da Carl Hamilton bei der Amtseinführung des neuen Chefs anwesend war. Folglich waren auch die Teams sämtlicher Nachrichtensendungen des Fernsehens anwesend. Die bemerkenswert dekorierten Uniformen der beiden Marineoffiziere machten sich im Farbfernsehen außerordentlich gut.

Carl »präsentierte« Åke Stålhandske auf amerikanische Manier vor dem angetretenen Amphibien-Bataillon. Er tat es kurz und kernig, bemerkte, er habe jetzt einen seiner engsten Mitarbeiter verloren, doch dafür erhielten die Küstenjäger einen der Ihren zurück, einen der besten Männer, die es je gegeben habe. Dazu könne man der Einheit nur gratulieren.

Anschließend hielt Åke Stålhandske eine ebenso kernige Ansprache. Sie war so kurz, daß sie – wie vermutlich beabsichtigt – in den Nachrichtensendungen der Fernsehkanäle vollständig ausgestrahlt werden konnte:

»Männer!

Ich bin verdammt froh, wieder hier zu sein. Aber laßt mich sofort sagen, was wir von heute an ändern werden. Erstens werden wir noch besser werden. Zweitens reden wir einander nicht mehr mit Sie, sondern mit du an, wenn die Anrede nicht mit militärischem Dienstgrad erfolgt. Drittens soll unser Symbol, der Dreizack, wie früher an der Baskenmütze getragen werden und nirgendwo sonst. Viertens, der wichtigste Punkt. Wer von heute an auch nur die kleinste Andeutung von rassistischem Verhalten an den Tag legt, fliegt auf der Stelle raus. Dies gilt auch für Offiziere und Ausbilder. Bei Bedarf werde ich mich persönlich um den Rausschmiß kümmern. Falls jemand sich fragt, weshalb, ist die Antwort einfach. Ihr Jungs seid die besten des Landes. Wir wollen zeigen, daß wir diesen Ruf verdient haben. Ihr sollt euch nicht damit begnügen, nur die Besten zu sein. Wir werden jetzt nämlich daran arbeiten, euch noch besser zu machen. Das war vorerst alles!«

*

Für Carl war das Maß der Trauer noch nicht voll. In schneller Folge erreichten ihn zwei Nachrichten, über die er nie mehr hinwegkam.

Oberstleutnant Mouna Husseini, früher bei der bewaffneten Sektion des palästinensischen Nachrichtendienstes tätig, zweimal Carls Kampfgefährtin, wurde vor einem Krankenhaus in Tunis ermordet. Ihr Wagen wurde in dem Augenblick in die Luft gesprengt, in dem sie den Zündschlüssel drehte.

Es ließ sich nie ermitteln, wer hinter dem Attentat stand; es kamen viele Hintermänner in Frage. Hingegen stand eindeutig fest, daß die direkte Ursache ihres Todes ihre öffentliche Bekanntheit war. Jassir Arafats Propagandaveranstaltung, bei der er Palästinensische Ehrenlegionen verteilt hatte, hatte ihr Inkognito zerstört. Damit war sie zu einer möglichen Zielscheibe für Attentate geworden. Sie selbst hatte es schon vom ersten Tag an gewußt. Sie hatte das Gefühl, für das Friedensabkommen zwischen Israel und der PLO geopfert worden zu sein.

Carls palästinensische Ehrenlegion war mit dem Blut einer guten Freundin besudelt worden, und auf bizarre Weise wiederholte sich das mit einer weiteren offiziellen Auszeichnung, auf die Carl liebend gern verzichtet hätte.

Sir Geoffrey vertrat in dieser Hinsicht jedoch die genau entgegengesetzte Auffassung. Er war beim Dienst Ihrer Majestät der Held des Tages; zumindest im Travellers' Club wußte jeder, daß Sir Geoffrey ein Sieg eines Formats gelungen war, mit dem Großbritannien nicht sonderlich verwöhnt war – vor allem nicht nach der langen Reihe von Niederlagen gegen die Russen.

Er konspirierte eine Zeitlang mit einflußreichen Freunden, um zu erkunden, auf welchem offiziellen Weg er die Anerkennung Ihrer Majestät für Tapferkeit im Feld entgegennehmen konnte. Eine Weile glaubte er sogar an das Victoria-Kreuz. Doch diese Hoffnung erwies sich als Sackgasse in einem Gestrüpp von Vorschriften, die sich zu Ungunsten Sir Geoffreys hätten auswirken können. Schließlich war ein ausländischer Offizier operativer Chef des entscheidenden Einsatzes gewesen. Einem Ausländer war das Victoria-Kreuz noch nie zuerkannt worden. Vor allem aber war die begehrteste Medaille Großbritanniens ausdrücklich für Kampfeinsätze vorgesehen. Schlimmstenfalls hätte dieses Vorhaben damit enden können, daß die beiden Schweden das Victoria-Kreuz erhielten und Sir Geoffrey nicht.

Neue Sondierungen und Beratungen führten zu einer günstigeren Lösung von Sir Geoffreys Problem. Ergebnis war die zweitbeste Medaille, ein Distinguished Service Order. Wer damit ausgezeichnet worden ist, darf die Abkürzung DSO lebenslang hinter dem Namen tragen.

Nachdem die Angelegenheit ausgekungelt worden war, erhielten Sir Geoffrey und Carl den DSO, während für Luigi etwas anderes gefunden werden mußte. Sein militärischer Dienstgrad war zu niedrig für diese Ehrung. Er erhielt das MC, das Military Cross.

An und für sich war das keine Katastrophe. Im Gegenteil, man konnte sich auch dafür entscheiden, das Ereignis mit Humor zu nehmen, wie Carl es anfänglich tat. Er schüttelte mitleidig den Kopf, als ein vor Stolz geradezu platzender Sir Geoffrey anrief, um ihm den großen Triumph mitzuteilen. Oder man konnte die Nachricht einfach nur mit Stolz entgegennehmen, wie Luigi es tat. Jedenfalls war es keine große Sache, wie Amerikaner gesagt hätten, Briten aber kaum.

Sir Geoffrey hätte mit seinem Sinn für Untertreibungen hinzufügen können, daß da nur noch eine Kleinigkeit sei.

Seine Eitelkeit verbot ihm, dafür zu sorgen, daß er und Carl den Dinstinguished Service Order unter Ausschluß der Öffentlichkeit erhielten. Es war üblich, daß eine solche Meldung veröffentlicht wurde. In diesem Punkt war Sir Geoffrey sehr korrekt und förmlich. Da die Verleihung des DSO normalerweise publiziert werde, müsse es auch jetzt geschehen.

In Schweden erregte es nur mäßiges Aufsehen, daß Admiral Carl Hamilton jetzt aus unbekanntem Anlaß eine englische Auszeichnung erhalten hatte. Schließlich ließ sich nicht einmal über den Grund spekulieren.

In Moskau dagegen konnte man das sehr wohl. Der militärische Nachrichtendienst der Russen hatte in London immerhin eine umfassende Niederlage erlitten, die wie ein Blitz aus heiterem Himmel gekommen war. Eine ganze Gruppe von Spezialisten war mit einem einzigen Schlag ausgelöscht worden. Die Chefin des Trupps war die einzige, die nicht einfach spurlos verschwunden, sondern in einer widerlich erniedrigenden Stellung aufgefunden worden war.

Bei *Zentral* ging man zunächst davon aus, daß die Niederlage irgendwie mit den Scheidungsproblemen der Gruppenchefin zu tun haben mußte. Vielleicht war sie aus ganz trivialen Gründen beschattet worden, die nur mit ihrer Untreue in Zusammenhang standen. Somit wären die Briten durch pures Glück über etwas bedeutend Wichtigeres gestolpert als Major Simonescus Affären mit verschiedenen Männern. Dann wäre die Operation aus reinem Zufall enthüllt worden. Derlei geschieht ständig. Die unbekannte Geschichte der Spionage ist voller katastrophaler Zufälle, ebenso die bekannte. Damit hätte man die Sache auf sich beruhen lassen können.

Doch als die Briten bekanntgaben, der Chef der britischen *raswedka*, MI 6, habe die zweithöchste Auszeichnung des Landes für Militärs erhalten, und zwar *gleichzeitig* mit einem bestimmten schwedischen Kollegen, fiel es den Russen nicht schwer, zwei und zwei zusammenzuzählen.

Carl erfuhr es durch eine Notiz in der russischen Militärzeitschrift *Krasnaja Swesda*. In der restlichen Welt wurde die Nachricht nicht veröffentlicht. Schließlich wußte niemand etwas über den Hintergrund:

Jurij Tschiwartschew, einer der drei höchsten Männer des militärischen Nachrichtendienstes in Rußland und persönlicher Freund des schwedischen Kollegen Carl Hamilton, wurde vor ein Kriegsgericht gestellt. Die Anklage lautete selbstverständlich auf

Landesverrat. Wer dessen schuldig befunden wurde, was bei Jurij Tschiwartschew der Fall war, wurde ebenso selbstverständlich mit dem Tode bestraft.

Mein besonderer Dank gilt:

Malcolm Allcock, Clubsekretär, The Travellers' Club, London
Peter Buckman, Schriftsteller, Little Tew, Oxfordshire
Rosemary Buckman, Literaturagentin, Little Tew, Oxfordshire
Johan Bylund, Major, Armee-Flugbataillon, Boden
Sylvia Dennergren, Britische Botschaft Stockholm
Walerij Petrowitsch Dimow, Jäger, Ust Koksa
Gösta Eriksson, Major, Armee-Flugbataillon, Boden
Angus Hamilton, Herzog, Lennoxlove
Alexander Heald, Student, Oxford
Küstenjägerschule KA 1, Vaxholm
Jewgenij V. Kuznezow, Unternehmensberater, Barnaul
David Leigh, Journalist, London
Lars Olof Lundberg, Schwedische Botschaft London
Roddy Martin, Schriftsteller, Edinburgh
Oleg Sergejewitsch Tolkunow, Studienreferendar, Barnaul
Alexander Gennadjewitsch Zarjow, Jäger, Ust Koksa
Jane Turnbull, Literaturagentin, London